C000185553

ISBN 978-0-260-44475-2
PIBN 10559020

Abhandlungen

zur

eologischen Specialkarte

von

Preussen

und

den Thüringischen Staaten.

BAND III.

Heft I.

BERLIN.

Verlag der Neumann'schen Kartenhandlung.

1879.

Abhandlungen

zur

geologischen Specialkarte

von

Preussen

und

den Thüringischen Staaten.

———

BAND III.
Heft 1.

BERLIN.

Verlag der Neumann'schen Kartenhandlung.

1879.

Beiträge zur fossilen Flora.

II.

Die Flora

des

Rothliegenden von Wünschendorf

bei Lauban in Schlesien.

Von

Ch. E. Weiss,

Dr. ph., Prof., Königl. Landesgeolog und Docent an der Bergakademie
zu Berlin.

Mit 3 lithographirten Tafeln.

BERLIN.

Verlag der Neumann'schen Kartenhandlung.

1879.

Einleitung.

Die geologische Karte des niederschlesischen Gebirges von BEYRICH, ROSE, ROTH und RUNGE zeigt auf der Nordseite des Riesengebirges einen etwa 1200 Ruthen breiten Streifen von Rothliegendem auf Thonschiefer, welcher sich in nordwestlicher Richtung durch das Boberthal nach dem Queis zwischen Lauban und Naumburg erstreckt. Dieses Rothliegende, übrigens vielfach von diluvialen Ablagerungen bedeckt, ist auf der Karte keiner Gliederung unterzogen worden; es fällt aber in dasselbe z. B. der berühmte Fundpunkt Kl.-Neundorf für Acanthodes etc., zwischen Lauban und Löwenberg gelegen. Die Kl.-Neundorfer Fisch- und Pflanzenführenden Schiefer treten nahe der Thonschiefergrenze auf und gehören wohl den unteren Schichten des dortigen Rotbliegenden an. Der ganze Streifen Rothliegendes erstreckt sich mit einer durch Kreidebedeckung hervorgerufenen Unterbrechung bis zum Queis zwischen Logau und Schlesisch-Haugsdorf. Aber auch den Queis überschreitet noch die Formation, wenngleich am linken Ufer desselben nur einzelne Punkte an der Oberfläche das Fortsetzen der rothliegenden Schichten erkennen lassen, und tritt damit in die Lausitz ein. Aufgeführt sind die Punkte schon zum grösseren Theil in den Erläuterungen zur schlesischen Karte von J. ROTH (1867) S. 260, auf der Karte selbst aber ist nur ein Punkt am Thalgehänge bei Haugsdorf verzeichnet. Schon von GLOCKER, dann von KLOCKE und KUNTH werden solche Stellen erwähnt, wie R. PECK (im 15. Bande der Abhandl. d. naturforsch. Gesellsch. zu Görlitz S. 13) berichtet, und in einem kleinen geognostischen Uebersichtsblatt des

Görlitzer Kreises von LEEDER wurden die Stellen ungefähr richtig eingetragen.

Das meiste Interesse aber von diesen vereinzelten Punkten bietet eine Stelle zwischen Wünschendorf und Katholisch-Hennersdorf, ½ Meile nördlich von Lauban, an der Bergner'schen Ziegelei, wo zahlreiche organische Reste gesammelt worden sind, deren zuerst Erwähnung gethan wurde von F. RÖMER im 50. Jahresber. der schlesisch. Gesellsch. für vaterländische Cultur, 1872, S. 40 und über welche Dr. R. PECK (a. a. O. S. 14) Folgendes schreibt:

„Schon im Jahre 1870 waren dem Verfasser dieser Mittheilungen zur chemischen Untersuchung hellgraubraune sehr verwitterte Schiefer ohne nähere Bezeichnung des Fundorts zugegangen, deren reicher Gehalt an bituminösen Stoffen wohl eine technische Verwerthung möglich erscheinen liess. Der Einsender wurde darauf aufmerksam gemacht und um Einsendung von frischem Material ersucht. Erst ein Jahr später erhielt Verfasser eine grössere Sendung dieser Schiefer und während die zuerst erhaltenen nichts enthielten, aus dem man auf das geologische Alter hätte schliessen können, zeigten diese Concretionen, in welchen Koprolithen nicht zu verkennen waren und solchen angehörende Hohlräume, mit Buntkupfererz ausgekleidet. Es lag nun nahe, in diesen Schiefern solche der Permischen Formation zu vermuthen und zwar um so mehr, als der nunmehr bekannt gewordene Fundort in der Streichungslinie der Klein-Neundorfer Brandschiefer lag.

„Eine bald darauf nach dem Fundorte unternommene Excursion ergab nun, dass diese Schiefer am Rande einer Thongrube, die einer in der Nähe befindlichen Ziegelei das Material lieferte, anstanden. Sie waren nur an wenigen Stellen aufgedeckt und frei gelegt, doch gelang es in kurzer Zeit, in denselben Flossenstacheln von *Acanthodes gracilis* F. Röm., Bruchstücke von *Palaeoniscus* und Wedelfragmente von *Cyathocarpus arborescens* Schloth. sp. aufzufinden. Auf den Schichtenköpfen der fast senkrecht aufgerichteten Schiefer fanden sich in der Nähe des die Grube ausfüllenden Wassers Ausblühungen von schwefelsaurem Kupferoxyd und die zum Spalten der Schiefer benutzten Messer und Hammer hatten in kurzer Zeit einen dünnen Ueberzug von metallischem Kupfer erhalten.

„Nachdem nun auch durch die palaontologischen Funde das Alter der Schiefer erkannt und dem Besitzer des Grundstückes als Brandschiefer des unteren Rothliegenden bestimmt worden waren, glaubte derselbe, wie das schon an vielen Orten geschehen ist, nun auch sicher unter dieser Ablagerung auf Steinkohlen zu stossen und beschloss den bergmännischen Abbau, obwohl der Verfasser ihn warnte, sich der trügerischen Hoffnung auf Steinkohlen hin_zugeben, sondern vielmehr das Hauptgewicht auf den reichen Ge_halt an bituminösen Stoffen, dann aber auch auf das Kupfer als werthvolles Nebenprodukt legte. Es wurde mit dem Abteufen eines Schachtes vorgegangen, der nach mehrmonatlicher Arbeit eine Tiefe von 22 Meter erreicht hatte, jedoch wurde, nachdem noch ein Querschlag von 6 Meter Länge getrieben worden war, die Arbeit plötzlich eingestellt, noch bevor der Verfasser im Stande gewesen war, die Lagerungsverhältnisse genau festzustellen. Der mehrmalige Besuch der Lokalität, die Beobachtungen des Gymnasiallehrers Dr. Peck in Lauban und die Angaben des Besitzers, Maurermeister Bergner in Lauban, machen es möglich, wenigstens Folgendes darüber mitzutheilen.

„Wie schon oben erwähnt, sind die Brandschiefer im Aus-gehenden fast senkrecht aufgerichtet, in der Tiefe fielen sie mit 45° nach N. ein, das Streichen war SO. nach NW. Es wurden im Ganzen 8 Brandschieferflötze von einer durchschnittlichen Mäch-tigkeit von 1 Meter durchteuft, die durch glimmerreiche, thonige und thonig-sandige, roth und grünlichgrau gefärbte Schichten von etwas geringerer Mächtigkeit getrennt sind. Ausserdem fanden sich nierenförmige Einlagerungen von Dolomit und von ausser-ordentlich dünn geschichteten, an kohlensaurem Eisen- und Mangan-oxydul reichen Sedimenten. Conglomerate wurden von uns nicht beobachtet. Die Brandschiefer sind je nach den Flötzen sehr ver-schieden, die mittleren sind reich an Kupferkies und an Kopro-lithen, welche letztere ebenfalls zum Theil von Kupferkies über- und durchzogen, sonst im Innern von hellbrauner Farbe und muscheligem Bruch sind und zum grossen Theil aus phosphorsaurem Kalk (eine Analyse ergab 64.5 pCt.) bestehen; in einigen fand sich auch Bleiglanz in schwachen Schnüren. Diese kupferhaltigen

Brandschiefer haben im Aeusseren wohl einige Aehnlichkeit mit den uns von Klein-Neundorf vorliegenden Schiefern, sie sind aber mehr schwarz, und viel schwerer in Platten zu spalten, ausserdem unterscheiden sie sich sehr wesentlich durch ihren geringen Gehalt an Kalk, denn in einer untersuchten Probe wurden nur 0.9 pCt. kohlensaurer Kalk gefunden, während die Klein-Neundorfer 41 pCt. enthalten. Die unteren Flötze enthalten kein oder nur Spuren von Kupfer, dagegen viel Schwefelkies und sind reicher an bituminösen flüchtigen Stoffen, so dass sie angezündet mit heller Flamme brennen. Sie haben meist eine braune Farbe, sind weich und lassen sich in die dünnsten Platten spalten. Eine im Laboratorium der natur-forschenden Gesellschaft vorgenommene Destillation ergab 8 pCt. eines dickflüssigen Brandöls, welches bei niedriger Temperatur salbenartige Consistenz annahm."

An einer Thon- und Lehmgrube, 100 Schritt NW. der er-wähnten Bergner'schen Ziegelei, steht gleich unter dem Lehm der Brandschiefer an, welcher in Stunde 7½ — 7¾ streicht und 45⁰ oder mehr nach Norden fällt; zwischen den Brandschiefern ist eine Schieferthonschicht eingelagert. Mehr ist gegenwärtig nicht zu beobachten. Etwas weiter NW. im Gebüsch steht ein alter Schacht und dabei eine Halde mit Brandschiefern, worin man noch jetzt namentlich zahlreiche Estherien, auch Fisch- und Pflanzenreste finden kann.

Diese Stelle befindet sich nicht weit vom Thonschiefer, der ebenfalls zwischen Wünschendorf und Kath.-Hennersdorf ansteht, dagegen in bedeutender Entfernung von den obern Conglomeraten des Rothliegenden und dem Zechstein, wie er noch bei Schlesisch-Haugsdorf zu Tage tritt. Es können daher die Schichten nur wie auch die von Kl.-Neundorf der unteren Abtheilung des Roth-liegenden angehören.

Da neue Arbeiten an dieser Stelle schwerlich wieder aufge-nommen werden, also auch keine Aussicht vorhanden ist, über die hier vorkommenden organischen Reste eine noch vollständigere Kenntniss zu erlangen, als das jetzt vorliegende Material ermög-licht, so dürfte es nicht ohne Werth sein, die an dem vorhandenen Material gemachten Beobachtungen für die Zukunft hier niederzulegen, zumal da sich unter den Stücken einige kritische Arten befinden, welche deren bisherige Kenntniss wesentlich ergänzen, andere, welche leicht verkannt werden können oder neu sind.

Das ganze Material wurde ausschliesslich von den beiden um die geologische Kenntniss der Lausitz, speciell der Umgebungen von Görlitz und Lauban so verdienten Brüdern Dr. R. PECK in Görlitz und dem verstorbenen Gymnasiallehrer Dr. H. PECK in Lauban, sowie Herrn PECHTNER in Görlitz gesammelt, denen auch die Sammlung der geologischen Landesanstalt mehrere Stücke verdankt. Ich selbst habe an Ort und Stelle kaum mehr als Spuren auffinden können. Einige Stücke sind durch GÖPPERT nach Breslau gelangt und jetzt in der Universitätssammlung niedergelegt, deren Benutzung mir durch die Güte des Geh.-Rath F. RÖMER ermöglicht wurde. Ich darf wohl annehmen, dass nichts Wesentliches von allen bisher vorgekommenen und noch auffindbaren Exemplaren mir entgangen ist und spreche den oben genannten Herren für die nur durch sie mir ermöglichte Untersuchung auch an dieser Stelle meinen Dank aus.

Unter den der **Fauna** angehörigen Resten dieser Schichten macht sich besonders Folgendes bemerklich.

Estheria tenella Jord. erfüllt in manchen Lagen grosse Flächen und fingerdicke blättrige Schichten des Brandschiefers dermaassen, dass ein grosser Theil des Gesteines aus den kleinen Schaalen besteht.

Ausserdem sind es Fischreste, welche sich fanden. PECK erwähnte schon *Palaeoniscus* und zwar vielleicht die 3 Arten *vratislaviensis*, *angustus* und *Blainvillei*, jedoch sämmtlich unvollständig und daher fraglich.

Acanthodes, vermuthlich *gracilis*, liefert nicht selten Reste, besonders sind die Flossenstacheln, einzelne Schuppen, der Augenring aufzuführen.

Xenacanthus cf. *Decheni* ist in einem schönen Exemplare mit Kopf, Nackenstachel, dem Rumpf bis über die Bauchflossen hinaus und Rückenflosse vorhanden. Auch die Saugscheibenartigen Flossen (Gein.) sind in einem Stücke gut erhalten.

Die **Flora**, welche hier speciell behandelt werden soll, hat manches Eigenthümliche, wie schon daraus hervorgeht, dass in der kleinen Anzahl von Formen doch mehrere neue Arten aufgestellt werden mussten. Einige der vorgekommenen Arten gehören zu den weniger verbreiteten, wie *Sphenopteris germanica, Sphenopteris Naumanni, Jordania moravica.* Dagegen sind andere, sonst häufige Arten dieser Schichten hier offenbar sehr selten gewesen oder werden gänzlich vermisst, so treten schon die *Calamarien* und grade die *Calamiten* auffallend zurück, *Pecopteris (Cyathocarpus) arborescens* ist kaum vorhanden, *Alethopteris conferta* fehlt ganz. Von den gewöhnlichsten und selten in unterrothliegenden Schichten fehlenden Pflanzen sind *Walchien* die hauptsächlichsten auch hier häufiger vorgekommenen Formen.

Vergleicht man andere Localfloren mit der Wünschendorfer, so sind es besonders sächsische Fundpunkte, welche eine ganz ähnliche Flora aufweisen, wie die von Saalhausen, Reinsdorf, Weissig bei Pillnitz.

Die erste Aufzählung der organischen Reste findet sich in der oben erwähnten Mittheilung von R. Peck im 15. Bde. der Abh. d. naturf. Ges. zu Görlitz, eine neuere wird ausserdem in dem gegenwärtig unter der Presse befindlichen 16. Bde. derselben Abhandlungen erscheinen („Nachträge und Berichtigungen zur Fauna und Flora des Rothliegenden bei Wünschendorf", l. c. S. 1—7).

Calamariae.

An Calamarien hat sich die Fundstelle ungewöhnlich arm gezeigt, wenigstens sind nur wenige hierher gehörige Reste aufgesammelt worden. Am auffälligsten ist dies von der Gattung

Calamites.

Ein grösseres Stück mit groben Rippen, nach PECK (l. c. 15. Bd. S. 17) 15^{cm} lang und 5,5^{cm} breit, mit 13 Rippen zeigt keine Quergliederung. Es ist als *Cal. gigas* Brongn. gedeutet worden, kann aber bei der Unvollständigkeit der Erhaltung nicht specifisch bestimmt werden. Ein zweites kleineres Stück schliesst sich jenem an.

Ausserdem liegt ein 13,5^{cm} langes Bruchstück vor, das breit gedrückt, am einen Ende 14,5, am andern 11^{mm} Breite besitzt und sehr enge flache Riefen zeigt. An einer Stelle ist eine eingedrückte scharfe Querlinie vorhanden, jederseits auf den schmalen Rippen kleine Knötchen tragend, wie an den Enden der Calamitenglieder. Es ist trotzdem nicht ganz sicher, dass hier ein Calamit *(C. leioderma* Gutb.?) vorliegt, weil die Riefen und Rippen auf beiden Seiten der echten oder falschen Internodiallinie genau auf einander passen, was bei Calamiten des Rothliegenden bisher nicht beobachtet wurde. Man kann die Internodiallinie als eine querlaufende Knickung, die Knötchen als durch Druck erzeugte Anschwellungen, das Ganze als eine grobnervige Cordaitesart *(C. Rössleri* Gein?) allenfalls betrachten.

Endlich ist noch zu erwähnen, dass 5,5 cm lange lineale Blättchen, welche bei Wünschendorf vorkamen, als Calamitenblätter angesprochen werden können.

Die erwähnten Reste befinden sich in der Sammlung der naturf. Gesellschaft zu Görlitz.

Asterophyllites.

1. **Asterophyllites radiiformis** Weiss, f. Flora d. Saar-Rheingebietes, 1870, S. 129 Taf. XII Fig. 3. — Eug. Geinitz, Jahrb. f. Min. 1875, Taf. I Fig. 5.

Die zwischen *Asterophyllites spicatus* Gutb. und *Annularia radiata* Brongn. stehende Pflanze, mit flach ausgebreiteten Wirteln, lanzettlichen beiderseits zugespitzten Blättern ohne ringförmige Verwachsung ist schon von E. Geinitz im Brandschiefer von Weissig (l. c.) beobachtet, nun auch von Wünschendorf bekannt. Die letztere nähert sich mehr der Abbildung von E. Geinitz als der von mir.

Die Beblätterung ist etwas gedrängter als bei der von Berschweiler in Birkenfeld, Verzweigung dem rechten Winkel genähert; Blättchen elliptisch-lanzettlich, nicht ganz spitz, daher in der Form der *Annularia sphenophylloides* etwas genähert, etwas grösser am Hauptzweig, 4 mm lang und 1,3 mm breit, an den kleineren Rosetten nur 3 mm lang, einnervig, Nerv deutlich bis zur Spitze. Rosetten flach ausgebreitet, 9 blättrig; Gliederung deutlich mit Knoten, ähnlich wie bei *Annularia*, jedoch fehlt der Ring der Blättchen ganz. Es ist ein kleines Zweigstück mit 2 gegenständigen Aestchen, 3 Rosetten am Hauptzweig, 2 an den Nebenzweigen, Glieder 3—6 mm lang. Sammlung d. naturf. Ges. zu Görlitz.

2. **Asterophyllites cf. spicatus** Gutb., Blättchen lanzettlich, sehr spitz und schmal, bis gegen 5 mm lang. Aehnlich der Abbildung in Weiss, foss. Flora d. Saar-Rheingebietes, Taf. XVIII, Fig. 32, aber grösser. — Hierher gehört wohl auch eine 15 mm lange Aehre. Sammlung d. naturf. Ges. zu Görlitz.

3. Dicht beblätterte Zweige von übrigens ungenügender Erhaltung. in der Görlitzer Sammlung sind für *Asterophyllites elatior* Göpp. gehalten worden und deuten auf das mögliche Vorkommen noch anderer Arten.

Annularia.

. Es ist vielleicht fraglich, ob diese Gattung überhaupt vertreten sei, doch glaubte Dr. PECK unter den Abdrücken auch *Annularia carinata* Gutb. zu erkennen.

Filices.

Sphenopteris.

1. Sphenopteris germanica Weiss. — Taf. I.

Frons tripinnata; pinnae primariae ovato-oblongae, rhachi valida rigida tenuissime longitudinaliter striata; pinnae secundariae ovali- vel oblongo-lanceolatae, obliquae, oppositae; pinnulae alternantes, ovales, obtusae, minores subellipticae vel obovatae, majores plus minusve lobatae vel sinuatae, lobis plerumque abbreviatis et obtusissimis. Pinnulae et lobi terminales obtusi, leniter sinuato-crenati vel obtuse angulati. Pinnulae paullo decurrentes, plerumque usque ad contiguas. Nervi subaequiales, rami 3 e basi infima orientes, trifurcati; nervus medius tenuis, secundarii oblique egredientes semel vel bis furcati, pluries in quoque lobo. Infimae pinnulae externae nervi e rhachi secundaria exeuntes.

Wedel dreifach gefiedert; Fiedern erster Ordnung im Umriss länglich oval, mit kräftiger und etwas steifer, grader, sehr fein längsgestreifter Spindel; Fiedern zweiter Ordnung oval-lanzettlich im Umriss, schief abstehend, gegenständig. Fiederchen wechselständig, oval, stumpf, die kleinern auch fast elliptisch bis verkehrt eiförmig, die grössern buchtig gelappt, Lappen meist sehr kurz und sehr stumpf. Endfiederchen und Endläppen stumpf, schwach buchtig gekerbt oder stumpfeckig. Fiederchen etwas herablaufend und meist mit den nächst tieferen noch durch etwas Blattmasse verbunden, besonders die kleineren. Nerven ziemlich gleich, 3 Hauptzweige tief am Grunde sich abzweigend, 3 mal gabelig; der schwache Mittelnerv mit 1 — 2 fach gabligen schiefen Seitennerven, deren mehrere in jeden Lappen verlaufen. Das unterste äussere Fiederchen von den andern mehr abgesondert, 3 lappig, erhält seine Nerven direct aus der Spindel der Fieder erster Ordnung.

Syn.: *Sphenopteris dichotoma* Gutbier (nec Althaus), Verst. d. Rothlieg. in Sachsen 1849, S. 11 Taf. VIII Fig. 7. — *Hymenophyllites semialatus* Geinitz, Text excl. Figur in: Leitpflanzen d. Rothlieg. 1858, S. 10. — *Sphenopteris germanica* W. in Peck, Abhandl. d. naturf. Ges. zu Görlitz 16. Bd. S. 2. —

Dieser Farn des Rothliegenden wird in der Literatur zuerst von Gutbier (l. c.) 1849 aus Schieferthon von Saalhausen beschrieben und abgebildet und zwar unter dem irrthümlichen Namen *Sphenopteris dichotoma* Althaus, indem er die sächsische Pflanze als ident mit der eben genannten betrachtete, welche Althaus aus dem Kupferschiefer von Riechelsdorf (Palaeontographica Bd. I Taf. IV Fig. 1) publicirt hatte. Die grosse Verschiedenheit beider Pflanzen ist indessen schon von H. B. Geinitz, (Leitpflanzen d. Rothlieg.) 1858 erkannt und sehr richtig hervorgehoben worden und es wurde von ihm an Stelle des obigen der neue Name *Hymenophyllites semialatus* vorgeschlagen, welcher die Pflanze von Saalhausen künftig bezeichnen sollte. Unglücklicher Weise gab aber derselbe Autor zu seiner Diagnose eine Figur (l. c. Taf. I Fig. 4), welche ein Bruchstück einer Varietät von *Alethopteris (Callipteris) conferta* Sternb. sp. (= *Al. conferta* var. *obliqua tenuis* Weiss, foss. Flora d. Saar-Rheingeb., S. 80 Taf. VI Fig. 6—11) darstellt. Die hierdurch entstandene Vereinigung heterogener Formen findet sich auch noch in Geinitz' Dyas 1862, Göppert's Permischer Flora und ist in die Arbeiten anderer Autoren übergegangen, welche nur Bestimmungen nach jenem citiren, ohne eine nähere Beschreibung oder Abbildung hinzuzufügen. Dass hier eine Verwechslung vorlag, habe ich 1869 in meiner citirten foss.

Flora d. jüng. Steink. u. d. Rothlieg. etc. S. 55 nachgewiesen und habe damals durch die gütige Zusendung des Herrn GEINITZ dessen Original selbst vergleichen können. Ich schlug in Folge dessen vor, den Namen *semialata* auf die GUTBIER'sche Art zu übertragen mit Ausschluss der Figur in GEINITZ' Leitpflanzen und es erfreute sich dieser Vorschlag der brieflichen und später der veröffentlichten Zustimmung des verdienten sächsischen Palaeontologen (s. Jahrb. f. Mineral. 1870, S. 375) insofern, als derselbe unter den Synonymen von *Alethopteris conferta* auch „*Hymenophyllites semialatus* Gein. exel. Text" adoptirt. Hiermit könnte die Sache als erledigt angesehen werden, obschon nicht zu verkennen, dass eben der Umstand, dass an der betreffenden Stelle sich Diagnose und Figur von 2 verschiedenen Arten unter demselben Namen zusammengefunden haben, stets auch zukünftig zu Verwechselungen Anlass geben kann, zumal da die Form von *A. conferta*, um welche es sich hier handelt, von Einigen vielleicht für so verschieden von der echten *conferta* erachtet werden möchte, dass sie von ihnen lieber als eigne Art angesehen würde. Herr EUGEN GEINITZ, der Sohn, neigt sich wohl dieser Anschauung zu, da er, auf sein Weissiger Material fussend (s. Jahrb. f. Min. 1873, S. 697), unter *Hym. semialatus* Diagnose und Figur aus GEINITZ' Leitpflanzen wieder ungetrennt zusammenstellt und angiebt, dass ich sie als gelappte Varietät von *Al. conferta* betrachte.

Die freundliche Gefälligkeit des Herrn Hofrath H. B. GEINITZ verschaffte mir die Ansicht einiger Exemplare von Weissig. Dieselben gehören in die Reihe der *Alethopteris conferta*, weichen aber darin von den vielen bekannten Varietäten ab, dass sie nicht blos wie *obliqua* und *tenuis* etwas verlängerte, schiefe und an der Basis ein wenig zusammengezogene Fiederchen besitzen, wodurch diese Formen den sogen. Hymenophylliten ähnlicher werden, sondern auch die Blättchen mehr oder weniger stark gekerbt bis fast gelappt erscheinen, theils nur am Hinterrande mit wenigen Einkerbungen, theils aber auch mehr und zugleich am Vorderrande, wodurch sich die Aehnlichkeit mit Hymenophylliten noch vergrössert. Der unterste Kerbzahn oder Lappen sondert sich oft ein wenig von den andern ab, so dass er wie ein abgerücktes Oehrchen erscheint und so dem

Cyatheites subauriculatus Weiss (foss. Flora d. Saar-Rheingeb. S. 71
Taf. IV Fig. 3) entspricht, den ich in der That zu derselben
Formenreihe glaube ziehen zu müssen.

Dieser *Hymenophyllites semialatus* ist jedoch nicht die GUT-
BIER'sche *Sphenopteris dichotoma,* wie aus der Nervation, den einzeln
an der Hauptspindel herablaufenden Fiederchen der erstern Art u. s. w.
hervorgeht; es ist also in der That jener GEINITZ'sche Name in
neuester Zeit wieder in dem Sinne angewendet, dass „*semialatus*"
der Figur, nicht „*semialatus*" Text, d. h. nicht die GUTBIER'sche
Pflanze gemeint wird. Wollte man diesen Gesichtspunkt festhalten
und die Weissiger Pflanze als Art gelten lassen, so würde „*semialata*" (sei es zu *Callipteris* oder *Alethopteris* oder *Hymenophyllites,*
letzteres übrigens unrichtig, gestellt) bereits als vergeben anzusehen
sein und natürlich für die hier zu besprechende Art ein anderer
Name erforderlich.

Da die Aufstellung einer neuen Speciesbezeichnung von anderer
Seite noch nicht geschehen ist, da man jedoch aus Obigem ersieht,
wie leicht der Name „*semialata*" zu Verwechselungen führen kann,
so schlage ich jetzt für dieselbe den ganz unzweideutigen Namen
Sphenopteris (Hymenoph.) germanica vor, worunter also die von
GUTBIER und H. B. GEINITZ citirte Saalhauser Pflanze und meines
Erachtens der hier zu beschreibende Farn von Wünschendorf bei
Lauban zu verstehen ist.

Nach den vorliegenden Stücken von Wünschendorf ist kein
Zweifel, dass die Pflanze identisch mit jener von GUTBIER als
Sphenopteris dichotoma von Saalhausen beschriebenen ist, mit der
sie in den wesentlichen Punkten übereinstimmt. Die Erhaltung
ist aber an unseren Exemplaren weit besser als an jener von Saalhausen, so dass ich in den Stand gesetzt bin, eine genauere Festsetzung der Charaktere der Art nach dem schlesischen Vorkommen
beizubringen und ihre Kenntniss zu vervollständigen.

Es liegen eine Reihe von Bruchstücken vor, von denen das
grösste und beste in Fig. 1 abgebildet ist. Dasselbe hat mir in
Abdruck und Gegendruck (ersterer in Görlitz, letzterer in der
Universitätssammlung in Breslau) vorgelegen und nach beiden ist
die Figur angefertigt und ergänzt.

Zwei grosse parallel gestellte Fiederstücke dieser Platte (Fig. 1) beweisen, dass der Wedel, welchem sie angehören, 3fach ge- fiedert war; jedoch ist die gemeinsame Hauptspindel nicht erhalten. Die Dimensionen des Bruchstückes lassen auf mindestens $\frac{1}{2}$ m Breite des Wedels schliessen, über seine Länge lässt sich nichts Näheres muthmaassen. Es sind 2 etwa parallele Spindeln der Fiedern erster Ordnung erhalten, fein längsgestreift, an der breitesten Stelle 6 mm breit, stellenweise von sehr dünner schwarzer Kohlenhaut bedeckt, welche oft auch nur in Punkten anhaftet, dadurch ein punktirtes Aussehen hervorrufend. Da man auch an den gänzlich entrindeten Stellen der Spindeln leichte punktförmige Eindrücke wahrnimmt, so ist es möglich, dass die Spindel mit feinen Haaren an diesen Stellen besetzt gewesen ist. Die etwas steifen Spindeln haben einen graden Verlauf und sind kräftig. Von ihr gehen schief ab die einfach gefiederten Fieder zweiter Ordnung, fast gegenständig, in Abständen von etwa 18 mm. Ihre mittlere Spindel ist weit schmaler, auch beiderseits zum grössten Theile geflügelt durch herablaufende Blattmasse, ihr Umriss oval-lanzettlich; die grösste Fieder II. Ordnung übersteigt in Fig. 1 die Länge von 5 cm. Die Fiederchen stehen ziemlich gedrängt, ebenfalls schief ab, die unteren sind mit Annahme des untersten im äussern Winkel gestellten grösser, die obern kleiner, auch mehr zusammenhängend, weniger getrennt und vereinigen sich im Endlappen der Fieder der II. Ordnung. Das nach aussen gestellte unterste Fiederchen (Fig. 1 A) ist etwas verschieden von den übrigen, oft nur 3lappig und auch von den andern mehr abgerückt, so dass es zum Theil direct an der Spindel der Fieder I. Ordnung angewachsen ist, aus welcher direct es auch die Nerven erhält. Die übrigen Fiederchen sind wechselständig, oval, stumpf, am Grunde verschmälert bis keilförmig, einige verkehrt-eiförmig, der Rand buchtig, doch meist seicht gelappt, so dass gewöhnlich 2—3 stumpfe und kurze Lappen auf eine Seite kommen. Bei älteren Fiedern sind jedoch die Einbuchtungen auch tiefer (Fig. 2). Gegen die Spitze hin sind es nur seichte Einkerbungen bis Ausrandungen, die den Rand etwas wellig oder stumpfeckig verlaufend erscheinen lassen (Fig. 1 B). Ganz ebenso verhält es sich mit der Endfieder der Fieder II. Ord-

nung (s. Fig. 1 *A*, 1 *B*, Fig. 3). — Die Blattmasse läuft von der
äussern Seite des Fiederchens an der Spindel herab bis zum nächsten,
welches daher oft nicht ganz vollständig abgetrennt ist. Im obern
Winkel des Fiederchens entsteht dadurch ein ziemlich tiefer scharfer
Einschnitt, der nur an seinem untersten Punkte abgerundet ist;
auf der Aussenseite dagegen wird der Rand des Fiederchens *S*-förmig
(Fig. 1 *A*, 1 *B*). Ein Fiederchen nach der Länge der Mittelrippe
gemessen erreicht in Fig. 1 13^{mm} bei 6½^{mm} Breite, in Fig. 2 gegen
20^{mm} Länge bei fast 10^{mm} Breite.

Das Laub scheint ziemlich zart gewesen zu sein und die **N e r -
v a t i o n** hat sich deshalb weniger gut erhalten. Die Fig. 1 *A* u. *B*
geben den Nervenverlauf an Stellen der Fig. 1, welche bezüglich
mit *a* und *b* bezeichnet sind; er musste in der Zeichnung merklich
bestimmter gehalten werden, als er an dem Original erscheint, um
deutlich zu werden; jedoch ist über den Charakter kein Zweifel.
Ein kaum vor den übrigen Nerven hervortretender Mittelnerv theilt
sich schon tief am Grunde, noch ehe der Grund des Fiederchens
erreicht ist, in 3 Zweige; der nach aussen gerichtete geht zuerst
ab, der im spitzen Winkel stehende zuletzt; beide entsenden ihre
Nerven nach dem untersten Lappen jederseits und pflegen sich
3 mal zu gabeln. Alle Seitennerven gehen sehr spitzwinklig ab,
die untern verlaufen bogig nach dem Rande, die obern sind weniger
gekrümmt, radiale Anordnung zeigen angenähert nur die in kürzeren
Fiederchen, z. B. in dem untersten nach aussen gestellten (Fig. 1 *A*
unten links). Jeder Lappen enthält mehrere (4—8) Seitennerven.

Die Reste sind steril.

Von ähnlichen Formen des Rothliegenden und der Steinkohlen-
formation sind zunächst, wie schon oben hervorgehoben, gewisse
Formen der *Alethopteris conferta* zu nennen, namentlich die var.
obliqua (Göpp. sp.) oder genauer var. *obliqua tenuis* (*A. tenuifolia*
Brongn. sp.). Indessen erstreckt sich die Aehnlichkeit doch nur
auf einzelne Bruchstücke und es unterscheiden sich alle jene zahlreichen Abänderungen der *A. conferta* sogleich von *Sphen. germanica*
durch die *Callipteris*-Nervation in den Fiederchen und die Stellung
einzelner Fiederchen an der Hauptspindel, endlich auch dadurch,
dass die Fiederchen der *Sphenopteris germanica* von jenen an, welche

fast ganzrandig, oft verkehrt eiförmig sind, doch sehr bald weiter unten stärker gelappt bis fiederig eingeschnitten werden, was bei *A. conferta* überhaupt kaum vorkommt (vergl. var. *sinuata).* Alle diese Charaktere verweisen unsere Pflanze zu den Sphenopteriden. Unter andern Arten darf man etwa bei *Sphenopteris macilenta* L. et H. oder bei *Sph. latifolia* Brongn. den allgemeinen Typus wiedererkennen, doch bleiben diese noch ziemlich-entfernt.

Vorkommen. Obschon „*Hymenophyllites semialatus*" von verschiedenen Fundorten sich angegeben findet, ist die Kenntniss der Verbreitung unserer *Sphenopteris germanica* sehr beschränkt und ausser Saalhausen in Sachsen jetzt nur noch Wünschendorf in Schlesien als sicher zu nennen. Zu *Sph. germanica* gehört übrigens auch ein Exemplar von Göppert's *Odontopteris obtusiloba*, Permische Flora, Taf. XIV. Fig. 7, dessen Fundort nicht bezeichnet ist.

2. Sphenopteris oblongifolia n. sp. — Taf. III Fig. 5—7.

Frons (quoties?) pinnata; pinnae semel pinnatae elongatae, sublineares; pinnulae oblongae, ellipticae, subrotundae et obovatae, basin versus subconstrictae, suboppositae. Nervi aequales, flabellatim pinnati, pluries (tri-) furcati, ramuli 12 vel plures in quaque pinnula marginem attingentes, nervus medius haud distinctus vel nullus.

Wedel wohl mehrmals gefiedert; die einfach gefiederten Fiedern länglich und im Umriss lineal; Fiederchen oblong, elliptisch, rundlich oder verkehrt eiförmig, sehr stumpf, am Grunde keilförmig, fast gegenständig. Nerven gleich, fächerförmig-gefiedert, mehrmals (3 mal) gegabelt, in jedem Fiederchen bis 12 und mehr Verzweigungen, welche bis zum Rande verlaufen; Mittelnerv kaum erkennbar oder fehlend.

Die 3 in Taf. III Fig. 5—7 gezeichneten Bruchstücke, welche ich nicht anstehe auf ein und dieselbe Art zu beziehen, zeichnen sich durch die Form ihrer Fiederchen aus, welche ganz sind, manchmal schwach gewellt, nichts von Theilung wahrnehmen lassen, obschon Fig. 7 der unterste Theil einer Fieder zu sein scheint. Hier sind die Fiederchen mehr elliptisch bis rundlich, während im

obern Theile der Fiedern (Fig. 5 u. 6) mehr verkehrt eiförmig. Die
Stücke gleichen den obersten Enden der Fiedern II. Ordnung bei
Sphenopteris germanica, können aber doch auf diese nicht bezogen
werden, da die Fiederchen bei letzterer viel mehr zusammenfliessen,
nach unten sehr bald gelappt werden und die Fieder zugleich an
Breite zunimmt, was bei *Sph. oblongifolia* nicht der Fall ist, wo im
Gegentheil. die Fiederchen viel entfernter stehen, ganzrandig bleiben
(soweit die Reste es zeigen) und die Fieder linealen Umriss behält.

Form der Fiederchen wie Nervation reiht diese Art den eigentlichen *Sphenopteris (Eusphenopteris* Weiss) an und unter ihnen kann
sie einerseits (besonders Fig. 5) mit *Sph. trifoliolata* Artis (cf. ANDRÄ,
vorweltl. Pflanzen, Heft II Taf. IX Fig. 2—4), andrerseits (namentlich Fig. 7) mit *Sph. nummularia* Gutb. (s. ANDRÄ, 1. c. Heft III
Taf. XI Fig. 4a) verglichen werden. Bei beiden genannten Arten
ist aber ebenfalls eine grosse Neigung zur Lappung der Fiederchen,
abgesehen von andern Unterschieden, vorhanden.

Im grauen oder röthlichen Schieferthon von Wünschendorf.

3. Sphenopteris Peckiana n. sp. — Taf. III Fig. 4.

*Pinnae pinnatae fragmentum; pinnulae alternantes, integrae,
terminalis oblonga obliqua, laterales ovatae, subaequales, apice obtusae,
baseos parte majore adnatae, angulo superiore incisae. Nervi sub-
radiantes, 4-furcati, nervo medio nullo, nervuli tenuissimi, aequales,
exteriores paullo recurvati, plus quam 15 in foliolo.*

Bruchstück einer Fieder mit wechselständigen ganzrandigen
Fiederchen; Endfiederchen oblong, schief; Seitenfiederchen eiförmig,
ziemlich gleich, schief abstehend, an der Spitze stumpf, mit dem
grössern Theile der Basis angewachsen, im obern Winkel mit Einschnitt. Nerven etwas ausstrahlend, 4 fach gabelig, ohne Mittelnerv,
Nervenzweige sehr fein, gleich, die nach aussen gestellten etwas
zurückgekrümmt, über 15 im Fiederchen.

Zwar ein sehr kleines Bruchstück einer Fieder mit nur 6 Blättern,
aber doch so gut erhalten und von so eigenthümlicher Form, dass
die Art fixirt zu werden verdient und ihre Wiedererkennung ge-
sichert erscheint, sobald von Neuem Bruchstücke gefunden würden.

Die Fieder zeigt ein Endfiederchen mit einem unvollkommen getrennten seitlichen und den 4 nächst tieferen Fiederchen. Die letzteren sind eiförmig, stumpf, ganzrandig, bis 7 mm lang und 4 mm breit, schief abstehend, mit einem grossen Theile der Basis angewachsen, allein mit dem für diese Abtheilung der Sphenopteriden charakteristischen tiefern Einschnitt im obern Winkel des Blättchens, ähnlich *Sph. integra* u. Verwandten. Die untere Umfangslinie des Blättchens entspringt bei diesen Fiederchen ziemlich steil und biegt sich convex, nicht S-förmig. Endfiederchen oval, mit sehr stumpfer Spitze, durch ein noch halb mit ihm verwachsenes Seitenfiederchen einseitig gelappt. Eigenthümlich ist der Verlauf der Nerven. Mittelnerv fehlt, Nervenzweige gleich, sehr fein (nur durch sorgfältiges Untersuchen mit der Lupe festzusetzen), 4 mal gegabelt unter spitzem Winkel, die nach aussen gestellten etwas rückwärts gebogen. Die Nervenvertheilung ist unsymmetrisch, insofern der Hauptzweig dem vordern Rande viel näher gerückt ist als dem hinteren und am letzteren sich einige wenig gegabelte befinden, die erst sehr tief mit dem Hauptnervenstrang sich vereinigen, so dass in der Nervation eine Annäherung an Odontopteris entsteht. Im Endfiederchen ist die Unsymmetrie der Nervenverzweigung noch auffallender und offenbar durch den abgetrennten Seitenlappen hervorgerufen; man kann hier 6 Gabelungen zählen.

Am nächsten verwandt ist *Sph. Peckiana* mit *Sph. decurrens* Lesqu. sp. (= *Sph. adnata* Weiss, foss. Flora d. Saar-Rheingeb., S. 50 u. 213 Taf. XI Fig. 6) sowie mit *Sph. integra* Andrae (in Germar, Verst. von Wettin u. Löbejün, S. 67 Taf. 28), beide in obersten Steinkohlenschichten. Indessen unterscheidet sie sich von beiden sogleich durch die eigenthümliche Nervation, mangelnden Mittelnerv und viel zahlreichere Seitennerven, durch das verhältnissmässig grössere Endfiederchen, sowie durch die Form der Seitenfiederchen, welche bei *decurrens* und *integra* mehr oblong, im äussern Winkel S-förmig geschweift sind und bei *integra* etwas gelappt zu werden anfangen. Entfernter ist die Verwandtschaft mit *Sph. Böckingiana* Weiss (foss. Flora, Taf. VII, Fig. 1) von Schwarzenbach in Birkenfeld. Uebrigens darf nicht unterlassen werden, hierbei auch auf die Aehnlichkeit mit *Xenopteris Göpperti* Weiss (= Odontopteris

Schlotheimi Göpp. nec Brongn., Perm. Flora, S. 109, Taf. XIV Fig. 2 aus Kupferschiefer zu Riechelsdorf) zu verweisen, die vielleicht an vollständigen Exemplaren von *Sph. Peckiana* noch mehr hervortreten würde.

4. Sphenopteris Naumanni Gutb. — Taf. III Fig. 8.

Frons bipinnata, rhachis crassa; pinnae alternae, substrictae, e rhachi oblique egredientes, lineares, elongatae; pinnulae oblongae, lata basi sessilibus, approximatis, in superiore frondis parte confluentes, crenatae, in inferiore profunde crenatae vel pinnatifidae laciniis cuneato-linearibus obtusis; pinnulae singulae rhachi primariae insertae decurrentes reliquis conformes. Nervi pinnati; nervus primarius tenuis, secundarii 1 — 4 ex utraque parte acuto angulo orientes, in crenulationes nec dentes excurrentes, simplices, nervuli infimi paullo remoti.

Wedel doppelt gefiedert, mit dicker Spindel; Fiedern wechselständig, etwas steif, schief abstehend, lineal-länglich; Fiederchen oblong, mit breiter Basis sitzend, gedrängt, im obern Theile des Laubes zusammenfliessend, gekerbt, im untern tiefer gekerbt bis fiederspaltig mit keilförmig-linealen stumpfen Zipfeln; einzelne Fiederchen gleicher Form an der Hauptspindel herablaufend. Nerven gefiedert, Mittelnerv schwach, Seitennerven einfach, 1—4 auf jeder Seite spitz abgehend und in die Einkerbungen, nicht in die Zähne auslaufend; die untersten Nerven der grössern Fiederchen von den anderen etwas entfernt.

Gutbier, Verstein. d. Rothlieg. in Sachsen, 1849, S. 11, Taf. VIII Fig. 1—6.
Geinitz, Leitpfl. d. Rothl., S. 9.
Göppert, Perm. Flora, S. 89 — Schimper, traité, I. S. 380. —
Eug. Geinitz, Verstein. aus dem Brandschiefer von Weissig, N. Jahrb. f. Mineralogie, 1873, S. 6, Taf. III Fig. 4.

Zwei vorliegende Abdrücke gestatten, die bisherigen Angaben über diese Form ein wenig zu vervollständigen.

Der grössere zeigt eine auf $11\frac{1}{2}$ cm erhaltene Hauptspindel, 7 mm breit, rissig gestreift. Sie trägt jederseits 7 Seitenfiedern, wovon eine auf 7 cm Länge erhalten ist. Die Seitenspindeln sind weit schwächer, doch kräftiger als bei Gutbier gezeichnet ist. Die

Fiederchen sind an diesem Exemplare nicht gut erhalten, doch zeigen sie ziemlich genau die Form von GUTBIER's Fig. 4. Ihre einzelnen Lappen sind oben convex gewölbt, die Trennung der Fiederchen ist zum Theil vollständig. Zwischen je 2 Fiedern steht nur 1 einzelnes Fiederchen direct an der Hauptspindel. — Ein zweites Exemplar, Taf. III Fig. 8 abgebildet, ist nur eine Fieder aus dem obern Theile eines Wedels, daher die Fiederchen nicht vollständig getrennt (s. Fig. 8 *A*), aber die Kerbung und die in die Einkerbungen verlaufenden Nerven sind besonders deutlich.

Bemerkenswerth ist, dass die Nervation einen ähnlichen Typus trägt wie die von *Callipteris (Alethopteris) conferta*, nur sehr vereinfacht. Auch diese zeigt nämlich ausnahmsweise Kerbung (var. *sinuata*, cf. Weiss, foss. Flora Taf. VI Fig. 3) und die Seitennerven laufen dann in die Einkerbungen; nach dem Einschnitt zwischen je 2 Fiedertheilen von *C. conferta* geht stets ein deutlicherer Nerv, wie bei *Sph. Naumanni* (Taf. III Fig. 8); endlich sind die unterhalb des Mittelnerven stehenden Seitennerven nicht mehr mit diesem selbst in Verbindung, sondern entspringen bei *C. conferta* stets aus der Spindel, bei *Sph. Naumanni* wenigstens zum Theil (nach GUTBIER und soviel ich beobachten konnte), nur sind es viel weniger, 1—2. Dazu kommt, dass hier wie dort einzelne Fiederchen an der Hauptspindel herablaufen. Man könnte danach in *Sph. Naumanni* einen Uebergang zu *Callipteris* erblicken.

Nächst verwandte Arten sind offenbar *Sphenopteris oxydata* Göpp. und *Sph. lyratifolia* Göpp.

Vorkommen. Bis jetzt nur von Reinsdorf, Saalhausen und Weissig (bei Pillnitz) in Sachsen, von Wünschendorf bei Lauban in Schlesien, Lissitz in Mähren und Nieder-Rathen bei Glatz.

Schizopteris.

1. Schizopteris flabellifera n. sp. — Taf. II Fig. 1.

Frons bipinnata pinnulis profunde laciniatis subpalmati-dichotomis. Pinnae primariae laté oblongo-lineales elongatae, apice rotundatae, circa 11 cm longae, 3—3½ cm latae, rhachide angusta

(2,5 mm lata) tenuissime striata, obliquatae. Pinnulae numerosae, alternantes, 3—8 lobis angustis partitae, late-cuneatae, basi constricta et angulo posteriore. paullo decurrente, laciniis et segmentis tenuibus linearibus apice obtusatis flabellatim fere dispositis, partim palmatifidis partim pinnati-dichotomis; segmentum infimum saepius ab aliis remotum. Laciniae 2—4 nervis tenuibus parallelis percursae, nervo medio nullo.

Wedel 2fach gefiedert, mit tief getheilten, fast handförmig-dichotomen Fiederchen. Fiedern I. Ordn. im Umriss breit lineal, verlängert, an der Spitze gerundet, etwa 11 cm lang, 3—3½ cm breit, mit schmaler (etwa 2,5 mm breiter) Spindel, die äusserst fein und zart gestreift ist, schief abstehend. Fiederchen ziemlich zahlreich, wechselständig, in 3—8 Lappen getheilt, von eigenthümlich breit. keilförmigem Umriss, am Grunde stark zusammengezogen und im äussern Winkel etwas herablaufend, mit schmal linealen langen, an der Spitze stumpfen Lappen und Zipfeln fächerförmig gestellt, deren Theilung die Mitte zwischen handförmiger und gefiedert-dichotomer Blatttheilung hält. Der unterste (äussere) Einschnitt am tiefsten, so dass der äussere Zipfel am meisten abgetrennt bis etwas entfernt von den anderen erscheint, die letzten Zipfel 2spaltig. Die Zipfel werden von 2 bis 4 feinen gleichen und parallelen Nerven der Länge nach durchzogen, Mittelnerv fehlt; je ein Nerv endet in den Einschnitten des Blattes.

Der vorliegende Pflanzenabdruck, auf einer dicken graurothen Schieferthonplatte, ist sehr wohl erhalten und schön, obschon blass, stellenweise wie angehaucht, weil nur sehr wenig Kohlensubstanz der Blattmasse sich erhalten hat. Danach dürfte das ganze Laub ziemlich zart gewesen sein, worauf auch der ganze Eindruck deutet. Der Umriss des ganzen Wedels mag länglich oval gewesen sein, soweit aus dem erhaltenen Rest zu schliessen. Es liegt von dem ganzen Wedel die Spitze der Endfieder I. Ordn. vor, welche in der Fortsetzung der Hauptspindel liegt, sowie von der einen Seite noch 3 Hauptfiedern mit ihrer mittlern Spindel und Blättchen einer vierten Hauptfieder. Von der Hauptspindel des Wedels ist nur der oberste Theil erhalten und hier bemerkt man an 2 Stellen (bei d und e in Fig. 1) eine Gabelung derselben mit etwas ungleichen Gabelzweigen. In den übrigen Theilen ist die Theilung des Blattes zunächst eine doppelt gefiederte, die Fiederchen stehen abwechselnd. Die Hauptfiedern (Fiedern I. Ordn.) sind breit lineal, gegen die Spitze hin gerundet; die Fiederchen stehen etwas dicht, beiderseits der Fieder wechselständig, wohl über 7 jederseits; sie gehen aus keilförmigem Umriss in länglich ovalen über, im letztern Falle sind sie mehr und stärker getheilt und grösser. Charakteristisch ist ihre Theilung, die sehr regelmässig sich entwickelt. Die tiefer gestellten Fiederchen besonders der Innenseite jeder Hauptfieder sind öfters nur 3theilig; von den schmalen langen Zipfeln ist der untere durch einen tieferen Einschnitt von den beiden andern abgetrennt, welche zu einem gabelig gespaltenen Abschnitt zusammentreten. Der untere Zipfel bleibt stets der am meisten abgetrennte; wird das Fiederchen 4zipfelig, so ist der gegenüberliegende Einschnitt der nächst tiefere und die mittleren Zipfel treten gabelig zusammen, wie in Fig. 1A u. 1B. Bei weiter fortgesetzter Theilung ist wieder die Abtrennung des dritten Zipfels die tiefere und der vierte und fünfte bleibt gabelig beisammen. Bei grösserer Anzahl von Fiederlappen werden die Zipfel beiderseits fast gleich, wie in Fig. 1C, bis auf den gabeligen Endlappen und einzelne gabelige Seitenlappen, der unterste Zipfel manchmal fast isolirt; 3- und 4-lappige Fiederchen erscheinen daher fast handförmig. Die Zipfel divergiren unter spitzem Winkel, sind 1,5^{mm} breit, die unteren 16—19^{mm} lang, während die Länge des ganzen Fiederchens 21—35^{mm} beträgt. Der Grund eines Fiederchens ist zusammengezogen auf 2—2$\frac{1}{2}$^{mm} Breite, der äussere Rand desselben ist stumpf umgebogen und verläuft als Flügel noch eine mehr oder weniger lange Strecke an der Hauptspindel der Fiedern herab, was ebenfalls zur charakteristischen Form gehört. Die Nervation ist nur als feine parallele Streifung erhalten, deren man 2—4 in den Zipfeln wahrnimmt, in dem breitern Theile der Blattfläche natürlich mehr. Je ein Streifen endet in den Blatteinschnitten, indessen hebt sich keine Linie vor der andern irgend merklich hervor. Da kein Mittelnerv sichtbar ist und aus dem Blattgrunde schon mehrere Nerven parallel entspringen (s. Fig. 1A — C), so geht hieraus der

Schizopteris-Charakter hervor. Die sehr verwandten Blattformen, die auf Taf. II Fig. 2 u. 3 abgebildet sind und in der nachfolgenden Species (*Sph. hymenophylloides*) beschrieben werden, lassen die parallele Streifung kaum oder gar nicht erkennen, sondern einzelne stärkere nach den Einschnitten verlaufende Linien. In diesem Falle würde man die Reste zu *Sphenopteris* (*Hymenophyllites*) zu stellen geneigt sein.

Was die Festsetzung der Species anbelangt, so sind zwar unter den bekannten und beschriebenen Formen einigermaassen ähnliche zu finden, wie etwa *Schizopt. Gümbeli* Gein. sp. (vgl. Weiss, foss. Flora d. jüng. Steink. u. d. Rothlieg. im Saar-Rheingebiete Taf. XII Fig. 8 S. 60), allein die Aehnlichkeit erstreckt sich doch nur auf einzelne Fiederblättchen, im Uebrigen ist nach Theilung des Laubes im Ganzen und nach Form der Zipfel der Unterschied bedeutend. Aehnlicher sind die Fiederchen der unechten *Schiz. Gümbeli* Göpp. (Permische Flora Taf. IX Fig. 6 u. 7 S. 95) von Braunau und Neurode und es wäre sehr möglich, dass diese Reste hierher gehörten, wenn nicht zur folgenden Species. Am nächsten steht die Art der folgenden und mithin auch der *Sphenopteris Zwickaviensis* Gutb. part., worüber das Nähere unten folgen wird, unterscheidet sich aber sogleich durch die weit regelmässigere Theilung des Laubes von ihr.

Auf demselben Stücke befindet sich ein Bruchstück eines grossen Fiederchens von *Odontopteris obtusa* mit stark gebogenen Nerven.

In der Sammlung der naturforschenden Gesellschaft zu Görlitz.

2. Schizopteris hymenophylloides n. sp. — Taf. II Fig. 2 u. 3.

Frons irregulariter 2—3-pinnata, rhachide primaria furcata. Pinnae obliquatae vel patentes, breviores quam illae speciei praecedentis, oblongae, pinnulis confertis detectae. Pinnulae plerumque profunde incisae et in lacinias 2—4 rarissime plures lineares angulo acuto divergentes fissae, quare pinnulae cuneatae vel palmatae, tenues, apice obtusae vel truncatae. Pinnulae pinnarum breviorum plus minusve decurrentes atque saepius inter se conjunctae. Laciniae tenuissime striatae, lineis distinctis nervis similibus in fissuras procurrentibus.

Wedel unregelmässig 2—3fach gefiedert, ausserdem die Hauptspindel zur Gabelung geneigt. Fiedern spitz abgehend oder steil abgebogen, ziemlich kurz, aber dicht mit Fiederchen besetzt, im Umriss oblong. Fiederchen meist tief eingeschnitten, meist in 3—4, seltener mehr oder zum Theil vielleicht auch nur in 2 lineale Zipfel gespalten (die aber oft abgerissen erscheinen). Zipfel spitz divergirend, daher das Fiederchen keilförmig bis handförmig im Umriss, schmal lineal, an der Spitze stumpf oder abgestutzt. Die Theilung der Fiederchen ist ähnlich der bei voriger Art, wenigstens der nur 3lappigen, aber weitergehende Theilung findet seltener statt und zeigt nicht die Regelmässigkeit wie jene. An den kürzeren Fiedern hängen die Fiederchen wohl noch zum Theil mit ihrer Blattmasse zusammen, welche etwas herabläuft. Fiederlappen fein parallel gestreift, ausserdem deutlich hervortretende Linien nach den Einschnitten der Fiederchen verlaufend und auf den ersten Blick Sphenopteris-ähnliche Nervation hervorrufend.

Die beiden vorliegenden Wedelstücke sind weit weniger gut erhalten als das Original der vorigen Art *(Sch. flabellifera)*, mit der man geneigt sein könnte, sie zu einer Art zu vereinigen, da sie trotz verschiedenen Ansehens in manchen Punkten übereinstimmen. Indessen tritt bei genauerer Vergleichung doch die Aehnlichkeit mehr und mehr zurück. Die hervorgerufene Unregelmässigkeit der Blatttheilung tritt am meisten bei Fig. 3 hervor (vergl. die Stelle bei *f* und gegenüber), während Fig. 2 sich der Fig. 1 schon beträchtlich mehr nähert.

Beide Stücke, Fig. 2 und 3, besitzen eine sehr kräftige Hauptspindel, welche an dem Stück Fig. 2 zwar nur bis 6,2^{mm} breit erscheint, doch fehlt ihm auch der ganze untere Theil; dieser erreicht dagegen in Fig. 3 bis 8,5^{mm} Breite. Die Spindel ist theils sehr fein (Fig. 3, unterer Theil), theils grob längsgestreift (Fig. 2 beides). Bemerkenswerth ist, dass in beiden Stücken je eine sehr deutliche Gabelung der Hauptspindel *(d)* vorliegt, viel deutlicher als jene bei *Sch. flabellifera* (Fig. 1 *d*); dazu kommt in Fig. 2 auch noch eine zweite unregelmässigere Gabelung bei *e*. — Die Theilung

des Laubes ist im Uebrigen fiederig und zwar doppelt gefiedert;
nur in dem Wedel Fig. 3 könnte man an der bei f abgehenden
Fieder eine dritte Fiederung bei g zählen, wenn man diese unteren
Abschnitte nicht mehr als Fiederchen auffasst. Die Fiedern
erster Ordnung sind in beiden Stücken weit kürzer als bei *Sch.
flabellifera,* nämlich die längste in Fig. 3 bei f etwa 6,5 ^{cm} lang,
während die in Fig. 2 nur bis 4,5 ^{cm} bei 2 ^{cm} Breite; ihre Form
ist daher oval und die Zahl der Fiederchen jederseits beschränkt,
meist 4—6. Doch laufen auch an der Hauptspindel einzelne solche
Fiederchen herab und rufen dadurch die unregelmässige Theilung
im Laub hervor. Die Hauptfiedern gehen theils spitz (Fig. 2,
Fig. 3 oben), theils steil (Fig. 3) von der Hauptspindel ab; ihre
Spindel ist bedeutend schlanker und schmaler als letztere, so dass
man fast die ganzen Hauptfiedern als nur doppelt gefiederte Fiederchen ansehen könnte. Die Fiederchen sind meist unvollständig
erhalten (15—22 ^{mm} lang), besonders in Fig. 3, jedoch geht aus
allen besseren Stellen hervor, dass sie meist tief 3 bis 4-spaltig
sind, schmal beginnen, keilförmig etwas an Breite zunehmen und
hier sich theilen, indem sie in lineale schmale (kaum über 1 ^{mm}
breite), an der Spitze meist abgerissene, sonst stumpfe oder abgestutzte Zipfel zerfallen, welche etwas fächerartig auseinander-
strahlen, jedoch ungleiche Einschnitte zeigen, indem häufig je
2 Zipfel sich gabelig zusammengruppiren und diese wieder mehr
oder weniger deutlich fiederig zusammentreten (s. Fig. 3 bei g).
Oefter scheint die Theilung sich auf 2 Zipfel beschränkt zu haben,
doch meist sind 3, auch mehr erkennbar (besonders Fig. 2).

    Eine sehr feine parallele Nervenstreifung ist in mehreren
der Fiederchen zu beobachten, die generische Stellung des Farn
ist also dieselbe wie bei der vorigen Art; es fallen aber stärker
hervortretende Linien auf, die wie Nerven einer *Sphenopteris* erscheinen, sich gabeln und mit ihren Zweigen in den Einschnitten
des Blattes endigen, wie z. B. Fig. 2 B. angiebt. Dieselben sind
an der Oberfläche vertiefte, im Abdruck erhabene Linien, welche
die Zugehörigkeit des Farn zu *Schizopteris* nicht alteriren. Auch
bei *Sch. flabellifera* verlaufen feine Linien in die Blatteinschnitte,
unterscheiden sich jedoch nicht von den übrigen der Blattfläche.

Diese eigenthümlichen Linien, die geringere Theilung der Fiederchen, welche meist 2—3 zipfelig sind und sehr schmale Zipfel besitzen, sowie der sehr unregelmässige Bau des ganzen Laubes von *Sch. hymenophylloides* lassen es gegenüber der wohlgestalteten Form von *Sch. flabellifera* geboten erscheinen, sie specifisch getrennt zu halten. Wollte man beide dennoch vereinigen, so müsste man *Sch. hymenophylloides* gleichsam als missgestaltete *Sch. flabellifera* betrachten.

Die Pflanze gleicht ausser der *Sch. flabellifera* am meisten einem Exemplare der *Sphenopteris Zwickaviensis* Gutbier, Verstein. d. Rothlieg. in Sachsen, S. 10 Taf. III Fig. 2, womit sie übereinstimmen könnte, wenn man annimmt, dass nur die schlechte Erhaltung dieses Stückes von Neudörfel bei Zwickau die scheinbare Verschiedenheit unserer Exemplare erzeuge. Indessen ist eine Vereinigung hiermit zur Zeit unmöglich, da diese Erklärung nicht feststeht und die Angabe, dass *Sphen. Zwickaviensis* wiederholt dichotom gespaltene Fiedern besitze, ihr widerspricht. Ausserdem zieht GUTBIER hierzu ein anscheinend fructificirendes Exemplar Fig. 1, das recht verschieden erscheint; GEINITZ glaubt auch *Sph. fasciculata* Guth. hiermit vereinigen zu können, die noch weit entschiedener von unserer *Schiz. hymenophylloides* abweicht, als *Sph. Zwickaviensis*.

3. Schizopteris trichomanoides Göpp. — Taf. III Fig. 1.

„*Frons crassiuscula, plana, flabellatim patula, bi- vel tripinnatipartita vel identidem furcata vel dichotoma. Laciniae lineares, apice bilobae, lobis subtumescentibus, rotundato-truncatis,. Nervuli rarissime conspicui, longitudinales, aequales.*"

GÖPPERT, Permische Flora S. 94 Taf. 8 Fig. 7, Taf. 9 Fig. 4 u. 5.
WEISS, foss. Flora d. jüng. Steink. u. d. Rothlieg. im Saar-Rheingebiete. S. 60 Taf. XII Fig. 7.

Die vorstehende Diagnose würde auf die früher und jetzt unter obigem Namen vereinigten Reste noch passen, obschon der auf Taf. III Fig. 1 abgebildete Rest von den anderen citirten einigermaassen abweicht. Es ist ein Wedelbruchstück, 33^{mm} lang und

25 ^{mm} breit und beginnt mit 1$\frac{1}{2}$^{mm} breiter stielartiger Basis, verbreitert sich jedoch bald, indem das Laub sich 4fach gabelt und
fächerförmig ausbreitet. Die Lappen sind bis 3 ^{mm} breit, die letzten
Zipfel sind kurz, bis 4 ^{mm} lang, abgerundet stumpf, Einschnitte
spitz. Oberfläche glatt, von Nervation kaum eine Spur erhalten.
Das Ganze ist ausserordentlich **Algen ähnlich**, weil von Nervation höchstens eine äusserst schwache Längsstreifung undeutlich
erhalten ist und weil die Dichotomie sehr ausgeprägt ist; dazu
kommt, dass die Ränder der Lappen und Zipfel nicht ganz frei
liegen, sondern öfters noch von ein wenig Schieferthon übergreifend
bedeckt werden, der sich nicht absprengen liess. — Die Aehnlichkeit mit Algen hob schon GÖPPERT hervor, wies jedoch nach,
dass bei besserer ·Erhaltung die parallele Schizopteris-Nervation
sichtbar wird. — Jenes Stück, welches ich früher (l. c. S. 60) von
Schwarzenbach im Birkenfeldschen publicirte, zeigte einige Annäherung an fiederförmige Theilung, welche hier gänzlich fehlt. Die
GÖPPERT'schen Originale haben noch schmalere Lappen als das von
Wünschendorf und stehen in dieser Beziehung der *Schiz. Gümbeli*
(s. foss. Flora d. Saar-Rheingeb. S. 60 Taf. XII Fig. 8) noch näher,
welche, wie schon früher hervorgehoben, allerdings die nächst verwandte Art sein würde, sofern wirklich beide in der Nervation
übereinstimmen. Die langen linealen Zipfel von *Sch. Gümbeli* bilden noch genügende Erkennungsmittel zur Unterscheidung dieser
2 Arten. Ausserdem reiht sich *Sch. Gümbeli* viel näher an *Sch.
flabellifera*, wie schon erwähnt.

4. Schizopteris (?) spathulata n. sp. — Taf. III Fig. 2, 3.

*Frons pinnatipartita; rhachis rigida lata alata; segmenta
brevia, superiora longiora, spathulata vel cuneata, basi lata
subcontracta, apice truncato tenuissime crenato, interdum
subdichotomo lobis planis levibus; nervi inconspicui identidem furcati* (?).

Wedel fiedertheilig mit breiter kräftiger geflügelter Hauptspindel; Fiederabschnitte kurz, die obern länger, spatel- bis keilförmig mit breiter, aber etwas zusammengezogener Basis
und abgestutzter, sehr fein gekerbter Spitze, die bisweilen

etwas 2spaltig mit glatten flachen Lappen erscheint; Nerven undeutlich, wiederholt gabelig (?).

Ein fast 3 ^{cm} langer und 1,7 ^{cm} breiter Rest, welcher das Bruchstück eines Farnwedels darstellt, das im Umriss breit lineal, an der Spitze abgerundet (?) erscheint und fiederförmig geschlitzt ist. Die etwa 4 ^{mm} breite Spindel ist durch quergestellte narbenförmige Eindrücke gezeichnet (Fig. 2 A), wohl von abgefallenen Spreuschuppen (einzelne bis 2 ^{mm} breit); sie ist beiderseits durch die Blattmasse geflügelt. Die unteren Fiederlappen, $4\frac{1}{2}$ ^{mm} lang, am Grunde 3 ^{mm} breit, verlaufen mit ihrem äusseren Rande bogig nach aussen und stehen rechtwinklig ab, die oberen, im Abdruck bis 9 ^{mm} lang bei 3 ^{mm} Breite am Grunde, sind schief aufwärts gerichtet. Die breit abgestutzte Spitze bietet mit ihrer Kerbung ein Hauptmerkmal dar, die Kerbzähne sind entweder ganz gleich (Fig. 2 A) oder sie treten zu 2 näher zusammen (Fig. 3 B), in der Mitte bildet sich auch bei den längeren Fiederlappen ein tieferer Einschnitt heraus. Feine, sehr schwach angedeutete Längsstreifen sind kaum sichtbar und bedecken die sonst glatte Oberfläche. In einem der Abschnitte glaube ich die in Fig. 2 A gezeichnete Nervation zu erkennen.

Obschon der Rest nur klein ist, kann er seine Aehnlichkeit mit den eigentlichen *Schizopteris* wie *Sch. anomala* nicht verleugnen. Von Gabelung ist nichts vorhanden, nur die allgemeine Form der Fiederlappen gleicht jenem Typus. Andere Schizopteris-Arten sind bedeutend abweichend.

Im Schieferthon von Wünschendorf.

Odontopteris.

Odontopteris obtusa Brongn.

Diese im Rothliegenden so verbreitete Art fehlt auch nicht bei Wünschendorf. Ein sehr schönes Exemplar mit langen zungenförmigen Endfiederchen und kurzen Seitenfiederchen, dicht gedrängten Nerven, welche zum Theil rückwärts gekrümmt sind, wie es bisher nur Abänderungen aus dem Rothliegenden erkennen

liessen (cf. *Od. obtusa Decheni* Andrä sp.), wird in Görlitz auf-
bewahrt. Doch scheint die Art nicht häufig gewesen zu sein.
Zu ihr gehört auch ein als *Neuropteris exsculpta* Göpp. bezeich-
netes Stück.

Pecopteris.

1. Pecopteris (Cyathocarpus) cf. arborescens Schloth. sp.

Sehr kleine Reste im Brandschiefer können wohl auf diese
sonst so häufige Art bezogen werden. Blättchen meist sehr klein,
zum Theil an *Candolleana* oder auch an *Miltoni* erinnernd, doch
auch ganz normal. Auch einen fructificirenden grösseren Rest
möchte ich hierher zählen. Indessen ist die Erhaltung in diesem
Gestein eine sehr unvollkommene und die Erkennung nicht sicher.
Görlitzer Sammlung.

2. Pecopteris (Cyath.) dentata Brongn.

Ebenfalls nur kleine Reste im Brandschiefer, doch mit allen
Merkmalen dieser Art.
Görlitzer Sammlung.

3. Pecopteris cf. Lebachensis Weiss sp. — Taf. III Fig. 9.

Ein sehr kleiner Rest im Brandschiefer mit Estherien, schliesst
sich dem Habitus nach an *Pec. dentata* zwar an, kann indessen
damit nicht übereinstimmen, da sämmtliche noch unter sich ver-
bundene Fiederchen (Fiedertheile) mit kurzen Zähnen versehen
sind, in welche die einfachen Seitennerven verlaufen, während
bei *dentata* in die (grösseren) Zähne gefiederte Nerven sich
erstrecken. Dagegen möchte er wohl kaum von *Sphenopteris Le-
bachensis* Weiss, foss. Flora etc. S. 51 Taf. VIII Fig. 3 wesentlich
verschieden sein, welche ihrerseits wiederum mit der aus der Steinkohlenformation beschriebenen *Pecopteris chaerophylloides* Brongn.
(hist., Taf. 125 Fig. 1) sehr nahe übereinstimmt. Beide scheinen
zärteres Laub gehabt zu haben, letztere verzweigte Seitennerven.
Görlitzer Sammlung.

Asterocarpus.

Asterocarpus cf. pinnatifidus Gutb. sp. — Taf. III Fig. 10.

? *Neuropteris pinnatifida* (GUTBIER), Verstein. d. Rothlieg. in Sachsen, S. 13
Taf. V Fig. 3 u. 4 (excl. Fig. 1, 2).

Der hier abgebildete Rest zeigt in der Mitte eine 2^{mm} breite,
47^{mm} lange fast glatte Spindel, von welcher, auf einer Seite deutlich, auf der andern undeutlich, Verzweigungen abgehen, deren
man links 6—7 erblickt, bis 4^{mm} lang. In der Nähe jedes solchen
stielartigen Zweiges befinden sich 3 rundliche Körper, von welchen
zwei zu beiden Seiten des Stieles, einer vor seiner Spitze liegt;
der letztere ist meist der grössere. Die Körper zeigen 4,5^{mm}
Durchmesser, sind theils fast kreisrund, theils elliptisch. Es sind
glatte, etwas convexe Abdrücke mit theils grubig punktirter, theils
strahlig gefälteter Oberfläche; manchmal mit einem besonders mar-
kirten centralen Punkt. Fig. 10A ist ein solcher Körper eines
anderen Exemplars (4^{mm} gross), von der Seite gesehen und mit
dem centralen Kreise versehen. Oft ist der Rand des Körpers
von doppelter Linie eingefasst, wie es eine Verdickung desselben
mit sich bringt. — Es ist wohl kein Zweifel, dass diese Körper
Fructificationen angehören und die Sporangien oder Sori eines *Asterocarpus* darstellen. Ganz ähnliche Körper bildet GUTBIER, Verst. d.
Rothl. in Sachsen Taf. V Fig. 3 u. 4 ab und bezeichnet sie als fructi-
ficirende Wedel seiner *Neuropteris pinnatifida* von Reinsdorf. Die
Asterocarpus-Structur ist in unserem Falle deutlich.

In der Sammlung der naturforsch. Gesellsch. zu Görlitz.

Lepidophyta.

Lepidostrobus.

Zu *Lepidostrobus* pflegt man die meisten Aehren der älteren
Formationen zu stellen, deren Deckblätter spiralig gestellt sind
und welche man unter die Gymnospermen einzureihen nicht Ur-

sache hat. Allerdings muss man bedenken, dass im Rothliegenden
nur sehr selten Reste von *Lepidodendron* und Verwandten gefunden
werden, daher bleibt immerhin die Einreihung der Aehren unter
die Gattung *Lepidostrobus* mit einigen Zweifeln verbunden. Dies
gilt auch von dem hier aufzuführenden Reste:

Lepidostrobus (?) attenuatus Göpp.

Der Abdruck der zusammengedrückten Aehre entspricht recht
gut den Abbildungen bei GÖPPERT, Permische Flora, Taf. 19 Fig. 8
und Taf. 52 Fig. 4 u. 7. Der Abdruck ist 33^{mm} lang, 12,5^{mm}
breit, Spitze abgerundet, die einzelnen Deckblattschuppen erkennbar, aber zusammengeflossen in Folge der wie gewöhnlich schlechten
Erhaltung. — Wollte man den Rest nicht zu *Lepidostrobus* stellen,
so bliebe nur die Möglichkeit der Zugehörigkeit zu *Walchia* übrig.

Görlitzer Sammlung.

Gymnospermae?

Cordaites.

1. Cordaites principalis Germ. sp.

Besonders ein 10^{cm} langes, 7½^{cm} breites Blattstück trägt die
für *Cordaites principalis* bezeichnenden Merkmale, welche in einer
scharfen gradlinigen parallelen Streifung (Nervation) bestehen, wobei
sich einzelne im Mittel etwa ⅔^{mm} von einander abstehende Streifen
stärker hervorheben, zwischen denen feinere, meist 3 bis 4, sich
einschalten. Die Blattfläche zwischen den gröberen Streifen ist sehr
flach dachförmig. Ebenso verhält sich bekanntlich *Cord. Ottonis*
Gein., der nur etwas mehr Streifen (10 auf 5^{mm} Breite statt 8—9)
besitzen soll. Da indessen nach LASPEYRES der *Cordaites (Fla-
bellaria* Germ.) *principalis* aus unterem Rothliegenden von Wettin
herrührt, so dürfte eine Abtrennung des kaum unterscheidbaren
C. Ottonis nicht festzuhalten sein.

·2· Cordaites sp.

Ich erwähne hier noch besonders 2 weitere Reste, welche man sehr wohl als Abänderungen der vorigen Art betrachten kann.

1) 2 nebeneinander liegende Blattstücke von 17—27^{mm} Breite, $10\frac{1}{2}^{cm}$ lang, vielleicht zu einem und demselben, aber zerschlitzten grösseren Blatte gehörig; mit 9 fein liniirten Streifen auf 5^{mm} Breite, also hiernach wie *C. principalis*, jedoch schmälere Blätter.

2) 1 Blattstück von $13\frac{1}{2}^{cm}$ Länge, unten 11, oben 18^{mm} Breite, also von der schlanken Form, wie *C. palmaeformis* zu erscheinen pflegt. Von den unten stärker hervortretenden, oben flacheren Streifen kommen 10—11 auf 5^{mm} Breite und sind durch mehrere feine Linien weiter getheilt. Die Nervation würde also mit *C. Ottonis* Gein. übereinstimmen, nicht aber die Form.

Die obigen Stücke befinden sich in der Görlitzer Sammlung.

Schützia.

Schützia anomala Gein.

Dieser merkwürdige Blüthenstand wird repräsentirt durch ein deutliches Stück von 10^{cm} Länge. Es stellt den obern Theil einer langen Traube vor, wesentlich wie die durch GEINITZ (N. Jahrbuch f. Min. 1863, S. 525 Taf. VI) und GÖPPERT (Perm. Flora 1865, S. 161 Taf. 23 u. 24 Fig. 1—3) beschriebenen, abgesehen davon, dass der Erhaltungszustand auch hier die Frage nicht sicher entscheiden lässt, ob die einzelnen Köpfchen mit dachziegelförmig-spiraligen (GEINITZ) oder nur einem Kreis paralleler (GÖPPERT) Deckblätter versehen sind.

An einer 3—4^{mm} breiten Axe sind die zweireihigen kurzgestielten, an dem vorliegenden Exemplare gegenständigen Köpfchen befestigt, deren man auf der einen Seite 10, auf der andern nur 8 vorfindet. Ausserdem ist ein endständiges Köpfchen von gleicher Form und Grösse vorhanden. Die Erhaltung entspricht mehr der von GEINITZ als jener von GÖPPERT vertretenen Ansicht.

Ein anderes Stück reiht sich im Aussehen dem sogen. *Dictyo-thalamus Schrollianus* Göpp. an (s. Abhandl. d. naturf. Ges. in Görlitz Bd. 15 S. 19).

Sammlung der naturforsch. Gesellsch. zu Görlitz.

Walchia.

Walchien sind, wie in allen rothliegenden Gebieten, häufig, und zwar besonders in den bekannten 2 Arten *W. piniformis* Schloth. sp. und *W. filiciformis* Schloth. sp. Gewöhnlich sind es beblätterte Zweige; auch einzelne isolirte manchmal auffallend grosse Blätter liegen vor, z. B. solche von 5^{mm} Breite am Grunde bei 22^{mm} Länge mit $M_{ittelrippe}$ und von lanzettlicher Gestalt, etwas gebogen. Andere 3^{mm} breit und 26^{mm} lang, wie bei *filiciformis* gebogen, mit Mittelrippe; oder auch 3,7 zu 14^{mm}, ohne erkennbare Mittelrippe, auch ohne Streifung (etwa *Ullmannia* ähnlich).

Walchia piniformis, die häufigere Form, kommt manchmal durch sehr schmale lineale Blättchen der *W. linearifolia* Göpp. sehr nahe. In anderen Fällen, wenn die Blätter lang und gross, etwas schlaff sind, gleicht sie *W. flaccida* Göpp. nicht unbedeutend.

Ein interessantes Stück ist auf Taf. III Fig. 20 abgebildet. Es ist ein Zweigstück mit grösseren Blättern. Rechts und links an dem platten Abdruck treten je eine verticale Reihe von Knospen hervor, jede Knospe durch eine grössere Nadel gestützt. In jeder Knospe erkennt man einen dicht gedrängten Schopf von Blättchen, die, weil sie jung sind, klein und schmal erscheinen, auch ihre dachziegelige Knospenlage theilweise noch erkennen lassen. Ob diese Knospen Blüthen oder jungen Zweigsprossen angehören, ist nicht zu entscheiden.

Sammlung in Görlitz.

Ein Fruchtstand am Ende eines *piniformis*-Zweiges bildet einen kurzen Zapfen, indessen ist nur der Umriss und die den übrigen noch gleichgestalteten unteren Blätter des Zapfens erkennbar; ebenfalls in der Görlitzer Sammlung.

Walchia filiciformis kommt ausser der gewöhnlichen Form auch in solchen vor, wie GÖPPERT, Perm. Flora Taf. LI Fig. 4 (umge-kehrt) abbildet, sowie die kurzblättrige var. *brevifolia* (l. c. Fig. 1 oder WEISS, foss. Flora Taf. XVI Fig. 5).

Es sei noch erwähnt, dass als *Pterophyllum Cottaeanum* parallel-nervige schmale lange Blätter (in der Görlitzer Sammlung) früher angesehen worden sind, deren Grund nicht erhalten ist, so dass ihre nähere Bestimmung durchaus fraglich bleibt.

Fructus et semina Gymnospermarum (?).

Cardiocarpus.

Es kommen kleine samenähnliche Körper vor, welche ganz den als Walchiensamen oder Fruchtschuppen gedeuteten Resten in GEINITZ' Dyas II. Bd. Taf. XXXI Fig. 5—7 (von Naumburg in der Wetterau) entsprechen.

Ein hierher gehöriger Rest ist auf Taf. III Fig. 11 in doppelter Grösse dargestellt, 3,5 mm breit, 4 mm hoch, fast kreisförmig, oben mit scharfer, unten mit stumpfer Spitze, scheinbar mit Kern in der Mitte. Der ganze Körper wird von einem feinen Spalt der Länge nach bis über die Mitte getheilt. — Im Schieferthon mit *Jordania moravica*.

Ein anderer Rest zeigt nur den Kern, oval, spitz, 5 mm breit, 6,7 mm hoch, Ränder verdickt, ohne Mittellinie und ohne Flügel-saum und liesse sich zu *Cardiocarpus orbicularis* Ett. zählen. — Im Brandschiefer, Sammlung in Görlitz.

Andere Stücke sind noch mehr elliptisch.

Samaropsis.

1. **Samaropsis fluitans** Daws. sp. — Taf. III Fig. 12.

WEISS, foss. Flora d. jüng. Steink. u. d. Rothlieg. im Saar-Rheingebiete, S. 209 Taf. XVIII Fig. 24—30.

Ganze Frucht mit Flügel 5,5 mm breit und hoch, Kern 2,7 mm breit und hoch; fast kreisförmig, spitz, an der Spitze kaum merklich gespalten; von dem Spalt geht eine vertiefte Linie bis auf den Kern. Dieser ist von fast gleicher Form wie die ganze Frucht, steht aber unter der Mitte derselben; er zeigt in der Mitte einen Wulst, der wohl durch Druck entstanden sein kann. Der Flügel zeigt Spuren concentrischer Streifung. Die äussere Form der Frucht gleicht am meisten der Fig. 25 des oben citirten Werkes, bezüglich des Spaltes ist Fig. 29 a nahestehend.

Original in der Sammlung in Görlitz.

2. Samaropsis lusatica n. sp. — Taf. III Fig. 13—15.

Fructus rotundato-vel ovato-cordatus, basi profunda cordata, apice lacerato vel retuso; linea media prominens totam longitudinem percurrens; nucleus dimidium fructus latitudinis superans, ovalis vel subrotundus vel subcordatus, alea plana inferne aurita et latiore, superne angustiore cinctus.

Frucht rundlich- bis länglich eiherzförmig mit tief herzförmig eingebuchtetem unterm Ende, am obern in franzenähnliche Spitzen aufgelöst und ausgebuchtet. Eine kantig vorspringende Mittellinie der Länge nach durchlaufend. Kern mehr als halb so breit und gross als die ganze Frucht, oval oder rundlich bis etwas herzförmig, von einem nach unten breiteren und stark geöhrten, nach oben schmaleren Flügel umgeben.

Cardiocarpus orbicularis Göpp. (nec Ettingsh.), Perm. Flora Taf. 26 Fig. 10.

Drei Exemplare dieser merkwürdigen Frucht nebst dem Gegendruck des einen liegen vor von 10—12^{mm} Länge und 9—11^{mm} Breite. Im Einzelnen sind sie: Original zu

Fig. 13: 12^{mm} lang, 9^{mm} breit; Kern 8^{mm} lang, 5^{mm} breit; Flügel 3,5^{mm} breit (unten) bis 1,3^{mm} (oben).

Fig. 14: über 11^{mm} lang, 11^{mm} breit; Kern 9^{mm} lang, 7,5^{mm} breit; Flügel 3—1,3^{mm} breit.

Fig. 15: reichlich 10^{mm} lang u. breit; Kern 8^{mm} lang, 7,5^{mm} breit; Flügel 2,5—1^{mm} breit.

Es ist die grösste bisher bekannt gewordene Art dieser Gattung und ändert ab von länglich herzförmiger Gestalt (Fig. 13.) bis rundlich herzförmiger (Fig. 15) der ganzen Frucht, während der ziemlich grosse Kern oblong (Fig. 13), eiherzförmig (Fig. 14) oder fast rund (Fig. 15) erscheint. Die Flügel sind verhältnissmässig viel weniger breit als bei voriger Art und zeichnen sich durch ziemlich grosse Ohren oder herzförmige Lappen an dem als unteres angenommenen Ende aus. Uebrigens sind die Flügel von dem innern Felde, dem Kern, nicht immer scharf getrennt und z. B. bei Fig. 15 unbestimmt abgegrenzt. Dies wird zum Theil durch eine bogige Streifung hervorgerufen, welche sich über die ganze Oberfläche erstreckt, auch wohl mehr runzelig erscheint, in den Flügelohren aber ganz fehlt, daher hier auch der Gegensatz zwischen Kern und Flügel am schärfsten ist. Nach oben nehmen die Flügel an Breite beträchtlich ab, doch ist die eigentliche Spitze der Frucht nicht erhalten, sondern letztere löst sich hier in mehr oder weniger zerschlitzte Stränge auf, was eben wohl nur der Erhaltungsweise zuzuschreiben ist.

Eine ziemlich kräftige Mittellinie durchläuft, meist ein wenig gebogen, die ganze Frucht und theilt dieselbe in 2 fast gleiche Hälften. Sie tritt kantig hervor, bildet aber am Abdruck natürlich eine tief eingegrabene Linie. Die 2 den Flügel nach innen begrenzenden bogigen Linien sind weit weniger scharf.

Die hier beschriebenen Körper stimmen sehr gut mit der oben citirten GÖPPERT'schen Figur (Perm. Fl. Taf. 26 Fig. 10), welche indessen mit *Cardiocarpus orbicularis* Ettingsh. nicht vereinigt werden sollte, wogegen ich kein Bedenken trage, sie mit unserer *Samaropsis lusatica* für ident zu halten. Ob auch andere als *Cardioc. orbicularis* a. a. O. abgebildete Früchte hierher gehören, lässt sich ohne die Originale nicht entscheiden.

Sammlungen in Berlin und Görlitz.

3. Samaropsis sp. — Taf. III Fig. 16.

Das hier in 2facher Grösse abgebildete Stück einer unvollständig erhaltenen Frucht gehört offenbar, wie die vorige Art, zu *Samaropsis* und steht in naher Beziehung zu *S. lusatica;* indessen lassen sich Unterschiede nicht verkennen, weshalb hier nur auf den Rest aufmerksam gemacht werden soll.

Der Kern ist vollständig, 4,8 ^{mm} breit und 6,1 ^{mm} hoch, der Saum auf 1,2 ^{mm} Breite erhalten. Kern mit wulstförmig verdickten Rändern und wulstförmigem Strang in der Mitte, die kantige Mittellinie bei *S. lusatica* vertretend; etwas gestreift wie auch der Flügelsaum. Sammlung in Görlitz.

Jordania.

Jordania moravica Helmhacker. — Taf. III Fig. 17—19.

HELMHACKER, Permmulde von Budweis, Sitzungsber. d. k. böhm. Ges. d. Wiss. 1871, I. H. S. 81.

Derselbe, Jahrb. d. Bergakademieen v. Przibram, Leoben u. Schemnitz, 1874, S. 22.

EUG. GEINITZ, Neue Aufschlüsse im Brandschiefer von Weissig in Sachsen, N. Jahrb. f. Miner. 1875, S. 11 Taf. I Fig. 10, 11.[*]

R. PECK, Abhandl. d. naturforsch. Gesellsch. in Görlitz Bd. XV, 1875, S. 19.

Fructus oblongus sive elongato-ellipticus compressus basin atque apicem versus attenuatus, ala (pericarpio?) laevi lata membranacea instructus, nucleus (semen?) ovatus in medio fructus situs. Linea subcrassa superne angustior petiolo similis ex infima basi paullo dilatata alam totam percurrens, nucleum non penetrans.

Frucht oblong oder länglich-elliptisch, flachgedrückt, am Grunde und gegen die Spitze schmaler, mit glattem breitem häutigem Flügel (dem Pericarpium?) versehen, in der Mitte mit eiförmigem Kern (Samen?). Ein Strang durchläuft als dicke Linie die ganze Länge des Flügels, unten dicker und an der Basis etwas erweitert, an der Spitze schmaler, im Kern selbst nicht vorhanden.

Abdruck und Gegendruck eines Exemplares haben vorgelegen, eine breit und lang geflügelte Frucht, leider der Länge nach nicht vollständig, bildend. Es sind nur 19 ^{mm} in der Länge erhalten und wohl noch 6—9 ^{mm} als fehlend anzunehmen, so dass die ganze

---

[*] Das a. a. O. enthaltene Citat „*Carpolithes Krejci* Helmh. in lit. 1868" ist nach gefälliger brieflicher Mittheilung des Herrn HELMHACKER zu streichen, da dieser Name in keiner Druckschrift des letzteren Autor enthalten ist.

Länge 25 — 28 ᵐᵐ betragen haben mag. Die grösste Breite ist 8,3 ᵐᵐ und liegt am unteren. Ende des Kernes. Während an andern Exemplaren die Enden der ovalen bis lang elliptischen Frucht etwas spitz waren, ist das untere Ende unseres Stückes abgestuzt, weil es hier vermuthlich an der Ansatzstelle abgerissen ist. Die Frucht wird der ganzen Länge nach von einem unten 1,6, weiter oben 0,5 ᵐᵐ breiten Strang durchzogen, welcher (wohl in der Mitte der Frucht) in einen elliptisch-eiförmigen fein längs-gestreiften Kern von 6,2 ᵐᵐ Länge und 3,2 ᵐᵐ Breite eintritt. Der Abdruck Fig. 18 zeigt, dass der Kern sich an der Spitze wieder in die Fortsetzung des mittleren Stranges verschmälert, doch ist hiervon nur ein Stückchen von 2,6 ᵐᵐ erhalten. Da dieser Strang an dem einen Ende sich verbreitert, so ist es wahrscheinlich, dass dies das untere Ende sei; am andern Ende verlängert er sich nach E. Geinitz in eine kleine über den Flügel hinaus vorspringende griffelartige Spitze. Der Flügel ist ganz glatt.

Mit den von Eugen Geinitz (l. c. S. 11 Taf. 1 Fig. 10, 11) beschriebenen Resten stimmt der unserige im Wesentlichen gut überein, weshalb auch kein Anstand genommen wurde, beide zu identificiren. Das Exemplar von Wünschendorf war grösser und erscheint im Verhältniss weniger schmal, obschon die Unvollständigkeit desselben hier in Rechnung zu bringen ist. Auch ist der Kern bei beiden gestreift und verläuft an einer Seite allmählich in den Mittelstrang, der an der andern Seite ziemlich scharf absetzt.

Schon E. Geinitz hat richtig die Unterschiede dieser rothliegenden Art von der durch Dawson (Foss. Plants of Dev. Form. Canada, 1871, S. 60 Taf. XIX Fig. 220—222) als *Cardiocarpum Crampii* Hartt beschriebenen mitteldevonischen Art hervorgehoben, welche letztere den Figuren von Geinitz recht ähnlich ist, aber sich durch die den Kern durchsetzende Längslinie (Strang) und runzlige Beschaffenheit der Hülle unterscheidet.

Vorkommen: Unterstes Rothliegendes von Zbejsov bei Rossitz sowie von Padochow und Rican in Mähren, von Budweis und Velesin bei Plas in Böhmen (nach Helmhacker), von Weissig in Sachsen, von Wünschendorf in der Lausitz.

Schliesslich sei erwähnt, dass ich von folgenden Formen, welche zum Theil nach ·GÖPPERT angegeben wurden, mir keine nähere Kenntniss verschaffen konnte: *Cyclocarpus intermedius* Göpp., *Trigonocarpus Schulzianus.* Göpp., *Nöggerathia platynervia* Göpp., *Gyromyces Ammonis* Göpp. Dagegen sind Reste vorhanden, welche man als *Pinnularia* aufzuführen pflegt, auch Verdrückungen, welche die von GEINITZ *Guilielmites* genannte Form angenommen haben.

A. W. S c h a d e's Buchdruckerei (L. S c h a d e) in Berlin, Stallschreiberstr. 47.

Inhalt.

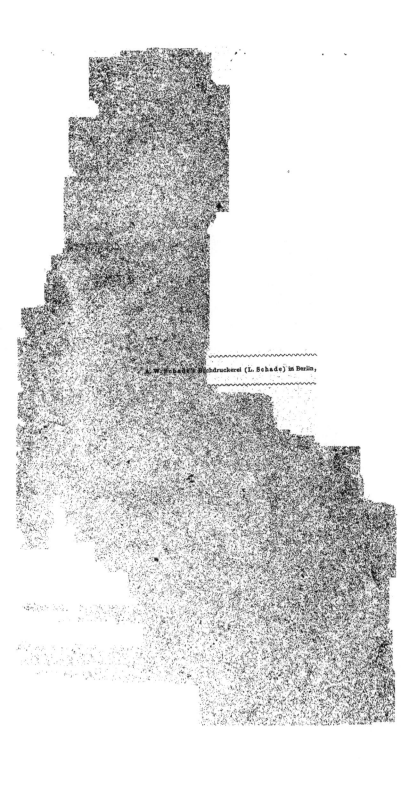

A. W. Schade's Buchdruckerei (L. Schade) in Berlin,

Abhandlungen

zur

geologischen Specialkarte

von

Preussen

und

den Thüringischen Staaten.

BAND III.

Heft 2.

BERLIN.

Verlag der Simon Schropp'schen Hof-Landkartenhandlung.

(J. H. Neumann.)

1881.

Abhandlungen

zur

geologischen Specialkarte

von

Preussen

und

den Thüringischen Staaten.

———

BAND III.

Heft 2.

BERLIN.

Verlag der Simon Schropp'schen Hof-Landkartenhandlung.

(J. H. Neumann.)

1881.

Mittheilungen

aus dem

Laboratorium für Bodenkunde

der

Königl. Preussischen Geologischen Landesanstalt.

Untersuchungen des Bodens

der

Umgegend von Berlin

bearbeitet

von

Dr. Ernst Laufer und Dr. Felix Wahnschaffe.

BERLIN.

Verlag der Simon Schropp'schen Hof-Landkartenhandlung.

(J. H. Neumann.)

1881.

Vorbericht.

Nachdem von dem Königlichen Ministerium für Handel, Gewerbe und öffentliche Arbeiten bestimmt worden war, dass die geologischen Aufnahmen auch auf das norddeutsche Flachland, zugleich unter Berücksichtigung der agronomischen Verhältnisse, sich erstrecken sollten, wurde in einer Conferenz des Vorstandes der geologischen Landesanstalt*) unter Hinzuziehung mehrerer Sachverständiger am 10. April 1873 beschlossen, zugleich mit der Inangriffnahme dieser Arbeiten ein besonderes Laboratorium für Bodenkunde zu errichten, dessen Leitung zunächst Herrn Professor Dr. Orth übertragen wurde.

Die in diesem Laboratorium ausgeführten Untersuchungen hatten den Zweck, die geognostischen Bildungen des Flachlandes an sich hinsichtlich ihrer Zusammensetzung zu charakterisiren, sowie auch vom land- und forstwirthschaftlichen Standpunkte aus ihre Beziehungen als Culturboden festzustellen.

Die bei diesen Bodenuntersuchungen gewonnenen Resultate sind bereits zum geringeren Theil in den erläuternden Texten zu den geologischen Specialkarten mitgetheilt und finden sich ferner in „Rüdersdorf und Umgegend, auf geognostischer Grundlage agronomisch bearbeitet von Dr. Albert Orth", sowie nach anderen Gesichtspunkten zusammengestellt in den Allgemeinen Erläuterungen zum

---

*) Siehe Jahrbuch der Königl. Preuss. geol. Landesanstalt und Bergakademie zu Berlin, 1880, S. LXX.

„Nordwesten Berlins von Dr. G. Berendt". In den Speciälerläuterungen wurde bereits am Schlusse jedes einzelnen Heftes bei der Mittheilung der Analysen typischer Boden-Profile darauf hingewiesen, dass eine nähere Besprechung derselben und eine Darlegung der angewandten Methoden einer besonderen Erörterung vorbehalten bleiben müsse.

Diesem Zwecke soll die vorliegende Abhandlung dienen. Sie soll eine Ergänzung sein zu den erwähnten Publikationen, indem sie sowohl eine Erklärung und Begründung der befolgten Methoden giebt, als auch alle aus diesen Arbeiten hervorgegangenen pedologischen Resultate enthält. Es werden demnach im Abschnitt I die Ergebnisse aller Untersuchungen mitgetheilt werden, welche zur Ermittelung des geeignetsten analytischen Ganges sowie zur Prüfung und Vergleichung der verschiedenen Methoden angestellt wurden, im Abschnitt II sollen alle bisher im Laboratorium für Bodenkunde durch die Herren Dr. Laufer, Dr. Dulk, Dr. Wahnschaffe und Bergingenieur Schulz ausgeführten Analysen im Zusammenhange ihre Aufnahme und Besprechung finden. Nach Austritt des Herrn Prof. Orth aus der Königlichen geologischen Landesanstalt wurden die Arbeiten den drei Erstgenannten selbstständig überlassen.

Die Disposition zu vorliegender Abhandlung haben dieselben gemeinsam abgefasst, in die Ausarbeitung jedoch haben sich nach dem Ausscheiden des Herrn Dr. Dulk aus der geologischen Landesanstalt im Frühjahr 1880 die beiden unterzeichneten Verfasser getheilt und sind die Autoren der einzelnen Abschnitte durch die Anfangsbuchstaben ihrer Namen gekennzeichnet.

Berlin, im Oktober 1881.

Ernst Laufer. **Felix Wahnschaffe.**

Inhaltsverzeichniss.

Abschnitt II.

*) Die Analysen sind geordnet nach der am Schluss des Inhaltsverzeichnisses bei-
gefügten Uebersichtstafel der Sectionen.

Uebersichtstafel der Sectionen.

Linum 1	Cremmen 4	Oranienburg 7	Wandlitz	Biesenthal	Grünthal
Nauen 3	Marwitz 5	Hennigsdorf 8	Schönerlinde	Bernau	Werneuchen
Markau 2	Rohrbeck 6	Spandau 9	Berlin	Friedrichs-felde	Alt-Lands-berg
Ketzin 10	Fahrland 13	Teltow 16	Tempelhof 19	Cöpenick 22	Rüdersdorf 25
Werder 11	Potsdam 14	Gr.-Beeren 17	Lichtenrade 20	Königs-Wuster-hausen 23	Alt-Hart-mannsdorf 26
Beelitz 12	Wildenbruch 15	Trebbin 18	Zossen 21	Mittenwalde 24	Friedersdorf 27

Soweit die Sectionen numerirt sind, liegen Bodenuntersuchungen aus denselben vor.

Verbesserungen.

Seite 29 Zeile 20 v. o. (I. Rubr.) statt: 11,7 lies: —
- 31 - 14 v. o.   statt: Tassdorf lies: Tasdorf
- 94 - 5 v. u. (VI. Rubr.) statt: 1,63 lies: 2,67
- 124 - 14 v. o.   statt: Kickebusch lies: Kiekebusch
- 131 - 15 v. o.   statt: Decimeter lies: Meter
- 135 - 7 v. o.   statt: Decimeter lies: Meter
- 136 I. Rubr.   statt: 5,8 lies: 5-8
- -   -   - 2,10 - 2-10
- 138 I. Rubr.   statt: 2,5 lies: 2-5
- -   -   - 2,4 - 2-4
- 140 Zeile 13 v. u.   statt: Kohlen-Kalk lies: Kohlensaurer Kalk
- - - 10 v. o.   statt: 3,38 lies: 3,88
- 154 - 9 v. o.   statt: 13,3 lies: 11,3
- 189 Kopf der Seite   statt: Oberes lies: Unteres Diluvium
- 190 Kopf der Seite   statt: Oberes Diluvium lies: Diluvium.

Einleitung.

(F. W.)

Bei der Untersuchung der Bodenarten im Laboratorium für Bodenkunde war der Gesichtspunkt maassgebend, dieselben sowohl nach ihrer geognostischen als auch nach ihrer agronomischen Seite in gleicher Weise zu berücksichtigen. Diese anscheinend doppelten Interessen, denen die Bodenanalyse gerecht werden sollte, stehen jedoch in innigster Beziehung zu einander, da man, abgesehen von anderen, vorwiegend physikalischen Bedingungen, die Bildung eines Bodens und seinen Werth für die Cultur nur vom geognostischen Standpunkte aus erst in richtiger Weise zu beurtheilen vermag. Indem man daher den Boden in seinen Beziehungen zum Ursprungsgestein, d. h. für die Diluvialböden der Mark, die ursprüngliche Diluvialablagerung, untersuchte, war es zugleich möglich, ihn auch hinsichtlich seines Verhaltens als Culturboden zu charakterisiren.

Nach diesem Gesichtspunkte erfolgte demnach die Probeentnahme. Es wurden von den innerhalb der Section auftretenden Formationen charakteristische Proben entnommen und zwar in den meisten Fällen die Bodenarten eines Profiles, welches von der Oberkrume bis zum unverwitterten geognostischen Gebilde (Untergrund) hinabreichte. Dabei wurden nur die auf der Section haupt-

sächlich vorwaltenden, sowie die sich durch eine besondere
Fruchtbarkeit oder Unfruchtbarkeit auszeichnenden Bodenarten berücksichtigt. Bei der Probeentnahme wurden entweder offene Aufschlüsse (Gruben, Wegeeinschnitte, Brunnenlöcher u. s. w.) benutzt
oder es wurden besondere Aufgrabungen und Bohrungen mit dem
amerikanischen Tellerbohrer vorgenommen, nachdem zuvor die
Brauchbarkeit der tieferen Proben mit dem Handbohrer festgestellt
war. Die Menge der entnommenen Bodenprobe richtete sich nach
der mehr oder weniger grossen Gleichmässigkeit derselben und
schwankte zwischen $1/2$ bis 2 Kilogramm. Die Proben wurden zur
Aufbewahrung in Düten von starkem, weissen Papier gefüllt, indem bei trocknem Boden solche Düten verwendet wurden, die mit
gewöhnlichem Leim geklebt waren, während für nassen Boden
besondere Düten mit einem in Wasser unlöslichen „Marineleim“
angefertigt wurden [1].

Alle entnommenen Proben sind demnach charakteristische
Lokalproben und nicht Durchschnittsproben von Ackerflächen.
Die letztere von E. WOLFF empfohlene und näher beschriebene
Methode der Probeentnahme eignet sich sehr gut für die Unter-
suchung der Oberkrume einer mehr oder weniger grossen Acker-

---

[1] Die Düten, welche nach Dr. LAUFER's Angabe geklebt wurden, erwiesen
sich für die nassen Bodenproben als besonders praktisch. Eine kurze Notiz für
die Bereitung des Leimes findet sich in A. PAYEN's Gewerbschemie, bearbeitet von
Dr. H. FEHLING, Stuttgart 1850, S. 630, Anmerkung. Der Leim wird nach
LAUFER's Angabe in der Weise hergestellt, dass alte Kautschukrückstände in
einer Flasche mit schwerem Steinkohlentheeröle übergossen und unter öfterem
Umschütteln längere Zeit stehen gelassen wurden. Die etwa $2/100$ Theile Kaut-
schuk enthaltende Lösung wird darauf abgegossen und ihr unter Erwärmen auf
dem Wasserbade Schellack zugesetzt, wovon sie ungefähr ihr dreifaches Gewicht
löst. Es ist so viel Schellack hinzuzufügen, bis eine Probe auf dem Papier keine
fettigen Theile mehr erkennen lässt. Diese Lösung wird nach dem Erkalten fest.
Vor dem Gebrauch wird die Masse geschmolzen, bis sie sich mit dem Pinsel gut ver-
streichen lässt. Da der Leim bei dem Erkalten sehr schnell erstarrt, so wurden
beim Kleben der Düten zuerst die beiden Ränder bestrichen und dann auf einer
heissen Eisenplatte und mit einem heissen Messer die Papiersäume umgekippt und
geglättet. Dieser Leim, der den Namen Marineleim (glu marin) führt, zeichnet
sich auch dadurch aus, dass er noch nach Jahren eine gewisse Elasticität besitzt.

fläche von annähernd gleicher Bodenbeschaffenheit, ist jedoch bei
der profilistischen Probeentnahme nicht anzuwenden.

Allerdings kann man sich nicht verhehlen, dass bei einer noch
so sorgfältigen Auswahl der Proben die agronomischen Verhältnisse einer Section durch die Untersuchung von 3 oder 4 Boden-
profilen bei dem grossen Wechsel der Bodenbeschaffenheit nicht
genügend charakterisirt werden können. Ist doch schon das Verhältniss der Bodenprobe zum Boden ein in vielen Fällen weit un-
günstigeres, wie z. B. bei der Entnahme eines Handstückes von
einem grösseren Gebirgsstock. Da jedoch dieselben geognostischen
Formationsglieder auf den verschiedenen Sectionen der Umgegend
Berlins in gleicher Ausbildung immer wiederkehren und mehrfach
untersucht worden sind, so giebt das Durchschnittsresultat dieser
Bodenuntersuchungen ein annähernd genaues Bild der in der Umgegend Berlins auftretenden Bodenbildungen. Man muss sich dabei
stets vergegenwärtigen, dass es sich bei der geognostisch-agronomischen Aufnahme im Maassstabe 1 : 25,000 immer um weitere
Gesichtspunkte handelt, während ganz specielle agronomische Verhältnisse nur bei der Bearbeitung eines Gutes in grösserem Maassstabe Berücksichtigung finden können.

Die Bodenproben sind in dem nordöstlichen Viertel der Section
Rüdersdorf von Herrn Professor ORTH, zum Theil von Herrn
Dr. GRUNER, innerhalb der neun Sectionen im Nordwesten Berlins
von den Herren Professoren BERENDT und ORTH gemeinschaftlich,
im Uebrigen sämmtlich von den Bearbeitern der Sectionen entnommen worden.

Was die Ausführung der Bodenuntersuchungen anlangt, so
geschah dieselbe anfangs nach Vorschlägen des Herrn Professor
ORTH, jedoch in der Weise, dass die für die verschiedenen Bodenarten passendste Untersuchungsmethode sich erst nach und nach
während dieser Arbeiten herausbildete. Die Analytiker des Laboratoriums setzten sich bei allen diesen Arbeiten das Ziel, eine
möglichst einfache und doch dem Zweck entsprechende Methode
für die Untersuchung der Quartärbildungen auszuarbeiten. Freilich sind dieselben sich wohl bewusst, dass noch viele Lücken

bei diesen Arbeiten vorhanden sind, soweit die methodische Seite
dieser Untersuchungen in Frage kommt und dass dieselben daher
einer nachsichtigen Kritik bedürfen. Dies liegt aber auch hauptsächlich an dem für die Analyse so äusserst ungünstigen Material,
welches der Erforschung einmal . wegen der Ungleichmässigkeit
seiner Ausbildung und zweitens als ein Gemenge noch unverwit-
terter, zersetzter und in Zersetzung begriffener Mineralien grosse
Schwierigkeiten bereitet.

Abschnitt I.

1. Die Vertheilung der gesammten Untersuchungen auf die mechanische und chemische Zerlegung.

(E. L.)

Bisher war die Bodenuntersuchung scharf getrennt in eine mechanische und chemische, das heisst, man zerlegte den Boden mechanisch in seine Korngrössen, führte aber nur vom Gesammt-boden chemische Analysen aus, wobei man allerdings meist von einer Probe ausging, welche durch ein gröberes Sieb gegeben und als „Feinerde", häufig auch als „Feinboden", bezeichnet war. Die Definition von Feinerde und Feinboden weicht bei den verschiedenen Agriculturchemikern mehrfach ab. So bezeichnet KNOP[1] den durch das $1/4$-Millimeter-Sieb gegebenen ursprünglichen Boden als „Feinerde", als „Feinboden" dagegen den Glührückstand der Feinerde.

In unserer Abhandlung ist unter Feinboden der durch das 2-Millimeter-Sieb gegebene ursprüngliche Boden zu verstehen, wie S. 14 näher begründet ist. Beide Theile der Untersuchung, der chemische und mechanische, wurden nicht mit einander in Beziehung gebracht, wie dies z. B. deutlich hervorgeht aus dem von E. WOLFF[2] angegebenen ganz vortrefflichen Gange der

---

[1] KNOP, die Bonitirung der Ackererde. 2. Aufl., Leipzig 1872.

[2] E. WOLFF, Anleitung zur chem. Untersuchung landwirthschaftlich wichtiger Stoffe. Berlin, 1875.

Bodenanalyse, welcher als maassgebend von den Agriculturchemikern angenommen wurde. Durch die mechanische Analyse soll die Körnung des Bodens ermittelt und daraus seine physikalischen Eigenschaften abgeleitet werden, durch die chemische Analyse wollte man vermittelst einer successiven Behandlung mit immer stärker auflösend wirkenden Säuren die nach und nach disponiblen mineralischen Nährstoffe des Bodens bestimmen.

Dass die mechanische Analyse unbedingt zur Untersuchung des Bodens gehört, darüber ist man schon längst im Klaren.

Das verschiedene physikalische Verhalten der Bodenarten ist nicht allein durch die chemische Zusammensetzung der Hauptbodenconstituenten bedingt, sondern auch von der verschiednenen Korngrösse der Bestandtheile wesentlich abhängig. Die mechanische Analyse des Bodens, d. h. die Zerlegung desselben in verschiedene Korngrössen, kann daher einen wichtigen Maassstab für die Beurtheilung seines Werthes abgeben, wie dies Herr Professor Dr. ORTH in der Durchforschung des schlesischen Schwemmlandes und der geognostisch-agronomischen Kartirung des Rittergutes Friedrichsfelde bereits früher gezeigt hat.

− Auch in technischen Kreisen ist selbst bei sehr gleichmässigen Materialien (Thonen, Cement u. dergl.) die Wichtigkeit der mechanischen Analyse bekannt.

> SEGER. Notizbl. des d. Vereins für Fabr. von Ziegeln etc. VIII, S. 313. Für die Kenntniss der Eigenschaften der Thone liefert die chemische Analyse unzureichende Aufschlüsse, wenn dieselbe nicht durch eine mechanische Sonderung des Ungleichartigen, durch die mechanische Analyse, unterstützt wird.

Die chemische Gesammt-Untersuchung, mit der Feinerde nach E. WOLFF (Boden unter 3^{mm} D.) ausgeführt, hat so gut wie gar keinen praktischen Werth. Dagegen legt dieser Autor grosse Bedeutung den nach und nach zu erhaltenden Auszügen mit immer stärkeren Säuren bei. Es werden diese Auszüge mit dem Gesammtboden, resp. mit der Feinerde, ausgeführt. Derselbe sagte aber auch in der älteren Auflage des S. 5 genannten Buches im vollen Einverständniss mit unseren Anschauungen: „Das eigentlich Bedingende für die Thätigkeit der Nährstoffe ist die mechanische

Beschaffenheit des Bodens, seine Durchdringbarkeit für die Pflanzen-wurzeln, für Wasser und die Bestandtheile der atmosphärischen Luft." (S. 52, ibid. II. Auflage.)

Hinsichtlich der chemischen Bodenuntersuchung im Allge-meinen hat Herr Professor A. ORTH[1]) zuerst darauf hingewiesen, dass am besten die Feinsten Theile untersucht würden.

So wurden denn auch in unserem Laboratorium bereits im Jahre 1874 chemische Analysen der Feinsten Theile ausgeführt.

Auch Dr. FESCA[2]), welcher im Jahre 1876 persönlich den Gang der Arbeiten im hiesigen Laboratorium kennen lernte, hat in seiner später 1879 publicirten Arbeit die Vertheilung der Analyse auf eine mechanische und chemische Zerlegung, welche zu einander in Beziehung gesetzt werden, bei seinen Bodenuntersuchungen angewandt.

Behufs Abscheidung des Thones, eines der wichtigsten Boden-constituenten, hat ARON darauf hingewirkt, die mechanische mit der chemischen Analyse in Verbindung zu setzen, d. h. die auf chemischem Wege aus dem mechanisch abgesonderten Theilpro-dukte des Bodens gewonnenen Resultate auf den Gesammtboden zu beziehen.

Gegen ARON's „Combination der mechanischen Analyse mit der chemischen" spricht sich C. BISCHOF[3]) entschieden aus.

Er sagt: es entstehen Ungenauigkeiten, verbunden mit Will-kürlichkeit, wenn nicht die analytischen Bestimmungen weiter aus-gedehnt werden. Die Gewinnung der Thonsubstanz ist nicht genau, man erhält überhaupt keinen reinen Thon bei geringer Geschwindigkeit, bei grösserer aber erhält man Schluff und Sand mit; häufig sind auch Thonknötchen vorhanden.

BISCHOF hat bei dieser Kritik Recht, insofern er nur die Untersuchung der Thone im Auge hat.

So fand SEGER (Notizbl. 1873, S. 109) in dem Staubsande (0,025 — 0,04^{mm} D. oder 1,5^{mm} Geschw.) des Thones von Senftenberg

[1]) Geogn. Durchforschung d. Schlesischen Schwemmlandes. Berlin 1872, S. 9.

[2]) FESCA, die agronomische Bodenuntersuchung und Kartirung auf naturw. Grundl. Berlin 1879.

[3]) C. BISCHOF, Feuerfeste Thone. Leipzig 1876, S. 87.

noch 9,30 pCt. Thonerde, ja in demselben Schlämmprodukte aus
dem Thone von Andennes sogar 25,32 pCt. Thonerde.

Bei den Bodenarten des norddeutschen Flachlandes pflegt
sich dagegen bei der mechanischen Sonderung eine Grenze ein-
zustellen, wo kein Thon mehr vorhanden ist. Der blosse Augenschein zeigt, dass die bei der mechanischen Analyse abgetrennten
Körner von 0,1 — 0,05 ^{mm} D. (7,0 ^{mm} Geschw.) reine Sande sind
und nur ausnahmsweise concretionäre Bildungen dieselben verun-
reinigen.

Dagegen muss man BISCHOF zugeben, dass bei mechanischer
Sonderung auch mehrere chemische Analysen nöthig sind.

Zur Charakterisirung eines Bodens würde man am weitesten
kommen, wenn man sämmtliche mechanisch abgeschiedene Produkte
für sich untersuchte.

Bei vollständigen Untersuchungen würde man die Körnungs-
und Schlämmprodukte auch mit verschieden stark wirkenden Säuren
behandeln müssen.

Von diesem Gesichtspunkte aus und in dieser Vollständigkeit
muss eine Bodenanalyse ausgeführt sein, welche sowohl über die
Zugänglichkeit der mineralischen Nährstoffe für die Pflanzen, als
auch namentlich über die Zusammensetzung des Bodens vollen
Aufschluss geben soll.

Da die Bodenarten des norddeutschen Flachlandes eine gewisse
Gleichmässigkeit besitzen, so ist die Frage zu erörtern, wie weit
man bei derartigen Untersuchungen im engeren Rahmen zu gehen
hat. Jedenfalls werden dann, wenn an einzelnen charakteristischen
Bodenarten von verschiedenen Punkten des Flachlandes eingehende
Untersuchungen ausgeführt worden sind, die Resultate derselben
übertragen werden können auf nicht so eingehend untersuchte.

Aus unserem Laboratorium liegt eine Reihe derartiger vollständiger Bodenuntersuchungen zur Zeit noch nicht vor, wenn auch
einige Bodenarten bereits eingehender untersucht sind. Siehe z. B. das
Profil von Rixdorf (s. die Analysen). Es ist dies darin begründet, dass
zunächst die Untersuchungen zu den betreffenden Erläuterungen
für die geognostischen Karten einen baldigen Abschluss finden
mussten und die Analytiker ausserdem während des Sommersemesters

sowie auch einen Theil des Winters mit der geologischen Kartenaufnahme und Ausarbeitung derselben beschäftigt waren. Es werden
jedoch demnächst derartige Arbeiten zur Ausführung gelangen.

Bis jetzt wurden von den mechanisch abgeschiedenen Produkten
für gewöhnlich nur die feinsten Theile untersucht und dieselben
mit Rücksicht auf die Abscheidung des Thones, anfangs mit concentrirter Schwefelsäure oder zweifach schwefelsaurem Kali, später
zur Vereinfachung der Arbeit und zur Bestimmung aller in den
Feinsten Theilen enthaltenen Nährstoffe mit Fluorwasserstoffsäure
aufgeschlossen.

Bei einigen Untersuchungen wurde auch der Staub (Körner
von $0,05 - 0,01^{mm}$ D.) der chemischen Analyse in gleicher Weise
unterworfen.

Die gröberen Theile (bis zu 1^{mm} D.) wurden mehrfach petrographisch untersucht.

In Bezug auf die Vertheilung des Kalkgehaltes im Boden
liegen eine grosse Reihe von Versuchen vor, die an den sämmtlichen einzelnen Schlämm- und Körnungsprodukten der mechanischen
Analyse vorgenommen wurden. (Siehe die Analysen.)

Nur in wenigen Fällen wurden Auszüge mit Salzsäure zur
Ermittelung der Nährstoffe ausgeführt, um deren Verhältniss zu
den Hauptbodenconstituenten zu erfahren, vielmehr kam es darauf
an, die Hauptbodenconstituenten selbst zu bestimmen, welche nach
dem THAER'schen Ackerclassificationsprincip als: Thon, Sand, Kalk
und Humus unterschieden werden.

In Wirklichkeit werden auch die Unterschiede der
Bodenarten des norddeutschen Tieflandes — und nur um
diese, wie nicht genug betont werden kann, handelt es sich hier —
durch das quantitative Vorkommen dieser Haupt-Ge-
mengtheile in erster Linie bedingt.

Der Thongehalt der Bodenarten ist bisher derart bestimmt
worden, dass die Thonerde der Feinsten Theile, anfangs die durch
Aufschliessen mit Schwefelsäure erhaltene, später die mit Fluorwasserstoffsäure ermittelte Gesammtmenge derselben, auf wasserhaltigen Thon berechnet wurde. Diese Zahl wurde auf den Gesammtboden bezogen. Der Thongehalt, welcher noch im Staube vorhanden

ist, wurde bis jetzt nicht mit in Rechnung gebracht. Von nun
ab soll aber derselbe mit berücksichtigt werden. (Näheres siehe
S. 38 „die Bestimmung des Thongehaltes".)

Bei den Sanden wurden die mechanisch abgetrennten gröberen
Theile zwar nicht chemisch, aber doch häufig petrographisch auf
ihren Bestand untersucht; zum Theil wurden auch die Feinsten
Theile aus grösseren Mengen Sandes abgeschieden und für sich
der Analyse unterworfen. Bei den gewöhnlichen Diluvialsanden
ist eine Gesammtanalyse sehr gerechtfertigt, da Staub und Feinste
Theile zurücktreten. (Näheres siehe „Die Petrographische Untersuchung" und „Erfahrungsmässige Resultate etc. ").

Bei humosen Bodenarten wurde selten der Humusgehalt der
einzelnen Schlämm- resp. Körnungsprodukte ermittelt, da bei gut
gemengtem Humus derselbe sich bei den Feinsten Theilen der
mechanischen Analyse vorfindet. Die Humusbestimmung wurde
daher mit dem Gesammtboden ausgeführt. (Siehe „Bestimmung des
Humusgehaltes".)

Bei kalkigen Bildungen wurden Gesammtboden und Theilprodukte auf kohlensauren Kalk geprüft. (Siehe „Bestimmung des
Gehaltes an Calcium- bezw. Magnesiumcarbonat".)

Bei dieser Vertheilung der Untersuchung auf einen
mechanischen und chemischen Theil ergab sich, wie
später im analytischen Theile ausgeführt werden soll,
dass bei geognostisch gleichartigen Bodenarten die
mechanische Analyse allein schon Schlüsse über die
chemische Zusammensetzung des Bodens ermöglichte.

2. Die verschiedenen Methoden der mechanischen Trennung.

A. Die Körnung mit dem Siebe.

(F. W.)

Während zur Abtrennung der feineren, nur mikroscopisch messbaren Bestandtheile des Bodens die Schlämmanalyse diente, wurde zur Sonderung des gröberen Materials die Körnung mit dem Rundlochsiebe vorgenommen. Das Rundlochsieb verdient den auch sonst in anderen landwirthschaftlichen Laboratorien angewandten Drahtnetzsieben mit quadratischen Maschenöffnungen entschieden vorgezogen zu werden; sobald es sich um genauere Messungen handelt[1]. Bei den Sieben mit kreisrunden Löchern finden die Körner bei dem Auffallen stets eine Durchgangsöffnung von gleichem Durchmesser, während bei den quadratischen Maschen die Durchgänge in den Diagonalrichtungen mit in Betracht zu ziehen sind.

Für die Zerlegung des Bodens in verschiedene Korngrössen wurde das Metermaass zu Grunde gelegt und für die Durchmesser der abzuscheidenden Bestandtheile bestimmte Grenzwerthe festgesetzt, welche sowohl eine Vergleichung der verschiedenen Produkte unter sich, als auch mit verwandten Bodenarten ermöglichte.

Für die durch Schlämmanalyse und Körnung abzuscheidenden Produkte wurden folgende Grenzwerthe für die Durch-

----

[1] Auch E. Wolff empfiehlt das Rundlochsieb in seiner neuen Auflage Chem. Unt. landw. Stoffe. Berlin 1875, S. 10.

messer durch Herrn Professor ORTH empfohlen und bisher bei allen mechanischen Analysen innegehalten:

1. Körner grösser als 2^{mm} Durchmesser,
2. " von 2 — 1^{mm} Durchmesser,
3. " " 1 — $0{,}5^{mm}$ "
4. " " 0,5 — $0{,}2^{mm}$ "
5. " " 0,2 — $0{,}1^{mm}$ "
6. " " 0,1 — $0{,}05^{mm}$ "
7. " " 0,05 — $0{,}01^{mm}$ "
8. " kleiner als $0{,}01^{mm}$ Durchmesser.

Hierbei wurden die Korngrössen von kleiner als 0,01 bis zu $0{,}1^{mm}$ D. durch Abschlämmen, diejenigen von 0,2 bis über 2^{mm} D. durch Absieben ermittelt. Das dabei angewandte Sieb, aus starkem Messingblech gefertigt, ist ein zusammensetzbares System von vier Sieben und bildet einen Cylinder von 16^{cm} Höhe und 18^{cm} Umfang. Das Siebsystem wird aus sechs gut an einander passenden Theilen zusammengesetzt, welche aus einem unteren Gefässe zur Aufnahme der abgesiebten Körner, aus vier Sieben und einem gut schliessenden Deckel bestehen. Die Siebe haben starke Böden und sind mit kreisrunden Löchern von 2, 1, 0,5, $0{,}2^{mm}$ Durchmesser versehen.

Bei der Ausführung der mechanischen Analyse wurden bei den Bodenarten mit gröberen Gemengtheilen, um gute Durchschnittsproben zu bekommen, 500 bis 1000 Gramm Boden vor dem Abschlämmen durch das 2^{mm}-Sieb, in manchen Fällen auch noch durch das 1^{mm}-Sieb gegeben. Der abgesiebte Boden würde gut durch einander gemengt und gewöhnlich 30—100 Gramm zur Schlämmanalyse verwandt. Der nach beendeter Schlämmanalyse bleibende Rückstand bei 7^{mm} Geschw., entsprechend einer Korngrösse über $0{,}1^{mm}$ D., wurde nach dem Trocknen und Wägen durch das 1^{mm}-Sieb gegeben und von dem Durchgesiebten etwa 5—8 Gramm Durchschnittsprobe zur Siebung durch die Siebe von $0{,}5^{mm}$ und $0{,}2^{mm}$ Lochweite verwandt. Bei der letzten Siebung, die wegen der Feinheit der Löcher sehr schwer auszuführen war, wurde unter wiederholter Reinigung des Siebbodens mit einem harten Pinsel die Manipulation so lange fortgesetzt, bis keine wägbare Menge von Körnern mehr durch das Sieb ging. Da diese letzte

Bestimmung sehr zeitraubend ist und ausserdem keine genauen
Resultate giebt, und weil es sich schwer bestimmen lässt, wann
mit dem Sieben aufzuhören ist, ausserdem aber auch die genaue
Bohrung der Löcher dem Mechanikus grosse Schwierigkeiten bereitet, so werden wir in Zukunft die betreffende Korngrösse von
0,1—0,2^{mm} D. ebenfalls noch durch die Schlämmmethode .bei
grösserer Geschwindigkeit, unter Anwendung eines Piëzometers
mit weiter Ausflussöffnung, abtrennen. Herr Dr. LAUFER hat bereits
in dieser Hinsicht Versuche ausgeführt, die zu einem günstigen
Resultate geführt haben. Die zur Abschlämmung nöthige Geschw.
ist nahezu 25^{mm} in der Sekunde.

Vor dem Gebrauch eines neuen Siebsystems ist es nöthig,
dasselbe einer genauen Prüfung zu unterziehen. Dies war auch
mit dem von uns gebrauchten Siebe geschehen. Wir liessen dasselbe
jedoch, nachdem es 5 Jahre hindurch in fortwährendem Gebrauch
gewesen war, durch den Mechanikus J. WANSCHAFF[1]) genau nach-
messen. Dabei stellten sich bei den Sieben von 0,5 und 0,2^{mm}
Lochweite so grosse Differenzen heraus, dass wir ein neues Sieb
anfertigen lassen mussten. Dasselbe von J. WANSCHAFF gearbeitet,
von der Firma GREINER (FUESS) demnächst einer Controlmessung
unterworfen, ist mit solcher Genauigkeit ausgeführt, dass es als
Normal-Sieb betrachtet werden kann. Um seiner Veränderung
durch den Gebrauch vorzubeugen wurden die Siebböden aus
Aluminiumbronze gefertigt. ·

Zur Ausführung einer weiteren Trennung der gröberen Bestandtheile über 2^{mm} D. wurde entweder der grösste Durchmesser mit
einem genauen Maassstabe ermittelt, wie dies z. B. bei einer Oberkrume aus dem Rüdersdorfer Forst geschah, oder es wurde die
Körnung durch Absieben in verschiedenen Pappkästen bewirkt, in
deren Böden mit einem Korkbohrer kreisrunde Löcher von der
gewünschten Weite eingeschlägen waren. In beiden Fällen wurden
folgende Korngrössen bestimmt:

·Körner von 3—10^{mm} Durchmesser,

\-   \- 10—20^{mm} \-

\- über 20^{mm} ·

---

[1]) Berlin, Alte Jacobstrasse 108.

B. Die Schlämmmethoden.

(E. L.)

Um einen Boden in seine verschiedenen Korngrössen zu zerlegen und Körner abzuscheiden, welche kleiner sind, als dass ihre Trennung nur annähernd durch messbare Siebe möglich wäre, ist man genöthigt sich des Abschlämmens desselben zu bedienen. Dabei sucht man durch beobachtete Fall-Geschwindigkeiten der Körperchen im Wasser die verschiedenen Korngrössen abzusondern und ihre Menge zu ermitteln.

Das zu dieser Arbeit sich eignende Material bereiteten wir in folgender Weise vor.

Es wurde auf einem grossen Bogen Papier das Bodenmaterial ausgebreitet und von verschiedenen Punkten kleine Proben hinweggenommen. Die abgewogene Menge, von welcher, je nach dem weiteren Zwecke der mechanischen Sonderung, 30 — 100 Gramm entnommen sind, wurde je nach Beschaffenheit $1/2$ bis 1 Stunde, öfter auch länger, unter beständigem Umrühren gekocht und dann durch ein Sieb von 2^{mm} Lochweite[1]) gegeben. Der so vorbereitete Boden (Feinboden) gelangte in den Schlämmapparat.

Von den zahlreichen Schlämmapparaten wurde im Laboratorium für Bodenkunde der geologischen Landesanstalt durch Herrn Professor A. ORTH die Prüfung des Schlämmresultates veranlasst mit dem einfachen Cylinder, dem NÖBEL'schen Apparate, demselben mit aufgesetztem Druckmesser (Piëzometer) und dem SCHÖNE'schen Schlämmcylinder.

Als Feinboden hat FESCA[2]) neuerdings betrachtet Boden unter 4^{mm} D. (S. 20), dagegen bestimmt er den Humus- und Kalkgehalt im Boden unter $0,5^{mm}$ D. der Körner. (S. 35 — 37.) E. WOLFF bezeichnet als Feinerde den Boden unter 3^{mm} D. Sehr oft sind

---

[1]) Bei den Arbeiten aus dem hiesigen Laboratorium ist die Berechnung fast stets auf den Gesammtboden bezogen. Es ist, wenn man sehr grobkörnige Bodenarten untersucht, von Vortheil auch eine bestimmte Grenze der Korngrösse nach oben inne zu halten. Leider ist bei der Auswahl derselben noch keine Uebereinstimmung zu finden.

[2]) M. FESCA. Die agronom. Bodenuntersuchung und Kartirung. Berlin 1879.

auch Bodenanalysen mit Boden unter 1^{mm} D. ausgeführt. Wenn nun jeder Bodenanalytiker einen besonderen Feinboden resp. Feinerde auswählt, so hört natürlich jegliche Vergleichbarkeit auf.

Bei der Untersuchung von diluvialen Böden stellt sich aber heraus, dass man am besten Boden unter 2^{mm} als Feinboden bezeichnet, da ein Durchschnittsboden unter 1^{mm} D. mit bedeutend grösseren Schwierigkeiten herzustellen ist. Die Grenze von 2^{mm} D. wird wohl auch bei allen Gebirgsböden leicht durch das Sieb zu erreichen sein, wenngleich dort gröberes Material verhältnissmässig häufiger aufzutreten pflegt.

a. Decantirmethode im Cylinder.

Das Schlämmen im Cylinder wurde derartig ausgeführt, dass in einen Glascylinder mit Fuss der gekochte und durch das 2^{mm}-Sieb gegebene Boden gebracht und von einem dem sandigen Absatze genügend entfernten Niveau eine bestimmte Wassersäule als Fallhöhe abgemessen wurde, welche in Verbindung mit der Zeitdauer (in Secunden) benutzt wurde, um die Fallgeschwindigkeiten zu erfahren. Das obere Niveau war dicht unterhalb des Verschlusses, welcher mittelst eines Korkes geschah, eingestellt und gestattete nur den Einschluss einer kleinen Luftblase. Nun wurde der Cylinder bei aufgesetztem Stöpsel umgedreht, die Zeit genau notirt und der Boden durch den Fallraum eine bestimmte Anzahl von Secunden fallen gelassen. Die dann noch schwebenden Theile wurden mit einem am kurzen Ende etwas aufwärts gebogenen Glasheber abgehoben und dieses Verfahren bis zur Klärung des Wassers im Cylinder wiederholt, darauf die Produkte zur Trockne gebracht und gewogen.

Fehlerhaft ist bei dieser Methode, dass die Luftblase störend auf die Sonderung einwirken kann und dass eine vollständige Auswaschung wie bei allen Sedimentirapparaten nicht leicht erreichbar, da die schwereren Körner feineres Material mit herabreissen.

Die Luftblase ist übrigens auf ein Minimum zu beschränken, wenn man nicht einen Pfropfen zum Verschliessen wählt, sondern den Cylinder mit einer aufgeschliffenen Glasplatte versieht.

Für praktische Zwecke ist dies Verfahren jedoch zu empfehlen, wenn man nicht im Besitze von den erwähnten feineren Apparaten ist.

Einen Vergleich von Schlämmanalysen mit dem SCHÖNE'schen Apparate gestatteten folgende Versuche.

Diluvialmergel. Bahnhof Rüdersdorf.

Bei 2,0 ^{mm} Geschw. wurde abgeschlämmt

im gewöhnlichen Cylinder	im SCHÖNE'schen Cylinder
29,7 [1]) (L.)	30,7 (D.)

Wenn man annimmt, dass hier zwei Proben verwandt sind, welche nicht direct zu einem vergleichenden Versuche ausgewählt wurden, so ist dies Resultat ein sehr günstiges.

Einen weiteren Vergleich geben folgende Versuche.

Lehmiger Sand (unterhalb der Ackerkrume). Bahnhof Rüdersdorf.

Schlämmprodukte	I. Versuch im Cylinder. pCt.	II. Versuch im Cylinder. pCt.	III. Versuch im SCHÖNE'schen Cylinder. pCt.
bei 0,2 ^{mm} Geschw.	11,4		10,9
" 0,5 ^{mm} "	3,4 } 22,2	} 20,7	2,0 } 20,6
" 2,0 ^{mm} "	7,4		7,7
" 7,0 ^{mm} "	15,1 17,6		

Die Abweichungen von Versuch I und III liegen wieder zum Theil daran, dass nicht bei beiden Versuchen von ein und derselben Durchschnittsprobe ausgegangen ist.

b. NÖBEL'scher Schlämmapparat.

Der NÖBEL'sche Schlämmapparat ist auf Grund eines Beschlusses der Agriculturchemiker in Göttingen im Jahre 1864 zu zahlreichen Analysen verwandt worden. Er besteht aus vier Trichter-Gefässen verschiedener Grösse, welche durch Glasröhren in Verbindung stehen. Ihre Volumina sollen nahezu sich verhalten wie 1 : 8 : 27 : 64. Man acceptirte diesen Apparat mit der aus-

---

[1]) Bei den mechanischen Analysen des hiesigen Laboratoriums sind stets nur die Zehntel Procente aufgeführt, da wir eine Angabe mit drei Decimalstellen, wie dies jüngst FESCA gethan, für zu weitgehend erachten.

drücklichen Uebereinkunft, genau 9 Liter Wasser bei jedesmaligem Schlämmprocess in 40 Minuten durch den Apparat zu lassen und dann die in den Trichtern zurückgebliebenen Produkte, wie den Auslauf zu wägen. Den zu schlämmenden und durch das 1^{mm}-Sieb gegebenen Boden bringt man in den Trichter No. 2. (Genaueres siehe E. WOLFF, Anleitung zur Untersuchung landwirthschaftlich wichtiger Stoffe, S. 7, woselbst als Verbesserung dieses Apparates cylinderförmige Gefässe vorgeschlagen werden.)

Die mit dem NÖBEL'schen Apparate hier ausgeführten Analysen sind meist publicirt in den Abhandlungen zur geologischen Special-Karte von Preussen, A. ORTH: Rüdersdorf und Umgegend. Später wurden Versuche mit diesem Apparate nicht mehr angestellt.

Die sichtbaren Fehler bei der Methode sind hauptsächlich die, dass der Boden nicht bei jedem Versuche mit 9 Liter Wasser in der vorgeschriebenen Zeit ausgewaschen wird, wodurch zunächst das Resultat des Auslaufes beeinflusst ist.

Versuche:

1. Staubiger Decksand, Hortwinkel, Rüdersdorf. Nach 40 Minuten wurden noch erhalten . . . . . . 1,5 pCt. Feinste Theile.
2. Oberer Mergel, Tasdorf. Nach 40 Minuten wurden noch erhalten . . . . : 1,8 pCt. Feinste Theile.

Ferner schlämmen die einzelnen Trichter nicht ordentlich aus, indem seitliche Strömungen in denselben entstehen und dadurch einige Theile sich der weiteren Bewegung entziehen. Ausserdem werden die von verschiedenen Laboratorien angewandten NÖBEL'-schen Apparate alle in dem Inhalte der einzelnen Trichter abweichen. Darin besteht der Hauptübelstand, denn nur Trichter von genau gleichem Querschnitt können bei gleicher Schlämmgeschwindigkeit gleiche Resultate geben.

Mit dem Auslauf beabsichtigte man beim NÖBEL'schen Apparate die sogenannten thonigen Bestandtheile des Bodens zu erhalten. Dasselbe sucht man zu erreichen, indem man jetzt mit dem später zu beschreibenden SCHÖNE'schen Cylinder bei $0,2^{mm}$ Geschw. abschlämmt. Es fragt sich nun, wie sich bei der praktischen Ausführung das mit dem NÖBEL'schen Apparate gewonnene Schlämm-

2

resultat zu dem mit dem SCHÖNE'schen Cylinder erhaltenen stellt, da
zahlreiche Analysen nach NÖBEL vorliegen. Hierzu folgendes Beispiel:

Profil des Unteren Geschiebemergels.   Bahnhof Rüdersdorf.

Feinste Theile	gewonnen nach NÖBEL	nach SCHÖNE
des lehmigen Sandes	10,25 pCt.	10,87 pCt.
- Geschiebelehmes	26,16 -	28,70 -
- Geschiebemergels	15,67 -	19,68 -

Man sieht aus diesen Zahlen, dass die Versuche mit dem
NÖBEL'schen Apparate bei den drei Böden eine geringere Menge
von abschlämmbaren Theilen gaben, als im SCHÖNE'schen Cylinder. Die Differenzen steigen mit höherem Gehalt an Feinsten
Theilen.

Ferner wurden Versuche angestellt mit dem NÖBEL'schen
Apparate mit aufgesetzter Piëzometerröhre, wie dieselbe zum
SCHÖNE'schen Apparate in Anwendung kommt (siehe folgende Seite).
Der grösste Durchmesser des Trichters IV wurde ausgemessen und
die Schlämmgeschwindigkeit von 0,2 mm auf den berechneten Querschnitt bezogen. Derartige Analysen sind mehrfach ausgeführt
und einige derselben in der Arbeit „Rüdersdorf und Umgegend"
publicirt. Man kommt hiermit den Versuchen mit dem SCHÖNE'-
schen Apparate näher, jedoch können die gewonnenen Resultate
keine praktische Bedeutung erlangen, da man mechanische Analysen
jetzt stets mit dem SCHÖNE'schen Cylinder ausführen wird.

c. SCHÖNE'scher Schlämmapparat.

(F. W.)

Nachdem anfangs bei einigen Bodenuntersuchungen aus der
Rüdersdorfer Umgegend die bereits beschriebene Schlämmmethode
mit dem NÖBEL'schen Apparat, sowie das Decantirverfahren im
Cylinder angewandt waren, wurde später für alle mechanischen
Bodenanalysen durch Herrn Professor ORTH der SCHÖNE'sche
Schlämmtrichter eingeführt. Da dieser Apparat sowohl von SCHÖNE[1])

---

[1]) E. SCHÖNE. Ueber Schlämmanalyse und einen neuen Schlämmapparat.
Berlin. W. MÜLLER 1867.

selbst, wie auch von anderen[1]) wiederholt abgebildet und ausführlich beschrieben worden ist, so will ich mich hier nur auf das Wesentlichste beschränken.

Der SCHÖNE'sche Apparat ist ebenso wie der NÖBEL'sche ein Spülapparat, bei welchem der Stoss eines senkrecht aufsteigenden constanten Wasserstromes benutzt wird. Um eine völlig gleichmässige und genau messbare Stromgeschwindigkeit zu erzielen, besteht der SCHÖNE'sche Schlämmtrichter aus einem Glasgefässe, gebildet durch einen oberen 10 cm langen cylindrischen Theil, von etwa 4,5 cm lichtem Durchmesser, an welchen sich nach unten zu ein ganz allmählich sich verjüngender conischer Theil von 50 cm Länge anschliesst. Letzterer geht an seinem unteren Ende in ein Rohr von etwa 4 mm lichtem Durchmesser über, welches halbkreisförmig umbogen ist und nach oben zu sich weiter fortsetzt. Oberhalb des cylindrischen Theiles ist das Glasrohr eingezogen und geht in einen cylindrischen Hals über, in welchem das zum Messen der Stromgeschwindigkeit dienende graduirte Piëzometer mittels eines Korkes eingesetzt werden kann. Das Piëzometerrohr ist 8 cm über seinem unteren Ende knieförmig im Winkel von 45⁰ abwärts und dann in gleicher Höhe mit dem unteren Ende wieder im Winkel von 45⁰ aufwärts gebogen. In dem Scheitelpunkte des letzteren Kniees befindet sich die etwa 1,5 mm weite, kreisrunde Ausflussöffnung. Das Wasser, dessen Zufluss durch einen Hahn beliebig regulirt werden kann, wird aus hochgestellten, flachen, aber sehr geräumigen Zinkkästen dem Schlämmapparate zugeleitet, so dass der durch das Wasser bewirkte Druck, da sich während des Schlämmprocesses das Wasserniveau nur wenig verändert, ziemlich constant bleibt.

---

[1]) Rose's Handbuch der analytischen Mineralchemie, vollendet von R. FINKENER. FRESENIUS' Zeitschr. f. analyt. Chemie, Bd. VII, 29—47, 1868.

E. WOLFF, Anleitung zur chem. Untersuchung landwirthsch. wichtig. Stoffe. Berlin 1875, S. 5 ff.

W. SCHÜTZE, Notizbl. für Fabrikat. v. Ziegeln etc., 1872.

C. BISCHOF, Die feuerfesten Thone, Leipzig 1876. Abdruck des Artikels von W. SCHÜTZE.

M. FESCA, Die agronomische Bodenuntersuchung etc. Berlin 1879.

Die Stromgeschwindigkeit, bei welcher die verschiedenen Produkte während der mechanischen Analyse abgeschlämmt werden, ist abhängig von dem weitesten Theile des Schlämmtrichters, von seinem cylindrischen Raume. Die Geschwindigkeit, mit welcher der Wasserstrom in diesem, von SCHÖNE als Schlämmraum bezeichneten Theile, sich fortbewegt, ist durch den Querschnitt des Cylinders bedingt und entspricht bei bestimmtem Wasserstand im Piëzometerrohr einem bestimmten Ausflussquantum. Bei der Ermittelung der Stromgeschwindigkeit ist es daher nöthig, zuerst den Querschnitt des cylindrischen Raumes genau zu messen. Zu diesem Zwecke theilt man durch aufgeklebte Papierstreifen die Aussenfläche des Glascylinders ein, misst sodann den Abstand zweier Papierstreifen von einander und darauf die im Inneren zwischen denselben eingeschlossene Wassermenge. Letztere Zahl durch die zuerst erhaltene dividirt, giebt den Querschnitt des Cylinders. Um nun eine bestimmte Geschwindigkeit in der Secunde festzustellen, regulirt man den Wasserzufluss durch den Hahn in der Weise, dass der Wasserstand im Piëzometer zuerst ein sehr hoher und dann ein sehr niedriger ist. Bei beiden Versuchen fängt man das Ausflussquantum in einer Maassflasche auf und notirt nach einer Secundenuhr die Anzahl der Secunden, welche bis zum Volllaufen des Messgefässes erforderlich gewesen sind. Bei grösseren Geschwindigkeiten wird man mit einer Maassflasche von 1 Liter, bei geringeren Geschwindigkeiten mit einer solchen von 100^{kcm} Inhalt auskommen. Das hieraus berechnete Ausflussquantum in einer Secunde in Kubikmillimetern dividirt durch den Querschnitt in Quadratmillimetern ergiebt die Geschwindigkeit im cylindrischen Schlämmraum. Durch einige Versuche, bei welchen man den Wasserstand im Piëzometer so regulirt, dass immer die Mitte zwischen den beiden zuletzt bestimmten Grenzen genommen wird, kommt man leicht zu dem Wasser-Stande im Piëzometer, welcher der gewünschten Geschwindigkeit entspricht. Die Höhe des Wasserstandes im Piëzometer dient dann später als Indicator für die einzustellende Schlämmgeschwindigkeit.

Bestimmten Schlämmgeschwindigkeiten entsprechen beim Abschlämmen ganz bestimmte Korngrössen bei annähernd gleichem specifischen Gewicht und kugeliger Form des Materials. Die Zerlegung des Bodens mit dem wissenschaftlich genau arbeitenden SCHÖNE'schen Apparate ist demnach als eine Körnung anzusehen. Der erste, welcher diesen Apparat zum Abschlämmen bestimmter Korngrössen bei Thonen praktisch verwerthete, war ARON; für die Bodenanalyse ist derselbe jedoch zuerst durch Herrn Professor ORTH angewandt und sind von ihm folgende Schlämmgeschwindigkeiten in Vorschlag gebracht worden: $0,2^{mm}$ — $0,5^{mm}$ — $2,0^{mm}$ und $7,0^{mm}$ in der Secunde. Die bei diesen Schlämmgeschwindigkeiten erhaltenen Produkte entsprechen nach den genauen Messungen von SCHÖNE und nach unseren eigenen Untersuchungen Korngrössen von folgendem Durchmesser auf Quarz in Kugelform bezogen:

Schlämmprodukt bei $0,2^{mm}$ G.   Körner unter $0,01^{mm}$ D.

-    - 0,5 - -   - 0,01—0,02 - -
-    - 2,0 - -   - 0,02—0,05 - -
-    - 7,0 - -   - 0,05—0,1 - -

Schlämmrückstand - 7,0 - -   - über 0,1 - -

Um mit den mechanischen Theilprodukten des Bodens einen bestimmten praktischen Begriff verbinden zu können, wurden die Körnergrössen unter $0,01^{mm}$ D. als Feinste Theile, von 0,01 bis $0,05^{mm}$ D. als Staub[1]), von $0,05$—$2,0^{mm}$ D. als Sand (feinster, feiner, mittelkörniger, grober) und über $2,0^{mm}$ D. als Grand bezeichnet.

Da die Schlämmgeschwindigkeit von $0,5^{mm}$ derjenigen von $0,2^{mm}$ sehr nahe liegt und in Folge dessen bei den meisten Bodenarten nur geringe Mengen bei $0,5^{mm}$ G. abgeschlämmt wurden, so gaben wir bei späteren Arbeiten die Versuche bei dieser Geschwindigkeit auf, so dass dann das Schlämmprodukt bei $2,0^{mm}$ G. die Korngrössen von 0,01—0,05 umfasst.

Als Beispiele für die geringen Mengen des bei $0,5^{mm}$ G. abgeschlämmten Materials seien einige Untersuchungen von verschiedenen Bodenarten mitgetheilt:

---

[1]) Als Staub bezeichnet SEGER ein feineres Schlämmprodukt.

Unterer Diluvialsand. N. Vorwerk Wolfsberg,

Section Rohrbeck . . . .   0,12 pCt.

Lehmiger Sand) des oberen Di-) Rohrbeck   0,98 -

Lehm   ) luvial-Mergels) (Höhenrand)   2,27 -

Ob. Dil.-Mergel. Rohrbeck (Höhenrand) . . . 1,44 -

Ob. Dil.-Mergel. Callin, Sect. Nauen . . . . 2,75 -

Alluviallehm, Ziegelei Birkheide, Sect. Nauen . 3,06 -

Bei Anwendung der Geschwindigkeit 7,0^{mm} reicht der oben beschriebene Schlämmapparat bei gleichbleibendem Piëzometerrohr nicht aus. Um daher den Schlämmversuch nicht durch Auseinandernehmen des Apparates unterbrechen zu müssen, wurde nach Herrn Professor ORTH's Angabe ein kleinerer Hülfscylinder vom halben Durchmesser des grösseren vor demselben eingeschaltet. Der cylindrische Theil desselben (30^{cm} lang) scheint uns genügend gross zu sein, so dass eine Verlängerung des conischen Theiles, wie dies FESCA[1] gethan, nicht für nöthig erachtet wird.

Bei der Ausführung der Schlämmanalyse wurden bei ungleichmässigen Bodenarten etwa 500 Gramm durch das 2.^{mm}-Sieb gegeben und von dem Abgesiebten meist 100 Gramm zur Schlämmanalyse verwandt. Bei gleichmässigen, feinzertheilten Bodenarten dagegen, wo ein Absieben der gröberen Gemengtheile oft gar nicht vorgenommen zu werden brauchte, wurden oft nur 30 Gramm abgeschlämmt, was dann auch den Vortheil für sich hatte, die Zeit des Schlämmprocesses bedeutend abzukürzen. Das für die Schlämmanalyse vorbereitete Material wurde mittels eines weiten Trichters, nach vorherigem Abgiessen der überstehenden Flüssigkeit in den grossen Schlämmtrichter, mit Hülfe einer Spritzflasche in das kleinere Gefäss eingefüllt. Dabei ist zu bemerken, dass der kleine Trichter stets zuvor bis zu der halbkreisförmigen unteren Biegung mit Wasser gefüllt werden muss, einmal um das Rohr durch das Hinaufsteigen des Bodens in den anderen Schenkel nicht zu verstopfen, und zweitens, um beim Schlämmprocess durch aufsteigende Luftblasen keine Fehler zu erhalten.

----

[1] FESCA, ibid. S. 144.

Bei den Bodenarten, deren Schlämmprodukte zu weiterer chemischer Untersuchung dienen sollten, wurde stets mit destillirtem Wasser geschlämmt. Dabei wurde nach Dr. Laufer's Vorschlag in der Weise verfahren, dass, nach Einstellung der Geschwindigkeit von $0,2^{mm}$, zuerst 2 — 3 Liter der auslaufenden Flüssigkeit besonders aufgefangen und in einer grossen Porzellanschale auf dem Wasserbade eingedampft wurden, um sicher zu sein, alle im Boden löslichen Bestandtheile in dieser Substanz mit zu erhalten. Das ferner bei dieser Geschwindigkeit auslaufende Schlämmwasser wurde in grossen Porzellanschalen erhitzt und nach dem Absetzen der suspendirten Theile abgehebert.[1]), welch letztere dann zu dem zuerst erhaltenen Schlämmprodukte hinzugefügt wurden. Im Falle die weiteren Schlämmprodukte zu einer chemischen Untersuchung nicht verwandt werden sollten, wurde der Schlämmprocess mit gewöhnlichem Wasser fortgesetzt. Zur grösseren Bequemlichkeit standen 3 Zinkkästen mit je zwei nach unten führenden und mit Hähnen versehenen Rohren zur Verfügung, die zum Theil mit destillirtem, zum Theil mit gewöhnlichem Berliner Leitungswasser gefüllt waren.

Das von Dr. Fesca[2]) geäusserte Bedenken, dass durch Anwendung nicht inwendig mit Oelfarbe gestrichener Zinkkästen eine Verunreinigung der Schlämmprodukte durch kohlensaures Zink stattfinden könnte, habe ich bestätigt gefunden. Es bildet sich auch in den mit destillirtem Wasser gefüllten Zinkkästen nach einiger Zeit kohlensaures Zink, welches sich in den Schlämmprodukten, im Fall dieselben mit grossen Wassermengen eingedampft werden, in nicht unbedenklicher Weise anhäufen kann. In einem Liter destillirten Wassers, welches 14 Tage lang im Zinkkasten gestanden hatte, fand ich 0,0052 Gramm Zinkoxyd.

Um nun hieraus entstehende Fehler bei der chemischen Untersuchung der Schlämmprodukte zu vermeiden und in Rücksicht darauf, dass es uns bedenklich scheint, das destillirte Wasser

---

[1]) Dr. E. Laufer hat über „Die Klärung der Schlämmwasser bei Boden‧ analysen" in den landwirthschaftlichen Versuchsstationen ed. Prof. Dr. F. Nobbe, Band XVIII, 1875 eine desbezügliche Notiz gegeben.

[2]) Fesca. Die agronomische Bodenuntersuchung und Kartirung auf naturwissenschaftliche Grundlage: Berlin 1879, S. 144.

längere Zeit in mit Oelfarbe gestrichenen Kästen aufzubewahren, haben wir jetzt die Einrichtung getroffen, aus einem grossen, hochgestellten Glascylinder, welcher 14 Liter Wasser fasst, mittels eines Hebers dem Schlämmapparate das Wasser zuzuführen und durch einen zwischengeschalteten Glashahn die Stromgeschwindigkeit zu reguliren. Nach Dr. Laufer's Angabe ist der Glascylinder mit einem Wasserstandsrohr mit selbstthätigem Abfluss versehen und aus einem höher stehenden Cylinder wird mittels eines mit Quetschhahn versehenen Hebers genau so viel Wasser zugeführt, wie beim Schlämmen abfliesst, so dass das Wasserniveau im Reservoir immer dasselbe und der Druck stets constant bleibt.

Nach Beendigung des Schlämmprocesses bei den angegebenen Geschwindigkeiten, wurden die in grossen, dickwandigen, cylindrischen Glasgefässen von 10—14 Liter Inhalt aufgefangenen Schlämmprodukte und die Schlämmrückstände aus beiden Schlämmtrichtern durch längeres Stehenlassen gehörig geklärt, dann abgehebert und in kleine gewogene Porzellanschälchen gebracht. Die Schlämmprodukte wurden darauf bei 100° C. getrocknet und nach ein bis zwei Tage langem Stehenlassen an der Luft, in lufttrocknem Zustande gewogen.

Für die Brauchbarkeit des Schöne'schen Schlämmapparates sei hier nur die doppelt ausgeführte mechanische Analyse eines Sandes von Rohrbeck angeführt.

Analytiker	Grand über 2^{mm}	Sand					Staub 0,05–0,01^{mm}	Feinste Theile unter 0,01^{mm}	Summa
		2–1^{mm}	1–0,5^{mm}	0,5–0,2^{mm}	0,2–0,1^{mm}	0,1–0,05^{mm}			
Wahnschaffe	—	91,3					5,7	2,8	99,8
		—	—	—	33,9	57,4			
Dulk	—	90,3					5,9	3,5	99,7
		—	—	0,1	27,0	63,2			

Die grösseren Differenzen in den Körnungsprodukten von 0,2—0,1^{mm} und 0,1—0,05^{mm} D. rühren davon her, dass verschiedene Proben von zwei, allerdings nahegelegenen, Fundorten untersucht worden sind.

d. Abgekürztes Verfahren bei der Untersuchung kalkhaltiger Diluvialböden.

(E. L.)

Um die von Herrn Professor BERENDT in den Allgemeinen Erläuterungen „Die Umgegend von Berlin I, der. Nordwesten" S. 24 — 27 angegebenen, aus unseren Untersuchungen combinirten (mechanisch-chemischen) Bodenanalysen von vornherein einzuleiten für eine derartige Aufstellung nach den Bestandtheilen: Grand, Sand, Thon und Kalk, habe ich folgenden Weg eingeschlagen.

Von dem kalkhaltigen Boden wurden zunächst die feinsten Theile abgeschlämmt und deren Kalkgehalt bestimmt. Dann wurde der Boden aus dem Apparate wieder herausgespült und mit stark verdünnter Salzsäure in der Kälte behandelt. Hierdurch wird bei diluvialen Böden nur wenig Eisenoxyd, noch weniger Thonerde gelöst, aber sämmtlicher kohlensaurer Kalk ausgezogen. Nach mehrmaligem Decantiren wird das Chlorcalcium entfernt und der so behandelte Boden zur Fortführung der Schlämmanalyse wieder in den Cylinder gebracht. Die nun erhaltenen Schlämmprodukte sind kalkfrei und ergiebt sich der denselben zukommende Kalkgehalt aus der Differenz des Kalkes des Gesammtbodens und der feinsten Theile.

Diese Methode muss hier aufgeführt werden, da einige Analysen nach derselben vorgenommen wurden. Jedoch ist dieselbe nur anzuwenden, wenn man rasch für derartig combinirte Analysen arbeiten will, sonst ist jedes Schlämmen mit verändertem Materiale zu verwerfen, weil dadurch der Werth der Schlämmanalyse herabgesetzt wird[1]).

C. Die petrographische Untersuchung der gröberen Gemengtheile.

(E. L.)

Die Untersuchung der gröberen Gemengtheile eines Bodens gehört nach den jetzigen Ansichten erst in zweiter Reihe zur Beurtheilung des agronomischen Werthes desselben, dagegen wird

---

[1]) Siehe auch FESCA, Agron. Bodenuntersuchung und Kartirung, S. 33 — 34.

sie für die geognostische Betrachtung von grösster Wichtigkeit, ist man ja oft erst nach dem Abschlämmen aller thonigen und feineren Theile im Stande einen Boden in seiner geologischen Stellung zu bestimmen. So würde beispielsweise das Fehlen nordischen Materials bei einem sonst in seinem geologischen Alter fraglichen Boden des norddeutschen Flachlandes darauf hinweisen, dass er dem Quartär entschieden nicht, wohl aber einer älteren Gebirgsformation angehört. Auch für die Agronomie ist es nicht ganz gleichgültig, welche Mineralien und Gesteine ein Boden enthält und zwar kommen bei den gröberen Gemengtheilen chemische und physikalische Eigenschaften in Betracht. Leicht zersetzbare Silicate und andere Mineralien werden günstiger sein, als ein Reichthum an schwer- oder gar unzersetzbaren Bestandtheilen. Kalk- und Phosphatgesteine werden, wenn auch in grobem Korn vorhanden, stets nützlich sein für die Pflanzenwelt. Wird doch in manchen Gegenden gröberer Kalkschutt zur Melioration gebraucht.

Je nach der Farbe, Oberflächengestalt, ob rauh, porös, glatt und dicht, werden die physikalischen Eigenschaften auch in Betracht kommen.

Ferner sind die gröberen Gemengtheile von Bedeutung als Material für Neubildung thoniger Theile bei der Verwitterung, weshalb auch hier ihre mineralische Natur zur Geltung kommt.

So mühevoll vor der Hand die petrographische Bestimmung der gröberen Theile ist, so kann man doch dieselbe nicht ganz entbehren. Speciell auf dem Gebiete des norddeutschen Diluvialbodens werden petrographische Bestimmungen der gröberen Gemengtheile in wissenschaftlicher Beziehung einen grösseren Werth haben, in sofern dieselben beitragen können, Verbreitungsgebiete von Geschieben kennen zu lernen. Dazu werden aber eine grosse Zahl von solchen Beispielen erforderlich sein.

Zur Zeit ist die petrographische Bestimmung eine der schwierigsten und zeitraubendsten Arbeiten.

Wird man erst einen Weg gefunden haben, auf welchem man leicht einzelne Mineralien eines Bodens isoliren kann, so werden Resultate für die Bodenuntersuchung genügend hervorgehen, um die Wichtigkeit dieser Arbeiten erkennen zu lassen.

Bei den im Laboratorium der geologischen Landesanstalt bis jetzt von mir und Herrn WAHNSCHAFFE ausgeführten petrographischen Untersuchungen wurden stets die verschiedenen Mineralien mit der Loupe und der Härtescala geprüft, gleichartige Körner mit der Pincette ausgelesen und dann gewogen. Bei fraglichen Körnchen wurde durch Zerschlagen auf Spaltbarkeit untersucht. So wurde von der abgewogenen Menge Korn für Korn durchgesehen und dabei zunächst die Mineralspecies bestimmt nach Farbe, Glanz, Härte, Spaltbarkeit, manchmal auch Schmelzbarkeit. Mit dem Magneten konnte zuweilen aus Sanden auch Magneteisen ausgezogen werden. Verhältnissmässig rasch kann man die Quarzkörner auslesen, die alle mehr oder weniger gerundet, nie krystallinisch in den Bodenarten der Mark angetroffen wurden. Kalksteine kann man auch direkt auslesen, wenn man dieselben in eine ganz verdünnte Salzsäure legt und sie sofort, nachdem man sie an der Kohlensäureentwicklung erkannt hat, herausnimmt. Der Verlust ist nur sehr gering.

Was die Korngrössen anbelangt, so wurden Untersuchungen ausgeführt mit Körnern über 3^{mm}, $3—1^{mm}$ und $1—0,5^{mm}$ D.; meistens aber bei letzterem Durchmesser nur der verhältnissmässig leicht erkennbare Quarz herausgelesen.

Dadurch, dass nur geringe Mengen dieser Körnungsprodukte untersucht werden konnten, wird der allgemeine Werth der petrographischen Bestimmung, besonders der Procentzahl, herabgedrückt. Denn oft wurde nur 0,5—1 Gr. Körner untersucht, natürlich weniger, je feiner der Sand war.

Nur selten sind die Gesteinsfragmente des Diluvialbodens so stark verwittert, dass eine petrographische Bestimmung überhaupt nicht möglich. Hat man es mit Sanden zu thun, welche Ueberzüge von Eisenoxyd besitzen, so thut man gut, diese mit schwacher Salzsäure zu entfernen. Oft wird die petrographische Untersuchung auch dadurch erleichtert, dass man die Körner schwach anfeuchtet.

Trotz alledem ist ein guter Procentsatz als Unbestimmbar zu bezeichnen.

Einen grossen Vortheil würde man erzielen, wenn es gelänge, grössere Quantitäten zu untersuchen.

Ein Verfahren, derartige Versuche mit grösseren Mengen auszuführen, hat SENFT angegeben (Gesteins- und Bodenkunde S. 400) und daselbst auch seinen diesem Zwecke dienenden Schlämmapparat abgebildet. Derselbe besteht aus einem mit ziehbarem Schutz versehenen Reservoir, in welchem der Sand mit Wasser aufgerührt wird, und einer langen, etwas geneigten Glasplatte, über welche, wenn der Schutz gezogen, die Sandmasse hinweggespült werden soll.

Nach SENFT's Angabe sondern sich bei dieser Methode die Körner nach ihrem spec. Gewicht in einzelnen Zonen ab.

Die Versuche, welche mit diesem Apparate von mir wiederholt aufgenommen worden sind, haben noch zu keinem Ziele führen können.

Es werden demnächst Versuche auszuführen sein mit Lösungen von spec. schweren Flüssigkeiten und sind dieselben nach Art der von THOULET[1]) neuerdings angegebenen Methode vorzunehmen.

THOULET verwandte eine Lösung von Quecksilberbijodid in Jodkalium; es fragt sich, wie weit die bequemer darstellbare Lösung von Quecksilbernitrat dieselbe zu ersetzen vermag. Ich brachte letztere Lösung durch Concentration auf ein so hohes spec. Gewicht (3,54), dass Quarz und selbst Flussspath auf derselben schwamm.

Doch wird, wenn auch hierdurch eine Trennung grösserer Quantitäten gelingen würde, eine Schwierigkeit bleiben, insofern die gröberen Gemengtheile, wenn man nicht deren Zerkleinerung anwenden darf, immer Gesteinsfragmente und nicht reine Mineralien enthalten. Bei den ausgeführten petrographischen Untersuchungen wurde z. B. ein grosser Procentsatz stets gefunden, der als „Quarz + Feldspath" gewogen werden musste. Diese Gemenge abzuscheiden, wird stets Mühe machen, zumal die spec. Gewichte von Quarz und Feldspath sich in engen Grenzen bewegen.

Bis jetzt liegen folgende Untersuchungen vor, welche, wie oben genauer angegeben, mit der Loupe ausgeführt wurden und zum

---

[1]) FOUQUÉ et MICHEL LÉVY, Minéralogie micrographique des montes français. V. GOLDSCHMIDT, über Verwendbarkeit einer Kaliumquecksilberjodidlösung bei miner. u. petrogr. Unt. N. Jahrbuch f. Min. 1881.

Theil in den Abhandlungen zur Special-Karte von Preussen u. s. w.
ORTH: Rüdersdorf und Umgegend, publicirt sind. Beigefügt ist
eine Zusammenstellung der von Herrn Professor ORTH bestimmten
Quarzmengen von schlesischen Diluvialböden.

Petrographische Untersuchungen.

Die groben Sande (3—1^{mm} und 1—0,5^{mm} D.) des Profiles des
Unteren Geschiebemergels vom Bahnhof Rüdersdorf.

(E. LAUFER.)

	Lehmiger Sand. Ackerkrume		Lehmiger Sand unterhalb der Ackerkrume		Lehm		Geschiebemergel	
	3–1^{mm}	1–0,5^{mm}	3–1^{mm}	1–0,5^{mm}	3–1^{mm}	1–0,5^{mm}	3–1^{mm}	1–0,5^{mm}
Quarz	44,7	92,6	51,0	83,7	60,1	87,8	42,1	80,0
Granit u. Gneiss .	3,6	—	9,0	—	13,3	—	10,2	—
Diorit	3,1	—	0,9	—	—	—	—	—
Feldspath	12,8	—	18,8	—	22,1	10,5	24,9	3,1
Sandstein	1,9	—	—	—	—	—	—	—
Feuerstein. . . .	1,8	—	9,7	—	—	—	1,8	—
Kalkstein	11,7	—	—	—	—	—	11,7	—
Unbestimmbar . .	32,0 weil zu verwittert.	16,4	11,5	—	5,0	1,9	9,3	16,4

Der Kies (Körner über 3^{mm} D.). Profiel des Unteren Geschiebemergels vom Bahnhof Rüdersdorf.

(Angewandt die bei der Schlämmanalyse erhaltenen Körner.)

(E. LAUFER.)

	Lehmiger Sand. Ackerkrume	Lehmiger Sand. Unterhalb der Ackerkrume	Lehm	Geschiebemergel
Quarz	21,6	83,3	—	—
Granit und Gneiss . . .	—	16,7	0,9	32,2
Porphyr	—	—	—	23,6
Feuerstein	—	—	—	18,9
Unbestimmbar	8,3 65,0 (nur 0,078 gr.)	—	—	29,6
Wurzel-Fasern	5,1	—	—	—

Der Kies (Körner über 3.^{mm} D.). Profil des Unteren
Geschiebemergels vom Bahnhof Rüdersdorf.
(Angewandt 500 Gr. Boden, dessen Kies untersucht.)
(E. Laufer.)

	Lehmiger Sand. Ackerkrume	Lehmiger Sand. Unter der Ackerkrume	Lehm	Geschiebe- mergel
Quarz	5,8	6,5	17,3	11,4
Granit und Gneiss . .	29,4	17,8	36,6	3,0
Porphyr	0,85	8,3	—	2,1
Diorit	—	—	5,55	—
Feldspath . . . . . ,	0,7	0,4	—	1,0
Hornblende	·0,2	—	—	—
Sandstein	5,3	63,2 (ein Stein 58,6%)	31,4	—
Feuerstein	51,5	—	3,9	0,5
Quarzit	—	0,5	2,6	—
Kalkstein	—	—	—	80,2 (1 Stein = 58,3)
Unbestimmbar	5,4	2,5	2,45	1,6

Kies und grober Sand.
(Unter Geschiebemergel.)
Kiesgruben zwischen Rüdersdorfer Grund und ·Dorf Rüdersdorf.
(E. Laufer.)

	Ueber 3^{mm} D.	3-1^{mm} D.	1-0,5^{mm} D.
Granit und Gneiss	16,7 .	7,6	—
Feldspath	15,8	19,7	—
Grünstein (?) . .	4,4	—	—
Kalkstein	15,4	12,1	—
Feuerstein. . . .	16,8	4,8	—
Quarz	24,1	29,8	61,1
Unbestimmbar . .	6,5	24,7	—

Feiner Diluvialsand. Ebenda.
Körner von 1-0,5 ^{mm} D.
Feldspath = 15,5 pCt.
Quarz = 80,2 .

Der Grand des unteren Geschiebemergels. Bornstedt.

(E. Laufer.)

	Ueber 3^{mm} D.	3-2^{mm} D.	2–1^{mm} D.		1– 0,5^{mm} D.
Quarz	11,97	24,01	46,29		78,57
Feldspath, verunreinigt mit Quarz	0,86	0,92	reiner 4,05 | 11,60 unreiner 7,55 |		—
Feldspathreiches granitisches Gestein	23,33	11,46	6,15		—
Kalkstein (silur.)	55,44	54,63	22,73		—
Sandstein (meist grauer) .	6,35	0,69 (rother)	—		—
Unbestimmbar	2,34	8,29	13,23		—

Der kalkfreie Kies und Sand des Oberen Geschiebemergels von Tassdorf. WNW.

(E. Laufer.)

	Nach dem Auslaugen des Kalkes mit Salzsäure		I–0,5^{mm} D.
	über 3^{mm} D.	3–1^{mm} D.	
Granit und Gneiss	34,30	7,61	—
Porphyr	0,76	—	—
Grünstein	0,45	—	—
Feldspath	2,24	22,84	17,03
Sandstein	6,39	6,29	—
Quarzit	1,11	—	—
Feuerstein	52,03	1,32	—
Quarz	2,07	49,33	71,24
Unbestimmbar	0,65	12,61	11,73 (undeutliche Quarze, Feldspath u. Gneissfragmente).

Oberkrume von Kies und grobem Sand.
Königliche Rüdersdorfer Forst, Jagen 187.
(F. WAHNSCHAFFE.)
(Auf die einzelnen Korngrössen bezogen.)

	Ueber 20^{mm} D. 44.94 pCt.	10–20^{mm} D. 14,47 pCt.	3–10^{mm} D. 31,44 pCt.
Granit und Gneiss	58,40	47,83	55,46
Feldspath	—	—	7,45
Diorit	—	—	4,00
Quarz	—	—	6,58
Quarzit und Sandstein	41,60	22,48	15,22
Feuerstein	—	13,85	5,70
Eisenconcretionen	—	5,55	0,73
Ausgewitterter Kalkstein	—	4,22	—
Unbestimmbare verwitterte kryst. Gesteine	—	6,07	4,86

Oberkrüme von Kies und grobem Sand.
Königliche Rüdersdorfer Forst, Jagen 187.
(F. WAHNSCHAFFE.)
(Auf die Körnung über 3^{mm} D. bezogen.)

Granit und Gneiss	50,61
Feldspath	2,34
Diorit	1,26
Quarzit und Sandstein	26,72
Quarz	2,07
Feuerstein	3,80
Ausgewitterter Kalkstein	0,61
Eisenconcretionen	1,03
Unbestimmbare meist krystallinische Gesteine	2,41

Oberer Diluvialsand.   Schenkendorf.

Quarzbestimmung mit der Loupe.

(E. LAUFER.)

In den Körnern >2^{mm} D.   Quarz = 32,3 pCt.

2—1 - -   - = 66,9 -

1—0,5^{mm} D.   - = 88,9 -

<0,5 - -   - = 97,2 -

Es war möglich, auch in den feinsten Körnern den Quarz abzusondern, da dieser sehr rein war und Durchsichtigkeit wie Glasglanz das Auslesen begünstigten.

Der Quarzgehalt von Sandböden Schlesiens.

(A. ORTH. Geognostische Durchforschung des Schles. Schwemmlandes.)

In den Körnern über 3^{mm} D.   3–1^{mm} D.

Quarz: 19,06 pCt.	58,63 pCt.
27,27 -	60,40 -
29,36	73,59 ·
29,37 -	79,83 -
33,60 ·	· 82,56 -
53,17 -	83,75 ·
56,06 -	90,00 -
67,26 · -	90,67 -
91,87 -	91,35 -

Aus den vorliegenden petrographischen Bestimmungen geht vorläufig nur das eine Resultat evident hervor, dass der Quarzgehalt mit dem Feinerwerden des Kornes erheblich zunimmt, mithin die Nährstoff liefernden Mineralien und Gesteine zurücktreten. Die weiteren Bestimmungen besitzen nicht allzu grossen Werth, wenn nicht für das häufigere oder seltenere Auftreten der genannten Mineralien und Gesteine.

3. Die chemischen Untersuchungsmethoden.

A. Bestimmung des Quarzgehaltes.

(Œ, L.)

Die Bestimmung des Quarzgehaltes eines Bodens ist sowohl direct als indirect zur Beurtheilung der Mengen von Nährstoff und Thon liefernden Mineralien von grösster Wichtigkeit. Die petrographischen Bestimmungen können diesen Bodengemengtheil nicht genau genug ermitteln, da die Körner, welche dort als Granit und Gneiss, Porphyr und dergl. aufgeführt werden müssen, oft sehr quarzreiche Felstrümmer darstellen und ohnehin diese Untersuchungen an enge Grenzen der Korngrösse gebunden sind.

Zumal wird die genauere Bestimmung dieses Bodenbestandtheiles bei der Untersuchung nordischer Bodenarten wünschenswerth, da er sich bis zu 90 pCt. an der Zusammensetzung der Sandböden der Mark zum Beispiel betheiligen kann, ja auch in grossen Mengen scheinbar sehr thonigen (fetten) Bodenarten beigemischt ist.

Wenn man bisher dieses Mineral bei Bodenanalysen nicht abgeschieden, so liegt dies zum Theil mit an der Schwierigkeit, sein Vorkommen quantitativ zu ermitteln.

So wurde denn die Bestimmung des Quarzes im Gemenge mit Silicaten vermittelst concentrirter Phosphorsäure willkommen geheissen, wie dieselbe im Journal für prakt. Chemie Bd. XCVIII, S. 14 von AL. MÜLLER angegeben ist.

Daselbst wird die Aufschliessung des gepulverten Materials mit syrupdicker Phosphorsäure empfohlen, welche bei einer Temperatur von 190—200° einwirkend, in einigen Stunden die Silicat-

gesteine zersetzt, während der Quarz fast unangegriffen nach mehrmaligem Auskochen mit Natronlauge und Säure rein erhalten werden soll. Dabei werden auf 1 Gramm Boden 15—20 Gr. Phosphorsäure verbraucht, da sonst die Masse durch die sich kleister-
artig abscheidende Kieselsäure zu sehr verdickt wird.

Die mühevolle Ausführung der Versuche lenkte meine Untersuchungen auf ein anderes Reagenz und zwar auf Phosphorsalz,
welches bekanntlich in der Schmelzhitze die Metalloxyde der
Silicate unter Zurücklassen der Kieselsäure auflöst, worauf die in
den Laboratorien gebräuchliche qualitative Prüfung auf Kieselsäure
basirt ist.

Die Arbeit wurde so ausgeführt, dass zu dem fein gepulverten Materiale (meist Diluvialsand), welches im Platintiegel abge-
wogen war, Phosphorsalz in grösserer Menge zugegeben wurde, als
nöthig zur Lösung der vermutheten Menge von Metalloxyden, etwa
so viel, dass der Tiegel nicht über die Hälfte gefüllt war. Dann
wurde allmählig erwärmt und schliesslich vor dem Gebläse erhitzt.
Die Schmelze wurde in verdünnter Salzsäure gelöst, der Rückstand mit Soda und Säure wiederholt behandelt. Die Ausführung
der Versuche war bequem und rasch zu bewirken. Die Kieselsäure schied sich in pulvriger Form ab und war ein Auswa-
schen leichter zu erzielen als bei der bekannten Methode nach
AL. MÜLLER, weil bei jener die Phosphorsäure äusserst schwer zu
entfernen ist. Der gewonnene Quarz war meist nicht ganz rein,
doch hätte man diese geringen Verunreinigungen wohl bei dem
Vortheil der bequemeren Arbeit übersehen können.

Hat man bei der Phosphorsäure-Methode nicht fein gepulvert, so erhält man, wie ich jüngsthin prüfte, auch einen
noch stark verunreinigten Quarz. Der Versuch wurde mit
einem Thone von Werder vorgenommen.

Die Methode mit Phosphorsalz aufzuschliessen, wurde zunächst
im Vergleich zu der Aufschliessung mit Phosphorsäure an Sanden
geprüft und es ergab sich, dass die Resultate genügend überein-
stimmten.[1]

---

[1] Näheres siehe E. LAUFER: Ber. d. D. Chem. Ges. 1878, XI., S. 60.

Später wurde die Phosphorsalz-Methode an reinem Materiale geprüft und zwar wurde reinster Bergkrystall äusserst fein gepulvert, mit Phosphorsalz geschmolzen, dann der resultirende Rückstand wieder gepulvert und von Neuem geschmolzen. Hierbei zeigten sich bedeutende Verluste, die grösser wurden, wenn feiner gepulvert und höhere Temperatur angewandt wurde.

Ferner zeigen folgende Versuche, wie sich die Kieselsäure überhaupt zu dem Salze verhält, wenn dieselbe in feiner Form vorhanden ist.

Ein Glindower Thon gab, mit dem Salze geschmolzen, ein beinahe ganz reines, durchsichtiges Glas, ebenso Kaolin, dessen klare Schmelze schliesslich sich in Wasser bis auf einige Spuren löste, aus welcher Lösung sich nach einem Tage Kieselgallerte abschied.

Dadurch auf das Fehlerhafte der Methode hingeführt, wurde die Trennung mit Phosphorsäure auf ihre Genauigkeit in dieser Richtung geprüft und auch bei dieser Methode nachgewiesen, dass sich gleiche Verluste herausstellen. (Siehe E. L. Ber. d. D. Chem. Ges. 1878, XI, S. 935 u. 936. Conf. F. Wunderlich, Inaug.-Diss. Leipzig 1881. Beitrag zur Kenntniss der Kieselschiefer u. s. w. des nordwestlichen Oberharzes S. 47. Letzterem Autor scheint obige Notiz unbekannt.)

Neuerdings führte ich einen Versuch abermals aus, bei welchem die Vorschriften der Methode nach Al. Müller auf das Genaueste inne gehalten wurden. Fein gepulverter Bergkrystall wurde mit concentrirter Phosphorsäure in genau auf 200⁰ C. erhitztem Luftbade sechs Stunden unter öfterem Umrühren behandelt und durch das peinlichste Decantiren (wobei später Klärung mittelst salpetersaurem Ammon gute Dienste that) gereinigt. Das Resultat war folgendes:

0,5164 Gramm reinster Bergkrystall gab nach der Behandlung mit Phosphorsäure nach Vorschrift

0,4881 Gramm

0,0283 Gramm   Verlust = 5,48 pCt.

Dabei ist der rückständige Bergkrystall nicht mit Soda ausgekocht worden, wie sonst geschah. Es wäre möglich, dass man dann noch löslich gewordene Kieselsäure entfernt hätte.

Uebrigens geht aus den Versuchen, welche AL. MÜLLER im Journal f. prakt. Chemie Bd. II, S. 20 u. 21 veröffentlicht, sehr klar hervor, dass bei abermaliger Digestion mit Phosphorsäure die Quarzmengen bedeutende Verluste zeigen. Diese würden bei weitem grösser sein, wenn Herr MÜLLER die Rückstände vor nochmaliger Aufschliessung wieder fein gepulvert hätte.

Vergleicht man zwei von Herrn Prof. ORTH (Geogn. Durchforschung des Schles. Schwemmlandes S. 248) citirte Analysen mit Quarzbestimmungen, die jedenfalls, da die Untersuchung mit dem Autor AL. MÜLLER überschrieben, auch nach dessen Methode ausgeführt sind, so ist auffällig, dass die Sande, Gaarvida I und II, bei fast gleicher Zusammensetzung der chemischen Bestandtheile einen so erheblichen Unterschied im Quarzgehalte zeigen sollten. Ist es hier nicht sehr wahrscheinlich, dass zwar die Kieselsäure (I $SiO^2 = 73,41$. II $SiO^2 = 73,12$) genau bestimmt, aber die Trennung der Silicatkieselsäure von dem unlöslichen Quarz nicht richtig ist?

	I.	II.
Silicat $SiO^2 =$	35,71	39,02
Quarz $=$	38,20	34,10.

Beide Methoden, die mit Phosphorsäure als auch die mit Phosphorsalz, den Quarz abzuscheiden, sind unbrauchbar.

Es fragt sich nun, ob man zum Ziele gelangen wird, wenn man verdünnte Schwefelsäure im Rohr (nach M. MITSCHERLICH) bei höherer Temperatur einwirken lässt.

Diese Methode ist von den Analytikern des Laboratoriums für Bodenkunde hier vorgeschlagen, jedoch augenblicklich noch nicht so weit geprüft, dass dieselbe als brauchbar oder unbrauchbar angesehen werden darf. Bei Versuchen, welche ich bis jetzt ausführte mit einem Theil concentrirter Säure und 3 Theilen Wasser während 6 Stunden dauernder Einwirkung bei 340°, war der Rückstand ein sehr unreiner Quarz, selbst bei feinster Substanz.

Ob die Isolirung des Quarzes durch jene Methode noch zu erreichen sein wird, müssen erst weitere Versuche darthun.

Häufig hat man sich auch damit begnügt, den von der Schwefelsäure-Aufschliessung erhaltenen unlöslichen Rückstand, nachdem vorher die lösliche Kieselsäure mit Soda ausgezogen war, auf Kieselsäure zu prüfen und diese als Quarz zu betrachten.

So sagt auch FESCA, Agron. Bodenunters. u. s. w. S. 24: Ziehen wir vom Gesammtgehalt an Kieselsäure die lösliche Kieselsäure ab, so erhalten wir den annähernden Quarzgehalt.

Da aber die bei norddeutschen Bodenarten erhaltenen Rückstände noch grössere Quantitäten Thonerde und Alkali enthalten, so können wir uns mit derartigem Resultate nicht begnügen.

Beispiele: Der Rückstand des Lehmes von der Aufschliessung mit Schwefelsäure von Velten enthielt noch 3,89 pCt. Thonerde, der des Diluvialmergels ebenda noch 2,38 pCt. Thonerde.

Der Rückstand des Schlämmproduktes vom Oberen Diluvialmergel zu Tasdorf enthielt noch

bei 0,1ᵐᵐ Geschw. 6,56 pCt. Kalifeldspath,
- 0,2ᵐᵐ   -   7,66 -   -

B. Bestimmung des Thongehaltes.

(E. L.)

In der Geognostischen Durchforschung des Schlesischen Schwemmlandes S. 8 ist von ORTH bereits gesagt, „der alte Begriff Thon muss modificirt werden", indem abschlämmbare Theile schon früher, bevor genauere Untersuchungen vorlagen, nicht mit dem Thone identisch erachtet werden konnten, denn der blosse Augenschein zeigt, dass das Schlämmprodukt oft mehr „Thonschlamm", oft mehr „Kieselschlamm" ist.

Ehe man aber specielle Methoden für die Bestimmung des Thongehaltes prüfen und durcharbeiten wird, muss man sich von vornherein einigen und zu einem entgültigen Resultat darüber kommen, was man bestimmen will oder was man im gegebenen Falle unter Thon versteht.

So einfach im gewöhnlichen Leben, ja selbst manchen Technikern die Beantwortung dieser Frage erscheint, so schwierig ist dieselbe für denjenigen, der sich eingehender mit ihr beschäftigt hat, der ihrer hohen Wichtigkeit wegen sich nicht mit den gewöhnlichen Definitionen des Begriffes „Thon" begnügen kann.

Gehen wir auf die Entstehung des Thones zurück, so lernen wir ein mineralisches Gebilde als solchen kennen, welches sich überall da findet, wo vor Allem Feldspath-reiche Gesteine, wie Granite, Porphyre, auch Basalte u. s. w. verwittern, aber auch Hornblende- und manche Glimmer-reichen Gesteine vermögen diese Substanz zu erzeugen. Wir finden an den Gesteinen selbst eine weiche, meist hellgefärbte Verwitterungsrinde, die bei ihrer chemischen Prüfung sich als ein wasserhaltiges Bisilicat erweist und den Namen „Kaolin" besitzt, bald mehr, bald weniger rein von den Muttermineralien und Gesteinen in der Natur auftritt und vielfach der Gegenstand eingehender Untersuchungen gewesen ist. Wenn auch nur in seltenen Fällen dem Kaolin die Zusammensetzung zukommt, wie dieselbe FORCHHAMMER aus der Berechnung des verwitterten Feldspathes abgeleitet, das ist 46,37 Kieselsäure, 39,72 Thonerde und 13,91 Wasser, so haben wir doch den Kaolin als „das Grundbildungsmaterial für alle thonartigen Substanzen", wie dies SENFT, die Thonsubstanzen (S. 16.) bezeichnet, zu betrachten und zunächst diesem Silicat die grösste Beachtung zu schenken.

Keineswegs wird nun in der Praxis Thon und Kaolin identificirt, sondern es werden unter Thon die verschiedenartigsten Gebilde verstanden. Kaolin ist eigentlich nur als Porzellanerde bekannt und wenige Ziegler kennen denselben in ihrer Ziegelerde. Wohl unterscheidet man aber bei den Ziegelmaterialien, wenigstens in der Mark: Lehm, Thon und Mergel.

Unter Lehm versteht der Ziegler ein eisenschüssiges thoniges Gebilde mit Steinen, Mergel nennt er den Lehm, wenn die weissgelbe Farbe der Erde den Kalkgehalt verräth, vor allem aber, wenn ihm Mergelknauern und Kalksteine in dem Materiale bekannt sind. Thon ist für ihn jede Erde, welche beim Graben am Spaten anhaftet, beim Abstich glänzt, im feuchten Zustande plastisch wird und zur Ziegelsteinfabrikation in Formen gestrichen werden kann ohne vorherige Schlämmung, oder, wenn solche doch nöthig, ohne grossen Schlämmrückstand. Er begnügt sich, wenn er seinen Thon zur genaueren Charakteristik als fett oder mager, sandig, sehr sandig, schluffig u. dergl. bezeichnet.

So ist denn mit dem Worte „Thon" kein strenger Begriff verbunden, wie schon die zahlreich ihm beigelegten Attribute bezeugen, sondern man nimmt den Begriff „Thon" in sehr weiter Ausdehnung und hat damit im Grunde. genommen volles Recht. Denn ein Gebilde, welches aus verschiedenen Mineralien entstanden, vor allem aber bei Diluvialböden durch fremdartiges Material verunreinigt ist, kann nicht gleichartig sein und nicht mit einem Namen genannt werden, wenn man denselben nicht für zahllose nur ähnliche Gebilde in grossem Spielraume gebrauchen will.

Für unsere wissenschaftlichen Untersuchungen war es nöthig, einen ganz bestimmten Begriff $auf_zu_stelle^n$ und so wurde denn zunächst nach ORTH's Angabe bei der Bodenuntersuchung auf die Mengen des Grundbildungsmateriales aller Thonsubstanzen, den Kaolin, Gewicht gelegt und es handelte sich darum, den Kaolin-Gehalt eines Bodens durch mechanische und chemische Mittel abzusondern.

E. WOLFF nimmt den Begriff „Thon" nicht in jener Schärfe, sondern hält sich vielmehr an die bei den Analysen gemachten Erfahrungen. Er stellt den Thon hin als Kieselsäure und Thonerde in wechselnden Verhältnissen.

Bei der Untersuchung der Kaoline des Thüringischen Buntsandsteins [1]) durch E. E. SCHMID stellte sich heraus, dass diese Thonerde-Silicat-Hydrate sind, bei denen das Verhältniss zwischen Thonerde und Kieselsäure, wie auch das zwischen Silicat und Wasser nicht immer dasselbe ist.

Auch unsere Untersuchungen zeigen wechselnde Mengen von Kieselsäure und Thonerde. Es seien hier einige Resultate aufgeführt, aber mit Hinzufügung der zugleich gefundenen Mengen von Eisenoxyd. Es ist beispielsweise neben jedem Versuche berechnet, wie viel Thonerde zu der gefundenen Kieselsäure nach der Kaolin-formel zugehören würde. Es ergeben sich interessante Beziehungen der Kieselsäure zu der Summe von Thonerde und Eisenoxyd.

---

[1]) Zeitschr. d. D. geolog. Gesellsch. XXVIII, S. 87.

Profil des Unteren Geschiebemergels von
Rüdersdorf.

Aufschliessungen mit conc. Schwefelsäure.

(F. WAHNSCHAFFE.)

1. Feinste Theile.

	Aufgeschlossen:		Berechnete Thonerdemengen:
Lehmiger Sand	Kieselsäure = 17,33		
	Thonerde = 11,70	15,63	14,4
	Eisenoxyd = 3,93		
Lehm.	Kieselsäure = 33,17		
	Thonerde = 19,63	28,23	27,64
	Eisenoxyd = 8,60		
Mergel	Kieselsäure = 22,40		
	Thonerde = 14,84	19,81	18,67
	Eisenoxyd = 4,97		

2. Staub.

Lehmiger Sand	Kieselsäure = 2,83		
	Thonerde = 2,29	3,33	2,3
	Eisenoxyd = 1,04		
Lehm	Kieselsäure = 19,57		
	Thonerde = 12,71	17,67	16,3
	Eisenoxyd = 4,96		
Mergel	Kieselsäure = 6,72		
	Thonerde = 5,20	7,50	5,34.
	Eisenoxyd. = 2,30		

Nun sind ausser den angegebenen Mengen von Thonerde und
Eisenoxyd auch andere Basen, Kalkerde; Magnesia und Alkalien
durch concentrirte Schwefelsäure in Lösung gegangen. Es zeigen
eingehende Untersuchungen, dass die Diluvialmergel und Thone
fast immer auch einige Procente Kalksilicat enthalten, jedoch
können die aus jenen Verbindungen stammenden Basen die fehlende
Kieselsäure-Menge nicht binden. Es ist daher anzunehmen, dass
bei diesen thonigen Bildungen ein Theil des Eisenoxyds vicarirend
für die Thonerde eintritt. (Siehe auch F. SENFT: Die Thonsubstanzen
S. 20.) Man ist bei der Art und Weise, wie die Schlämmprodukte

gewonnen wurden, nicht berechtigt, für das gefundene Kali und
Natron die zugehörige Menge Thonerde zu berechnen, welche
nöthig ist, um Feldspath zu bilden, und den Thongehalt dadurch
zu corrigiren, da die Mengen der löslichen Salze des Bodens mit
in dem Schlämmprodukt enthalten sind. Es sind sicher Trümmer
von Feldspathen beim Thone noch vorhanden, aber dieselben bisher auf keine Weise zu ermitteln.

Noch schwieriger ist die Thonbestimmung im Diluvialglimmer-
sande auszuführen.

Ein solcher ist hier untersucht worden. Die Probe ist von
Birkenwerder (s. die Analysen). Der Sand wurde geschlämmt und
gab 12,4 pCt. Feinste Theile, welche mit Schwefelsäure aufgeschlossen, 22,57 pCt. Thonerde enthielten.

Diese Zahl wird selbst bei Ermittelung der Gesammtmengen
von Thonerde in den Feinsten Theilen lehmiger resp. thoniger
Bildungen mit Flusssäure nicht erreicht und ist offenbar auf die
erfolgte Zersetzung der Glimmerblättchen zu deuten.. Glimmer
ist zwar in anderen diluvialen Bildungen nicht selten, tritt aber
procentisch sehr zurück, so dass man derartige Störungen bei der
Thonbestimmung sonst nicht vorfindet.

Wenn nun FESCA vorschlägt, davon abzusehen, den Thongehalt bei der Bodenanalyse anzugeben, sondern sich auf die
direct gefundene Menge der Thonerde zu beziehen, so ist dies zwar
wissenschaftlich sehr begründet, jedoch für den Praktiker eine
Vorstellung von reinstem Thone (Kaolin) leichter verständlich,
da man fortfahren wird, vom Thongehalte eines Bodens zu
reden. Es wird auch die Berechnung der gefundenen Menge
Thonerde auf wasserhaltigen Thon nicht unwissenschaftlich zu
nennen sein, sobald man sich dabei, gerade wie bei der
Berechnung des Humus mit 58 pCt. Kohlenstoff, auf eine bestimmte, wenn auch theoretische Zusammensetzung der Substanz
bezieht.

Die alte Vorschrift, den Boden mit concentrirter Schwefelsäure in der Hitze zu behandeln, war auch hier diejenige, welche
zuerst angewandt wurde. Nur führten wir diese Methode nicht
mit dem Gesammtboden aus, wie die Angabe der Thonbestimmung

nach E. Wolff vorschreibt[1]), sondern mit den mechanisch abgetrennten Feinsten Theilen.

Zu welchen irrigen Resultaten die Bestimmung des Thones durch Aufschliessen des Gesammtbodens mit concentrirter
Schwefelsäure zuweilen führen kann, ist an folgenden Beispielen
ersichtlich.

Feiner Diluvialsand. Dallgow. Sect. Rohrbeck.
(F. Wahnschaffe.)
Aufschliessung des Gesammtbodens mit concentrirter Schwefelsäure.

$$Thonerde = 0,556$$
$$Eisenoxyd = 0,416$$
$$Kali = 0,078$$
$$Kalkerde = 0,065$$

Der Sand gab, bei $0,2^{mm}$ Geschw. im Schöne'schen Apparat
abgeschlämmt, nur 1,5 pCt. Feinste Theile. Es kann von einem
Thongehalte kaum die Rede sein, zumal solche feine Sande nur
ca. 2 pCt. Thonerde enthalten.

Feiner Alluvialsand. Südlich Seegefeld. Sect. Rohrbeck.
Aufschliessung des Gesammtbodens mit concentrirter Schwefel-
säure und schwefelsaurem Kali.
(L. Dulk.)

	I.	II.
Thonerde	= 0,99	1,45
Eisenoxyd	= 0,42	0,46
Kali	= 0,09	
Natron	= 0,09	
Kalkerde	= 0,15	
Kieselsäure	= 2,03	

---

[1]) Die Techniker bezeichnen diese Art der Thonbestimmung als rationelle
Analyse. Sie führen bei vollständiger Untersuchung eines Thones eine Gesammtanalyse aus und eine Aufschliessung mit Schwefelsäure. Nach Abzug der
durch Schwefelsäure aufgeschlossenen Basen und Säuren, finden sie die Zusammensetzung des Sandes. Ueberhaupt unterscheiden sie: Sand, Thon und
Flussmittel.

Wenn dieser Sand auch 3,6 pCt. Feinste Theile enthielt, so ist sein Aussehen doch das eines reinen Sandes. Auch hier sind wahrscheinlich nur verwitterte Mineralien von der Säure angegriffen. Dass es sich hier um solches verwittertes Material handelt, geht auch aus der in gleicher Weise ausgeführten Analyse der zugehörigen Oberkrume des letzteren Sandes hervor.

	I. Mit conc. Schwefelsäure aufgeschloss.	II. Mit saurem schwefelsauren Kali aufgeschloss.
Thonerde	= 1,47	2,94
Eisenoxyd	= 0,56	0,65
Kali	= 0,11	
Natron	= 0,05	
Kalkerde	= 0,21	
Kieselsäure	= 2,59	

Durch die Schwefelsäure sind weit mehr Thonerde und Eisenoxyd, und ebenso auch grössere Mengen von anderen Bestandtheilen aufgeschlossen, so dass ein weiter vorgeschrittener Verwitterungsgrad eher anzunehmen ist als wirklicher Thongehalt. Jedenfalls liegt nicht die für die physikalischen Verhältnisse so wichtige Thonsubstanz vor, was auch daraus ersichtlich ist, dass die Feinsten Theile dieser Sande keine Plasticität zeigten.

Dies sind Resultate, welche ein ganz falsches Bild eines diluvialen Sandes der Mark geben würden. Bei der Aufschliessung des Gesammtbodens mit Schwefelsäure wird der Sand mit angegriffen, je mehr, je verwitterter er ist.

Die Aufschliessung mit concentrirter Schwefelsäure wurde in Platintiegeln oder auch in Platinschalen nach der bekannten Methode ausgeführt. Die Substanz wurde mit einer etwas grösseren Menge von concentrirter Schwefelsäure versetzt, als nöthig war, um dieselbe zu einem dünnen Brei anzurühren. Dann wurde die Säure langsam bis nahe zur Trockne abgeraucht und durch Auskochen der Masse mit verdünnter Salzsäure, Ausscheiden der Kieselsäure und Filtriren die Lösung hergestellt.

In unserem Laboratorium ist die Behandlung der Substanz mit Schwefelsäure stets nur einmal ausgeführt und nicht wie im Laboratorium der deutschen Töpfer- und Ziegler-Zeitung, was auch Bischof angiebt, wiederholt vorgenommen worden.

Mit saurem schwefelsauren Kali wurden die Versuche derartig ausgeführt, dass zu der abgewogenen Substanz im Platintiegel vorher durch geringes Glühen entwässertes Salz zugegeben und so lange erhitzt wurde, bis die Schmelze keine starke Entwicklung von Säure mehr gab. Der in heissem Wasser gelöste Rückstand wurde vor dem Filtriren mit Salzsäure längere Zeit ausgekocht.

Diese Aufschliessung ist bequemer auszuführen und nimmt viel weniger Zeit in Anspruch, als die Aufschliessung mit concentrirter Schwefelsäure in der Schaale. Doch scheint es, als ob häufig ein stärkerer Angriff mit dem Bisulfat stattgefunden, als mit der Säure direct.

Die Lösungen wurden oxydirt und mit Ammoniak gefällt. Der Niederschlag von Eisenoxyd und Thonerde wurde bei geringen Mengen gewogen, wieder in Lösung gebracht und durch Titriren mit Chamaelon das Eisenoxyd bestimmt, also die Thonerde aus der Differenz erhalten. Waren grössere Mengen vorhanden, so wurde wieder gelöst und in der einen Hälfte durch erneutes Ausfällen mit Ammoniak die Summe von Thonerde und Eisenoxyd bestimmt, in der anderen Hälfte das Eisenoxyd titrirt.

Da nun bei der Bodenuntersuchung der Thongehalt durch die Behandlung des Gesammtbodens mit concentrirter Schwefelsäure nicht zu ermitteln ist, so fragt es sich, wie man besser zum Ziele gelangt.

Eine der Eigenschaften des Thones ist die, dass er, mit Wasser aufgerührt, sich abschlämmen lässt. Es wurde zunächst angenommen, dass man bei geringer Geschwindigkeit ein Schlämmprodukt erhalten würde, welches allen Thon in sich enthielt und es handelte sich nun darum, dieses Produkt auf seinen Thongehalt auch hier zu prüfen.

In technischen Kreisen nahm man zur Abscheidung der Thonsubstanz die im SCHÖNE'schen Schlämmtrichter bei dem geringsten Wasserzufluss noch genau bestimmbare Geschwindigkeit von 0,18^{mm} in der Secunde. A. ORTH liess jene Arbeit hier mit dem SCHÖNE-schen Apparate ebenfalls derart ausführen und bestimmte als geringste Geschwindigkeit die von 0,2^{mm} in der Secunde, welche einer Korngrösse unter 0,01^{mm} D. entspricht. Auf seine Veranlassung wurden auch noch geringere Schlämmgeschwindigkeiten angewandt und solche erhalten, indem in einem gewöhnlichen Cylinder durch Decantiren (siehe S. 15) abgeschlämmt wurde.

Als geringere Geschwindigkeiten wurden gewählt 0,02^{mm} und 0,01^{mm} in der Secunde.

Die chemische Prüfung dieser Schlämmprodukte ergab Folgendes:

Die bei geringen Geschwindigkeiten erhaltenen Schlämmprodukte
des Unteren Diluvialmergels und seiner Verwitterungsböden
von Rüdersdorf.

(Aufschliessung mit concentrirter Schwefelsäure.)

	Schlämm-produkt bei $0,2^{mm}$ Geschw.	$0,1^{mm}$ Geschw.	$0,02^{mm}$ Geschw.
Lehmiger Sand.			
Wasserfreier Thon	25,8	26,8	37,5
Wasserhaltiger Thon	29,4	31,1	43,6
Lehm.			
Wasserfreier Thon	42,5	50,7	61,8
Wasserhaltiger Thon	49,4	58,9	71,8
Mergel.			
Wasserfreier Thon	32,1	42,4	48,1
— Wasserhaltiger Thon	37,8	49,3	55,9

Wohl sieht man aus diesen Untersuchungen, dass durch
geringere Geschwindigkeiten sich Produkte mit steigendem Thongehalte erzielen lassen. Aber damit kommt man nicht viel weiter,
denn in dem Schlämmprodukt bei $0,2^{mm}$ Geschw. ist sicher noch
reichlich Thon vorhanden, der auch bestimmt werden muss.

Es wurde nun in einer Conferenz beschlossen, die Feinsten
Theile auf Vorschlag des Herrn Professor FINKENER mit Fluorwasserstoffsäure aufzuschliessen, um eine grosse Anzahl analytischer
Untersuchungen in kürzerer Zeit ausführen zu können. Dabei
wurde der Einwand, dass man dadurch die Gesammtmenge der
Thonerde erhalten würde, somit auch die nicht dem Thone angehörige, damit beseitigt, dass der Thongehalt in dem Staube die
dadurch entstandenen Fehler ungefähr ausgleichen würde. Zu-

gleich war mit einer derartigen Behandlung die Auffindung sämmtlicher Nährstoffe in den Feinsten Theilen verbunden.

So sind denn eine grosse Anzahl von Versuchen in den Special-Erläuterungen zu den Sectionen: Linum, Cremmen, Nauen, Marwitz, Markau, Rohrbeck, Oranienburg, Hennigsdorf und Spandau enthalten, welche aus derartigen Fluorwasserstoffaufschliessungen hervorgingen.

Fragen wir uns nun, wie sich die Resultate der Fluorwasserstoffaufschliessung verhalten. zu denen der Behandlung mit concentrirter Schwefelsäure.

Folgende Untersuchungen gestatten einen Vergleich, auf den allerdings nicht allzugrosses Gewicht gelegt werden darf, da nicht ein und dasselbe Schlämmprodukt zur Analyse verwandt wurde und von vornherein mit diesen Versuchen nicht die Absicht, die Methode zu prüfen, verbunden war.

Unterer Diluvialmergel. Velten.
Chemische Analyse der Feinsten Theile.

(Aufschliessung mit Fl H.　　　　　(Aufschliessung mit S O$_4$ H$_2$.
E. Schulz.)　　　　　　　　　　E. Laufer.)

Bestandtheile	Lehm (Thon) In Procenten des				(Thonmergel) Diluvialmergel In Procenten des			
	Theilprodukts aufgeschlossen mit		Gesammtbodens		Theilprodukts		Gesammtbodens	
	Fl H	S O$_4$ H$_2$	Fl H	S O$_4$ H$_2$	Fl H	S O$_4$ H$_2$	Fl H	S O$_4$ H$_2$
Wasserhaltiger Thon	45,06[*]	35,30[*]	25,23[*]	19,76[*]	26,06	20,08[*]	13,83[*]	10,67[*]
Eisenoxyd	7,61	7,53	4,26	4,22	4,08	4,22	2,17	2,35
Kohlensaurer Kalk .	—	—	—	—	33,66	32,43	17,89	17,23
Procente der Feinsten Theile	—	—	56,01	55,98	—	—	53,15	53,12
*) Gefundene Thonerde	17,90	14,01	—	—	10,35	7,97	—	—

Man sieht, dass das praktische Resultat durch Aufschliessung des Schlämmproduktes mit Fluorwasserstoffsäure hinsichtlich der Thonbestimmung sehr abweicht von der mittelst Schwefelsäure und dass man das Plus von Thonerde nicht vernachlässigen darf, wenn man positiv und nicht nur relativ vergleichbare Zahlen für den in Rede stehenden Bodenconstituenten erhalten will.

Ob nun damit, dass man die Feinsten Theile (unter 0,01^{mm} D.) als Grenze für den thonigen Bestand des Bodens betrachtet, das Richtige getroffen ist, lässt sich beurtheilen, wenn man das nächste Schlämmprodukt bei 2,0^{mm} Geschw., den Staub (Körner von 0,05 — 0,01^{mm} D.) auf Thongehalt prüft. Einige Aufschliessungen mit Schwefelsäure ergaben folgendes Resultat:

Der Staub in den Bodenarten des Geschiebemergels vom Bahnhof Rüdersdorf.

(F. Wahnschaffe.)

(Aufgeschlossen durch Schwefelsäure.)

	Staub pCt.	Thonerde	Eisen-oxyd	Lösliche Kiesel-säure
Lehmiger Sand	9,67	2,29[1]	1,04	2,83
Lehm	9,63	12,71[2]	4,96	19,57
Geschiebemergel	11,01	5,20[3]	2,30	6,72

[1] Entsprechend wasserhaltigem Thon 5,77 pCt.
[2]   do.   do.   do. 32,00 -
[3]   do.   do.   do. 13,09 -

Auf den Gesammtboden berechnet erhält man im Staub des lehmigen Sandes 0,56 pCt., des Lehmes 3,08 pCt., des Geschiebemergels 1,44 pCt wasserhaltigen Thon.

Der Staub der Bodenarten des geologischen Profiles von
Rixdorf bei Berlin enthielt folgende durch Flusssäure aufgeschlossene Mengen Thonerde.

E. Schulz.

	Staub pCt.	Thonerde	Beispielsw. auf wasserh. Thon des Ges.-Bodens berechnet
Humoser lehmiger Sand. Ackerkrume . . .	8,7	6,54	1,43
Derselbe, unterhalb der Ackerkrume . . .	11,0	7,57	2,11
Lehmiger Sand	10,0	4,12	1,03
Lehm	10,6	10,32	2,77
Oberer Geschiebemergel	10,0	6,91	1,73
Unterer Geschiebemergel	7,5	6,49	1,23

Die erstere Untersuchung ist bereits von ORTH „Rüdersdorf
und Umgegend" aufgeführt und mit folgenden Worten erläutert:

„Es zeigt sich demnach auch im Staub noch ein bedeutender
Gehalt an Thonerde und derselbe mag mit derjenigen im anderen
Schlämmprodukt (Feinste Theile) in der Form des wasserfreien
Thonerdesilicates (Thon $= Al_2O_3 [SiO_2]_2) = 11,3 : 32,2$ pCt. verglichen werden, wenn auch eine derartige Vergleichung mit Bezug
auf die Aufschliessung der nicht oder wenig verwitterten Feld-
spathe gewisse Schwierigkeiten hat."

Wenn auch bei der zweiten Reihe von Versuchen der Gehalt
an wasserhaltigem Thone noch geringer wird, sobald man mit
Schwefelsäure aufschliesst, so ist doch ein exactes Verfahren solchen
Versuchen vorzuziehen, welche die Annahme voraussetzen, dass
in den Feinsten Theilen durch Flusssäure gerade soviel mehr Thonerde aufgeschlossen wird, als noch Thon in dem Staube vorhanden ist.

Vergleicht man nun die Zusammensetzung des Staubes mit
der der Feinsten Theile, wie dieselbe durch Fluorwasserstoffsäure
ermittelt worden ist, und andererseits mit der der Sande, so erhalten wir im Staub immerhin grössere Mengen von Thonerde,
als je ein Diluvialsand enthält. Daher muss man annehmen, dass
hier noch Thongehalt vorliegt. Im Staube kann der Gehalt an

Thonerde bis über die Hälfte des Gehaltes der Feinsten Theile steigen, wie folgendes Beispiel erläutert.

·Thonboden. W. ·Petzow. Am Rankefang.

(L. Dulk.)

I. Aeusserste Ackerkrume. II. Boden aus 0,3 Meter.

| | Das Schlämmprodukt bei | | | |
| | 0,2^{mm} G. (Feinste Theile) enthält: | | 2,0^{mm} G. (Staub) enthält: | |
	in Procenten desselben	des Ge-sammt-bodens	in Procenten desselben	des Ge-sammt-bodens
Thon-gehalt: 1.	· 30,02. (Al$_2$O$_3$ = 11,92 pCt.)	9,68	19,12 (Al^{2}O$_3$ = 7,60 pCt.)	5,53
			15,21 pCt. Thon im Ge-sammtboden	
II.	32,34 (Al$_2$O$_3$ = 12,85 pCt.)	10,70	16,76 (Al$_2$O$_3$ = 6,65 pCt.)	4,92
			15,62 pCt. Thon im Ge-sammtboden	
Thongehalt aus dem Gesammt-boden (Auf-schliessung mit Fluss-säure)	. . . . 17,75 pCt.			

Nach solchen Resultaten kommt man zu dem Schlusse, dass der Thongehalt des Staubes berücksichtigt werden muss.

Ein weiteres Beispiel, wie wenig die Thonbestimmung durch Aufschliessung der Feinsten Theile der Wahrheit entspricht, giebt eine Untersuchung Olschewsky's [1].

Er fand in einem Thone von Osterode 6,38 pCt. Feinste Theile. Diese, der rationellen Analyse unterworfen, gaben

56,30 pCt. Thonsubstanz

43,70 - Sand.

Die rationelle Analyse des Gesammtbodens ergab aber: ·

28,05 pCt. Thonsubstanz.

---

[1]. Töpfer- und Ziegler-Zeitung. X. Jahrgang 47.

Bei der Untersuchung der Thone wird man sich deshalb den Technikern anschliessen müssen, d. h. eine Gesammtanalyse und rationelle Analyse in Zukunft auszuführen haben.

Es ist daher in einer späteren Conferenz in Bezug auf die Ausführung der Thonbestimmung im Allgemeinen von den beiden Verfassern und Herrn Dr. Dulk in Vorschlag gebracht und zur Prüfung angenommen worden:

Die Thonbestimmung ist mit dem Schlämmprodukte bei 2,0^{mm} Geschw. (Staub + Feinste Theile) auszuführen und zwar sollen, um von vorn herein übereinstimmende Resultate zu erzielen, Aufschliessungen mit verdünnter Schwefelsäure im zugeschmolzenen Rohre ausgeführt werden und zwar in einem geeigneten Luftbade bei einer durch Versuche genau fest- zu stellenden Temperatur, mit stets gleichen Flüssigkeitsmengen und bestimmter Zeitdauer der Einwirkung.

Die Einwände, welche E. Wolff ibidem S. 33 in Hinsicht auf die Angreifbarkeit des Glases anführt, haben wir bei unseren Untersuchungen nicht bestätigt gefunden.

Für landwirthschaftliche Zwecke ist jedoch an der mechanischen Abtrennung der Feinsten Theile vorläufig fest zu halten, weil zunächst die physikalischen Verhältnisse, die Absorptionsfähigkeit des Bodens u. s. w. von jenen abhängig erachtet werden. Ob man auch darin sich täuscht, oder ob die Grenze bei 2,0^{mm} Geschw. zur Abschlämmung genügt, müssen erst weitere Untersuchungen lehren. Würde man mit dem Schöne'schen Cylinder eine geringere Geschwindigkeit als von 0,2^{mm} erreichen können, so hätte man vielleicht diese zur Abscheidung des für die chemische Untersuchung dienenden Materiales genommen. Man erhält aber dann nur weniger Gesteinsmehl. Nun zeigt sich erfahrungsmässig, dass die Produkte über 0,05^{mm} D. physikalisch sich wie Sande verhalten und nur ausnahmsweise ist noch concretionäre, thonige Substanz in denselben.

Jedoch wollen wir die Frage noch offen lassen, ob man eine genügende Trennung bewirkt, wenn man sogleich bei 2,0^{mm} Geschw. abschlämmt, oder in alter Weise bei der mit dem Schöne'schen Apparate — doch wohl nur vorläufig — noch erreichbaren ge-

ringsten Geschwindigkcit. Es ist klar, dass die Arbeitserleichterung
eine bedeutende wäre.

Ich schlämmte jüngst einen Kaolin, darauf einige Verwitterungsböden von Porphyren und bemerkte, dass das Produkt,
welches ich bei 2,0ᵐᵐ Geschw. erhielt, dasjenige bei 0,2ᵐᵐ Geschw.
procentisch ganz bedeutend überstieg. . Das Schlämmprodukt bei
2,0ᵐᵐ Geschw. betrug in letzteren beispielsweise 36 pCt., während
nur 3 pCt. bei 0,2ᵐᵐ Geschw. abgeschlämmt wurden.

Dabei trat zwischen dem feinsten Schlämmprodukte und dem
folgenden eine sehr scharfe Grenze im Cylinder ein.

Jedenfalls ist die chemische Analyse bezüglich der Thonbestimmung bei diluvialen Böden (excl. den Thonen) mit den bei
2,0ᵐᵐ Geschw. abzuschlämmenden Theilen vorzunehmen und zwar
mit Schwefelsäure. Es fragt sich nun, in welcher Weise man
dieselbe einwirken lässt.

Wenngleich eine genügende Anzahl von Versuchen bereits
vorlagen, so waren dieselben doch von vorn herein nicht direct
auf die Ergründung der brauchbarsten Methode gerichtet. Häufig
mögen Schwankungen herrühren von Verschiedenheiten, welche
der Boden, resp. das Schlämmprodukt in sich enthielt. Es schien
stets, als ob die Aufschliessung in der Schale oder dem offenen
Tiegel nicht recht geeignet wäre, um übereinstimmende Resultate
zu erhalten, während durch das Schmelzen mit saurem, schwefelsaurem Kali eine stärkere Einwirkung beobachtet wurde.

Beide Verfasser führten daher von ein und derselben Ausgangs-
substanz Versuche aus, indem sie dieselbe mit heisser concentrirter
Schwefelsäure in der offenen Schale mit saurem, schwefelsaurem
Kali in der Schmelzhitze behandelten und ferner mit verdünnter
Schwefelsäure (auf 1 Theil Säure 5 Theile Wasser) im zugeschmolzenen Rohre [1]) bei 220⁰ C. und sechsstündiger Einwirkung
erhitzten.

---

[1]) Es wurden böhmische Glasröhren verwandt, welche vorher mit Königs-
wasser gereinigt waren.

Zur Vervollständigung der Versuchsreihe wurden die Proben auch mit Soda aufgeschlossen. Die Versuche sind folgende:

Lehm des oberen Diluvialmergels. Deutsch-Wusterhausen.
(Sect. Mittenwalde.)
A. Mechanische Analyse.

Grand über 2^{mm}	Sand $2 - 0{,}05^{mm}$	Staub $0{,}05 - 0{,}01^{mm}$	Feinste Theile unter $0{,}01^{mm}$
31,8	42,8	12,6	12,8
		25,4	

B. Chemische Analyse.

I. Aufschliessung der Körner unter $0{,}01^{mm}$ D. (Feinste Theile bei $0{,}2^{mm}$ Geschw.)

Analytiker: E. LAUFER (L.) und F. WAHNSCHAFFE (W.)

	Aufschliessung mit									
	$CO_3 Na_2$		$SO_4 HK$		$SO_4 H_2$ in der Schale		im Röhr		Kochender ClH	
	L.	W.	L.	W.	L.	W.	L.	W.	L.	W.
Geglühter Rückstand	—	—	64,50	64,62	—	—	61,39	61,09	77,22	77,71
Kieselsäure	59,33	59,31	—	—	—	—	—	—	—	—
Thonerde	17,82	17,82	16,86	16,72	16,02	16,16	15,62	15,67	16,56	16,54	5,46	5,52
Eisenoxyd	8,81	8,78	8,52	8,52	8,88	8,72	8,41	8,49	8,32	8,78	6,16	6,72

II. Aufschliessung der Körner unter 0,05 mm D. (Staub + Feinste
Theile bei 2,0 mm Geschw.)

	Aufschliessung mit								
	$CO_2 Na_2$		$SO_4 HK$		$SO_4 H_2$				
					in der Schale		im Rohr		
	L.	L.	L.	W.	L.	W.	L.	L.	W.
Geglühter ⎫ Rückstand ⎭	—	—	71,19	71,67	—	—	70,31	70,05	71,13
Kieselsäure	66,15	66,49	—	—	—	—	—	—	—
Thonerde	—	16,02	—	13,18	11,69	10,61	—	—	12,60
Eisenoxyd	—	6,86	—	6,95	6,50	6,42	—	—	6,74
Thonerde + Eisenoxyd	22,70	22,88	20,03	20,13	18,19	17,03	20,16	20,02	19,34

Aufschliessung des durch das 2 mm -Sieb gegebenen
Gesammtbodens.
(E. L.)

1) mit concentrirter, kochender Salzsäure
   Thonerde = 1,32 ⎫
   Eisenoxyd = 1,43 ⎬ 2,75

2) mit concentrirter Schwefelsäure in der Schale
   Thonerde = 2,15 ⎫
   Eisenoxyd = 0,48 ⎬ 2,63

Betrachtet man zunächst das Verhältniss der aufgeschlossenen
Menge Thonerde zu der nicht aufgeschlossenen, so bemerkt man,
dass in den Körnern unter 0,01 mm D. (Feinsten Theilen) über
1 pCt. Thonerde sich der Aufschliessung mit Schwefelsäure ent-
zieht, während in den Körnern unter 0,05 mm D. (Staub + Feinste
Theile) diese Zahl bedeutend erhöht wird.

Die Aufschliessung mit saurem, schwefelsauren Kali giebt
ferner gleiche Resultate wie diejenige mit verdünnter Schwefelsäure (1 Säure : 5 Wasser) im geschlossenen Rohr bei 220° C. und
sechsstündiger Einwirkung. Mit concentrirter Schwefelsäure in

der Schale wurden bei der Untersuchung der Körner unter
0,05 ^{mm} D. von einander abweichende Resultate erhalten, wie nach
den früheren Versuchen bereits beobachtet war, trotzdem beide
Analytiker sich bemühten nach gleicher Methode zu arbeiten. Die
Differenz in den Resultaten der zweiten Aufschliessungen im Rohr
ist schwer verständlich. Schwierigkeiten entstanden bei den Versuchen durch Abscheidung der Kieselsäure, und ebenso störten
nicht unerhebliche Mengen von Titansäure die Bestimmung der
Thonerde.

Wenn auch diese Versuchsreihen noch nicht genügen können
zur vollständigen Beurtheilung der Methoden, so wird man doch
als praktisches Resultat aus den Versuchen herauslesen, dass man
bei vollständigen Analysen die Aufschliessung im Rohr wahlen
wird, zumal man zugleich das Eisenoxydul bestimmen kann.

Kommt es jedoch nur darauf an den Thongehalt zu bestimmen,
so wird man besser mit saurem, schwefelsauren Kali aufschliessen,
da diese Methode sich durch rasche und bequeme Ausführbarkeit
sowie auch durch Uebereinstimmung der Resultate empfiehlt.

Solche Versuchsreihen sind demnächst zu wiederholen.

Aus der gefundenen Thonerde berechnen sich folgende Zahlen
für den Thongehalt, wie er aus den einzelnen Bestimmungsme-
thoden hervorgehen würde.

Gehalt an Wasserhaltigem Thone.

	100 Theile enthalten nach der Aufschliessung mit				Der Gesammtboden enthält nach der Aufschliessung mit			
	$CO_3 Na_2$	$SO_4 H_2$		SO_4 HK	$CO_3 Na_2$	im Rohr	in der Schale	SO_4 HK
		im Rohr	in der Schale					
Die Körner unter 0,01^{mm} D. (Feinste Theile) . . .	44,86	41,69	39,47	41,39	5,74	5,34	5,05	5,30
Die Körner unter 0,05^{mm} D. (Staub + Feinste Theile)	40,33	32,98	28,07	33,18	—	8,38	7,13	8,43
Der Feinboden (unter 2^{mm} D.)	—	—	—	—	—	—	8,74	—

Jedenfalls kommt man mit der Aufschliessung der Körner unter 0,05 ^{mm} D. der Wahrheit näher. (Siehe auch S. 50.)

Natürlich wird diese Methode um so mehr Bedeutung erlangen, je thonreicher die Gebilde sind, wie aus zahlreichen Untersuchungen zu ersehen ist.

Das Verhalten der Thonsubstanz zu kochender Salzsäure.

Jüngsthin hat FESCA [1]) darauf hingewiesen, dass man nicht berechtigt sei, die durch Salzsäure gelöste Thonerde auf Thon zu berechnen; er glaubt dieselbe vielmehr von zeolithartigen Mineralien ableiten zu müssen. Allerdings lösen auch wir in unseren diluvialen Böden · grössere Mengen von Thonerde bereits mit Salzsäure auf, aber es ist noch keineswegs festgestellt, in welcher Form dieselbe vorhanden und ob alle Thonsubstanzen gegen dieses Lösungsmittel sich gleich verhalten. Möglich wäre auch, dass ein kleiner Theil dieser Thonerde als Thonerdehydrat im Boden vorhanden ist. ·

— Fragen wir uns nun, wie sich der Kaolin zu Salzsäure verhält, so kann vorläufig folgendes Beispiel dafür angezogen werden.

Ich untersuchte einen abgeschlämmten Kaolin von Rauenstein und fand:

     0,89 pCt. Thonerde, löslich in Salzsäure,
    33,04 -   -   -   - Schwefelsäure,
     1,51 ·   -   unlöslich (durch Aufschliessung des Rückstandes mit Soda ermittelt),
_____
35,44 pCt. Thonerde im Ganzen.

Eine weitere Untersuchung hat L. DULK ausgeführt mit einem Mergel aus der Potsdamer Gegend. Seine Resultate sind folgende:

_____

[1]) FESCA, die agron. Bodenuntersuchung und Kartirung S. 34.

Profil des unteren Diluvialmergels am Waldrande der Kemnitzer Wiesen (Sect. Ketzin).

I. Chemische Analyse der Feinsten Theile.

a. Aufschliessung mit Flusssäure.

Bestandtheile	Lehmiger Sand in Procenten des		Lehm in Procenten des		Mergel in Procenten des	
	Schlämm-produkts	Gesammt-bodens	Schlämm-produkts	Gesammt-bodens	Schlämm-produkts	Gesammt-bodens
Thonerde . . .	12,06	1,03	18,03	3,72	12,13	2,12

b. Aufschliessung mit kochender concentrirter Salzsäure.

Kieselsäure . .	8,77	0,74	18,19	3,76	11,86	2,02
Thonerde . . .	5,83	0,50	11,63	2,40	5,14	0,88

II. Chemische Analyse des Gesammtbodens.

Aufschliessung mit kochender concentrirter Salzsäure.

Kieselsäure . .	1,09	5,19	2,82
Thonerde . .	0,70	3,49	1,47

Es ist somit von der Thonerde der Feinsten Theile fast die Hälfte in kochender Salzsäure löslich und diese Menge, auf den Gesammtboden bezogen, wird nicht um das Doppelte vermehrt bei der Behandlung des Gesammtbodens selbst mit kochender Salzsäure. Demnach ist in Salzsäure lösliches Thonerdesilicat (?) in den Feinsten Theilen angehäuft. Dabei unterscheidet sich der Lehm wesentlich von den anderen Bildungen. Er besitzt aber auch weit höheren Gehalt an Thonerde überhaupt.

Fernere meinen Untersuchungen entlehnte Beispiele sind folgende, in welchen das Verhalten der Thonerde in diesen Substanzen als das gewöhnliche zu bezeichnen ist.

Thonschlamm der Ziegeleien von Birkenwerder.

Thonerde, löslich in Salzsäure = 0,22 pCt.
- - Schwefelsäure = 6,74
Löslich in Summa = 6,96 pCt.

Feinste Theile des Unteren Diluvialmergels.
Bornstedt.

Thonerde, löslich in ·Salzsäure   =   1,60 pCt.
            -        -   - Schwefelsäure = 11,38 -
            Löslich in Summa = 12,98 pCt. .

Dr. Dulk fand bei eingehender Untersuchung des Unteren
Diluvialmergels von Rüdersdorf in verdünnter Salzsäure löslich:

im Schlämmprodukt bei $0,1^{mm}$ Geschw. $0,02^{mm}$ Geschw.

$$SiO_2 = 0,69 \text{ pCt.} \qquad 0,53 \text{ pCt.}$$
$$Al_2O_3 = 1,74 \text{ ·- } \qquad 1,29 \text{ ··}$$
$$Fe_2O_3 = 0,87 . - \qquad 0,75 \text{ - -}$$

Aus den Feinsten Theilen des Lehmes von· Deutsch-Wuster-
hausen (siehe S. 53 ff.) wurde gelöst an Thonerde = 5,49 pCt. des
Schlämmprodukts,· aus dem Gesammtboden selbst:

Thonerde = 1,32 pCt.

· In Hinblick darauf, dass der Kaolin selbst in Salzsäure fast
1 pCt. Thonerde abgiebt, lässt sich die mit Salzsäure ausgezogene
Menge Thonerde bei der Thonbestimmung nicht ganz in Abzug
bringen. Wieweit diese Thonerde zeolithischem Materiale angehört, ist schwer zu entscheiden.

Dies sind Schwierigkeiten und Mängel, welche stets derartige
Untersuchungen begleiten werden.

Wäre nun bereits ein Mergel in solch eingehender Weise
untersucht wie der Lehm (S. 53), so würden bei der Untersuchung
des Gesammtbodens voraussichtlich bedeutend grössere Mengen
Thones gefunden, da durch die Säure eine grössere Anzahl von
Kalksteinchen neues thoniges Material ·liefern würden, welches zunächst doch nicht als Thon im Boden vorhanden ist, mithin auch
für dessen ·physikalische Eigenschaften gar nicht in Betracht
kommen kann.

. Es ist die Hindeutung von Fesca auf die Löslichkeit eines
Theiles· der Thonerde in Salzsäure mit Dank hinzunehmen, indem
dadurch allerdings die Thonbestimmung beeinflusst werden kann. In
diluvialen Böden ist der in Salzsäure lösliche Theil der Thonerde

im Allgemeinen nicht so bedeutend, als in jenen von FESCA untersuchten Bodenarten.

Ueberhaupt ist das Verhalten der Thonsubstanz zu verschiedenen Agentien noch zu wenig studirt. Auch in der sonst so aus-
führlichen Arbeit von SENFT „Die Thonsubstanz, Berlin 1879" ist
über ihr chemisches Verhalten nur wenig mitgetheilt.

C. Bestimmung des Gehaltes an Calcium- bez. Magnesiumcarbonat.
(F. W.)

Die märkischen Diluvialbildungen besassen ursprünglich alle
einen mehr oder weniger hohen Gehalt an kohlensaurem Kalk,
welcher von den gewaltigen Massen silurischer, jurassischer und
cretacëischer Kalke herrührt, die während der Eiszeit aufgearbeitet
wurden. Durch die Jahrtausende hindurch bis auf die Jetztzeit
herab stattfindende Verwitterung, bei welcher durch kohlensäure-
haltige Gewässer der Kalk als Bicarbonat aufgelöst und hinweg-
geführt wird, sind die zu Tage tretenden Diluvialablagerungen in
ihrem obersten Theile bereits völlig ihres Gehaltes an kohlensaurem
Kalk beraubt, so dass wir in der Umgegend Berlins fast nirgends
ein ursprünglich kalkhaltiges Diluvialgebilde als Ackerboden an-
treffen. Anders dagegen verhält es sich mit einigen Bodenarten des
Alluviums, in welchen der dem Diluvium entzogene Kalk wiederum
zum Absatz gelangt ist und theilweise noch beständig gelangt. Diese
Bildungen sind der Moormergel, der Wiesenkalk und der Wiesen-
thonmergel, von welchen ersterer als Ackerboden vielfach vorkommt.

Die Bestimmung des kohlensauren Kalkes bei den Diluvial-
und Alluvialablagerungen hat nun einerseits den wissenschaftlichen
Zweck, dieselben als Glieder der Quartärformation ihrer petrographischen Zusammensetzung nach zu charakterisiren, andererseits
aber auch eine praktische Bedeutung, da es für die Land- und
Forstwirthschaft sowie für die Technik von Wichtigkeit ist, den
Kalkgehalt der als Ackerboden oder als Untergrund in Betracht
kommenden oder als Bodenmeliorationsmittel und zur Ziegelindustrie
verwandten Quartärbildungen zu kennen.

Um diesen Anforderungen zu genügen, wurden je nach der
verschiedenen Ausbildung des zu untersuchenden Materials haupt-

sächlich drei verschiedene Methoden angewandt, welche sämmtlich
darauf hinausgingen, den Kohlensäuregehalt zu ermitteln und daraus
den Gehalt an kohlensaurem Kalk zu berechnen. Hierzu berechtigte
der Umstand, dass nur in seltenen Fällen eine etwas erheblichere
Menge Magnesiumcarbonat sich nachweisen liess.

Die Kohlensäure wurde bestimmt 1) durch directe Wägung
2) durch Wägung aus dem Verlust und 3) durch volumetrische
Messung.

1. Bestimmung der Kohlensäure durch directe Wägung.

Diese Methode fand bei der Untersuchung der Feinsten Theile
von kalkhaltigen Bodenarten Verwendung, im Falle es sich um
eine möglichst genaue Ermittelung der in ihnen enthaltenen, für
das Gedeihen und die Ernährung der Pflanzen physikalisch und
chemisch wirksamen Stoffe handelte. Auch bei Gesammtboden-
untersuchungen kalkhaltiger Thone und Sande wurde diese Methode
gewählt, um bei Anwesenheit von nur ganz geringen Mengen
kohlensauren Kalkes noch sichere Bestimmungen ausführen zu
können.

Bei Anwendung dieser Methode wurden die in ROSE's Handbuch der analytischen Mineralchemie, vollendet von R. FINKENER,
pag. 774 ff. gegebenen Vorschriften befolgt, indem 0,5 bis 2 Gramm
des bei 110° C. getrockneten Materials in ein Kölbchen mit weitem
Hals gebracht und mit etwas destillirtem Wasser übergossen wurden.
In dieses Wasser wurde die ebenfalls mit Wasser angefüllte und,
um das Aufsteigen von Kohlensäurebläschen zu vermeiden, am
untersten Ende aufwärts gebogene Trichterröhre eingesenkt und
der Trichter nach Schliessung des Glashahnes mit verdünnter
Salzsäure gefüllt. Zum Durchleiten und Trocknen der entwickelten
Kohlensäure diente ein 50^{cm} langes, bis zur Hälfte mit porösem
Chlorcalcium gefülltes Glasrohr mit circa 12^{mm} lichtem Durchmesser,
welches an dem einen Ende knieförmig gebogen und ausgezogen
durch den Kautschukstopfen des Kölbchens hindurchgesteckt wurde.
In dem mit diesem Rohre verbundenen GEISLER'schen Kaliapparate
wurde die Kohlensäure aufgefangen und gewogen.

2. Wägung der Kohlensäure aus dem Verlust.

Zur Ermittelung des Kalkgehaltes der durch die Schlämmanalyse und Körnung des Bodens erhaltenen Theilprodukte sowie
auch bei Gesammtböden wurde die Kohlensäure durch Salzsäure
ausgetrieben und durch Wägung aus dem Verlust gefunden. Bei
der Untersuchung wurden nicht nur kleine, sondern auch grössere
Mengen bis zu 100 Gramm angewandt und dies besonders bei
Gesammtböden und den gröberen Theilprodukten derselben mit
geringem Kalkgehalt, um einigermaassen genaue Durchschnittsproben zu erhalten. Zu letzterem Zwecke wurden weithalsige
Kolben von circa 800^{kcm} Inhalt mit einer horizontalliegenden Chlor-
calciumröhre zur Aufnahme des mit der Kohlensäure entweichenden
Wasserdampfes versehen, so dass sich der ganze Entwicklungs-
apparat noch bequem auf eine grössere Wage bringen liess, welche
beim Abwägen eine Genauigkeit bis zu 0,01 Gramm ermöglichte.
Die Salzsäure wurde stets in dünnwandigen, aufrechtstehenden
Glascylindern oder Röhrchen in die Gefässe eingeführt und nach
Wägung des ganzen Apparates durch vorsichtiges Neigen mittels
des an den Cylindern befindlichen Abgusses entleert. Bei einigen
reineren Sanden wurde der kohlensaure Kalk mittels stark verdünnter Salzsäure in der Kälte ausgezogen, der Rückstand gewogen
und aus dem Verlust der kohlensaure Kalk berechnet. Diese
Methode gab bei unseren nordischen Sanden hinreichend genaue
Resultate.

3. Volumetrische Messung der Kohlensäure.

Die volumetrische Kohlensäurebestimmung wurde mit dem
SCHEIBLER'schen Apparate ausgeführt und meistens bei kalkhaltigen Gesammtböden angewandt, wenn es sich darum handelte,
grössere Reihen von Bodenarten hinsichtlich ihres Kalkgehaltes
vergleichen zu können. Die rasche und bequeme Ausführung der
Untersuchung war hauptsächlich bei der Wahl der Methode be-
stimmend.

Es wurde hierbei so verfahren, dass entweder der Gesammtboden direct zur Untersuchung diente, oder der Feinboden desselben

(Körner unter 2^{mm}). In beiden Fällen wurden etwa 500 Gramm möglichst gleichmässig gemischt und davon 2 — 10 Gramm in einer guten Durchschnittsprobe entnommen und in einen kleinen zuvor gewogenen Porzellantiegel geschüttet. In vielen Fällen wurde absichtlich keine Durchschnittsprobe entnommen, sondern von verschiedenen Handstücken je eine kleine Probe auf Kalkgehalt geprüft, um die Schwankungen in demselben bestimmen zu können. In dem Porzellantiegel wurde die Substanz lufttrocken gewogen. Es wurde besonders darauf gesehen, dass bei den Proben der Kalk in feiner Vertheilung vorhanden war, da bei Anwesenheit grösserer Kalkstückchen durch die zu langsame Kohlensäureentwicklung Fehler entstehen können. Zur Entwicklung der Kohlensäure diente eine starkwandige 500^{kcm} fassende Pulverflasche mit genau eingeschliffenem und durchbohrten Glasstopfen. Durch diesen Glasstopfen geht ein Glasrohr hindurch, welches gut verkittet unten mit demselben abschneidet und nicht wie bei den früher in Gebrauch befindlichen Apparaten mit einer Kautschukblase versehen ist, wodurch in Folge von Diffusionserscheinungen Fehler entstehen können. Die durch den Stopfen gehende Glasröhre ist durch einen starkwandigen Gummischlauch mit dem feststehenden Apparate verbunden. Das aufwärts steigende Glasrohr ist spindelförmig erweitert, um die entwickelte Kohlensäure aufzunehmen und zu verhüten, dass dieselbe mit dem Wasser, womit der Apparat gefüllt ist, in Berührung kommt, so dass keine Absorption dieser Kohlensäure stattfinden kann. Was die übrige Einrichtung des Apparates betrifft, so kann auf die in FRESENIUS' Quantitativer Analyse gegebene Beschreibung verwiesen werden. Nachdem 20^{kcm} verdünnte Salzsäure (1 : 3) in die Entwicklungsflasche gegeben waren, wurde der Porzellantiegel mit der Substanz mittels einer Tiegelzange eingeführt und nach Schliessung und Einstellung des Apparates die Flasche so lange geschüttelt, bis keine bemerkbare Kohlensäureentwicklung mehr stattfand. Dann wurde kurze Zeit der Apparat ruhig stehen gelassen, darauf die Kcm. Kohlensäure abgelesen und unter Berücksichtigung des Barometerstandes und der Temperatur nach einer Tabelle berechnet, auf welcher die Coëfficienten mit Berücksichtigung aller Fehlerquellen nach den Versuchen des Herrn Prof. FINKENER angegeben waren. Es wurden stets zwei, in manchen Fällen drei Bestimmungen von demselben Gesammtboden ausgeführt und daraus der Durchschnitt berechnet.

Die Kohlensäurebestimmungen mit dem SCHEIBLER'schen Apparate stimmen im Allgemeinen sehr gut unter sich überein, wenn zwei oder mehrere Proben desselben Gesammtbodens untersucht wurden. Bei gleichmässigen Proben differiren die Bestimmungen oft nur um 1—2 Zentel Procent, so dass grössere Abweichungen fast immer in der Schwierigkeit, eine gleichmässige Durchschnittsprobe zu erhalten, zu suchen sind, andererseits durch absichtliche Entnahme verschiedener Proben veranlasst war. Diese Schwierigkeit zeigte sich besonders bei den Geschiebemergeln, von welchen zur Kalkbestimmung die Durchschnittsproben meist von dem zuvor durch das 2^{mm}-Sieb gegebenen Boden entnommen wurden. Hier kommen zuweilen Differenzen bis zu einem Procent vor. Bei der Kalkbestimmung in den verschiedenen Theilprodukten des Bodens wurde nur in einigen Fällen die Kohlensäure mit dem SCHEIBLER'schen Apparate, meistens jedoch durch Wägung aus dem Verlust bestimmt. Daneben wurde stets eine Kohlensäurebestimmung des Gesammtbodens mit dem SCHEIBLER'schen Apparate ausgeführt. Die Summe der Kalkbestimmungen der Theilprodukte verglichen mit der Kalkbestimmung des Gesammtbodens gab oft etwas grössere Differenzen, da hier Ausgangssubstanzen von sehr verschiedenem Gewicht angewandt wurden, so dass die Durchschnittsproben nicht immer ganz gleichartig sein konnten.

Nachfolgend sind einige von diesen Bestimmungen zum Vergleich zusammengestellt, woraus ersichtlich, dass Abweichungen bis zu 1,5 pCt. vorkommen.

		Summe der Kalkbest. in den Theilprodukten	Kalkbest. im Gesammtboden
Oberer Diluvialmergel	Callin	10,5	10,6
	Dorotheenhof	12,7	11,3
	Schwante	10,3	9,3
Unterer Diluvialmergel	Velten. Obere Bank	28,3	27,1
	Velten. Untere Bank	19,0	17,5

Als Beispiel für die relative Genauigkeit der Kalkbestimmungen mit dem SCHEIBLER'schen Apparat sei eine Untersuchung Dr. LAUFER's bei einem Diluvialthonmergel von Streganz erwähnt, der nach Ermittelung mit dem SCHEIBLER'schen Apparat 7,65 pCt. durch Wägung im GEISLER'schen Kaliapparat 7,74 pCt. Kohlensäure enthielt.

Bei dieser Gelegenheit sei noch ein interessanter Versuch desselben Analytikers mitgetheilt, den derselbe anstellte, um bei einem Diluvialthonmergel der Section Königswusterhausen Jagen 86 das Verhältniss zwischen kohlensaurem Kalk und kohlensaurer Magnesia festzustellen.

Es wurden zuerst zwei Kohlensäurebestimmungen mit dem SCHEIBLER'schen Apparate ausgeführt, welche auf kohlensauren Kalk berechnet 14,4 pCt. und 14,6 pCt. ergaben.

Demnächst wurden zwei Kohlensäurebestimmungen durch Wägung der Kohlensäure aus dem Verlust und im GEISLER'schen Kaliapparat ausgeführt, wo bei ersterer 6,61 pCt., bei der anderen 6,89 pCt. Kohlensäure entsprechend 15,02 pCt. und 15,66 pCt. kohlensaurem Kalk gefunden wurden. Der bei der zweiten Bestimmung gefundene höhere Kohlensäuregehalt liess auf Anwesenheit von kohlensaurer Magnesia schliessen.

Es wurde nun eine Aufschliessung der ursprünglichen Substanz mit Soda vorgenommen, die 8,28 pCt. Kalkerde und 1,92 pCt. Magnesia ergab. Um nun zu ermitteln, in welchem Verhältniss beide alkalische Erden als Carbonate vorhanden, kochte Dr. LAUFER eine Probe mehrmals mit salpetersaurem Ammoniak in bedeutendem Ueberschuss, wodurch die Carbonate der Kalkerde und Magnesia in Nitrate übergeführt wurden. Das Resultat war folgendes:

Kalkerde 8,00 pCt., zugehörige CO_2 6,29 pCt.

Kohlensaurer Kalk   14,29 pCt.

Magnesia 0,64 pCt., zugehörige CO_2 0,70 pCt.

Kohlensaure Magnesia   1,34 pCt.

Summe der Carbonate 15,63 pCt.

Die Methode scheint demnach für derartige Trennungen sehr brauchbar zu sein.

D. Bestimmung des Humusgehaltes.

(F. W.)

Die Ermittelung des Humusgehaltes geschah stets nach der KNOP'schen Methode, welche auch von E. WOLFF[1]) empfohlen worden ist, durch Oxydation des Kohlenstoffs mittels Kaliumbichromat und Schwefelsäure zu Kohlensäure und Wägung derselben im GEISLER'schen Kaliapparate.

Etwa 500 Gramm des humushaltigen Bodens wurden in einer grösseren Porzellanreibschale mit dem Pistill zerdrückt und möglichst gleichmässig gemengt. Hiervon wurden, nachdem der Boden auf einem Bogen Papier ausgebreitet und erforderlichen Falls die gröberen Bestandtheile mit dem Siebe von 2ᵐᵐ Lochweite abgesiebt waren, um eine möglichst gute Durchschnittsprobe zu erhalten, je nach dem grösseren oder geringeren Humusgehalte 1—10 Gramm in ganz kleinen Portionen von den verschiedensten Punkten entnommen. In dieser Weise wurden stets zwei Proben zur Analyse vorbereitet und im Glasröhrchen unter einem Strome durch Schwefelsäure geleiteter Luft bei 100° C. anhaltend getrocknet. Die angegebene Temperatur wurde hierbei sehr genau eingehalten, da bei 110° C. das tropfenweis abdestillirende Wasser bereits bräunlich gefärbt war und auf Zersetzungsprodukte der Humussubstanzen hindeutete. Es sei hier bemerkt, dass Herr Dr. LAUFER stets den lufttrocknen Boden direct zur Humusbestimmung verwandt hat.

In einem kleinen, weithalsigen Kölbchen wurde die Substanz mit 10—20 Kubikcm. destillirten Wassers übergossen und darauf etwa die gleiche Menge concentrirter Schwefelsäure durch einen kleinen Trichter nach und nach hinzugefügt. Bei der durch die Mischung stattfindenden starken Erhitzung wurde sowohl die im Boden frei vorhandene Kohlensäure, als auch durch die Schwefelsäure die an Kalk gebundene (z. B. bei dem Moormergel) vollständig ausgetrieben und durch öfteres Absaugen ganz aus dem Kölbchen entfernt. Da sich häufig in den Bodenarten und besonders in den Oberkrumen noch nicht völlig zersetzte Pflanzentheile vorfanden,

---

[1]) E. WOLFF, Anleitung z. chem. Unters. landwirthsch. wichtig. Stoffe, Berlin 1875, pag. 39.

die sich nicht immer durch Auslesen vorher abtrennen liessen [1]),
so wurde zu ihrer vollständigen Verkohlung die Substanz einige
Tage mit der Schwefelsäure in Berührung gelassen. Bei der Ausführung der Bestimmung wurde das Kölbchen, nachdem etwa
10 Gramm gestossenes Kaliumbichromat vorsichtig hineingeschüttet
waren, rasch mit einem Kautschukstopfen verschlossen, der an
seiner Unterfläche mit einem dünnen Platinbleche umgeben war.
Hierdurch wurden alle Fehler vermieden, welche ein bei allzu
heftiger Entwicklung der Kohlensäure stattfindendes Spritzen gegen
den Stopfen hätte verursachen können. Durch den Kautschukstopfen ging wie bei der Kohlensäurebestimmung der kalkhaltigen
Bodenarten ein 50 cm langes, bis zur Hälfte mit Chlorcalcium gefülltes Glasrohr, welches mit dem Kaliapparate verbunden wurde.
Da jedoch durch Entwicklung geringer Mengen Schwefelwasser-
stoffes aus etwa vorhandenen Schwefelverbindungen, oder Salzsäure-
gases aus den zuweilen in den Humusböden enthaltenen Chloriden
Fehler entstehen konnten, so wurde zwischen dem GEISSLER'schen
Kaliapparate und dem Chlorcalciumrohr eine U-förmige Röhre mit
Bimmsteinstücken eingeschaltet, die mit Kupfervitriol getränkt und
bis zur Austreibung seines Hydratwassers erhitzt waren. Zur
grösseren Vorsicht schloss sich hieran nochmals ein U-förmiges
Chlorcalciumrohr. Das Kochfläschchen würde nun anfangs ganz
allmählich erwärmt und die Temperatur nach und nach bis zum
angehenden Kochen gesteigert. Nach dem völligen Abkühlen wurde
durch ein zweites, durch den Kautschukstopfen gehendes, unten
aufgebogenes Rohr ein Luftstrom, dem zuvor durch Kalilauge alle
Kohlensäure entzogen war, hindurchgeleitet.

Bei den ersten Analysen wurde die Oxydation des Humus
direct durch Chromsäure bewirkt. Da jedoch die Entwicklung der
Kohlensäure bei Anwesenheit von viel Humus oft sehr stürmisch
verlief, so wurde späterhin stets Schwefelsäure und Kaliumbichromat
verwandt, wobei die Oxydation meist sehr ruhig und gleichmässig

---

[1]) Wo ein Auslesen der Wurzelfasern möglich war oder dieselben nach Zusatz von Wasser als schwimmende Theile entfernt werden konnten, wurde dies
stets ausgeführt.

vor sich ging: Ausserdem empfiehlt sich letztere Methode, wenn es sich darum handelt, eine grössere Reihe von Humusbestimmungen auszuführen, durch die weit grössere Billigkeit.

E. Bestimmung des Glühverlustes.

(F. W.)

Der Glühverlust wurde nur in einigen Fällen bei Gesammt-böden, hauptsächlich jedoch bei den durch die mechanische Analyse erhaltenen Theilprodukten des Bodens bestimmt. Im ersteren Falle, welcher fast nur bei solchen humosen Bodenarten angewandt wurde, die zum grössten Theil aus Sand und humosen Theilen bestanden, hatte die Glühverlustbestimmung den Zweck, hierdurch annähernd den Humusgehalt zu ermitteln und den Boden, der wegen der Anwesenheit grösserer Mengen von Humus und wegen der nicht sehr feinen Vertheilung desselben zur Schlämmanalyse ungeeignet war, durch eine derartige Entfernung des Humus und nachheriges Ausziehen mit verdünnter Salzsäure zum Schlämmen vorzubereiten. Durch die mechanische Analyse erhielt man allerdings eine genaue Körnung des Sandes, doch ist dieselbe gerade bei humosen Bodenarten agronomisch nur von geringem Werth, da die physikalischen Eigenschaften des Bodens, vor allem seine Absorptionsfähigkeit gegen Pflanzennährstoffe und sein Verhalten gegen Wasser, auch bei nicht sehr hohem Humusgehalt doch in erster Linie von diesem abhängig sind.

Die Glühverlustbestimmung bei der Untersuchung der Feinsten Theile unter 0,01 ^{mm} D. wurde desshalb ausgeführt, um das Verhältniss der für die Pflanzenernährung direct- oder indirect wirksamen Stoffe zu den dabei nicht so wesentlichen Bestandtheilen festzustellen, zugleich aber auch, um Anhaltspunkte für den Wassergehalt der im Boden enthaltenen Silikate, vor allem des Thones zu gewinnen.

Der Glühverlustbestimmung ging stets ein sorgfältiges Trocknen der Probe bei 100—110° C. voraus. Dasselbe wurde in einem mit eingeschliffenem Stopfen versehenen, circa 6^{cm} langen Alkaloïdgläschen ausgeführt. Dieses Gläschen wurde in einen kupfer-

nen Trockenschrank eingesenkt und mit einem Kork verschlossen, in welchen ein Ableitungs- und Zuleitungsrohr von Glas eingefügt war. Die Trocknung geschah dann unter einem constanten Strome von Luft, welchem durch Schwefelsäure der Wassergehalt entzogen war.. Nach 3—5-stündigem Trocknen wurde das Gläschen herausgenommen, mit dem Glasstopfen verschlossen und nach dem Erkalten im Exsiccator direct auf die Wage gebracht. Das Gewicht der anzuwendenden Substanz wurde durch Ausschütten und Zurückwägen des Gläschens ermittelt.

Die Glühverlustbestimmung wurde sodann in der Weise ausgeführt, dass die Probe im Platintiegel über dem Gebläse anhaltend bis zum constanten Gewicht geglüht wurde. Dies Verfahren wurde desshalb angewandt, weil der Thon sein chemisch gebundenes Wasser mit grosser Zähigkeit festhält, weil bei schwacher Glühhitze etwa vorhandene organische Substanzen nicht vollständig zerstört werden und weil bei Anwesenheit von kohlensaurem Kalk unter Anwendung einer bis zur Zerstörung des Humus gesteigerten Glühhitze derselbe schon zum Theil seine Kohlensäure verliert. Diese Kohlensäure lässt sich jedoch nicht, wie FESCA behauptet [1]) durch Ammoniumcarbonat regeneriren, da sich bei der innigen Mengung des Kalkes mit staubförmiger Kieselsäure sogleich Kalksilicat bildet, welches durch Ammoniumcarbonat nicht wieder rückgebildet wird. Wir zogen es daher vor, so stark zu glühen, dass sämmtliche Kohlensäure ausgetrieben wurde und sich ein schmelzbares Kalksilicat [2]) bildete. Dieselbe Probe wurde darauf zur Aufschliessung mit Flusssäure verwandt, indem die blasige Schlacke mit kalter Flusssäure übergossen und einen Tag lang in der Kälte stehen gelassen wurde, wobei sich die geschmolzene Masse sehr gut löste.

Es ist allerdings zu bemerken, dass bei dieser starken Hitze durch Sublimation der im Wasser löslichen Salze des Gesammtbodens, welche bei der Art der Gewinnung des Schlämmprodukts

---

[1]) A. a. O., pag. 40.
[2]) Zuweilen erhält man dabei eine vollständige Aufschliessung der Substanz, welche mit Wasser und Salzsäure aufgenommen werden kann.

durch Eindampfen in den Feinsten Theilen mit enthalten sind, leicht ein Verlust entstehen kann. Man vermeidet dies, wenn man zuerst unter Lüftung des Platindeckels schwächer und zuletzt bei aufgelegtem Deckel stärker erhitzt.

In der nachstehenden Tabelle ist bei einigen Mergelprofilen die zu der gefundenen Thonerde zugehörige Wassermenge berechnet und der gefundene Glühverlust damit verglichen. Dies geschah ·unter der Annahme, dass sämmtliche Thonerde in dem Schlämmprodukt bei 0,2 ^{mm} Geschw. vorhanden sei, was ja allerdings nicht ganz zutrifft, da immer ein Theil in Feldspäthen und anderen Silicaten enthalten ist. · Bringt man diese Thonerde in Anrechnung, so könnte der erhaltene Ueberschuss des Glühverlustes darauf hindeuten, dass ein Theil des Eisenoxyds in dem Thon vicarirend auftritt, welche Ansicht auch Hr. LAUFER mit mir theilt (S. 41).

Fundort	Bodenart		Feinste Theile bei 0,2 ^{mm} G. in Procenten des Schlämmprodukts		
			Thonerde	Berechneter Wassergehalt	Gefundener Glühverlust excl. CO_2
Callin bei Grünefeld Sect. Nauen	Ob. Dil.	Lehmiger Sand	13,51	4,59	5,51
		Lehm	19,65	6,88	7,41
		Mergel	13,41	4,70	6,06
Marwitz O. Sect. Marwitz	Ob. Dil.	Lehmiger Sand	12,29	4,30	10,04
		Lehm	20,77	7,27	8,46
Birkenwerder Sect. Hennigsdorf	Ob. Dil.	Lehmiger Sand	13,97	4,89	· 9,32
		Lehmiger Sand	13,36	5,46	5,40
		Sandiger Lehm	· 17,58	6,16	6,64
		Sandiger Mergel	12,25	4,29	4,70
		Unterer Diluvial-Mergel	14,50	5,08	5,79
Schwante Sect. Cremmen	Ob. Dil.	Lehmiger Sand	12,91	4,52	13,74
		Sandiger Lehm	16,17	5,66	· 7,79
		Mergel	14,04	5,33	5,26

Analytiker: E. Schulz.

Fundort	Bodenart	Feinste Theile bei 0,2 mm G. in Procenten des Schlämmprodukts		
		Thonerde	Berechneter Wassergehalt	Gefundener Glühverlust excl. CO_2
Rixdorf Sect. Tempelhof	Humoser lehmiger Sand (Ackerkrume)	12,57	4,40	12,40
	Humoser lehmiger Sand (Ackerboden)	14,06	4,92	11,59
	Lehmiger Sand	13,84	4,84	4,31
	Lehm	18,87	7,82	7,37
	Oberer Diluvial-Mergel	13,92	4,87	5,58
	Unterer Diluvial-Mergel	14,74	5,16	5,91

Diese Zusammenstellung zeigt, dass die Glühverlustbestimmungen bei den Oberkrumen, wo fast der ganze feinvertheilte Humus im ersten Schlämmprodukte enthalten ist, von dem berechneten Wassergehalt sehr differiren, dass aber bei den tiefer gelegenen Bodenarten, wo kein Humus. oder nur ganz geringe Mengen vorhanden waren, die berechnete und gefundene Zahl sich sehr nahe kommen. Dabei ist jedoch immerhin zu bedenken, dass das gefundene Eisenoxyd, welches zum kleineren Theil als Oxydhydrat im Boden vorhanden sein dürfte, bei dieser Berechnung unberücksichtigt geblieben ist, so dass man alle weiteren Schlüsse nur mit Vorsicht ziehen darf.

Bei dem Rixdorfer Profil, wo in den beiden obersten Bodenarten im Schlämmprodukt der Kohlenstoff durch Oxydation mit Kaliumbichromat und Schwefelsäure bestimmt wurde, ergiebt der Glühverlust abzüglich des berechneten Humusgehaltes (6,35 und 5,28): 6,05 pCt. und 6,31 pCt.

F. Bestimmung der mineralischen Nährstoffe in den Feinsten Theilen und im Gesammtboden.

(E. L.)

Wie zu Beginn dieser Abhandlung bereits erwähnt, waren zunächst die Arbeiten dahin gerichtet, die Bodenconstituenten abzuscheiden. Erst in zweiter Reihe folgte die Untersuchung auf die mineralischen Nährstoffe und zwar zunächst in den Feinsten Theilen, zuweilen auch im Gesammtboden. Gerade in ersteren wurden die Nährstoffe so häufig bestimmt, weil zu erwarten war, dass durch zahlreiche in dieser Richtung ausgeführte Arbeiten eine Vergleichbarkeit erzielt und positives Material für die Kenntniss diluvialer Böden gewonnen werden würde. Ferner sind in den Feinsten Theilen die Nährstoffe auch concentrirt, zumal bei der Art des Verfahrens dieses Schlämmprodukt zu gewinnen, stets die, wenn auch bei diluvialen Böden meist geringen, in Wasser löslichen, also direct disponiblen Nährstoffe mit erhalten werden. [1]

Auf die Wichtigkeit der eingehenden Untersuchung der Feinsten Theile hat A. ORTH bereits in seiner Arbeit: Geognost. Durchforsch. d. Schles. Schwemmlandes S. 9, hingewiesen.

Kali und Kalkerde wurden bei der Untersuchung der Feinsten Theile in zahlreichen Fällen bestimmt, ebenso auch die Phosphorsäure. Diese so wichtige Substanz sollte stets ausser in den Feinsten Theilen auch im Gesammtboden ermittelt werden. Die Schwefelsäure wurde nicht bestimmt, da dieselbe in nur geringen Mengen vorhanden ist; jedoch werden bei ferneren eingehenden Untersuchungen auch ihre Mengen zu ermitteln sein, und da im Boden fast immer nur lösliche Sulfate vorhanden, so wird man auch diese Säure am besten in den Feinsten Theilen bestimmen.

---

[1] Aus diesem Grunde ist es von grosser Wichtigkeit, sich beim Abschlämmen der Feinsten Theile eines guten destillirten Wassers zu bedienen, umsomehr, da hier grössere Wassermengen in die Substanz gelangen, als gewöhnlich die Analyse durchlaufen, ohne dies kommen jene Mengen hinzu. Vergl. auch die Untersuchung von WAHNSCHAFFE S. 23.

Wichtig ist es ferner, dass man die Schalen zum Eindampfen nicht zu stark erhitzt, was am besten auf dem Wasserbade vermieden wird. Die löslichen Salze sind sonst sehr schwer von den Gefässen zu trennen.

Der kohlensaure Kalk wurde fast stets im Gesammtboden und sehr häufig in den Feinsten Theilen bestimmt. Eine grosse Reihe von Versuchen liegt vor über die weitere Vertheilung des Kalkgehaltes in den verschiedenen Körnungs- und Schlämmprodukten.

Ueber die analytischen Methoden, durch welche die mineralischen Nährstoffe ermittelt wurden, geben die einzelnen Analysen z. Th. Aufschluss, indem gewöhnlich das Lösungsmittel angegeben ist. In früheren Untersuchungen, bei denen man davon ausging, in den Feinsten Theilen den Thongehalt durch Aufschliessung mittels Abrauchen mit concentrirter Schwefelsäure zu erfahren, wurden auch meist nur die durch jene Behandlung in Lösung gegangenen Nährstoffe bestimmt, während durch die späteren Aufschliessungen vermittelst Fluorwasserstoffsäure sämmtliche vorhandene Nährstoffe der Feinsten Theile erhalten wurden.

Letztere Methode verdient jedenfalls, wenn man diese Frage erörtert, den Vorzug, denn auch die von der concentrirten Schwefelsäure nicht aufgeschlossenen Mengen werden doch. in nächster Zeit verbraucht werden können, noch dazu da die lösenden Kräfte der Saugwurzeln der Pflanzen noch zu wenig bekannt sind, als dass man hier eine schärfere Grenze zu ziehen berechtigt wäre. [1] Auch sind bei den Aufschliessungen mit Fluorwasserstoffsäure die Zahlen für die Phosphorsäuremengen mit grösserer Schärfe zu erzielen, da die sonst häufig diese Bestimmung beeinflussende Kieselsäure nicht mehr zugegen ist.

Der analytische Gang, welcher bei der eingehenden Untersuchung der Feineren Theile im Allgemeinen eingehalten wurde, ist folgender:

Sowohl bei der Aufschliessung mit Schwefelsäure als auch mit Flusssäure erhält man Sulfate. Es wurde daher durch anhaltendes Kochen mit Salzsäure die stets in grösserer Menge gebildete basisch schwefelsaure Thonerde in Lösung gebracht und

---

[1] Ausser dem Zersetzungsgrade, welcher unbedingt in den Feineren Theilen ein weiter vorgeschrittener ist (siehe auch ORTH, geogn. Durchforsch. d. Schles. Schwemmlandes, S. 9) kommt jedenfalls auch die grössere Fläche mit in Betracht, welche den feinen Wurzeln zur Aufnahme von Nahrung geboten wird.

dann bei ersterer Aufschliessung das Filtrat hergestellt. Nach
längerem Abdampfen der Salzsäure wurde in der Regel durch
Bromwasser das Eisenoxydul oxydirt, das Brom durch längeres
Kochen entfernt und Thonerde + Eisenoxyd unter den üblichen
Vorschriften mit Zusatz von etwas Essigsäure durch Ammoniak
in geringem Ueberschusse ausgefällt. Der Niederschlag wurde
filtrirt, ausgewaschen und, wenn nur geringe Mengen vorlagen,
geglüht und so mit Thonerde + Eisenoxyd gewogen. Dann wurde
er in concentrirter Salzsäure auf dem Sandbade in schräg gelegten
Kochflaschen gelöst, die Lösung fast zur Trockne verdampft und
verdünnte Schwefelsäure zugegeben. Nach dem Zusatz der
Schwefelsäure wurde die Lösung nochmals etwas eingedampft, um
die Salzsäure möglichst zu entfernen. Die directe Auflösung des
geglühten Niederschlages mit verdünnter Schwefelsäure gelingt
selten gut. Nach Reduction mit Zink wurde das Eisenoxyd durch
Chamaeleon bestimmt. Bei grösseren Mengen vom Ammonniederschlage wurde derselbe wieder gelöst und die eine Hälfte zur Bestimmung der Summe von Eisenoxyd + Thonerde, die andere
zur Bestimmung des Eisenoxyds auf gleiche Methode verwandt. [1])

Das Filtrat vom Ammonniederschlage wurde mit Oxalsäure
und Ammon versetzt, der in der Hitze gefällte oxalsaure Kalk
filtrirt und als Aetzkalk gewogen. Selten war die Kalkbestimmung
durch das Vorhandensein von Manganoxyd beeinflusst.

In den wenigen Fällen, wo das Mangan bestimmt wurde, ist
dasselbe als Sulfid gewogen und durch Schwefelammonium von
der Magnesia und den Alkalien getrennt oder als Oxydoxydul erhalten und dann durch unterchlorigsaures Natron als Superoxyd-
hydrat gefällt.

---

[1]) Die Reduction der Eisenoxydlösung wurde mit reinem Zink bewirkt, welches
man ganz oder nahezu dabei auflöste. Die Lösung wurde durch Glaswolle unter
einem Kohlensäurestrom filtrirt und in der Regel eine Chamaeleonlösung benutzt,
von welcher 100 km = 0,23 bis 0,25 gr. Eisenoxyd. Es ist in manchen Fällen
zu bedauern, dass in den vorliegenden Arbeiten das Eisenoxydul nicht bestimmt
ist. Häufig ist es für die Summe der Analyse von Einfluss. In manchen Fällen
ist jedoch die Bestimmung des Oxyduls nicht möglich, weil humose resp. kohlige
Theile sie verhindern.

Nach dem Verjagen der Ammonsalze durch Glühen wurde die Magnesia meistens in concentrirter Lösung durch kohlensaures Ammoniak als kohlensaure Ammoniak-Magnesia abgeschieden. Häufig wurde die Magnesia auch durch Glühen mit Oxalsäure von den Alkalien getrennt. Aus den Alkalien wurde das Kali durch Platinchlorid gefällt und auf gewogenem Filter als Kaliumplatinchlorid zur Waage gebracht [1]), oder es wurde dasselbe aus dem durch Glühen des gelben Salzes im Wasserstoffstrom erhaltenen Platin berechnet.

Bei der Bestimmung der Phosphorsäure ist deren stets nur geringe Menge im Ammonniederschlag mit vorhanden und wurde dieselbe aus diesem oder einem Theile desselben in concentrirter Lösung mit molybdänsaurem Ammon gefällt und als Magnesiumpyrophosphat gewogen. Bei Gegenwart von grossen Mengen Eisenoxyds wurde dieses durch schweflige Säure oder Natriumhyposulfit zum grössten Theil reducirt und dann die Phosphorsäure mit der noch geringen Menge gefällt. Da die meisten der vorliegenden Untersuchungen auf Phosphorsäure aus durch Aufschliessung mit Fluorwasserstoffsäure hervorgegangenen Lösungen stammen, so sind Fehler durch den Einfluss von Kieselsäure hier völlig ausgeschlossen.

---

[1]) Diese Methode der Kalibestimmung verdient vor der folgenden den Vorzug, indem ein grösseres Gewicht auf die Wage kommt, während die Wägung des Platins vortheilhaft angewandt wird, wenn das gelbe Salz nicht ganz rein erhalten wurde.

4. Erfahrungsmässige Resultate in Betreff der praktischen Untersuchung der einzelnen Bodengattungen.

1. Untersuchung des Sandbodens.

(E. L.)

(Vergleiche hierzu Abschnitt II, 1. Die Analysen A. c, B. b, C. a, b, f; sowie 2. Die Zusammenstellung der aus den Analysen sich ergebenden Resultate.

Bei den Sanden kann man die Feinsten Theile und selbst den Staub beim blossen Betrachten und Prüfen auf der flachen Hand im Allgemeinen bereits erkennen (Anhaften an der Haut). Liegen solche nicht vor, so reicht man zur Charakteristik derselben mit der Körnung im Siebe aus, sonst ist die Schlämmanalyse im SCHÖNE'schen Cylinder mit etwa 30 gr Boden, aus welchem die gröberen Körner über 2^{mm} D. durch das Sieb abgetrennt, auszuführen, ein Versuch, der in der Regel in kürzester Zeit vollendet ist. Sollen aber chemische Untersuchungen mit dem Schlämmprodukt ausgeführt werden, so sind wenigstens 100 gr Boden zu verwenden.

Die Körnungen lassen sich im Sieb bis zu 0,5^{mm} D. mit ca. 20—30 gr Sand noch bequem ausführen. Nur sind genauere Zahlen zu erstreben durch Normalsiebe.

Für die Korngrösse von unter 0,2^{mm} D. empfiehlt es sich, die Schlämmung bei entsprechender Geschwindigkeit in Zukunft einzuführen; da die Darstellung eines Normalsiebes mit 0,2^{mm} D. mit den grössten Schwierigkeiten verknüpft ist.

Die Thonbestimmung wird man nur bei lehmigen Sanden vornehmen (siehe Untersuchung des lehmigen Bodens) und jeden-

falls nur da ausführen, wo die physikalischen Verhältnisse einen
Thongehalt vermuthen lassen. Denn es wird in den meisten
Fällen ein schablonenmässiges Arbeiten zu nennen sein, wenn
Sande, welche nur eine geringe Trübung im Wasser geben, auf
Thongehalt untersucht werden. Wie verschieden die Feinsten
Theile von Sanden in ihrer chemischen Zusammensetzung sein
können, zeigen die Analysen Abschnitt II.

Die Bestimmung des Quarzgehaltes ist bis jetzt nicht mit
einiger Schärfe ausführbar. Wir werden demnächst noch Versuche
anstellen, um die Aufschliessung mit verdünnter Schwefelsäure bei
hoher Temperatur in geschlossenen Röhren zu bewirken.

Die petrographischen Bestimmungen mit der Loupe sind, sobald nicht von grösserer Menge ausgegangen wurde, von geringem
Werthe. Da jedoch die Untersuchung grösserer Mengen einen
bedeutenden Zeitaufwand erfordert, so müssen weitere Versuche
auf anderem Wege angestellt werden. Es ist immerhin möglich,
dass mit specifisch schweren Flüssigkeiten eine Trennung verschiedener Mineralien gelingt.

Der Kalkgehalt wird am besten aus grösseren Mengen Sandes
durch den Gewichtsverlust der durch Salzsäure ausgetriebenen
Kohlensäure ermittelt. Man kann 50—100 gr Boden anwenden.
In manchen Fällen ist es auch gestattet, den kohlensauren Kalk
mit verdünnter Salzsäure direct auszuziehen und den ausgewaschenen
Rückstand zu wägen. Nicht anwendbar ist dies Verfahren bei
Sanden mit grossen Kalksteinen oder lehmigen Theilen. Das Aus-
waschen würde hier soviel Zeit in Anspruch nehmen, dass man
die Methode aus der Gewichtsdifferenz der ausgetriebenen Kohlensäure vorziehen muss. Betreffs der Vertheilung des Kalkes in
seiner Abhängigkeit von der Korngrösse vergleiche Abschnitt II,
1. Die Analysen.

Den Humusgehalt kann man zuweilen durch Verglühen bestimmen, da die Mengen von Hydratwasser bei den meisten Sanden
sehr unbedeutend sind. Jedoch ist diese Methode nur ausnahmsweise gestattet.

Wohl vergleichbare Resultate für die Zusammensetzung der
Sande giebt die Gesammtanalyse. Dieselbe hat insofern auch

Werth, als man durch sie allein den Verwitterungsgang von der Oberkrume zum Untergrunde hin schon genügend studiren kann.

Demnächst sind noch Salzsäureauszüge des Gesammtbodens zur Ermittelung der disponiblen Nährstoffe auszuführen. [1]

Die zur chemischen Untersuchung von Sandböden anzuwendenden Mengen wird man zur Behandlung mit Salzsäure am besten ungepulvert und unverändert lassen. Zur Aufschliessung mit Soda und Fluorwasserstoffsäure pulvert man vortheilhaft etwa 10 gr grob, einen Theil dieses Pulvers feiner und entnimmt von diesem wiederum die für die Sodaaufschliessung nöthige Menge, für die Behandlung mit Fluorwasserstoffsäure jedoch verwendet man ein noch weit feiner gepulvertes Material. Während der Quarz auch in gröberem Pulver leicht von der Soda im Schmelzfluss gelöst wird, so ist die Angreifbarkeit und Löslichkeit desselben mit Flusssäure eine viel geringere. Hat man daher Sandböden nicht ganz fein gepulvert, so entstehen Schwierigkeiten, das Pulver mit Flusssäure in Lösung zu erhalten.

Was die zur Analyse anzuwendenden Mengen anbelangt, so wird man bei Salzsäureauszügen im Allgemeinen mit 100 gr Boden bereits auskommen. Zur Gesammtanalyse müssen 1,5—2 gr mindestens angewandt werden, da sonst die Bestimmung der Kalkerde und der Magnesia unsicher werden kann.

Für die Alkalibestimmung reichen jene Quantitäten stets aus und liefern sicher wägbare Mengen. Die durch Salzsäure ausziehbare Phosphorsäure muss stets aus wenigstens 40—50 gr Boden ausgeführt werden. Ebenso erfordert die Bestimmung der Schwefelsäure oft 100 gr Boden.

2. Untersuchung der lehmigen Bodenarten.
(F. W.)

(Vergleiche hiermit Abschnitt II, 1. Die Analysen A a, b, d, B a; sowie 2. Die Zusammenstellung der aus den Analysen sich ergebenden Resultate.)

Die Untersuchung der lehmigen Bodenarten betraf in der Umgegend Berlins bisher nur die lehmigen Sandböden. Da die-

---

[1] Derartige Untersuchungen liegen bereits vor im Jahrbuch d. K. geol. Landesanstalt u. s. w., Berlin 1880, S. 294. E. Laufer, der Babelsberg u. s. w.

selben neben dem tiefen Sandbodenprofil am häufigsten in der
Mark vorkommen, so liegen auch hier gerade die meisten Untersuchungen vor. Um den Verwitterungsgang des lehmigen Sandes
aus dem Mergel genauer kennen zu lernen und um das Verhältniss
der Oberkrume zum Untergrund zu charakterisiren, wurden die
lehmigen Bodenarten stets profilistisch und zwar in ganz gleicher
Weise untersucht.

Die mechanische Analyse hat gerade für die lehmigen Bodenarten eine grosse Bedeutung, weil sie sowohl die in physikalischer
Beziehung wichtige mechanische Mengung erkennen lässt, als auch
Schlüsse auf das Verhältniss der Bodenconstituenten zu einander
ermöglicht. Durch einen grösseren Gehalt an Feinsten Theilen
ist der Werth eines lehmigen Sandbodens im Wesentlichen bedingt. Man kann, da die Feinsten Theile fast aller dieser Bodenarten einen annähernd gleichen Procentgehalt an Thonerde, Phosphorsäure und Kali besitzen (siehe Abschnitt II, 2), bereits ein un-
gefähres Bild des zu untersuchenden Bodens erhalten, wenn man die
bei den Feinsten Theilen erfahrungsmässig erhaltenen Durchschnittszahlen mit den gefundenen Procentzahlen der Feinsten Theile
combinirt und auf den Gesammtboden berechnet.

Was die chemische Untersuchung des lehmigen Sandes betrifft, so ist vor Allem das quantitative Verhältniss zwischen den
Bodenconstituenten Thon und Sand festzustellen und sodann
der Boden auf seinen mineralischen Nährstoffgehalt zu prüfen.
Dass die Ermittlung des Thongehaltes in Zukunft durch Aufschliessung der Feinsten Theile und des Staubes im zugeschmolzenen
Glasrohr mit verdünnter Schwefelsäure ausgeführt werden soll, ist
in dem Abschnitt über die Methode der Thonbestimmung (S. 51)
eingehend erörtert worden. Es genügt dazu bereits 1 gr Substanz.
Von der früher wiederholt ausgeführten Aufschliessung der Feinsten
Theile mit Flusssäure und Bestimmung des Kali- und Phosphor-
säuregehaltes wird in Zukunft wohl abgesehen werden müssen, da
diese Stoffe besser in einem Auszuge der Feinerde unter 2^{mm} D.
mit concentrirter kochender Salzsäure ermittelt werden. Hat man
bei der Untersuchung die Absicht, die durch die mechanische
Analyse abgeschiedenen Theilprodukte näher zu charakterisiren,

so wird allerdings diese Bestimmung für die ganze Zusammensetzung des Bodens von grosser Bedeutung sein. Man wird dabei finden, dass die mineralischen Nährstoffe, welche den Pflanzen zunächst zu Gute kommen, in den Feinsten Theilen angehäuft sind. Wenn man aber, wie dies beispielsweise in den angefügten Tabellen geschehen ist, die so gefundenen Werthe der Feinsten Theile auf den Gesammtboden berechnet, so muss man sich stets dabei bewusst sein, dass man den Nährstoffgehalt des Bodens nur annähernd damit angiebt.

In der Oberkrume ist stets der Humusgehalt des Gesammtbodens zu bestimmen und im Fall Wurzelrückstände vorhanden sein sollten, sind dieselben zuvor möglichst zu beseitigen und getrennt zu wägen.

3. Untersuchung des Humus- und Kalkbodens.
(F. W.)

(Vergleiche hiermit Abschnitt II, 1. Die Analysen A c, B b, C a, b, c, e; sowie 2. Die Zusammenstellung der aus den Analysen sich ergebenden Resultate.

Die humosen Bodenarten lassen sich in kalkfreie und kalkhaltige unterscheiden. Die ersteren zeigen, je nachdem sie mehr oder weniger mit Sand vermischt sind, eine verschiedenartige Ausbildung, sodass als die humusärmsten die humosen Sande, als die humusreichsten die Torfbildungen anzusehen sind. Die kalkhaltigen Moorböden variiren ebenfalls sehr in ihrem Humus-, Kalk- und Sandgehalt und bilden Uebergänge, die theils den humosen Sanden, theils dem Wiesenkalk nahe stehen und bei der geognostischen Kartirung unter dem Namen Moormergel zusammengefasst worden sind. Da keine weiteren kalkhaltigen Bodenarten, die man als Kalkböden bezeichnen könnte, innerhalb der Umgegend Berlins vorkommen, die Untersuchung der kalkhaltigen Diluvialmergel aber bereits in dem Abschnitt über die Thonbestimmung eingehend erörtert worden ist, so mögen hier die erfahrungsmässigen Resultate bei der Untersuchung des Humus- und Kalkbodens, da dieselben sich sehr nahe stehen, auch im Zusammenhange mitgetheilt werden.

Bei der Untersuchung der humosen Bodenarten ist das Hauptgewicht auf die Beschaffenheit und quantitative Bestimmung des

Humus zu legen. Man wird den Boden zu prüfen haben, ob freie
Humussäuren, welche sich durch Röthung des Lakmuspapiers zu
erkennen geben, darin enthalten sind, oder ob der Humus bereits
entsäuert ist. Nur in letzterem Falle wird der humose Boden für
die Cultur ohne Weiteres geeignet sein. Ferner ist darauf zu
achten, in welcher Weise der Humus oder die in Humus über-
gehenden Pflanzenreste im Boden vertheilt sind. Wir haben Bodenarten in der Mark, die bei 1—2 pCt. Humusgehalt bereits eine
ganz schwarze Farbe besitzen und welche, da dies auf der innigen
Mengung und feinen Vertheilung des Humus beruht, von ORTH
als gut gemengte Bodenarten bezeichnet werden. Andererseits
finden sich aber auch solche Böden, die bei gleichem oder noch
höherem Gehalt an organischen Substanzen, welche z. Th. schon
Humus sind, z. Th. Humus bilden werden, von ziemlich heller
Farbe sind und welche ORTH als schwach- oder schlechtgemengte
Bodenarten aufführt.

Was die quantitative Bestimmung des Humus betrifft, so ist
dieselbe aus dem Glühverlust nur bei solchen kalkfreien, humosen
Bodenarten zulässig, wo die Constituenten fast nur aus Sand und
Humus bestehen. In den meisten Fällen wird man indessen den
Humusgehalt sowohl bei den kalkfreien als auch kalkhaltigen Bildungen durch Oxydation mit Kaliumbichromat und Schwefelsäure
ermitteln, wie dies bei der Besprechung der Methoden (S. 65)
näher ausgeführt wurde. Man erhält auf diese Weise wenigstens
eine genaue Bestimmung des im Boden enthaltenen Kohlenstoffs.
Aus praktischen Gründen empfiehlt es sich jedoch, den Kohlenstoff auf Humus zu berechnen, um dem Landwirthe analytische
Werthe zu geben, die ihm als Bodenconstituenten bekannt sind
und mit denen er zu rechnen versteht. Bei den von uns angestellten
Berechnungen wurde stets von der Annahme ausgegangen, dass
der wasser- und stickstofffreie Humus 58 pCt. Kohlenstoff enthält.

Für Torfbildungen eignet sich indessen nach unseren Erfahrungen diese Bestimmung des Humus nicht, da bei Anwesenheit
grosser Mengen desselben nicht alle organischen Substanzen zu
Kohlensäure oxydirt werden, sondern Nebenprodukte, wahrscheinlich
Mellitsäuren etc., entstehen. Hier empfiehlt es sich, eine Aschen-

gehaltsbestimmung auszuführen und falls man den Heizwerth bestimmen will, eine Verbrennung mit Bleioxyd nach der BERTHIER'-
schen Methode.

Zur weiteren Charakterisirung des agronomischen Werthes
der Moorbildungen sind Stickstoffbestimmungen auszuführen. Bisher wurde in unserem pedologischen Laboratorium davon abgesehen,
doch wird in Zukunft darauf Rücksicht genommen werden müssen.
Als Beispiel für die grosse Bedeutung dieser Untersuchung sei
nur an die RIMPAU'schen Moorculturen erinnert, wo gerade in
Folge des hohen Stickstoffgehaltes des Moores die Düngung mit
stickstoffhaltigen Düngemitteln erspart wird.

Erst in zweiter Linie ist die quantitative Bestimmung des
anderen Bodenconstituenten, des Sandes, von Wichtigkeit. Die
mechanische Analyse wird man nur in solchen Fällen auszuführen
haben, wo der Sand bedeutend vorwaltet und die physikalischen
Verhältnisse des Bodens wesentlich beeinflusst. Bei den kalkhaltigen
Moorböden empfiehlt es sich in einigen Fällen, den Sandgehalt
derartig zu ermitteln, dass der Kalk zuerst mit kalter, verdünnter
Salzsäure ausgezogen, dann der Rückstand geglüht, mit concentrirter
Schwefelsäure erhitzt und zuletzt mit kohlensaurem Natron wiederholt ausgekocht wird.

Bei der Bestimmung des Gehaltes an kohlensaurem Kalk hat
sich der SCHEIBLER'sche Apparat entschieden bewährt, wie bereits
bei der Besprechung der Kalkbestimmungen mitgetheilt wurde.

Abschnitt II.

1. Die Analysen

aus dem Laboratorium für Bodenkunde vom Jahre 1874—1880.

A. Unteres Diluvium.

a. Diluvialthonmergel.

Diluvialthon (nahe der Oberfläche, kalkfrei).

Ziegelei am alten Chausséehause zu Hermsdorf (Sect. Hennigsdorf 8) [1].

ERNST LAUBER.

Mechanische Analyse.

Sand		Staub	Feinste Theile	Summa
über 0,1^{mm}	0,1– 0,05^{mm}	0,05 – 0,01^{mm}	unter 0,01^{mm}	
13,4		32,9	52,8	99,1
5,4	7,9			

Der Sand über 0,1^{mm} ist concretionär.

Diluvialthon (nahe der Oberfläche kalkfrei) [*].

Bieselhaus (Sect. Hennigsdorf 8).

ERNST LAUFER.

I. Mechanische Analyse.

Profil	Sand		Staub	Feinste Theile	Summa
	über 0,1^{mm}	0,1– 0,05^{mm}	0,05-0,01^{mm}	unter 0,01^{mm}	
Gelber Thon (oberste Probe)	37,1		26,7	36,2	100,0
	23,8	13,3			
Blaugrauer Thon (folgende Probe)	35,9		26,8	37,3	100,0

[*] In circa 2 Meter Tiefe kalkhaltig.

[1] Die Zahlen hinter den Sectionsnamen beziehen sich auf die im Inhalts-verzeichniss gegebene Uebersichtstafel.

II. Chemische Analyse.

Chemische Analyse der Feinsten Theile des blaugrauen Thones.

Aufschliessung mit Schwefelsäure.

Bestandtheile	In Procenten des		Bemerkungen
	Schlämm-produkts	Gesammt-bodens	
Thonerde	14,23 *)	5,31 **)	*) entspr. 36,29 wasserhalt. Thon.
Eisenoxyd	5,30	1,98	
Lösliche Kieselsäure	21,27	5,91	**) entspr. 13,53 wasserhalt. Thon.
Differenz und nicht bestimmt .	59,20	24,09	
Summa	100,00	37,29	

Diluvialthonmergel.

(Kleines blauschwarzes Thonbänkchen. 3 Decm. mächtig.)

Sandgrube am Wege N. Eisenbahndamm. Westl. Sectionsgrenze.

(Sect. Ketzin 10.)

Ludwig Dulk.

Sand = 7,8		Staub	Feinste Theile	Summa	Kohlensaurer Kalk
2-0,1ᵐᵐ	0,1-0,05ᵐᵐ	0,05-0,01ᵐᵐ	unter 0,01ᵐᵐ		
4,3	3,5	13,1	77,8	98,7	15,47

Thonmergelboden.

Am Rankefang. W. Petzow. (Sect. Werder 11.)

Ludwig Dulk.

I. Mechanische Analyse.

Ent-nahme	Grand über 2ᵐᵐ	Sand		Staub 0,05-0,01ᵐᵐ	Feinste Theile unter 0,01ᵐᵐ	Summa
		2-0,1ᵐᵐ	0,1-0,05ᵐᵐ			
bei 1 Decm. Tiefe	0,6	38,2		28,9	32,3	100,0
		24,2	14,0			
bei 3 Decm. Tiefe	0,4	37,2		29,3	33,1	100,0
		25,5	11,7			

II. Chemische Analyse.

A. Des Gesammtbodens.

Aufschliessung mit Flusssäure.

Bestandtheile	Thonboden bei	
	1 Decm. Tiefe	3 Decm. Tiefe
Thonerde	7,00*)	7,05*)
Eisenoxyd	2,64	3,02
Kali	2,03	2,02
Kalkerde	3,67	3,65
Kohlensäure	2,21	2,12
Magnesia	1,08	1,18
Phosphorsäure	0,08	0,07
Glühverlust, Kieselsäure und nicht Bestimmtes	81,29	80,89
Summa	100,00	100,00
*) entspräche wasserhalt. Thon . .	17,55	17,75

B. Der Feinsten Theile.

Aufschliessung mit kohlensaurem Natron.

	Thonboden bei			
	1 Decm. Tiefe in Procenten des		3 Decm. Tiefe in Procenten des	
Bestandtheile	Schlämm-produkts	Gesammt-bodens	Schlämm-produkts	Gesammt-bodens
Thonerde	11,92*)	3,85*)	12,85*)	4,25*)
Eisenoxyd	5,76	1,86	5,79	1,91
*) entspräche wasserhalt. Thon	30,02	9,68	32,34	10,70

C. Des Staubes.

Aufschliessung mit kohlensaurem Natron.

	Thonboden bei			
Bestandtheile	1 Decm. Tiefe in Procenten des		3 Decm. Tiefe in Procenten des	
	Schlämm-produkts	Gesammt-bodens	Schlämm-produkts	Gesammt-bodens
Thonerde	7,60	2,20	6,65	1,95
Eisenoxyd	2,84	0,82	2,66	0,78

D. Vertheilung des kohlensauren Kalkes.

(Mit dem SCHEIBLER'schen Apparate bestimmt.)

α. Thonmergelboden bei 1 Decm. Tiefe.

In Procenten	Grand	Sand	Staub	Feinste Theile	Summa
des Theilprodukts . . .	31,50	0,57	6,19	8,77	
des Gesammtbodens . .	0,19	0,22	1,79	2,83	5,03

β. Thonmergelboden bei 3 Decm. Tiefe.

In Procenten	Grand	Sand	Staub	Feinste Theile	Summa
des Theilprodukts . . .	17,20	1,15	6,07	7,74	
des Gesammtbodens . .	0,06	0,43	1,78	2,56	4,83

Diluvialthonmergel (gelb mit Mergelknauern).

Petzower Haide, am O. Rande, Grube am Wege.   (Sect. Werder 11).

LUDWIG DULK.

Chemische Analyse.

Aufschliessung mit kohlensaurem Natron.

Bestandtheile	Thonmergel aus 3 Decm. T. unter seiner ober. Grenze	Thonmergel aus 23 Decm. T. unter seiner ober. Grenze	Bemerkungen
Kieselsäure . . .	55,20	52,91	*) Bestimmt mit
Thonerde	12,10	12.51	dem SCHEIBLER'-
Eisenoxyd . . .	4,20	8,85	schen Apparate.
Kohlensaurer Kalk*)	20,74	17,89	
Nicht Bestimmtes .	7,76	12,84	
Summa	100,00	100,00	

Diluvialthonmergel.

Thongrube von JAHN.   Werdersche Erdeberge.   NO.   Glindow.
(Sect. Werder 11.)

LUDWIG DULK.

A.   Diluvial-Thonmergel bis Mergelsand.

I.   Mechanische Analyse.

Staub 0,05–0,01ᵐᵐ	Feinste Theile unter 0,01ᵐᵐ	Summa
51,5	48,7	100,2

B.   Diluvialthonmergel.

Die Mechanische Analyse ist nicht ausführbar.

Dr. L. DULK hat folgende Bemerkungen über jene beiden Diluvialbildungen gemacht.

Probe A ist grau und feinkörnig.   Sie bildet die Hauptmasse des Thonlagers dieser Grube.

Probe B ist als 1—.3 Deem. starkes Bänkchen in dem Thon-
    Mergelsand verschiedentlich eingelagert, sie ist die
    fetteste Thonmergelausbildung, welche überhaupt auf
    der Section angetroffen wurde, von ' schwarzgrauer
    Farbe, in ·trocknem Zustande hart, von glasig musche-
    ligem Bruche, mit glänzenden· Absonderungsflächen;
    sie ist durchaus feinkörnig, aber im Wasser nicht ab-
    schlämmbar. Proben dieses Thones zerfielen im Wasser
    zu kleinen Stücken; selbst aber beim Kochen mit
    Wasser und verdünnter Salzsäure war keine Vertheilung
    derselben zu erzielen, welche eine Schlämmanalyse
    möglich gemacht hätte.

II. Chemische Analyse,

a. des Gesammtbodens.

Aufschliessung mit Flusssäure.

Bestandtheile	A. Diluvialthonmergel bis Mergelsand	B. Diluvialthonmergel
Thonerde . . .-.	8,35*)	17,26
Eisenoxyd . . . . ·.	3,81	8,87
Magnesia	2,52	3,23
Kalkerde . ·	8,04	5,69
Kohlensäure	7,07**)	3,76**)
Kali	2,53	3,77
Natron	0,80	0,31
Phosphorsäure	0,10	0,27
Glühverlust	4,54	12,33
Kieselsäure und nicht Bestimmtes	62,24	44,51
Summa	100,00	100,00
*) entspräche wasserhaltig. Thon	21,02	43,15
**) entspräche kohlensaurem Kalk	16,08	8,57

b. Chemische Analyse der Theilprodukte des Thonmergels
(Uebergang zum Mergelsande).

Aufschliessung mit Flussäure.

Bestandtheile	Staub in Procenten des		Feinste Theile in Procenten des	
	Schlämm- produkts	Gesammt- bodens	Schlämm- produkts	Gesammt- bodens
Thonerde	8,08*)	4,16*)	11,30*)	5,51*)
Eisenoxyd	2,07	1,39	4,07	1,98
Magnesia	2,25	1,16	2,44	1,19
Kalkerde	6,83	3,52	9,06	4,42
Kohlensäure	6,17 **)	3,18 **)	7,59 **)	3,70 **)
Kali	2,53	1,31	2,64	1,28
Natron	1,14	0,59	1,21	0,59
Glühverlust	2,74	1,41	6,56	3,20
Kieselsäure und nicht Be- stimmtes	68,19	34,78	55,13	26,83
Summa	100,00	51,50	100,00	48,70
*) entspräche wasserhaltig. Thon .	20,33	10,48	28,46	13,86
**) entspräche kohlens. Kalk . . .	14,02	7,22	17,24	8,40

Diluvialthonmergel.

Thongrube N. Löcknitz. (Sect. Werder 11.)

Ludwig Dulk.

I. Mechanische Analyse.

	Sand		Staub	Feinste Theile	Summa
	0,2–0,1mm	0,1–0,05mm	0,05–0,01mm	unter 0,01mm	
I. Obere Lage	1,1		43,5	55,4	100,0
	0,4	0,7			
II. Untere Lage	19,2		3,6	76,9	99,7
	6,1	13,1			

I. 4 Deem. unter einer Sandader; über welcher nur noch
gelber Thonmergel folgt.

II. 5 Decm. über scharfem Sande; blau-braunschwarz, sehr
fett, mit spärlichen Geschieben.

II. Chemische Analyse,.
a. des Gesammtbodens.

Bestandtheile	Obere Lage	Untere Lage
	Aufschliessung mit	
	kohlensaurem Natron	Flusssäure
Kieselsäure	54,61	—
Thonerde	11,43 *)	17,26 *)
Eisenoxyd	4,25	5,70
Magnesia	—	3,31
Kalkerde.	—	6,86
Kohlensäure	8,60 **)	5,35 **)
Kali	—	3,47
Natron	—	1,03
Glühverlust	6,19	9,97
Nicht Bestimmtes	14,92	47,05
Summa	100,00	100,00
*) Würde entsprechen wasserhalti-		
gem Thone	28,78	43,45
(nur bezügl. der Untersuchung		
der Feinsten Theile berechnet)		
**) entspr. kohlensaurem Kalk . .	19,54	12,17

b. der Feinsten Theile.

Bestandtheile	Obere Lage Aufschliessung mit kohlensaurem Natron in Procenten des		Untere Lage Aufschliessung mit Flusssäure in Procenten des	
	Schlämm-produkts	Gesammt-bodens	Schlämm-produkts	Gesammt-bodens
Kieselsäure	48,37	26,83	—	—
Thonerde	13,05 *)	7,24 *)	16,52 *)	12,71 *)
Eisenoxyd	4,52	2,51	6,49	4,99
Magnesia.	—	—	3,48	2,68
Kalkerde	—	—	7,86	6,04
Kohlensäure	8,15 **)	4,51 **)	6,00 **)	4,61 **)
Kali	—	—	3,77	2,90
Natron	—	—	0,68	0,53
Phosphorsäure	—	—	0,11	0,09
Glühverlust	—	—	10,28	7,91
Nicht Bestimmtes . . .	25,91	14,31	44,81	34,44
Summa	100,00	55,40	100,00	76,90
*) entspr. wasserh. Thon	32,84	18,21	41,59	31,99
**) entspr. kohlens. Kalk	18,52	10,27	13,64	10,49

c. des Staubes.

Bestandtheile	Obere Lage Aufschliessung mit kohlensaurem Natron in Procenten des .	
	Schlämmprodukts	Gesammtbodens
Kieselsäure	59,65	25,94
Thonerde.	10,37*)	4,51*)
Eisenoxyd	3,32	1,44
Kohlensäure	7,45**)	3,24**)
Nicht Bestimmtes	19,21	8,37
Summa	100,00	43,50
*) entspräche wasserhalt. Thon .	26,10	11,35
**) entspräche koklens. Kalk . .	16,94	7,37

Diluvialthonmergel.
Aus Gross-Glienicker See. (Sect. Fahrland 13.)
ERNST LAUFER.

I. Mechanische Analyse.

Grand	Sand			Staub	Feinste Theile	Summa
über 2mm	2–1mm	1-0,1mm	0,1– 0,05mm	0,05– 0,01mm	unter 0,01mm	
—	0,7			18,7	58,6	78,0 +
	—	0,1	0,6			22,0 CaCO³

II. Chemische Analyse der Feinsten Theile.
Aufschliessung mit Flussäure.

Bestandtheile	in Procenten des	
	Schlämmprodukts	Gesammtbodens
Thonerde :	10,13 *)	7,15*)
Eisenoxyd	4,39	3,10
Kohlensaurer Kalk	17,04	12,13
*) entspräche wasserhaltigem Thon . .	25,50	18,00

Diluvialthon und Diluvialthonmergel.

Alt-Langerwisch (Sect. Potsdam 14).

.Ernst Laufer.

I. Mechanische Analyse.

	Sand		Staub	Feinste Theile	Summa
	über 0,1^{mm}	0,1–0,05^{mm}	0,05–0,01^{mm}	unter 0,01^{mm}	
Obere entkalkte Bank	15,2		20,5	64,3	100,0
	7,3	7,9			
Untere Bank	28,0		16,2	41,4	85,6 + 13,5 CaCO$_3$
	17,9 *)	10,1			

*) Dabei 5,8 pCt. Mergelknauern.

II. Chemische Analyse,

a. der Feinsten Theile.

Aufschliessung mit Flusssäure.

Bestandtheile	Obere entkalkte Thonbank in Procenten des		Untere Bank. Thonmergel in Procenten des	
	Schlämm-produkts	Gesammt-bodens	Schlämm-produkts	Gesammt-bodens
Thonerde . . . ⚹ . .	14,96 *)	9,61 *)	9,84 *)	4,70 *)
Eisenoxyd	⸢ 7,03	4,52 .	5,18	2,48
Kohlensaure Kalkerde .	—	—	. 13,44 **)	6,44
*) entspr. wasserhalt. Thon	37,65	24,18	24,77	11,84

**) Mittel von 2 Bestimmungen mit dem Scheibler'schen Apparat:
gefunden CaCO$_3$ = 13,65
-     -   = 13,23.

b. der im Thonmergel enthaltenen Mergelknauern:

Thonerde   =   2,53 *)
Eisenoxyd   =   1,40
Kalkerde   = 44,94
Kohlensäure   = 33,54 **)
Phosphorsäure = Spur.

*) entspräche wasserhaltigem Thon = 6,37.
**) entspräche kohlensaurem Kalk = 76,24.

Unterer Diluvialthon.

Rieben (Section Wildenbruch 15).

ERNST SCHULZ.

I. Mechanische Analyse.

Grand über 2ᵐᵐ	Sand			Staub 0,05– 0,01ᵐᵐ	Feinste Theile unter 0,01ᵐᵐ	Summa
	2–0,5ᵐᵐ	0,5– 0,1ᵐᵐ	0,1– 0,05ᵐᵐ			
0,1		6,7		4,6	88,6	100,00
	0,9	3,9	1,9			

II. Chemische Analyse
der Feinsten Theile und des Staubes.

Aufschliessung mit kohlensaurem Natron.

Bestandtheile	Feinste Theile (88,6 pCt.) in Procenten des		Staub (4,6 pCt.) in Procenten des	
	Schlämm- produkts	Gesammt- bodens	Schlämm- produkts	Gesammt- bodens
Thonerde	17,24*)	15,28	13,41	0,62
Eisenoxyd	6,53**)	—	5,87	—
*) entspr. wasserhaltigem Thon	43,39	38,46	—	—

Unterer Diluvialthonmergel.

Cunersdorf (Sect. Wildenbruch 15).

ERNST SCHULZ.

I. Mechanische Analyse.

Grand über 2mm	Sand			Staub 0,05–0,01mm	Feinste Theile unter 0,01mm	Summa
	2-0,5mm	0,5–0,1mm	0,1–0,05mm			
0,0	5,7			25,7	68,5	99,9
	0,0	1,9	3,8			

II. Chemische Analyse.

a. Chemische Analyse der Feinsten Theile und des Staubes.

Aufschliessung mit kohlensaurem Natron.

Bestandtheile	Feinste Theile (68,5 pCt.) in Procenten des		Staub (25,7 pCt.) in Procenten des	
	Schlämm-produkts	Gesammt-bodens	Schlämm-produkts	Gesammt-bodens
Thonerde	12,18 *)	8,37 *)	9,77	2,51
Eisenoxyd	4,17	—	3,02	—
*) entspr. wasserhaltigem Thon	30,66	21,07	—	—

b. Vertheilung des kohlensauren Kalkes.

In Procenten	Grand über 2mm	Sand			Staub 0,05–0,01mm	Feinste Theile unter 0,01mm	Gesammt-kalk-gehalt
		2-0,5mm	0,5–0,1mm	0,1–0,05mm			
der Theil-produkte	0,00	9,11			10,42	14,80	—
		0,00	1,07	8,04			
des Gesammt-bodens	0,00	0,32			1,63	10,13	12,08
		0,00	0,02	0,30			

Zweite Bestimmung direct gefunden 14,14
Dritte Bestimmung direct gefunden 13,93

Im Durchschnitt. 13,05

Unterer Diluvialthonmergel.

Schönblick (Sect. Wildenbruch 15.)

ERNST SCHULZ.

I. Mechanische Analyse.

Grand	S a n d			Staub	Feinste Theile	Summa
über 2^{mm}	2- 0,5^{mm}	0,5- 0,1^{mm}	0,1- 0,05^{mm}	0,05- 0,01^{mm}	unter 0,01^{mm}	
0,0	7,3			11,2	81,4	99,9
	1,3 *)	3,1 *)	2,9			

*) Concretionär.

II. Chemische Analyse.

Vertheilung des kohlensauren Kalkes.

In Procenten	Grand	S a n d			Staub	Feinste Theile	Gesammt- kalk- gehalt
	über 2^{mm}	2-0,5^{mm}	0,5- 0,1^{mm}	0,1- 0,05^{mm}	0,05- 0,01^{mm}	unter 0,01^{mm}	
der Theil- produkte	0,00	6,74			7,90	9,80	—
		0,00	2,30	4,44			
des Gesammt- bodens	0,00	0,23			0,88	7,98	9,09
		0,00	0,10	0,13			

Zweite Bestimmung direct gefunden 9,72
Dritte Bestimmung direct gefunden 9,69

Gesammtdurchschnitt 9,39

Fayence-Mergel.

(Sect. Trebbin 18.)

ERNST SCHULZ.

I. Mechanische Analyse.

Sand = 4,2		Staub	Feinste Theile
2–0,1^{mm}	0,1–0,05	0,05–0 01	unter 0,01^{mm}
0,5	3,7	42,5	53,3

II. Chemische Analyse.

a. Chemische Analyse der Feinsten Theile und des Staubes.

Aufschliessung mit kohlensaurem Natron.

Bestandtheile	Feinste Theile (53,3 pCt.) in Procenten des		Staub (42,5 pCt.) in Procenten des	
	Schlämm-produkts	Gesammt-bodens	Schlämm-produkts	Gesammt-bodens
Thonerde	10,65 *)	5,67 *)	8,47	2,98
Eisenoxyd	3,71	—	2,23	—
Summa	100,00	—	100,00	—
*) entspr. wasserhaltig. Thon	26,81	14,27	—	—

b. Chemische Analyse des Gesammtbodens.

Kieselsäure	=	61,28
Thonerde	=	8,77
Eisenoxyd	=	2,46
Kalkerde	=	9,98
Magnesia	=	2,15
Kali	=	2,64
Natron	=	1,91
Kohlensäure	=	8,11
Phosphorsäure	=	0,15
Glühverlust (excl. CO_2) .	=	2,89
		100,34

c. Vertheilung des kohlensauren Kalkes.

In Procenten	Grand über 2^{mm}	Sand		Staub 0,05– 0,01^{mm}	Feinste Theile unter 0,01^{mm}	Gesammt- kalk- gehalt
		2-0,1^{mm}	0,1– 0,05^{mm}			
der Theilprodukte	—	12,02		14,56	21,36	—
	—	12,02				
des Gesammtbodens	—	0,45		6,19	11,38	18,02
	—	0,45				

Zweite Bestimmung direct gefunden 18,24
Dritte Bestimmung direct gefunden 18,62
Im Durchschnitt 18,44
Gesammtdurchschnitt 18,23

Profil des Unteren Diluvialthones.
Agronomisches Bohrloch I, SSO. Lichtenrade, an der Chaussée.
(Sect. Lichtenrade 20.)
Ludwig Dulk.
I. Mechanische Analyse.

	Grand über 2^{mm}	Sand				Staub 0,05– 0,01^{mm}	Feinste Theile unter 0,01^{mm}	Summa
		2-1^{mm}	1– 0,5^{mm}	0,5– 0,1^{mm}	0,1– 0,05^{mm}			
Diluvialthon (aus 17 Decm. Tiefe)	0,0	8,1				25,3	66,6	100,00
		0,1	0,4	3,5	4,1			
Diluvial- thonmergel	0,0	8,3				26,7	56,3 *)	91,3 + 8,7 CaCO$_3$
		0,2	0,4	3,8	3,9			100,0

*) Die unveränderten kalkhaltigen Feinsten Theile betragen: 62,7 pCt.
II. Kalkbestimmungen.
(Mit dem Scheibler'schen Apparate.)
a. Kalkgehalt des Thonmergels.
Erste Bestimmung 8,69 pCt.
Zweite - 8,79 -
Durchschnitt 8,74 pCt.
b. Kalkgehalt der Feinsten Theile im Thonmergel.
In Procenten des Schlämmprodukts 10,23
- - - Gesammtbodens 6,41

7

O. Lichtenrade am Graben. (Sect. Lichtenrade 20.)

LUDWIG DULK.

I. Mechanische Analyse.

Profil	Grand über 2mm	Sand				Staub 0,05–0,01mm	Feinste Theile unter 0,01mm	Summa
		2–1mm	1–0,5mm	0,5–0,1mm	0,1–0,05mm			
Unterer Diluvialthon (kalkfrei)	0,3	33,4				15,9	50,4	100,0
		0,2	1,0	20,0	12,2			
Unterer Diluvialthonmergel	0,5	23,5				20,0	44,6*)	88,6 + 11,4 CaCO₃
		0,1	0,5	11,1	11,8			

*) Die unveränderten kalkhaltigen Feinsten Theile betragen: 53,1 pCt.

II. Kalkbestimmungen.
(Mit dem SCHEIBLER'schen Apparate.)

a. Kalkgehalt des Thonmergels.

Erste Bestimmung 11,62 pCt.

Zweite　　　– 　11,24　–

Durchschnitt 11,43 pCt.

b. Kalkgehalt der Feinsten Theile.

In Procenten des Schlämmprodukts 16,18 pCt.

–　　–　　– Gesammtbodens　8,60　–

Diluvialthonmergel des Unteren Diluvium.
(Sect. Mittenwalde 24.)
FELIX WAHNSCHAFFE.

100 Theile des Gesammtbodens.

Fundort	Kohlensäurebestimmung im GEISSLER'schen Kaliapparat		Auszug des Gesammtbodens mit verdünnter heisser Salzsäure		
	Kohlensäure	entspr. kohlensaurem Kalk	Eisenoxyd und Thonerde	Kalkerde	Magnesia
Schöneicher Plan. Grb. v. BUCHHOLZ und SCHULZ (aus 9—10ᵐ Tiefe) . .	4,97	11,30	3,14	6,52	1,51
Schöneicher Plan. Grb. v. SCHLICKEISEN	5,53	12,57	3,69	6,81	1,31
Motzen N. Grb. v. MEINECKE (aus 9ᵐ Tiefe) .	5,73	13,02	5,53	7,99	1,50
Grb. Schöneiche S. W. Höhenrand (eingelagerte Bank im Unteren Sande)	2,33	5,29	2,39	3,37	0,28
Grb. S. W. — Ecke der Section westl. vom langen Grunde	4,44	10,09	4,42	8,83	1,52

Diluvialthonmergel, unter Unterem Diluvialmergel.
Nordöstl. Brusendorf. Südlich von dem Jagen 86.
(Sect. Königs-Wusterhausen 23.)
ERNST LAUFER.

I. Mechanische Analyse.

Sandiger Rückstand	Staub		Feinste Theile	Kalk	Summa
über 0,1ᵐᵐ	0,1–0,05ᵐᵐ	0,05–0,01ᵐᵐ	unter 0,01ᵐᵐ		
0,06	0,17	4,51	80,76	14,50	100,00

II. Chemische Analyse.

a. des Gesammtbodens.

Kieselsäure   = 53,49
Thonerde   = 14,61
Eisenoxyd*)   =   4,47
Kalkerde   =   8,28
Magnesia   =   1,92
Kali   =   2,88
Natron   =   1,67
Wasser   =   7,25
Kohlensäure   =   6,74

          101,31.

b. der Feinsten Theile.

Kieselsäure   = 53,88
Thonerde   = 14,21
Eisenoxyd   =   4,58
Kalkerde   =   8,99
Magnesia   =   2,33
Wasser   =   6,77
Kohlensäure   =   6,96 $\left\{ \begin{array}{l} 6,78 \text{ m. d. Kaliapp.} \\ 7,15 \text{ a. d. Diff.} \end{array} \right.$

*) Zum Theil als Oxydul vorhanden.

Ein Versuch, den Gehalt an Carbonat der Magnesia und der Kalkerde direct zu ermitteln, wurde derartig ausgeführt, dass die Feinsten Theile mit einer concentrirten Lösung von salpetersaurem Ammon etwa $^3/_4$ Stunden lang gekocht wurden. Der Rückstand war vollkommen frei von Kohlensäure und ergab das Filtrat 8,00 pCt. Kalkerde und 0,64 pCt. Magnesia, somit wurde gefunden:

     Kohlensaurer Kalk·   14,29 pCt.
        -       Magnesia   1,34   -

Die zu den ermittelten, als Carbonat vorhandenen Erden gehörige Kohlensäure beträgt:

auf 8,00 pCt. Kalkerde = 6,29 pCt. Kohlensäure
  - 0,64   -   Magnesia = 0,70   -   -

     berechnete Summe 6,99 pCt.

        gefunden 6,96   -

Diluvialthonmergel.

(Sect. Rüdersdorf 25.)

Ludwig Dulk.

I. Mechanische Analyse.

Fundort	Sand					Staub incl. Concretionen		Feinste Theile	Summa	Hygroskop. Wasser
	2–1mm	1–0,5mm	0,5–0,2mm	0,2–0,1mm	0,1–0,05mm	0,05–0,02mm	0,02–0,01mm	unter 0,01mm		
I. Sect. Rüdersdorf. Am Mastpfuhl, aus höherem Niveau *)	2,1					14,1		81,6	97,8	1,4
	—	—	—	1,2	1,0	6,0	8,1			
II. Ebenda. Aus grösserer Tiefe **)	0,1					11,8		87,1	99,0	1,2
	—	—	—	—	0,1	4,5	7,3			

*) Oxydirt und gelb.
**) Nicht oxydirt und grau.

II. Chemische Analyse.

a. Kohlenstoff in Probe II　　= 0,43 pCt.　(F. Wahnschaffe.)
b. Kohlensaurer Kalk, Probe I = 19,45　-　⎫
　　　-　　　-　- II = 19,82　-　⎬ (E. Laufer.)
　　　　　　　　　　　　　　　　⎭

Diluvialthonmergel.

Ziegelei Streganzer Berg (nahe der Sectionsgrenze, Sect. Friedersdorf 27).

Ernst Laufer.

I. Mechanische Analyse.

Sand		Staub	Feinste Theile
über 0,1mm	0,1–0,05mm	0,05–0,01mm	unter 0,01mm
0,15	0,55	22,3	77,0

II. Chemische Analyse.

Kieselsäure   =   54,64
Thonerde   =   12,46
Eisenoxydul   =   2,11
Eisenoxyd   =   0,62
Kalkerde   =   10,13
Magnesia   =   2,85
Kali   =   3,25
Natron   =   0,70
Kohlensäure =   7,74
Wasser   =   5,67
_____
100,17.

Die mechanischen Analysen der Diluvialthonmergel ergeben grössere Schwankungen der Sandmengen im Verhältniss zu dem Staub und den Feinsten Theilen. Grandige Bestandtheile fehlen ganz. Ebenso ist das Verhältniss von Staub zu den Feinsten Theilen ein sehr wechselndes. Darin zeigt sich, dass die Thone einen Uebergang bilden einerseits zu den Mergelsanden, andererseits zu den Diluvialmergeln.

Die fettesten Bildungen erreichen einen Gehalt an Feinsten Theilen bis zu 87,1 pCt. (siehe S. 101). Die sandigsten Thone besitzen bis zu 38 pCt. Sandgehalt. Unter den fetten Ausbildungen kommen Thone vor, die nur aus Staub und Feinsten Theilen bestehen (siehe S. 99).

Manche Thone sind wegen ihrer concretionären Bildungen der mechanischen Analyse gar nicht zu unterwerfen.

Was den Kalkgehalt betrifft, siehe Tab. I, in welcher Schwankungen vorkommen von 4,6 bis 62,2 pCt.

In den Feinsten Theilen lässt sich als Durchschnittsgehalt erkennen:

Thonerde = 13,2 pCt., entspr. wasserhaltig. Thon = 33,2 pCt.

Schwankungen kommen vor von 9,8 bis 16,5 pCt. Thonerde, welche zusammenhängen mit einem höheren oder geringeren Kalkgehalte (siehe Tabelle VI).

Im Staube zeigt sich ein Durchschnittsgehalt von 8,5 pCt. Thonerde, wie solcher in feinsten Sanden niemals gefunden wird (siehe Bestimmung des Thongehaltes S. 43).

Die Gesammtbodenanalysen der Thone ergaben als Durchschnittsgehalt an Kieselsäure 54 pCt., an Thonerde 12 pCt. Die Schwankungen liegen zwischen 7—17 pCt.

---

b. Diluvialmergelsand.

Mergelsand, Uebergangsbildung zum Thonmergel.

Britz-Berg. N. Leest. (Sect. Ketzin 10.)

Ludwig Dulk.

Sand = 5,8		Staub = 55,3	Feinste Theile = 37,6	Summa = 98,7
2-01^{mm}	0,1-0,05^{mm}			
1,6	4,2			

Kohlensaurer Kalk = 7,20.

Diluvialmergelsand.

Nahe Stolpe. Am Gestell vom Jagen 55b u. 56. (Sect. Fahrland 13.)

Ernst Laufer.

I. Mechanische Analyse.

I. Probe.

Grand über 2^{mm}	Sand		Staub 0,05-0,01^{mm}	Feinste Theile unter 0,01^{mm}	Summa
	2-1^{mm}	1-0,05^{mm}			
0,0	22,4		57,0	13,2	92,6 + 7,4 CaCO$_3$
	0,6	21,8			

II. Probe.

0,0	16,2		62,9	20,8	99,9
	0,6 (Concretionen)	15,6			

II. Chemische Analyse.

Aufschliessung mit Flusssäure. I. Probe. Feinste Theile.

Bestandtheile	In Procenten des	
	Schlämmprodukts	Gesammtbodens
Thonerde	14,10 *)	2,04 *)
Eisenoxyd . . . ., . . .	7,61	1,10
Kohlensaure Kalkerde	9,46	1,37
*) entspräche wasserhalt. Thon . .	35,49	5,14

Diluvialmergelsand.

Sandgrube dicht am Kirchhofe von Stolpe. (Sect. Fahrland. 13.)

ERNST LAUFER.

I. Mechanische Analyse.

Grand über 2mm	Sand			Staub 0,05-0,01mm	Feinste Theile unter 0,01mm	Summa
	2-0,5mm	0,5-0,1mm	0,1-0,05mm			
—	50,8			38,1	11,9	100,8
	—	1,7 (Con-cretionen)	49,1			

II. Chemische Analyse der Feinsten Theile.

a. Aufschliessung mit Flusssäure.

Bestandtheile	In Procenten des	
	Schlämmprodukts	Gesammtbodens
Thonerde	13,77 *)	1,64 *)
Eisenoxyd	6,21	0,74
Kali	2,72	0,32
Kalkerde	9,10	1,08
Kohlensäure	4,86	0,58
Phosphorsäure	Spuren	—
Glühverlust	7,76	0,92
Kieselsäure und nicht Bestimmtes .	55,58	6,61
Summa	100,00	11,87
*) entspräche wasserhaltigem Thon	34,66	4,13

b. Vertheilung des kohlensauren Kalkes im Mergelsande.

	Sand				Staub		Feinste Theile	
	über 0,1mm		0,1–0,05mm		0,05–0,01mm		unter 0,01mm	
	in Procenten des		in Procenten des		in Procenten des		in Procenten des	
	Theil-produkts	Gesammt-bodens	Theil-produkts	Gesammt-bodens	Theil-produkts	Gesammt-bodens	Theil-produkts	Gesammt-bodens
Kohlensau-rer Kalk	3,36	0,05	5,41	2,65	4,87	1,84	11,05	1,31

Mergelsand (4 Proben).
Kesselberg. (Sect. Wildenbruch 15.)
ERNST SCHULZ.
I. Mechanische Analyse.

| | Grand über 2mm | Sand | | | Staub | Feinste Theile | Summa |
		2–0,5mm	0,5–0,1mm	0,1–0,05mm	0,05–0,01mm	unter 0,01mm	
A.	0,0		65,1		25,6	9,3	100,0
		0,0	14,3	50,8			
B.	0,0		65,3		25,4	9,3	100,0
		0,0	13,6	51,7			
C.	0,0		72,6		21,0	6,4	100,0
		0,0	22,6	50,0			
D.	0,0		95,2		2,5	2,3	100,0
		0,2	76,3	18,7			

II. Chemische Analyse.
a. Chemische Analyse der Feinsten Theile.
Aufschliessung mit kohlensaurem Natron.

| Bestand-theile | A. (9,3 pCt.) | | B. (9,3 pCt.) | | C. (6,4 pCt.) | | D. (2,3 pCt.) | |
| | in Procenten des | | in Procenten des | | in Procenten des | | in Procenten des | |
	Schlämm-produkts	Gesammt-bodens	Schlämm-produkts	Gesammt-bodens	Schlämm-produkts	Gesammt-bodens	Schlämm-produkts	Gesammt-bodens
Thonerde	15,79 [*]	1,46 [*]	18,47 [*]	1,72 [*]	14,27 [*]	0,91 [*]	17,47 [*]	0,40 [*]
Eisenoxyd	7,20	—	8,65	—	7,18	—	9,27	—
[*] entspr. wasserh. Thon	39,74	3,67	46,49	4,33	35,92	2,29	43,97	1,01

b. Chemische Analyse des Staubes.

Aufschliessung mit kohlensaurem Natron.

Bestand-theile	A. (25,6 pCt.) in Procenten des		B. (25,4 pCt.) in Procenten des		C. (21,0 pCt.) in Procenten des		D. (2,5 pCt.) in Procenten des	
	Schlämm-produkts	Gesammt-bodens	Schlämm-produkts	Gesammt-bodens	Schlämm-produkts	Gesammt-bodens	Schlämm-produkts	Gesammt-bodens
Thonerde .	6,93	1,77	6,32	1,60	6,54	1,37	7,08	0,18
Eisenoxyd	2,02	—	1,87	—	2,06	—	3,94	—

c. Vertheilung des kohlensauren Kalkes im Mergelsande A.

In Procenten	S a n d		Staub	Feinste Theile	Gesammt-kalkgehalt
	0,5–0,1^{mm}	0,1–0,05^{mm}	0,05–0,01^{mm}	unter 0,01^{mm}	
des Theilprodukts	3,49		6,90	9,15	—
	1,31	2,18			
des Gesammtbodens	1,30		1,76	0,85	3,91
	0,19	1,11			

Zweite Bestimmung direct gefunden 4,34
Dritte Bestimmung direct gefunden 4,27

Gesammtdurchschnitt 4,11.

d. Vertheilung des kohlensauren Kalkes im Mergelsande C.

In Procenten	S a n d		Staub	Feinste Theile	Gesammt-kalkgehalt
	0,5–0,1^{mm}	0,1–0,05^{mm}	0,05–0,01^{mm}	unter 0,01^{mm}	
des Theilprodukts	nicht bestimmt		7,87	9,49	—
des Gesammtbodens	nicht bestimmt		1,65	0,61	—

Zweite Bestimmung direct gefunden 4,16
Dritte Bestimmung direct gefunden 4,15

Mergelsand.
N. Schönhagen. (Sect. Wildenbruch 15.)
ERNST SCHULZ.

I. Mechanische Analyse.

Grand	S a n d			Staub	Feinste Theile	Summa
über 2^{mm}	2- 0,5^{mm}	0,5- 0,1^{mm}	0,1- 0,05^{mm}	0,05- 0,01^{mm}	unter 0,01^{mm}	
0,0	26,7			55,1	18,1	99,9
	1,0 *)	3,0	22,7			

*) Concretionär.

II. Chemische Analyse.
Gesammtgehalt an kohlensaurem Kalk   0,27 pCt.

Mergelsand bei 18 Fuss Tiefe. (unter Oberem Mergel).
Brunnen in Gr. Ziethen. (Sect. Lichtenrade 20.)
LUDWIG DULK.
I. Mechanische Analyse.

Grand	S a n d				Staub	Feinste Theile	Summa
über 2^{mm}	2- 1^{mm}	1- 0,5^{mm}	0,5- 0,1^{mm}	0,1- 0,05^{mm}	0,05- 0,01^{mm}	unter 0,01^{mm}	
0,8	40,6				33,7	14,2 *)	89,3 *) + 10,7 CaCO$_3$
	0,6	1,3	14,2	24,5			

*) Die unveränderten Feinsten Theile betragen 17,7 pCt.

II. Kalkbestimmungen.
(Mit dem SCHEIBLER'schen Apparate.)
a) Kalkgehalt im Mergelsande.
Erste Bestimmung 10,90 pCt.
Zweite   -   10,47 -
Durchschnitt 10,69 pCt.

b) Kalkgehalt der Feinsten Theile desselben.
In Procenten des Theilprodukts   19,75
-      -   - Gesammtbodens   3,49.

Entkalkter Mergelsand (Schlepp.).

Feinsandiger Staublehm (nach ORTH).

Hortwinkel. SSW. Wegeeinschnitt am Rüdersdorfer Forst.

(Sect. Rüdersdorf 25.)

LUDWIG DULK.

Mechanische Analyse.

Grand	Sand					Staub	Feinste Theile	Summa
über 1^{mm}	2– 1^{mm}	1– 0,5^{mm}	0,5– 0,2^{mm}	0,2– 0,1^{mm}	0,1– 0,05^{mm}	0,05– 0,01^{mm}	unter 0,01^{mm}	
fehlt	72,2					21,3	6,4	99,9
	fehlt			0,2	72,0			

Die mechanischen Analysen der Mergelsande ergeben bedeutende Schwankungen im Sandgehalt, jedoch wird die Grenze von 0,2^{mm} D. nur um Weniges und nur in seltenen Fällen überschritten. Charakteristisch ist der hohe Gehalt an Staub gegenüber dem an Feinsten Theilen, die sich von 6 bis 38 pCt. an der Zusammensetzung betheiligen, indem die Bildungen, welche die obere Grenze erreichen, bereits als Uebergangsbildungen zum Diluvialthonmergel aufzufassen sind. Einen Ausnahmefall bildet der Mergelsand D. vom Kesselberg. Sect. Wildenbruch.

Die Schwankungen des Kalkgehaltes betragen 5,3—19,0 pCt. In sehr kalkreicher Ausbildung, dem Fayence-Mergel, erreicht er 26,6 pCt.

Der Durchschnittsgehalt der Feinsten Theile an Thonerde beträgt 15,6 pCt., auf wasserhaltigen Thon berechnet 39,3 pCt.

c. Unterer Diluvial-Sand und Grand.

(Lagerung: Unter Oberem Diluvialmergel.)

Unterer Diluvialsand. (Spathsand.)

Höhenrand bei Rohrbeck. (Sect. Rohrbeck 6.)

ERNST LAUFER.

I. Mechanische Analyse.

Sand		Staub	Feinste Theile	Summa
über 0,1^{mm}	0,1–0,05^{mm}	0,05–0,01^{mm}	unter 0,01^{mm}	
85,9		10,6	3,5	100,0
7,0	78,9			

II. Kalkbestimmung.

(Mit dem SCHEIBLER'schen Apparate.)

Im Gesammtboden.

Kohlensaurer Kalk nach der ersten Bestimmung 2,61 pCt.

—   —   —   — zweiten   —   2,55 -

Durchschnitt 2,58 pCt.

Unterer Diluvialsand (kalkfrei).

Galgenberg bei Rohrbeck. (Sect. Rohrbeck 6.)

ERNST SCHULZ.

I. Mechanische Analyse.

Grand	Sand					Staub	Feinste Theile	Summa
über 2^{mm}	2–1^{mm}	1–0,5^{mm}	0,5–0,2^{mm}	0,2–0,01^{mm}	0,1–0,05^{mm}	0,05–0,01^{mm}	unter 0,01^{mm}	
2,2	94,1					2,2	1,6	100,1
	4,5	12,4	22,1	49,9	5,2			

II. Chemische Analyse der Feinsten Theile.

Aufschliessung mit Flusssäure.

Bestandtheile	In Procénten des	
	Schlämmprodukts	Gesammtbodens
Thonerde	8,21 *)	0,13 *)
Eisenoxyd . . . . , ...	12,95	0,21
Kali	4,24	0,07
Kalkerde . . . . -.	nicht bestimmt	
Kohlensäure	fehlt	
Phosphorsäure	0,40	0,01
Glühverlust	11,36	0,18
Kieselsäure und nicht Bestimmtes . .	62,84	1,01
Summa	100,00	1,61
*) entspräche wasserhaltigem Thon . .	20,66	0,33

Oestlich Dallgow (Sandgrube). (Sect. Rohrbeck 6.)

ERNST SCHULZ.

Chemische Analyse des Gesammtbodens.

Aufschliessung mit Flusssäure.

Bestandtheile	Gekittete Streifen im Diluvialsande	Sand zwischen den gekitteten Streifen
Thonerde	3,972	1,751
Eisenoxyd	1,072	0,513
Kali	1,830	0,977
Kalkerde	0,206	0,152
Kohlensäure	fehlt	fehlt
Phosphorsäure	0,105	0,032
Glühverlust	0,510	0,190
Kieselsäure und nicht Bestimmtes . .	92,305	96,385
Summa	100,000	100,000

Profil vom Oberen zum Unteren Diluvium.

Nord-Vorwerk Wolfsberg. (Sect. Rohrbeck 6.)

Felix Wahnschaffe.

I. Mechanische Analyse.

Mächtigkeit Decimet.	Profil	Grand über 2mm	Sand					Staub 0,05-0,01mm	Feinste Theile unter 0,01mm	Summa
			2-1mm	1-0,5mm	0,5-0,2mm	0,2-0,1mm	0,1-0,05mm			
6	Schwach humoser lehm.-grand. Sand (Oberkrume)	5,5	89,2					3,2	2,0	99,9
			3,6	8,5	33,5	40,1	3,5			
9	Grandiger kalkfreier Sand	17,5*)	81,3					0,8	0,5	100,1
			3,6	7,4	33,8	35,4	1,1			
6	Kalkreicher Grand	23,3	75,7					0,4	0,5	99,9
			18,1	24,0	25,9	7,5	0,2			

*) Darin 12,4 pCt. Eisenconcretionen.

	Grand über 2mm	Sand					Staub 0,05-0,01mm	Feinste Theile unter 0,01mm	Summa
		2-1mm	1-0,5mm	0,5-0,2mm	0,2-0,1mm	0,1-0,05mm			
Eisenconcretionen im obigen grandigen Sande	3,3	92,1					1,2	3,3	99,9
		4,9	20,1	43,0	21,7	2,4			

II. Chemische Analyse.

a. Chemische Analyse der Feinsten Theile im schwach lehmigen Sande.

Aufschliessung mit Flusssäure.

Bestandtheile	In Procenten des		Bemerkungen
	Schlämmprodukts	Gesammtbodens	
Thonerde	16,90*)	0,338**)	*) entspr. 42,55 wasserhalt. Thon.
Eisenoxyd	5,04	0,101	
Kali	2,52	0,050	
Kalkerde	Spur		**) entspr. 0,85 wasserhalt. Thon.
Kohlensäure	fehlt		
Phosphorsäure	0,43	0,009	
Glühverlust	9,75	0,195	
Kieselsäure und nicht Bestimmtes	65,36	1,307	
Summa	100,00	8,800	

b. Humusgehalt im schwach lehmigen Sande = 0,21 pCt.

c. Chemische Analyse der Feinsten Theile der Eisenconcretionen
im grandigen Sande.

Aufschliessung mit Schwefelsäure.

Bestandtheile	In Procenten des	
	Schlämmprodukts	Gesammtbodens
Thonerde	17,52 *)	0,578*)
Eisenoxyd	14,09	0,465
Phosphorsäure	0,17	0,006
Kieselsäure und nicht Bestimmtes . .	68,22	2,251
Summa	100,00	3,300
*) entspräche wasserhaltigem Thon . .	37,97	1,253

d. Vertheilung des kohlensauren Kalkes im Diluvialgrand.

Kohlensaurer Kalk in Procenten	Im Grand über 1^{mm}	Im Sand 1-0,05^{mm}	Im Staub 0,05–0,01^{mm}	In den Feinsten Theilen unter 0,01^{mm}	Gesammt- kalkgehalt
des Theilprodukts. . .	24,97	3,39	Spur	Spur	
des Gesammtbodens . .	5,82	2,57			8,39
Zweite Bestimmung (durch directe Wägung von 3,16 pCt. C)					7,18
Im Durchschnitt					7,78

Profil: Abschlämmmasse über Unterem Diluvialsande.
Dallgow. (Sect. Rohrbeck 6.)
FELIX WAHNSCHAFFE.

I. Mechanische Analyse.

Mächtigkeit Decimet.	Profil	Grand über 2mm	Sand 2-1mm	1-0,5mm	0,5-0,2mm	0,2-0,1mm	0,1-0,05mm	Staub 0,05-0,01mm	Feinste Theile unter 0,01mm	Summa
4	Schwach humoser lehmiger Sand (Ackerkrume)	1,6			85,9			6,7	5,9	100,2
			1,3	3,2	15,8	45,2	20,4			
2	Schwach lehmiger Sand	—			89,6			4,6	5,0	99,2
			—	3,6	31,7	42,8	11,5			
30 +	Feiner Sand (in d. Umgebung der gekitteten Streifen)	—			95,8			2,9	1,5	100,2
			—	0,2	6,1	64,4	25,1			
—	Gekitteter Streifen im feinen Sande	—			84,5			5,6	9,2	99,3
			0,2	0,2	2,8	68,1	13,2			

II. Chemische Analyse.
a. Chemische Analyse der Feinsten Theile in den lehmigen Sanden.
Aufschliessung mit Flusssäure.

Bestandtheile	Lehmiger Sand, Ackerkrume in Procenten des Schlämmprodukts	Lehmiger Sand, Ackerkrume in Procenten des Gesammtbodens	Schwach lehmiger Sand in Procenten des Schlämmprodukts	Schwach lehmiger Sand in Procenten des Gesammtbodens
Thonerde	14,21 *)	0,84 *)	16,43 *)	0,82 *)
Eisenoxyd	5,67	0,34	6,86	0,34
Kali	3,62	0,21	3,82	0,19
Kalkerde	0,85	0,05	1,34	0,07
Kohlensäure	fehlt	—	fehlt	—
Phosphorsäure	0,61	0,04	0,80	0,04
Glühverlust	10,49	0,62	9,17	0,46
Kieselsäure u. nicht Bestimmtes	64,55	3,81	61,58	3,08
Summa	100,00	5,91	100,00	5,00
*) entspräche wasserhalt. Thon	35,77	2,11	41,30	2,07

8

b. Aufschliessung des Feinen Sandes und der Streifen darin mit
Schwefelsäure.

(In Procenten des Gesammtbodens.)

	Thon-erde	Eisen-oxyd	Kali	Kalk-erde	Kohlen-säure	Phos-phor-säure	Unaufge-schlossen und nicht bestimmt
Feiner Sand	0,556	0,416	0,078	0,065	fehlt	0,031	98,854
Gekittete Streifen im feinen Sande. . .	2,895	1,612	0,290	0,166	fehlt	0,068	94,969

c. Aufschliessung der Feinsten Theile in den Streifen mit
saurem schwefelsauren Kali.

LUDWIG DULK.

Bestandtheile	In Procenten des		Bemerkungen
	Schlämm-produkts	Gesammt-bodens	
Thonerde	21,99 *)	2,023 †)	*) entspricht 55,35 wasserhalt. Thon.
Eisenoxyd	9,57	0,880	
Phosphorsäure	0,50	0,046	†) entspricht 5,09 wasserhalt. Thon.
Kieselsäure und nicht Bestimmtes	67,94	6,251	
Summa	100,00	9,200	

d. Humusbestimmung.

FELIX WAHNSCHAFFE.

(In Procenten des Gesammtbodens.)

Schwach humoser lehmiger Sand (Ackerkrume) . . . 0,65 pCt.
Schwach lehmiger Sand unterhalb der Ackerkrume . . 0,17 -

Diluvialglimmersand.

Birkenwerder, am Wege nach Bergfelde. (Sect. Hennigsdorf 8.)

ERNST LAUFER.

I. Mechanische Analyse.

	S a n d				Staub	Feinste Theile	Summa
über 1,0^{mm}	1– 0,5^{mm}	0,5– 0,2^{mm}	0,2– 0,1^{mm}	0,1– 0,05^{mm}	0,05– 0,01^{mm}	unter 0,01^{mm}	
	78,19				8,66	12,36	99,21
—	0,01	0,05	19,03	59,10			

II. Chemische Analyse der Feinsten Theile*).

Aufschliessung durch conc. Schwefelsäure

Bestandtheile	In Procenten der Feinsten Theile	In Procenten des Gesammt- bodens	Bemerkungen
Thonerde	22,57 *)	2,79 †)	*) entspräche 57,56 wasserhalt. Thon.
Eisenoxyd	10,95	1,35	
Lösliche Kieselsäure	33,09	4,09	†) entspräche 7,11 wasserhalt. Thon.
Differenz und nicht bestimmt .	33,39	4,13	
Summa	100,00	12,36	

*) Siehe Bestimmung des Thongehaltes Seite 42.

Unterer Diluvialsand.

Gegend. N. Eiche. (Sect. Ketzin 10.)

LULWIG DULK.

I. Mechanische Analyse.

Mäch-tigkeit Decimet.	Profil	Grand über 2mm	Sand				Staub 0,05-0,01mm	Feinste Theile unter 0,01mm	Summa
			2-1mm	1-0,5mm	0,5-0,1mm	0,1-0,05mm			
2	Schwach humoser. Sand	· 0,3			92,8		4,5	2,4	100,0
			0,6	3,4	66,5	22,3			
4	Diluvialsand	0,7			88,7		6,8	3,8	100,0
			0,4	1,6	54,1	32,6			
14	Desgl.	0,1			93,2		4,8	1,9	100,0
			0,1	· 0,8	66,6	25,7			

II. Chemische Analyse der Feinsten. Theile.

Bestandtheile	Aufschliessung mit: Kohlensaurem Natron. Schwach humoser Sand				Flusssäure.	
	aus 1-2 Dec. in Procenten des		aus 4-6 Dec. in Procenten des		aus 10-12 Dec. in Procenten des	
	Schlämm-produkts	Gesammt-bodens	Schlämm-produkts	Gesammt-bodens	Schlämm-produkts	Gesammt-bodens
Kieselsäure . . .	49,90	1,18	54,50	2,05	—	—
Thonerde . . .	13,75 *)	0,33 *)	19,81 *)	0,75 *)	12,93 *)	0,25 *'
Eisenoxyd . . .	5,67	0,13	6,42	0,24	7,37	0,14
Kali	—	—	—	—	2,89	0,06
Kalkerde . . .	—	—	—	—	1,28	· 0,03
Glühverlust u. nicht Bestimmtes . .	30,68	0,76	19,27	0,76	12,45	0,24
Kieselsäure u. nicht . Bestimmtes . .	.—	—	—	—	63,08	· 1,18
Summa	100,00	2,40	100,00	3,80	100,00	1,90
*) entspräche wasserh. Thon	. 46,61	0,82	49,87	1,88	32,56	0,63

Grandiger Sand des Unteren Diluviums.

Beelitz. (Sect. Beelitz 12.)

Ernst Schulz.

I. Mechanische Analyse.

	Grand über		Sand			Staub + Feinste Theile unter	Summa
	5^{mm}	$5–2^{mm}$	$2–0,5^{mm}$	$0,5–0,01^{mm}$	$0,1–0,05^{mm}$	$0,05–0,01^{mm}$	
I. Probe	11,8		87,4			0,8	100,0
	7,2	4,6	46,1	40,8	0,5		
II. Probe	1,3		97,2			0,3	98,8 + 1,2 Ca CO₃
	—		77,1	19,8	0,3		

II. Chemische Analyse.

a. Chemische Analyse des Staubes + Feinste Theile (0,8 pCt.), des feinen Sandes (0,5 pCt.) der Probe I und des Gesammtbodens.

Aufschliessung mit kohlensaurem Natron.

Bestandtheile	Staub + Feinste Theile in Procenten des		Feiner Sand in Procenten des		Gesammtboden	
	Schlämm-produkts	Gesammt-bodens	Schlämm-produkts	Gesammt-bodens	Probe I.	Probe II.
Thonerde . . .	7,36	0,05	4,42	0,02	2,23	2,10
Eisenoxyd . . .	5,60	0,04	2,11	0,01	0,42	0,34

Dilůvial-Sand und Grand.
(Sect. Potsdam 14.)
ERNST LAUFER.

Mechanische Analyse.

Fundort	Grand über 2^{mm}	Sand			Summa
		2–1^{mm}	1–0,5^{mm}	unter 0,5^{mm}	
Oberhalb Bergholz. Unter unterem Mergel.	1,2		96,2		97,4 + 2,6 CaCO$_3$
		12,2	59,1	24,9	
Neu-Babelsberg. Unter unterem Mergel.	0,0		98,0		98,0 + 2,0 CaCO$_3$
		0,1	8,3	89,6	
Nahe der Unter-försterei Caput	9,7		84,1		92,8 + 7,3 CaCO$_3$
		14,1	27,6	41,4	

Unterer Diluvial-Sand und Grand.
(Sect. Wildenbruch 15.)
ERNST SCHULZ.

I. Mechanische Analyse.

Fundort	Grand über 2^{mm}	Sand		Summa
		0,5–0,1^{mm}	0,1–0,05^{mm}	
Schiass	0,0		100,0	100,0
		0,2	99,8	
Ranhe Berge	3,7		96,3	100,0
		63,9	32,4	
Rieben	6,3		93,7	100,0
		33,1	60,6	

II. Chemische Analyse.

Gehalt an kohlensaurem Kalk.

Schiass. Erste Bestimmung . . . . 0,71 pCt.
- Zweite - . . . . 0,75 -

Durchschnitt 0,73 pCt.

Rauhe Berge . . . . 1,98 pCt.
Rieben . . . . fehlt

Unfruchtbarer Diluvialsand. (Aus 1 Meter Tiefe.)

Damsdorfer Haide. Brandstellen am Pech-Pfuhl.

(Sect. Gross-Beeren 17.)

ERNST LAUFER.

I. Mechanische Analyse.

2-1ᵐᵐ	1-0,5ᵐᵐ	0,5-0,2ᵐᵐ	Unter 0,2ᵐᵐ
0,3	3,8	42,0	53,9

II. Chemische Analyse.

Kieselsäure = 95,55
Thonerde = 1,16
Eisenoxyd = 0,48
Kalkerde = 0,32
Magnesia = 0,42
Kali = 0,73 entspräche Kalifeldspath = 4,3 } 7,9
Natron = 0,42 - Natronfeldspath = 3,6 }
Glühverlust = 0,64
_____
100,72

Diluvial-Sand und Grand.

(Sect. Gross-Beeren 17.)

ERNST LAUFER.

I. Mechanische Analyse.

Fundort	Bezeich-nung	Grand über 2^{mm}	Sand		Summa
			2–0,5^{mm}	unter 0,5^{mm}	
Nahe der Mühle von Gütergotz.	Spathsand	1,0	94,7		95,7 + 2,8 CaCO$_3$
			51,2	43,5	
Grube in der Gütergotzer Haide.	Sandiger Grand	14,4	80,2		94,6 + 5,4 CaCO$_3$
			42,0	38,2	
Nahe der Mühle von Ruhlsdorf.	Sandiger Grand	13,6	83,2		96,8 + 3,2 CaCO$_3$
			59,2	24,0	
Kiesgruben des Vorwerkes Neu-Beeren.	Grand	34,0	64,2		98,2 + 1,8 CaCO$_3$
			36,2	28,0	

Sand unter thonigen Streifen.

NW. Mariendorf. (Sect. Tempelhof 19.)

FELIX WAHNSCHAFFE.

Mechanische Analyse.

Grand über 2^{mm}	Sand		Summa
	2–0,5^{mm}	unter 0,5^{mm}	
2,2	22,1	75,7	100,00

Unterer Diluvialsand. *)

Mergelgrube. S. Lankwitz. (Sect. Tempelhof 19.)
FELIX WAHNSCHAFFE.

Mechanische Analyse.

Grand	Sand		Summa
über 2ᵐᵐ	2–0,5ᵐᵐ	unter 0,5ᵐᵐ	
0,7	16,5	82,7	99,9

*) Kalkfrei.

Unterer Diluvialsand *) unter rothem Kies.

Kiesgruben nahe Tempelhof. (Sect. Tempelhof 19.)
FELIX WAHNSCHAFFE.

Mechanische Analyse.

Grand	Sand		Summa
über 2ᵐᵐ	2–0,5ᵐᵐ	unter 0,5ᵐᵐ	
fehlt	20,1	79,9	100,00

*) Kalkfrei.

Weisser fein-staubiger Unterer Diluvialsand.

N. Gr.-Ziethen. Grube an der Chaussée. (Sect. Tempelhof 19.)
FELIX WAHNSCHAFFE.

Mechanische Analyse.

Grand	Sand			Staub	Feinste Theile	Summa
über 2ᵐᵐ	2-0,5ᵐᵐ	0,5–0,1ᵐᵐ	0,1–0,05ᵐᵐ	0,05–0,01ᵐᵐ	unter 0,01ᵐᵐ	
0,6	57,5			29,0	12,9	100,00
	2,8	34,7	20,0			

Feinkörniger Unterer Diluvialsand.

Rixdorf. (Sect. Tempelhof 19.)

ERNST LAUFER.

Kieselsäure	95,26
Thonerde	1,87
Eisenoxyd	0,48
Kalkerde	0,59
Magnesia	0,66
Kali	0,92
Natron	0,49
Kohlensäure	0,40
Wasser	0,24
	100,91

Unterer Diluvialkies. (Roth. Ueber Unterem Mergel.)

Tempelhof. W. Villa Fischer. Kleine Kuppe.

(Sect. Tempelhof 19.)

FELIX WAHNSCHAFFE,

Mechanische Analyse.

Grand	Sand			Staub	Feinste Theile	Summa
über 2^{mm}	2-0,5^{mm}	0,5-0,1^{mm}	0,1- 0,05^{mm}	0,05- 0,01^{mm}	unter 0,01^{mm}	
12,3	84,3			1,5	1,9	100,00
	32,6	51,3	0,4			

Unterer Diluvial-Sand und Grand.
(Sect. Tempelhof 19.)
Felix Wahnschaffe.

Mechanische Analyse.

Fundort	Kohlensaurer Kalk	Entkalkter Rückstand			Summa
		Grand	S a n d		
		über 2^{mm}	2-0,5^{mm}	unter 0,5^{mm}	
Grand. Kiesgruben bei Tempelhof (aus 4^m Tiefe)	24,3	18,4	36,7	20,6	100,00
Diluvialsand unter 4^m Unterem Mergel. Station Tempelhof	0,9	fehlt	99,1	—	100,00

Grandiger Diluvial-Sand, rostfarbig.

Waltersdorfer Forst. Westl. des Gänsepfuhls.
(Sect. Königs-Wusterhausen 23.)

Ernst Laufer.

Mechanische Analyse.

Grand	S a n d					Staub	Feinste Theile	Summa
über 2^{mm}	2-1^{mm}	1-0,5^{mm}	0,5-0,2^{mm}	0,2-0,1^{mm}	0,1-0,05^{mm}	0,05-0,01^{mm}	unter 0,01^{mm}	
15,5	79,7					4,2		99,4
	9,7	29,7	27,0	12,0	1,3			

Durch heisse Salzsäure wurde ausgezogen:

Eisenoxyd = 0,56 pCt. *)

Vorläufig ist nicht sicher anzunehmen, ob diese Menge aus chemischer Verbindung ausgezogen, oder ob nur mechanische Ueberzüge der einzelnen Sandkörner mit Eisenoxyd vorliegen.

Unterer Sand, Spathsand.

(Sect. Königs-Wusterhausen 23.)

Ernst Laufer.

Mechanische Analyse.

Fundort	Grand über 2mm	Sand 2– 1mm	1– 0,5mm	0,5– 0,2mm	0,2– 0,1mm	0,1– 0,05mm	Staub unter 0,2mm	Feinste Theile	Summa
Sand-gruben *) von Niederlöhme	10,7			79,1				7,9	97,7 + 2,3 CaCO₃
		15,4	29,2	34,5	—	—			
Sandgrube am Dorfe Kickebusch	0,1			99,6			—	—	99,7 + 0,3 CaCO₃
		0,8	16,4	66,8	15,3	0,2			
Mühlenberg bei Königs-Wuster-hausen	0,7			96,7				0,4	97,8 + 2,2 CaCO₃
		6,4	30,6	42,1	17,6	—			

*) Ein feinerer Sand von ebenda mit einer Korngrösse von 0,5–0,1mm enthielt nur 0,2 pCt. CaCO₃.

Feinkörniger Sand (sehr gleichkörnig), unter oberem Diluvialmergel.

Tasdorf WNW. (Sect. Rüdersdorf 25.)

Ernst Laufer.

Mechanische Analyse.

Grand über 2mm	Sand 2– 1mm	1– 0,5mm	0,5– 0,2mm	0,2– 0,1mm	0,1– 0,05mm	Staub 0,05– 0,01mm	Feinste Theile unter 0,01mm	Summa
fehlt			98,3				1,7	100,0
	fehlt		3,5	77,8	17,0			

Unterer Diluvialsand

(unter Oberem Diluvialmergel).

Tasdorf WNW. Eisenbahneinschnitt. (Sect. Rüdersdorf 25.)

ERNST LAUFER.

Mechanische Analyse nach NÖBEL..

Schlämm-rückstand im Tr. No. 2 pCt.	III. Tr. No. 3 pCt.	II. Tr. No. 4 pCt.	I. Auslauf pCt.	Summa	Hygro-scopisches Wasser
98,96	0,14	0,11	0,25	99,46	0,13

Die mechanische Analyse der Unteren Diluvialsande hat nur locale Bedeutung, da die Schwankungen der Korngrössen derartig sind, dass man allgemeine Durchschnittszahlen daraus nicht berechnen kann. Wichtig jedoch ist es, dass die Feinsten Theile meist in sehr geringem Maasse vorhanden oder nur einige Procente erreichen. Wo jedoch bedeutende Mengen davon vorhanden sind, was bei einigen kalkfreien Sanden vorkommt, hat man dieselben als entkalkte Mergelsande aufzufassen.

Der Kalkgehalt der Sande ist in erster Linie von der Körnung abhängig; da es sich herausstellt, dass bei Abnahme der Korngrösse der Kalkgehalt bedeutend herabsinkt. Die feinen Sande haben einen durchschnittlichen Kalkgehalt von 0,2 pCt. In den Granden dagegen steigt er bis zu 17 pCt. In einzelnen Fällen wird sogar diese Zahl überschritten.

d. Unterer Diluvialmergel.

Profil der Veltener Ziegeleien. (Sect. Oranienburg 7.)

Ernst Laufer.

I. Mechanische Analyse.

Mächtigkeit Decimet.	Profil	Grand über 2mm	Sand 2-1mm	1-0,5mm	0,5-0,2mm	0,2-0,1mm	0,1-0,05mm	Staub 0,05-0,01mm	Feinste Theile unter 0,01mm	Summa
2-3	Lehm (Oberkrume)	0,3			54,7			10,7	33,3	99,0
			0,6	1,6	8,8	30,1	13,6			
2	Lehm (Thon)	—			28,2			12,9	56,0	97,1
			1,1	4,3	7,4	6,4	9,0			
2-20	(Thonmergel) Diluvialmergel oberste Lage, arm an Steinen	1,0			16,5			27,5	53,1	98,1
			0,6	0,8	3,8	2,5	8,8			
15	Diluvialsand	—			99,6			0,2	0,2	100,0
			16,5	5,5	50,6	26,8	0,2			
	Diluvialgrand	32,1			66,5			0,4	0,3	99,3
			18,7	32,1	13,3	2,1	0,3			
—	Diluvialmergel (fett) untere Lage mit Steinen	3,2			38,0			10,8	46,6	98,6
			0,8	6,7	8,6	13,1	8,8			
—	Diluvialmergel (fett) unterste Lage mit Kreide (Töpferthon)	0,4			32,5			15,5	51,2	99,6
			0,2	0,4	7,7	11,9	12,3			

II. Chemische Analyse.

a. Chemische Analyse der Feinsten Theile.

Aufschliessung mit Flusssäure,

ERNST SCHULZ.

Bestandtheile	Sandiger Lehm (Oberkrume) in Procenten		(Thon) Lehm in Procenten		(Thonmergel) Diluvialmergel obere Lage in Procenten		(Thonmergel) Diluvialmergel, untere Lage mit Steinen in Procenten	
	des Schlämm-produkts	des Gesammt-bodens	des Schlämm-produkts	des Gesammt-bodens	des Schlämm-produkts	des Gesammt-bodens	des Schlämm-produkts	des Gesammt-bodens
erde	†) 15,59	†) 5,19	†) 17,90	†) 10,02	†) 10,35	†) 5,50	†) 13,72	†) 6,89
oxyd	.5,00	1,67	7,61	4,26	4,08	2,17	5,86	2,73
. . . . . .	4,16	1,39	4,28	2,40	3,99	2,12	3,50	, 1,63
rde	0,69	0,23	1,01	0,57	17,36	9,22	14,60	6,80
nsäure	fehlt	—	fehlt	—	14,83	7,88	11,04	5,14
richt kohlens. Kalk	—	—	—	—	[33,66]	[17,89]	[25,06]	[11,67]
phorsäure	0,16	0,05	0,17	0,10	0,12	0,06	0,15	0,07
verlust excl. Köhlen-re	7,48	2,49	6,18	3,46	4,33	2,30	4,18	1,95
lsäure und nicht be-mt	66,92	22,28	62,85	35,20	45,01	23,90	46,95	21,88
Summa	100,00	33,30	100,00	56,01	100,00	53,15	100,00	46,59
spr. wasserhalt. Thon	39,25	13,07	45,06	25,23	26,06	13,83	34,54	16,09

b. Vertheilung des kohlensauren Kalkes in Mergel und Sand.

ERNST SCHULZ.

estandtheile	Diluvialmergel (Thonmergel) oberste Lage in Procenten		Diluvialmergel (fett) mit Steinen untere Lage in Procenten		Diluvialmergel (fett) mit Kreide unterste Lage in Procenten		Unterer Diluv.-Sand in pCt.	Unterer Diluv.-Grand in pCt.
	des Theil-produkts	des Gesammt-bodens	des Theil-Produkts	des Gesammt-bodens	des Theil-produkts	des Gesammt-bodens	des Gesammt-bodens	des Gesammt-bodens
l	52,30	0,52	51,78	1,66	48,05	0,19	—	4,09
. . . .	21,14	3,49	11,27	4,28	18,59	6,04	—	3,92
. . . .	23,05	6,39	12,31	1,33	26,99	2,09	—	0,26
te Theile	33,71	17,90	25,09	11,69	19,29	9,88	—	0,12
na (Gesammt-Kalk-alt)	—	28,30	—	18,96	—	18,20	—	8,39
gefunden im Ge-mtboden	—	—	—	—	—	—	3,75	8,36

c. Humusgehalt der Oberkrume . . . . . 0,67 Procent.

Unterer Diluvialmergel von Velten.
ERNST LAUFER.

Chemische Analyse der Feinsten Theile.
Aufschliessung mit Schwefelsäure.

Bestandtheile	·Lehm (Thon)		(Thonmergel) Diluvialmergel oberste Lage (arm an Steinen)		Diluvialmergel (fett) unterste Lage (Töpferthon mit Kreide)	
	in Procenten des		in Procenten des		in Procenten des	
	Theil-produkts	Gesammt-bodens	Theil-produkts	Gesammt-bodens	Theil-produkts	Gesammt-bodens
Wasserhaltiger Thon . . .	35,30	19,76	20,08	10,67	27,00	13,95
Eisenoxyd	7,53	4,22	4,42	2,35	5,85	3,01
Kohlensaurer Kalk	fehlt		32,43	17,23	19,29	9,93
Quarz und anderes Gesteins-mehl (Diff.)	57,17	32,00	43,07	22,87	47,86	24,65
Summa	100,00	55,98	100,00	53,12	100,00	51,50
Gefundene Thonerde . . .	14,01		7,97		10,75	
— Kohlensäure . .	fehlt		14,27		8,49	

Kalk-Bestimmungen
(mit dem SCHEIBLER'schen Apparate).
LUDWIG DULK.

I.
(Thonmergel) Diluvialmergel; oberste Lage (arm an Steinen).

In Procenten		Gemengtheile		Gesammt-Kalkgehalt
		über 1^{mm}	unter 1^{mm}	
des Theilprodukts	erste Bestimmung . .	·36,55	27,01	—
	zweite Bestimmung . . .		26,98	—
des Gesammtbodens	erste Bestimmung . . .	0,28	26,81	27,09
	zweite Bestimmung . . .		26,77	27,05
			Im Durchschnitt	27,07

II.

Diluvialmergel (fett); untere Lage mit Steinen.

es Theilprodukts	erste Bestimmung . . .	33,45		16,47	—
	zweite Bestimmung . . .			17,10	—
es Gesammtbodens	erste Bestimmung . . .	1,30		15,83	17,13
	zweite Bestimmung . . .			16,43	17,73
			Im Durchschnitt		17,43

III.

Diluvialmergel (fett); unterste Lage mit Kreide.

es Theilprodukts	erste Bestimmung . . .	13,27		16,73	—
	zweite Bestimmung . . .			16,52	—
es Gesammtbodens	erste Bestimmung . . .	0,07		16,65	16,72
	zweite Bestimmung . . .			16,44	16,51
			Im Durchschnitt		16,62

9

Unterer Diluvialmergel, unter Oberem Diluvialmergel.
Birkenwerder. (Sect. Hennigsdorf.)
FELIX WAHNSCHAFFE.

I. Mechanische Analyse.

Grand über 2^{mm}	S a n d			Staub 0,05–0,01^{mm}	Feinste Theile unter 0,01^{mm}	Summa
	2–1^{mm}	1–0,1^{mm}	0,1–0,05^{mm}			
2,7		57,9		13,0	26,2	99,8
	1,5	42,7	13,7			

II. Chemische Analyse der Feinsten Theile.

Bestandtheile	Aufschliessung mit			
	Flusssäure F. WAHNSCHAFFE (26,2 pCt.) in Procenten des		Schwefelsäure ERNST LAUFER (38,9 pCt.) in Procenten des	
	Schlämm-produkts	Gesammt-bodens	Schlämm-produkts	Gesammt-bodens
Thonerde	14,50 *)	3,80 *)	10,26	—
Eisenoxyd	5,36	1,40	5,83	—
Kali	3,50	0,92	—	—
Kalkerde	13,99	3,67	—	—
Kohlensäure	12,38	3,24	—	—
entspr. CaCO₃	(28,14)	—	23,06	—
Phosphorsäure	0,07	0,02	—	—.
Glühverlust	5,79	1,52	—	—
Kieselsäure und nicht Bestimmtes .	44,41	11,64	—	—
Summa	100,00	26,21	—	—
*) entspräche wasserhaltigem Thon .	36,52	9,57	25,87	10,06

III. Vertheilung des kohlensauren Kalkes.

	In Procenten	
	des Theilprodukts	des Gesammtbodens
Grand	23,00	0,62
Sand . . . . : . .	14,16	8,20
Staub	22,07	2,87
Feinste Theile . . . . : . .	28,14	7,37
Summa (Gesammt-Kalkgehalt)		19,06

Unterer Diluvialmergel.

SW. Kemnitzer Wiesen. Mglgr. am Waldrande. (Sect. Ketzin 10.)

LUDWIG DULK.

I. Mechanische Analyse.

Mäch-tigkeit Decimet.	Profil	Grand über 2mm	Sand					Staub 0,05– 0,01mm	Feinste Theile unter 0,01mm	Summa
			2– 1mm	1– 0,5mm	0,5– 0,2mm	0,2– 0,1mm	0,1– 0,05mm			
0,8	Lehmiger Sand	2,6			80,9			8,0	8,5	100,0
			4,3	5,7	17,6	40,0	13,3			
0,5	Lehm	1,3			65,7			12,3	20,7	100,0
			2,2	8,2	12,6	31,2	11,5			
1,2+	Diluvial-mergel	2,0			70,0			11,0	17,0	100,0
			3,8	6,5	16,2	29,4	14,1			

9*

II. Chemische Analyse.

a. Analyse der Feinsten Theile.

Aufschliessung mit Flusssäure.

Bestandtheile	Lehmiger Sand in Procenten des		Lehm in Procenten des		Mergel in Procenten des.	
	Schlämm-produkts	Gesammt-bodens	Schlämm-produkts	Gesammt-bodens	Schlämm-produkts	Gesammt-bodens
honerde	12,06 *)	1,03 *)	18,03 *)	3,72 *)	12,43 *)	2,12 *)
isenoxyd	6,06	0,52	10,44	2,16	6,52	1,11
Kali	3,52	0,30	2,65	0,55	2,94	0,50
Kalkerde	1,34	0,11	1,59	0,33	13,38	2,29
Kohlensäure	fehlt	—	fehlt	—	9,18	1,56
lühverlust	6,83	0,58	13,90	2,87	7,65	1,30
Kieselsäure und nicht Be-stimmtes	70,19	5,96	53,39	11,07	47,90	8,12
Summa	100,00	8,50	100,00	20,70	100,00	17,00
) entspr. wasserhalt. Thon	30,36	2,58	45,39	9,37	31,29	5,34

b. Vertheilung des kohlensauren Kalkes im Diluvialmergel.

(Mit dem SCHEIBLER'schen Apparate.)

In Procenten	Grand über 2mm	Sand					Staub		Feinste Theile unter 0,01mm	Summa
		2–1mm	1–0,5mm	0,5–0,2mm	0,2–0,1mm	0,1–0,05mm	0,05–0,02mm	0,02–0,01mm		
es Theilprodukts	19,12	16,20	7,23	2,82	2,39	4,97	8,93	9,80	20,88	—
es Gesammtbodens										
1. Bestimmung	0,38	0,62	0,47	0,45	0,70	0,70	0,68	0,33	3,56	7,89
2.	—	—	—	—	—	—	—	—	—	7,78

c. Salzsäure-Auszug der Feinsten Theile.

Aufschliessung mit concentrirter kochender Salzsäure.

Bestandtheile	Lehmiger Sand in Procenten des		Lehm in Procenten des		Mergel in Procenten des	
	Schlämm-produkts	Gesammt-bodens	Schlämm-produkts	Gesammt-bodens	Schlämm-produkts	Gesammt-bodens
Kieselsäure . . .	8,77	0,74	18,19	3,76	11,86	2,02
Thonerde	5,83	0,50	11,63	2,40	5,14	0,88
Eisenoxyd . . .	4,37	0,37	9,86	2,04	6,31	1,08
Magnesia. . . .	0,95	0,08	1,45	0,30	1,14	0,20
Kalkerde. . . .	0,63	0,05	1,40	0,29	13,11	2,24
Kohlensäure . .	fehlt	—	fehlt	—	9,18	1,56
Phosphorsäure . .	0,13	0,011	0,11	0,023	0,14	0,024
Glühverlust . . .	6,83	0,58	13,90	2,87	7,65	1,30
Kieselsäure u. nicht Bestimmtes . .	72,49	6,17	43,46	9,02	45,47	7,70
Summa	100,00	8,50	100,00	20,70	100,00	17,00

d. Salzsäure-Auszug des Gesammtbodens.

Aufschliessung wie oben.

Bestandtheile	Lehmiger Sand	Lehm	Mergel
Kieselsäure . . .	1,09	5,19	2,89
Thonerde	0,70	3,49	1,47
Eisenoxyd . . .	0,73	2,97	1,52
Magnesia	0,10	0,42	0,29
Kalkerde	0,07	0,35	4,66
Kohlensäure . . .	fehlt	fehlt	3,44
Phosphorsäure . . .	0,013	0,035	0,057
Nicht Gelöstes und nicht Bestimmtes .	97,30	87,55	85,74
Summa	100,00	100,00	100,00

Unterer Diluvialmergel.
(Sect. Ketzin 10.)
Ludwig Dulk.
Mechanische Analyse.

Fundort	Grand über 2mm	Sand 2–1mm	Sand 1–0,1mm	Sand 0,1–0,05mm	Staub 0,05–0,01mm	Feinste Theile unter 0,01mm	Summa	Kohlensaurer Kalk
Lehmgrube 30. Kartzow, des Weges { I. ca. 12 Dcm. / II. - 2 - } unter Lehm								
N.-Abhang des Mühlenberges bei Alt-Töplitz	2,8	3,9	52,7	9,7	9,9	21,0	100,0	10,38

(66,3 spanning over 3,9 / 52,7 / 9,7)

Unterer Diluvialmergel im Uebergang zum Thonmergel.
(Sect. Ketzin 10.)
Ludwig Dulk.
Mechanische Analyse.

Fundort	Grand	Sand 2–1mm	Sand 1–0,1mm	Sand 0,1–0,05mm	Staub	Feinste Theile	Summa	Kohlensaurer Kalk
Thongrube bei Phöben. Mächtigste Bank mit graublauer Farbe		32,2	5,4		16,8	45,6	100,0	10,07
N. Paretz von gelblicher Farbe		24,1	3,5		23,8	47,2	98,6	

(37,6 spanning over 32,2 / 5,4; 27,6 spanning over 24,1 / 3,5)

Profil des Unteren Diluvialmergels.
Gegend N. Eiche. (Sect. Ketzin 10.)
·Ludwig dulk.

I. Mechanische Analyse.

Profil	Grand über 2mm	Sand				Staub 0,05–0,01mm	Feinste Theile unter 0,01mm	Summa
		2–1mm	1–0,5mm	0,5–0,1mm	0,1–0,05mm			
						11,9	10,4	100,0
							10,1	100,0
					,8	16,9		
Diluvial-mergel	2,2	68,0				10,4	15,9	96,5 + 3,5 Ca CO³
		1,2	3,4	47,8	15,6			

II. Chemische Analyse.

a. Chemische Analyse der Feinsten Theile.

Aufschliessung mit kohlensaurem Natron.

andtheile	Lehmiger Sand in Procenten des		Lehmiger Sand in Procenten des		Sandiger Lehm in Procenten des		Mergel in Procenten des	
	Schlämm-produkts	Gesammt-bodens	Schlämm-produkts	Gesammt-bodens	Schlämm-produkts	Gesammt-bodens	Schlämm-produkts	Gesammt-bodens
äure . . .	60,47	6,29	65,24	6,58	54,77	9,38 ·	50,00	8,54
ıde	12,22 †)	1,27 †)	14,00 †)	1,41 †)	17,65 †)	3,02 †)	13,71 †)	2,34 †)
xyd	6,11	0,63	5,70	0,58	9,52	1,63	8,39	1,43
s. Kalk-	fehlt	—	fehlt	—	fehlt	—	6,94	1,18
ırlust und t.Bestimm-	21,20	2,21	15,06	1,53	18,06	3,07	20,96	3,58
Summa	100,00	10,40	100,00	10,10	100,00	17,10	100,00	17,07
tspr. was-halt. Thon	30,76	3,20	35,25	3,55	44,44	7,61	34,51	5,89 ·

b. Vertheilung des kohlensauren Kalkes im Diluvialmergel
(mit dem SCHEIBLER'schen Apparate bestimmt).

In Procenten	Grand über 2mm	Sand + Staub 2,0 + 0,01mm	Feinste Theile unter 0,01mm	Summa
des Theilprodukts . . .	6,50	2,75	6,94	—
des Gesammtbodens . .	0,15	2,22	1,18	3,55

Unterer Diluvialmergel.

Kempfstücken bei Stolpe. (Sect. Fahrland 13.)

ERNST LAUFER.

I. Mechanische Analyse.

Mäch-tigkeit Decimet.	Profil	Grand über 2mm	Sand					Staub 0,05-0,01mm	Feinste Theile unter 0,01mm	Summa
			2-1mm	1-0,5mm	0,5-0,2mm	0,2-0,1mm	0,1-0,05mm			
5,8	Lehmiger Sand	0,8			88,1			6,4	4,3	99,6
			1,5	6,0	19,3	44,6	16,7			
2,10	Lehm	0,7			59,2			15,1	23,5	98,5
			0,8	3,4	11,5	29,9	13,6			
10+	Diluvial-mergel	1,7			62,6			15,4	19,5	99,2
			1,3	3,7	12,1	33,6	11,9			

II. Chemische Analyse.

a. Chemische Analyse der Feinsten Theile.

Aufschliessung mit Flusssäure.

Bestandtheile	Lehmiger Sand in Procenten des		Lehm in Procenten des		Mergel in Procenten des	
	Schlämm-produkts	Gesammt-bodens	Schlämm-produkts	Gesammt-bodens	Schlämm-produkts	Gesammt-bodens.
Thonerde . . .	13,82†)	0,57†)	15,99†)	3,76†)	13,54†)	2,64†)
Eisenoxyd . . .	4,31	0,18	7,44	1,75	6,20	1,21
Kali	2,83	0,12	3,27	0,77	3,33	0,65
Kalkerde. . . .	0,43	0,02	2,00	0,47	9,08	1,77
Kohlensäure . .	fehlt	—	fehlt	—	3,02	0,59
Phosphorsäure. .	Spur	—	Spur	—	Spur	—
Glühverlust. . .	6,53	0,28	5,81	1,36	8,65	1,69
Kieselsäure u. nicht Bestimmtes . .	72,58	3,12	65,49	15,44	56,18	10,95
Summa	100,00	4,29	100,00	23,55	100,00	19,50
†) entspr. wasserh. Thon	33,53	1,44	40,27	9,46	30,08	6,64

b. Vertheilung des kohlensauren Kalkes im Mergel.

In Procenten	Grand über 2mm	Sand					Staub 0,05–0,01mm	Feinste Theile unter 0,01mm
		2–1mm	1–0,5mm	0,5–0,2mm	0,2–0,1mm	1–0,05mm		
des Theilprodukts .	22,25	23,81	7,92	1,72	1,73	3,91	8,49	6,86
des Gesammtbodens	0,39	0,30	0,30	0,21	0,58	0,46	1,30	1,34

Unterer Diluvialmergel.

Bornstedt, unterhalb des Orangeriegebäudes. (Sect. Fahrland. 13.)

Ernst Laufer.

I. Mechanische Analyse.

Mächtigkeit Decimet.	Profil	Grand über 2mm	2- 1mm	1- 0,5mm	0,5- 0,2mm	0,2- 0,01mm	0,1- 0,05mm	Staub *) 0,05- 0,01mm	Feinste Theile unter 0,01mm	Summa
2,5	Lehmiger Sand	4,1			78,6			9,4	7,2	99,3
			3,7	—	64,1	—	10,8			
2,4	Lehm	2,9			51,2			11,5	34,9	100,5
			2,2	—	40,4	—	8,6			
15+	Diluvialmergel I. Probe	3,1			50,0			13,5	33,4	100,0
			2,8	4,6	12,9	19,0	10,7			
	Desgl. II. Probe	0,6			44,7			16,5	25,0	86,8 + 12,3 Ca CO³
			2,0	4,2	28,4		10,1			

*) Der Staub ist weiter zerlegt in Körner von:

	Lehmiger Sand	Lehm	Diluvialmergel I.
0,5-0,02mm	7,3	8,7	10,4
0,02-0,01mm	2,1	2,8	3,1

II. Chemische Analyse der Feinsten Theile.

Aufschliessung mit Flusssäure.

Bestandtheile	Lehmiger Sand in Procenten des		Lehm in Procenten des	
	Schlämmprodukts	Gesammtbodens	Schlämmprodukts	Gesammtbodens
Thonerde	13,84†)	1,00†)	18,42†)	6,43†)
Eisenoxyd	5,29	0,38	8,38	2,92
†) entspr. wasserhalt. Thon	34,84	2,5	46,36	16,2

Chemische Analyse der Feinsten Theile des Mergels.

Erste Probe.

Bestandtheile	Aufschliessung mit Salzsäure in Procenten des		Aufschliessung mit conc. Schwefelsäure in Procenten des		Aufschliessung des Rückstandes mit Soda u. Flusssäure in Procenten des	
	Schlämm-produkts	Gesammt-bodens	Schlämm-produkts	Gesammt-bodens	Schlämm-produkts	Gesammt-bodens
Thonerde . . .	1,60†)	0,53†)	11,38†)	3,80†)	3,66†)	1,22†)
Eisenoxyd . . .	0,75	0,25	5,63	1,88	Spur	—
Kalkerde	9,73	3,25	—	—	Spur	—
Manganoxydul . .	0,14	0,05	—	—	—	—
Magnesia. . . .	0,48	0,16	0,62	0,21	0,05	0,02
Kali	0,08	0,03	2,03	0,68	1,77	0,59
Natron	Spur	—	2,11	0,70	0,27	0,09
Kohlensäure. . .	5,71	1,91	—	—	—	—
Phosphorsäure . .	0,091	0,03	—	—	—	—
Kieselsäure . . .	0,33 (in Lösung)	0,11	—	—	—	—
Wasser und orga-nische Substanz	8,14	2,72	—	—	—	—
Summa	27,051	9,04	21,77	7,27	52,94	17,68
†) entspr. wasserhalt. Thon	3,03	1,34	28,64	9,27	9,21	3,08

Gesammtanalyse der Feinsten Theile.

Bestandtheile	In Procenten des Schlämmprodukts	In Procenten des Gesammtbodens	Durch Wasser löslich w Gesammtboden: 0,09
			Kieselsäure . . . .
Thonerde . . . . $=$	16,64 †)	5,56 ††)	Chlor . . . . . .
Eisenoxyd [1]) . . . $=$	6,38	2,13	Schwefelsäure . . .
Kalkerde . . . . $=$	9,73	3,25	Kalkerde . . . . .
Manganoxydul . . . $=$	0,14	0,05	Magnesia . . . . .
Magnesia . . . . $=$	1,15	0,38	Kohlensäure resp. Hu-
Kali . . . . . $=$	3,38	1,30	mussäure u. Natron
Natron . . . . $=$	2,38	0,79	
Kohlensäure . . . $=$	5,71 *)	1,91 **)	
Phosphorsäure . . . $=$	0,091	0,03	†) entspr. wasserhalt. Tho
Kieselsäure . . . . $=$	47,52	15,87	††) - - -
Chlor . . . . . $=$	0,0013	—	*) - kohlensaur. Kal
Schwefelsäure . . . $=$	0,0076	—	**) - - -
Wasser u. organische Substanz . . . . $=$	8,14	2,72	

Summa | 101,6299 | —

[1]) Ein grosser Theil desselben als Oxydul im Boden.

Petrographische Untersuchung
des Schlämmrückstandes (über 3,0—0,1^{mm} D.) des Diluvialmergels

Korngrösse	Procente des Gesammtbodens	Quarz	Feldspath (etwas verunreinigt mit Quarz)	Feldspathreiches Gestein (granitisch)	Kalkstein (meist silur)	Sandstein	Unbestimmbar	
Ueber 3,0^{mm}	2,46	11,97	0,86	23,33	55,14	6,35 (meist grauer)	2,34	(t
3,0-2,0^{mm}	1,16	24,01	0,92	11,46	54,63	0,69	8,29	
2,0-1,0^{mm}	2,82	46,29	7,55 (verunreinigt) 4,05 (reiner Feldspath)	6,15	22,73	fehlt, oder unbestimmbar	13,23	
1,0-0,5^{mm}	4,60	78,57	[. . . . . nicht bestimmt . . . .]					C
0,5-0,2^{mm}	12,95	[. . . . . nicht bestimmt . . . .]						C
Unter 0,2^{mm}	19,02	[. . . . . nicht bestimmt . . . .]						C

Unterer Diluvialmergel.

Steinstücken, nahe am Dorfe. (Sect. Potsdam 14.)

ERNST LAUFER.

I. Mechanische Analyse.

Mächtigkeit Decimet.	Profil	Grand über 2mm	2-1mm	1-0,5mm	0,5-0,1mm	0,1-0,05mm	Staub 0,05-0,01mm	Feinste Theile unter 0,01mm	Summa
5-10	Lehmiger Sand	3,4	81,7				6,1	8,5	99,7
			1,8	4,8	60,9	14,2			
10	Lehm	2,4	53,5				17,0	26,7	99,6
			1,7	4,5	35,7	11,6			
10 +	Mergel	1,6	38,7				17,9	28,8	87,0 + 13,1 CaCO₃
			1,6	4,1	24,7	8,3			

II. Chemische Analyse der Feinsten Theile.

Aufschliessung mit Flusssäure.

Bestandtheile	Lehmiger Sand in Procenten des		Lehm in Procenten des		Mergel in Procenten des	
	Schlämm-produkts	Gesammt-bodens	Schlämm-produkts	Gesammt-bodens	Schlämm-produkts	Gesammt-bodens
Thonerde	13,83 *)	1,17 *)	19,83 *)	5,29 *)	13,60 *)	4,69 *)
Eisenoxyd	6,68	0,57	7,76	2,07	6,80	2,35
Kali	—	—	—	—	4,35	1,50
Kalkerde	0,91	0,08	1,09	0,29	11,09	3,83
Kohlensäure	fehlt	—	fehlt	—	7,87 **)	2,71 **)
Glühverlust	—	—	—	—	6,42	2,25
Kieselsäure und nicht Bestimmtes	—	—	—	—	49,87	17,20
Summa	—	—	—	—	100,00	34,53
*) entspr. wasserhaltigem Thon	34,81	2,96	49,91	13,32	34,23	11,81
**) entspr. kohlensaurem Kalk	—	—	—	—	17,89	5,72

Unterer Diluvialmergel.
Stangenhagen. (Sect. Wildenbruch 15.)
ERNST SCHULZ.

I. Mechanische Analyse.

Grand über 2ᵐᵐ	S a n d			Staub 0,05–0,01ᵐᵐ	Feinste Theile unter 0,01ᵐᵐ	Summa
	2–0,5ᵐᵐ	0,5–0,1ᵐᵐ	0,1–0,05ᵐᵐ			
5,5	·52,3			8,3	34,1	100,2
	8,8	35,3	8,2			

II. Chemische Analyse.
a. Chemische Analyse der Feinsten Theile und des Staubes.
Aufschliessung mit kohlensaurem Natron.

Bestandtheile	Feinste Theile (34,1 pCt.) in Procenten des		Staub (8,3 pCt.) in Procenten des	
	Schlämm-produkts	Gesammt-bodens	Schlämm-produkts	Gesammt-bodens
Thonerde	14,06 *)	4,79 *)	5,89	0,49
Eisenoxyd	6,35	—	2,42	—
*) entspr. wasserhalt. Thon	35,39	12,06		

b. Vertheilung des kohlensauren Kalkes.

In Procenten	Grand über 2ᵐᵐ	S a n d			Staub 0,05–0,01ᵐᵐ	Feinste Theile unter 0,01ᵐᵐ	Gesammt-Kalk-gehalt
		2–0,5ᵐᵐ	0,5–0,1ᵐᵐ	0,1–0,05ᵐᵐ			
der Theilprodukte	64,40	19,34			5,04	14,95	—
		10,28	3,48	5,58			
des Gesammtbodens	3,52	2,60			0,42	5,09	11,63
		0,91	1,23	0,46			

Zweite Bestimmung direct gefunden 9,76

Gesammtdurchschnitt 10,69

Unterer Diluvialmergel.
Stücken-Körzin. (Sect. Wildenbruch 15.)
ERNST SCHULZ.

I. Mechanische Analyse.

Grand	Sand			Staub	Feinste Theile	Summa
über 2^{mm}	2-0,5^{mm}	0,5-0,1^{mm}	0,1-0,05^{mm}	0,05-0,01^{mm}	unter 0,01^{mm}	
1,1	54,8			9,4	34,7	100,0
	10,1	34,6	10,1			

II. Chemische Analyse.

a. Chemische Analyse der Feinsten Theile und des Staubes.
Aufschliessung mit kohlensaurem Natron.

Bestandtheile	Feinste Theile (34,7 pCt.) in Procenten des		Staub (9,4 pCt.) in Procenten des	
	Schlämm-produkts	Gesammt-bodens	Schlämm-produkts	Gesammt-bodens
Thonerde	15,14 *)	5,25 *)	7,67	0,72
Eisenoxyd	6,07	—	2,14	—
*) entspr. wasserhalt. Thon	38,11	13,21		

b. Vertheilung des kohlensauren Kalkes.

In Procenten	Grand über 2^{mm}	Sand			Staub 0,05-0,01^{mm}	Feinste Theile unter 0,01^{mm}	Gesammt-Kalk-gehalt
		2-0,5^{mm}	0,5-0,1^{mm}	0,1-0,05^{mm}			
des Theilprodukts	40,00	11,51			12,10	14,70	—
		2,17	3,90	5,44			
des Gesammtbodens	0,44	2,12			1,15	5,13	8,84
		0,22	1,35	0,55			

Zweite Bestimmung direct gefunden 10,85

Gesammtdurchschnitt 9,48

Unterer Diluvialmergel.
Schiass. (Sect. Wildenbruch 15.)
ERNST SCHULZ.

I. Mechanische Analyse.

Grand über 2^{mm}	S a n d			Staub	Feinste Theile	Summa
	2-0,5^{mm}	0,5-0,1^{mm}	0,1-0,05^{mm}	0,05-0,01^{mm}	unter 0,01^{mm}	
1,6	77,2			8,1	13,0	99,9
	7,5	51,5	18,2			

II. Chemische Analyse.

a. Chemische Analyse der Feinsten Theile und des Staubes.
Aufschliessung mit kohlensaurem Natron.

Bestandtheile	Feinste Theile (13,0 pCt.) in Procenten des		Staub (8,1 pCt.) in Procenten des	
	Schlämm-produkts	Gesammt-bodens	Schlämm-produkts	Gesammt-bodens
Thonerde	10,92 †)	1,42 †)	6,54	0,53
Eisenoxyd	6,76	—	2,84	—
†) entspr. wasserhalt. Thon	27,48	3,57	—	—

b. Vertheilung des kohlensauren Kalkes.

In Procenten	Grand über 2^{mm}	S a n d			Staub 0,05-0,01^{mm}	Feinste Theile unter 0,01^{mm}	Gesammt-Kalk-gehalt
		2-0,5^{mm}	0,5-0,1^{mm}	0,1-0,05^{mm}			
des Theilprodukts	41,25	6,85			7,07	17,59	—
		3,85	0,96	2,04			
des Gesammtbodens	0,66	1,15			0,57	2,29	4,67
		0,29	0,49	0,37			

Zweite Bestimmung direct gefunden 6,35
Dritte   -   -   -   6,60

Gesammtdurchschnitt . .   5,57

Muschelführender Diluvialmergel.

Vorwerk Breite. (Sect. Wildenbruch 15.)

ERNST SCHULZ.

I. Mechanische Analyse.

Profil		Grand über 2^{mm}	Sand			Staub 0,05– 0,01^{mm}	Feinste Theile unter 0,01^{mm}	Summa
			2– 0,5^{mm}	0,5– 0,1^{mm}	0,1– 0,05^{mm}			
I.	Obere Lage	0,8	78,3			7,5	13,3	99,9
			9,7	52,9	15,7			
II.	Mittlere Lage	1,4	71,3			9,5	17,7	99,9
			7,6	48,8	14,9			
III.	Untere Lage	0,4	58,0			12,0	29,6	100,0
			5,0	32,7	20,3			

II. Chemische Analyse.

a) Chemische Analyse der Feinsten Theile.

Aufschliessung mit kohlensaurem Natron.

Bestandtheile	I. (13,3 pCt.) in Procenten des		II. (17,7 pCt.) in Procenten des		III. (29,6 pCt.) in Procenten des	
	Schlämm-produkts	Gesammt-bodens	Schlämm-produkts	Gesammt-bodens	Schlämm-produkts	Gesammt-bodens
Thonerde . . .	9,41 *)	1,25 *)	9,46 *)	1,67 *)	7,88 *)	2,33 *)
Eisenoxyd . . .	5,47	—	3,42	—	4,56	—
*) entspr. wasser- haltigem Thon	23,68	3,15	23,81	4,20	19,83	5,86

b) Chemische Analyse des Staubes.

Aufschliessung mit kohlensaurem Natron.

Bestandtheile	I. (7,5 pCt.) in Procenten des		II. (9,5 pCt.) in Procenten des		III. (12,0 pCt.) in Procenten des	
	Schlämm-produkts	Gesammt-bodens	Schlämm-produkts	Gesammt-bodens	Schlämm-produkts	Gesammt-bodens
Thonerde . . .	5,99	0,45	5,64	0,53	4,71	0,56
Eisenoxyd . . .	1,66	—	1,28	—	1,83	—

c) Vertheilung des kohlensauren Kalkes.

In Procenten	Grand über 2mm	Sand			Staub 0,05–0,01mm	Feinste Theile unter 0,01mm	Gesammt-kalk-gehalt
		2–0,5mm	0,5–0,1mm	0,1–0,05mm			

I. Obere Lage.

	Grand über 2mm	Sand			Staub	Feinste Theile	Gesammtkalk
des Theilprodukts	0,00	5,92			12,50	32,99	—
		0,62	1,21	4,09			
des Gesammtbodens	0,00	1,34			0,94	4,40	6,68
		0,06	0,64	0,64			

Zweite Bestimmung direct gefunden 7,68

Gesammtdurchschnitt 7,18

II. Mittlere Lage.

	Grand	Sand			Staub	Feinste Theile	Gesammtkalk
des Theilprodukts	5,72	12,81			10,51	32,40	—
		4,73	1,54	6,54			
des Gesammtbodens	0,08	2,09			0,99	5,74	8,90
		0,36	0,75	0,98			

Zweite Bestimmung direct gefunden 11,30

Dritte Bestimmung direct gefunden 10,55

Gesammtdurchschnitt 9,91

III. Untere Lage.

	Grand	Sand			Staub	Feinste Theile	Gesammtkalk
des Theilprodukts	5,00	9,58			12,54	16,45	—
		2,80	1,60	5,18			
des Gesammtbodens	0,02	3,71			3,41	11,07	18,21
		0,14	1,18	2,39			

Zweite Bestimmung direct gefunden 19,81

Dritte Bestimmung direct gefunden 19,71

Gesammtdurchschnitt 18,98

d) Kohlenstoff im Gesammtboden von II. 0,90 pCt.

Sehr sandiger Unterer Diluvialmergel.

Mergelgrube am W.-Ende von Diedersdorf. (Sect. Lichtenrade 20.)

LUDWIG DULK.

I. Mechanische Analyse.

Mäch-tigkeit Decimet.	Grand über 2^{mm}	Sand				Staub $0,05-$ $0,01^{mm}$	Feinste Theile unter $0,01^{mm}$	Summa
		$2-$ 1^{mm}	$1-$ $0,5^{mm}$	$0,5-$ $0,1^{mm}$	$0,1-$ $0,05^{mm}$			
15+	2,5		69,0			9,8..	13,6 *)	94,9 + 5,1 CaCO$_3$
		3,3	7,5	47,5	10,7			

*) Die unveränderten kalkhaltigen Feinsten Theile betragen 15,16 pCt.

II. Kalkbestimmungen (mit dem SCHEIBLER'schen Apparate).

a) Kalkgehalt im sehr sandigen Mergel $\begin{cases} \text{1ste Best. 5,00 pCt.} \\ \text{2te } - \text{ 5,22 } - \end{cases}$

Durchschnitt 5,11 pCt.

b) Kalkgehalt der Feinsten Theile desselben:

In Procenten des Theilprodukts 10,19

- - - Gesammtbodens 1,54.

Unterer Diluvialmergel bis Thonmergel.

Niederlöhmer Ziegeleigruben. (Sect. Königs-Wusterhausen 23.)

ERNST LAUFER.

Mechanische Analyse.

Grand über 2^{mm}	Sand				Staub $0,05-$ $0,01^{mm}$	Feinste Theile unter $0,01^{mm}$	Summa
	$2-$ 1^{mm}	$1-$ $0,5^{mm}$	$0,5-$ $0,1^{mm}$	$0,1-$ $0,05^{mm}$			
0,0		32,3			15,3	40,3	87,9 + 12,1 CaCO$_3$
	0,5	1,0	17,4	13,4			

Diese mechanische Analyse kommt, wie schon die äussere Beschaffenheit dieses Gebildes vermuthen liess, nahe der des Veltener Töpferthones, nur ist der Kalkgehalt des letzteren höher (16—18 pCt.), siehe Special-Erläuterung zu Sect. Oranienburg, S. 19 u. 20.

10*

Unterer Diluvialmergel.

Gruben der Neuen Ziegelei bei Königs-Wusterhausen.

(Sect. Königs-Wusterhausen 23.)

ERNST LAUFER.

Mechanische Analyse.

Grand über 2^{mm}	Sand				Staub $0,05-$ $0,01^{mm}$	Feinste Theile unter $0,01^{mm}$	Summa
	$2-$ 1^{mm}	$1-$ $0,5^{mm}$	$0,5-$ $0,1^{mm}$	$0,1-$ $0,05^{mm}$			
3,2	64,3				10,3	15,5	93,3 + 7,7 $CaCO_3$
	2,7	6,3	44,8	10,5			

Profil des Unteren Diluvialmergels.

Schöneicher Plan. Grube von Plettenberg. (Sect. Mittenwalde 24.)

FELIX WAHNSCHAFFE.

Profil	Kohlensaurer Kalk	Mechanische Analyse des entkalkten Gesammtbodens						Summa
		Sand				Staub $0,05-$ $0,01^{mm}$	Feinste Theile unter $0,01^{mm}$	
		$2-$ 1^{mm}	$1-$ $0,5^{mm}$	$0,5-$ $0,1^{mm}$	$0,1-$ $0,05^{mm}$			
Obere Bank aus 2^m Tiefe	13,54	39,75				11,56	35,15	100,00
		1,40	2,56	22,70	13,09			
Untere Bank aus 4^m Tiefe	12,65	30,11				19,55	37,69	100,00
		0,87	1,60	15,90	11,74			

Unterer Diluvialmergel.

Tasdorf. SW., am Bahnhof Rüdersdorf (Sect. Rüdersdorf 25).

I. Mechanische Analyse.

a. Mit dem Schöne'schen Apparate.

Ludwig Dulk.

Mächtigkeit Decimet.	Profil	Grand über 3mm	Sand					Staub		Feinste Theile unter 0,01mm	Summa
			$3-1$mm	$1-0,5$mm	$0,5-0,2$mm	$0,2-0,1$mm	$0,1-0,05$mm	$0,05-0,02$mm	$0,02-0,01$mm		
7	Lehmiger Sand, unterhalb der Ackerkrume	0,9	79,2					9,7		10,9	100,7
			3,5	7,6	25,2	25,3	17,6	7,7	2,0		
4	Lehm	0,6	61,3					9,6		28,7	—
			3,8	7,8	17,8	19,0	13,4	7,1	2,5		
30+	Diluvialmergel	—	68,7					11,0		19,7	99,4
			4,3	8,9	24,1	15,5	15,9	9,4	1,6		

b. Mit dem Nöbel'schen Apparate.

Ernst Laufer.

Mächtigkeit Decimet.	Profil	Schlämmrückstand in Tr. No. 2.	III. Tr. No. 3.	II. Tr. No. 4.	I. Auslauf	Summa
3	Lehmiger Sand (Ackerkrume)	82,8	3,7	3,6	9,9	100,0
4	Lehmiger Sand	83,6	3,0	3,4	10,2	100,2
4.	Lehm	61,4	4,2	7,6	26,2	99,4
30+	Diluvialmergel	76,7	2,3	4,9	15,7	99,6

II. Petrographische Bestimmung.

Ernst Laufer.

a. Kies und Sand aus dem Mergel.

Körnung	über 3^{mm} pCt.	3-1^{mm} pCt.	1-0,5^{mm} pCt.
Granit und Gneiss	32,2	10,2	—
Porphyr	23,6	—	—
Feldspath	—	24,9	3,1
Kalkstein	—	11,7	—
Feuerstein	13,9	1,8	—
Quarz	—	42,1	80,0
Unbestimmbar	29,6	9,3	16,4
Summa	97,3	100,0	99,5
Antheil am Gesammtboden .	0,7	6,3	12,9

Bei einer zweiten Probe. enthielt der Kies über 3^{mm} D. (von 500 Grm. Boden = 14,8 pCt.):

Granit und Gneiss. . . = 3,0 pCt.
Porphyr . . . . . . = 2,1 -
Feldspath . . . . . = 1,0 -
Kalkstein . . . . . = 80,2 - (1 Stein = 58,3)
Feuerstein . . . . . = 0,5 -
Quarz . . . . = 11,4 -
Unbestimmbar . . . . = 1,6 -
                     99,8 pCt.

b. Kies und Sand der zugehörigen Bildungen.

Lehmiger Sand (Ackerkrume)	3-1^{mm} pCt.	1-0,5^{mm} pCt.
Quarz	—	92,6
Lehmiger Sand (unterhalb der Ackerkrume)		
Granit und Gneiss	9,0	—
Diorit	0,9	—
Feldspath	18,8	—
Feuerstein	9,7	—
Quarz	51,0	83,7
Unbestimmbar	11,5	das Uebrige ist
	100,5	nicht bestimmt
Lehm		
Granit und Gneiss	13,3	—
Feldspath	22,1	10,5
Quarz	60,1	87,8
Unbestimmbar	5,0	1,9
	100,5	100,2

III. Chemische Analyse
A. des Diluvialmergels.

α) Aufschliessung mit conc. Schwefelsäure.

FELIX WAHNSCHAFFE.

Bestandtheile	Staub in Procenten des		Feinste Theile in Procenten des		Staub und Feinste Theile in Procenten des
	Schlämm-produkts	Gesammt-bodens	Schlämm-produkts	Gesammt-bodens	Gesammtbodens
Lösliche Kieselsäure	6,72	0,56	22,40	3,74	4,30
Thonerde . . .	5,20†)	0,43†)	14,84†)	2,48†)	2,91†)
Eisenoxyd . . .	2,30	0,19	4,97	0,83	1,02
Kohlensäure . .	2,09††)	0,17	5,17††)	0,86	1,03
Summe der aufge-geschlossenen Be-standtheile incl. Glühverlust . .	23,05	1,92	64,28	10,74	12,66
Quarz u. unaufge-schlossene Silicate	76,95	6,42	35,72	5,97	12,39
†) entspr. wasserh. Thon	13,09	1,08	37,26	6,24	7,32
††) entspr. kohlens. Kalk	4,75		11,75		

LUDWIG DULK.

Bestandtheile	Schlämmprodukt bei 0,1^mm Geschw. 17,6 pCt. in Procenten des Schlämmprodukts	Schlämmprodukt bei 0,02^mm Geschw. 12,8 pCt. in Procenten des Schlämmprodukts
Wasserhaltiger Thon . . . . —	49,3	55,9
Eisenoxyd	4,04	5,07
Kali	1,81	2,05
Natron	0,10	0,12
Kohlensaure Kalkerde	10,59	9,75

β) Vertheilung der Phosphorsäuremengen im Diluvialmergel.

FELIX WAHNSCHAFFE.

Die Theilprodukte enthalten:

	in Procenten derselben	des Gesammtbodens
Sand	0,081	0,061
Staub	0,20	0,017
Feinste Theile . .	0,21	0,035

Phosphorsäure zusammen 0,113 pCt. des Gesammtbodens

Chemische Analyse
B. des lehmigen Sandes, Lehmes und Mergels.
α) Aufschliessung mit conc. Schwefelsäure.

Felix Wahnschaffe.

Bestandtheile	Lehmiger Sand		Lehm		Mergel	
	Staub*)	Feinste Theile	Staub*)	Feinste Theile	Staub*)	Feinste Theile
Lösliche Kieselsäure	2,83	17,33	19,57	33,17	6,72	22,40
Thonerde . . .	2,29†)	11,70†)	12,71†)	19,63†)	5,20†)	14,84†)
Eisenoxyd . . .	1,04	3,93	4,96	8,60	2,30	4,97
Kohlensäure . .	fehlt	fehlt	fehlt	fehlt	2,09 entspr. 4,75 CaCO³	5,17 entspr. 11,75 Ca CO³
Quarz u. ungelöste Silicate . . .	91,84	57,42	54,62	25,38	76,95	35,72
†) entspr. wasserhalt. Thon	5,8	29,4	32,0	49,4	13,1	37,3

*) (incl. Concretionen.)

Ludwig Dulk.

Bestandtheile	Lehmiger Sand Schlämmprodukt bei		Lehm Schlämmprodukt bei		Mergel Schlämmprodukt bei	
	0,1mm Geschw. 9,4 pCt.	0,02mm Geschw. 6,3 pCt.	0,1mm Geschw. 26,2pCt.	0,02mm Geschw. 21,0 pCt.	0,1mm Geschw. 17,6 pCt.	0,02mm Geschw. 12,8 pCt.
Wasserhaltiger Thon . .	31,1	43,6	58,9	71,8	49,3	55,9
Eisenoxyd	3,67	4,68	7,26	4,69	4,04	5,07
Kali	1,25	1,30	1,08	2,01	1,81	2,05
Kohlensaure Kalkerde .	fehlt	fehlt	fehlt	fehlt	10,59	9,75

β) Bestimmung der in kohlensaurem Natron löslichen Kieselsäure des Gesammtbodens.

Ludwig Dulk.

Lehmiger Sand (Ackerkrume) . . . . 0,132 pCt.
Lehmiger Sand (unterhalb der Ackerkrume) . . 0,036 -
Lehm . . . . 0,031 -
Mergel . . . . 0,055 -

Thongehalt

der Schlämmprodukte des Profiles des Unteren Diluvialmergels.

Bahnhof Rüdersdorf.

Aufschliessungen mit concentrirter Schwefelsäure in der Schale.

Geschwindig-keit	Lehmiger Sand	Lehm	Mergel	Mergel, auf kalk-freie Substanz berechnet
In Procenten des Schlämmprodukts.				
2,0^{mm}	5,8	32,0	13,1	13,7
0,2^{mm}	29,4	49,4	37,3	42,3
0,1^{mm}	31,1	58,9	49,3	55,1
0,02^{mm}	43,6	71,8	55,9	61,9
In Procenten des Gesammtbodens.				
2,0^{mm}	0,6 ⎱ 3,8	3,0 ⎱ 17,0	1,4 ⎱ 8,8	—
0,2^{mm}	3,2 ⎰	14,2 ⎰	7,4 ⎰	
0,1^{mm}	2,9	15,4	8,7	
0,02^{min}	2,7	15,1	7,2	—

Anm. Die Produkte bei den einzelnen Geschwindigkeiten sind derartig gewonnen, dass bei 2,0^{mm} Geschw. erst abgeschlämmt wurde, nachdem die Probe bei 0,2^{mm} Geschw. geschlämmt war, dagegen ist bei den geringeren Geschwindigkeiten jede Schlämmung unabhängig von der anderen ausgeführt.

Unterer Diluvialmergel über Diluvialthonmergel.
(Mergeliger Geschiebelehm nach ORTH.)

(Sect. Rüdersdorf 25, nahe Mastpfuhl.)

LUDWIG DULK.

Mechanische Analyse.

Sand					Staub		Feinste Theile	Summa
über 1^{mm}	1– 0,5^{mm}	0,5– 0,2^{mm}	0,2– 0,1^{mm}	0,1– 0,05^{mm}	0,05– 0,02^{mm}	0,02^{mm} 0,01^{mm}	unter 0,01^{mm}	
50,2					20,1		28,3	98,6
0,3	0,6	10,9	7,7	30,6	13,2	6,9		

Zur Beurtheilung des Verhältnisses von Sand, Staub und den Feinsten Theilen des Unteren Diluvialmergels (kalkhaltig geschlämmt) sei folgende Zusammenstellung gegeben.

Fundort	Sand	Staub	Feinste Theile
Veltener Ziegeleien	38,0	10,8	46,6
do. do..	32,5	15,5	51,2
S. W. Kemnitzer Wiesen :	70,0	11,0	17,0
Sect. Ketzin	82,6	4,1	13,3
do. do.	69,3	9,4	20,8
do. do.	61,6	10,4	27,0
do. do.	51,4	12,6	34,7
do. do.	66,3	9,9	21,0
Nord-Eiche, Sect. Ketzin	68,0	10,4	15,9
Kempfstücken bei Stolpe	62,6	15,4	19,5
Bornstedt	50,0	13,5	33,4
Stangenhagen	52,3	8,3	34,1
Stücken-Körzin	54,8	9,4	34,7
Schiass	77,2	8,1	13,0
Vorwerk Breite	78,3	7,5	13,3
do. do.	71,3	9,5	17,7
do. do.	58,0	12,0	29,6
Bahnhof Rüdersdorf	68,7	11,0	19,7
Mastpfuhl, Rüdersdorf	50,2	20,1	28,3
Im Durchschnitt	61	11	26

Die Feinsten Theile überwiegen stets procentisch den Staub.
Der Sandgehalt ist meist bedeutend höher als die Summe von
Staub und den Feinsten Theilen. Nur bei einigen Bildungen,
welche bereits zum Diluvialthonmergel hinneigen, übersteigt der
Gehalt an Feinsten Theilen den an sandigen Bestandtheilen.

Nach den seiner Zeit vorliegenden Untersuchungen glaubte
G. Berendt (die Umgegend von Berlin, I. der Nordwesten S. 32)
berechtigt zu sein, für den Unteren Diluvialmergel einen höheren
Kalkgehalt als für den Oberen Diluvialmergel anzunehmen. Die
ferneren Untersuchungen haben diese Ansicht nicht bestätigt. Es
kommt sogar bei dem Unteren Mergel in tieferer Lage ein ebenso
geringer Kalkgehalt vor, als solcher je bei intactem Oberen Mergel
gefunden ist (siehe Tab. I).

Innerhalb der Theilprodukte des Mergels zeigt sich die längst
beobachtete Abnahme des Kalkes vom groben Sande zum feinen
Sande und Zunahme nach den feineren Schlämmprodukten.

Der Thonerdegehalt der Feinsten Theile schwankt zwischen
7,9 bis 16,6 pCt., im Mittel beträgt derselbe 12,5 pCt.

Im Allgemeinen gleichen die Feinsten Theile des Unteren
Diluvialmergels denen des Diluvialthonmergels.

Im Staube zeigt sich ein Gehalt an Thonerde von 6,4 pCt.,
also etwas niedriger als beim Staube der Diluvialthonmergel, immerhin aber hoch genug, um beurtheilen zu können, dass hier noch
Thongehalt vorliegt, zumal wenn man die Zusammensetzung des
Staubes und der Feinsten Theile der reineren Sande betrachtet.

e. A n h a n g.

α. Thonschlamm.

Probe des durch Schlämmen aus dem Unteren Diluvialmergel zur Herstellung von gebrannten Thonsteinen gewonnenen Produktes.

Birkenwerder Ziegeleien. (Sect. Hennigsdorf 8.)

ERNST LAUFER.

I. Mechanische Analyse.

	Sand		Staub	Feinste Theile	Summa
	über 0,1^{mm}	0,1– 0,05^{mm}	0,05– 0,01^{mm}	unter 0,01^{mm}	
Thonschlamm (sog. Reiner Thon)	44,58		19,03	35,30	98,91
	22,24	22,34			

II. Chemische Analyse.

a) Kalkbestimmung mit dem SCHEIBLER'schen Apparate.

Kohlensaurer Kalk in Procenten des Gesammtbodens	im Sand		im Staub	im Feinsten	Gesammt-Kalkgehalt
	über 0,1^{mm}	0,1– 0,05^{mm}	0,05– 0,01^{mm}	unter 0,01^{mm}	
1ste Bestimmung	2,39	3,89	8,99	10,87	26,14
2te Bestimmung			23,63		23,63
3te Bestimmung			23,24		23,24
			Im Durchschnitt		23,43

b) Bestimmung von Thonerde und Eisenoxyd im Thonschlamm.

	Thonerde	Eisenoxyd
Löslich in Salzsäure	0,22 pCt.	0,23 pCt.
Löslich in conc. Schwefelsäure	6,74 -	2,69 -
Summa	6,96 pCt.	2,92 pCt. des Ganzen.

Die Thonerde (6,96 pCt.) entspricht $\begin{cases} 15,08 \text{ pCt. wasserfreiem} \\ 17,75 \text{ - wasserhaltig.} \end{cases}$ Thon, β. **Septarienthon.** (Tertiärer Thonmergel.)

Hermsdorf. (Sect. Hennigsdorf 8.)

Ernst Schulz.

I. Mechanische Analyse.

Grand	Sand					Staub	Feinste Theile	Summa
über 2mm	2–1mm	1–0,5mm	0,5–0,2mm	0,2–0,1mm	0,1–0,05mm	0,05–0,01mm	unter 0,01mm	
—			0,8 (concretionär)			. 13,2	85,4	99,4
			0,5		0,3			

II. Chemische Analyse des Gesammtbodens.

a) Aufschliessung mit Flusssäure.

Bestandtheile	In Procenten des Gesammt- bodens	Bemerkungen
Thonerde.	13,25 *)	*) entspräche 33,36 wasserhaltigem Thon.
Eisenoxyd	5,08	†) 2 Bestimmungen.
Kali	2,87	
Kalkerde	10,81	
Phosphorsäure	0,07 †)	
Glühverlust	14,35	
Kieselsäure und nicht bestimmt . . .	53,56	
Summa	100,00	

b) Kalkgehalt.

Probe aus oberen Lagen . . . . 12,68 pCt.

   - - unteren - . . . . 19,40 -

B. Oberes Diluvium.

a. Oberer Diluvialmergel.

Dorotheenhof. (Sect. Linum 1).

FELIX WAHNSCHAFFE und LUDWIG DULK.

I. Mechanische Analyse.

Mäch-tigkeit Decimet.	Profil	Grand über 2mm	Sand					Staub 0,05– 0,01mm	Feinste Theile unter 0,01mm	Summa
			2– 1mm	1– 0,5mm	0,5– 0,2mm	0,2– 0,1mm	0,1– 0,05mm			
2	Schwach*) lehmiger Sand	1,7	89,3					6,5	2,5	100,0(W)
			0,9	2,0	8,7	53,2	24,5			
	Lehm		nicht untersucht							
	Mergel	1,2	48,2					11,8	38,8	100,0 (D)
			1,7	3,2	8,1	23,9	11,3			

*) Unter 13 Dcm. Flugsand.

II. Chemische Analyse.

a. Chemische Analyse der Feinsten Theile des Diluvialmergels.

Aufschliessung mit Schwefelsäure.

LUDWIG DULK.

Bestandtheile	In Procenten des	
	Schlämmprodukts	Gesammtbodens
Thonerde	11,90 †)	—
Eisenoxyd	5,38	—
Kalkerde	20,66 †)	8,09
†) entspr. wasserhaltigem Thon	29,66	11,62

ḫ. Vertheilung des kohlensauren Kalkes im Diluvialmergel, bestimmt mit dem SCHEIBLER'schen Apparate.

Erste Bestimmung.

Kohlensaurer Kalk in Procenten	im Grand und Sand über 1^{mm}	im Sand 1– 0,05^{mm}	im Staub 0,05– 0,01^{mm}	im Feinsten unter 0,01^{mm}	Gesammt-Kalkgehalt
des Theilprodukts . .	17,05	5,51	12,65	20,86	—
des Gesammtbodens .	0,65	2,51	1,49	8,09	12,74

Zweite Bestimmung.

des Theilprodukts . .	—	11,17		—
des Gesammtbodens .	[0,65]	10,73		11,38

Schwach lehmiger Sand*) des Oberen Diluvialmergels.

Südlich Feldmark Schlaberndorf (Sect. Markau 2).

ERNST SCHULZ.

I. Mechanische Analyse.

Mächtigkeit Decimet.	Grand über 2^{mm}	Sand					Staub 0,05– 0,01^{mm}	Feinste Theile unter 0,01^{mm}	Summa
		2– 1^{mm}	1– 0,5^{mm}	0,5– 0,2^{mm}	0,2– 0,1^{mm}	0,1– 0,05^{mm}			
2-5	—	88,8					9,3	1,8	99,9
		—	1,3	23,4	51,3	12,8			

*) Unter 7—15 Dcm. Oberen Sandes.

Oberer Diluvialmergel.

Callin, bei Grünefeld. (Sect. Nauen 3.)

FELIX WAHNSCHAFFE.

I. Mechanische Analyse.

Mäch-tigkeit Decimet.	Profil	Grand über 2mm	Sand					Staub 0,05-0,01mm	Feinste Theile unter 0,01mm	Summa
			2-1mm	1-0,5mm	0,5-0,2mm	0,2-0,1mm	0,1-0,05mm			
3-8	Lehmiger Sand	1,4	87,1					5,3	6,2	100,0
			1,4	2,8	11,1	61,7	10,1			
3	Lehm	2,9	64,2					12,8	20,1	100,0
			2,2	3,1	13,6	32,0	13,3			
10+	Diluvial-mergel	5,0	59,2					9,6	25,0	98,8
			1,3	5,3	14,9	26,7	11,0			

II. Chemische Analyse.

a. Chemische Analyse der Feinsten Theile.

α. Aufschliessung mit Flusssäure.

Bestandtheile	Lehmiger Sand in Procenten des		Lehm in Procenten des		Diluvialmergel in Procenten des	
	Schlämm-produkts	Gesammt-bodens	Schlämm-produkts	Gesammt-bodens	Schlämm-produkts	Gesammt-bodens
Thonerde . . .	13,51 *)	0,84 *)	19,65 *)	3,95 *)	13,41 *)	3,35 *)
Eisenoxyd . . .	5,76	0,36	9,10	1,83	6,45	1,61
Kali	4,10	0,25	4,80	0,97	4,10	1,03
Kalkerde . . .	0,70	0,04	1,15	0,23	13,03	3,26
Kohlensäure . .	fehlt	—	fehlt	—	7,94	1,98
entspricht $CaCO_3$	—	—	—	—	[18,05]	[4,51]
Phosphorsäure . .	0,23	0,01	0,28	0,06	0,20	0,05
Glühverl. excl. CO_2	5,51	0,34	7,41	1,49	6,06	1,52
Kieselsäure u. nicht Bestimmtes . .	70,19	4,35	57,61	11,58	48,81	12,20
Summa	100,00	6,19	100,00	20,11	100,00	25,00
*) entspr. wasserhalt. Thon	33,01	2,05	49,47	9,94	33,76	8,44

β. Aufschliessung mit concentrirter Schwefelsäure.

Ludwig Dulk.

Bestandtheile	In Procenten des		Bemerkungen
	Theil-produkts	Gesammt-bodens	
Wasserhaltiger Thon .	29,50 *)	7,40	*) Gefundene Thonerde 11,57
Eisenoxyd	6,03	1,51	
Kohlensaurer Kalk . .	21,09**)	5,29	**) Gefundene Kohlensäure 9,36
	43,88	10,89	
Summa	100,00	25,09	

b. Vertheilung des kohlensauren Kalkes im Diluvialmergel.

(Bestimmt mit dem Scheibler'schen Apparate.)

Kohlensaurer Kalk in Procenten	im Grand u. Sand über 1mm	im Sand		im Staub	im Feinsten	Gesammt-kalk-gehalt
		1–0,1mm	0,1–0,05mm	0,05–0,01mm	unter 0,01mm	
des Theilprodukts . .	24,93	5,21	7,95	14,81	21,09	—
des Gesammt-bodens { 1. Best.	1,56 {	2,44	0,87	1,43	5,29	11,59
2. Best.		8,90				10,46
				Im Durchschnitt		11,03

11

Profil des Oberen Diluvialmergels.

Schwante. (Sect. Cremmen 4.)

Felix Wahnschaffe.

I. Mechanische Analyse.

Mäch-tigkeit Decimet.	Profil	Grand über 2mm	Sand 2-1mm	1-0,5mm	0,5-0,2mm	0,2-0,1mm	0,1-0,05mm	Staub 0,05-0,01mm	Feinste Theile unter 0,01mm	Summa
2	Lehmiger Sand	2,3			78,4			9,2	10,0	99,9
			2,0	3,7	18,9	39,0	14,8			
3	Sandiger Lehm	1,5			70,9			14.0	13,5	99,9
			2,2	3,2	12,6	39,2	13,7			
15 +	Oberer Diluvial-mergel	2,2			66,5			13,7	17,8	100,2
			2,3	4,8	19,0	27,7	12,7			

II. Chemische Analyse.

a. Chemische Analyse der Feinsten Theile.

Aufschliessung mit Flusssäure.

Bestandtheile	Lehmiger Sand in Procenten des		Sandiger Lehm in Procenten des		Ob. Diluvialmergel in Procenten des	
	Schlämm-produkts	Gesammt-bodens	Schlämm-produkts	Gesammt-bodens	Schlämm-produkts	Gesammt-bodens
Thonerde	12,91 [*]	1,29 [*]	16,17 [*]	2,18 [*]	14,04 [*]	2,50 [*]
Eisenoxyd	6,14	0,61	11,37	1,54	6,85	1,22
Kali	4,36	0,44	4,97	0,67	3,41	0,61
Kalkerde	Spuren	—	Spuren	—	9,95	1,77
Kohlensäure	fehlt	—	fehlt	—	8,00 †	1,42 †
Phosphorsäure	0,38	0,04	0,51	0,07	0,24	0,04
Glühverlust excl. CO_2	13,74	1,37	7,79	1,05	5,26	0,94
Kieselsäure und nicht Be-stimmtes	72,47	7,25	59,19	7,99	52,25	9,30
Summa	100,00	10,00	100,00	13,50	100,00	17,80
*) entspr. wasserhalt. Thon	32,50	3,25	40,71	5,50	38,35	6,83
†) entspr. kohlens. Kalk .	—	—	—	—	18,18	3,24

b. Vertheilung des kohlensauren Kalkes im Oberen Diluvialmergel.

In Procenten	Grand	Sand	Staub	Feinste Theile	Gesammt-kalkgehalt
des Theilprodukts	34,77	6,68	13,75	18,18	—
des Gesammtbodens	0,76	4,48	1,88	3,24	10,32

In den Theilprodukten unter 1^{mm} wurde gefunden { erste Bestimmung . 9,25 / zweite Bestimmung . 8,49

Ziegelei. W. Vehlefanz. (Sect. Cremmen 4.)

FELIX WAHNSCHAFFE.

I. Mechanische Analyse.

Mächtig-keit Decimet.	Profil	Grand über 2^{mm}	Sand					Staub 0,05–0,01^{mm}	Feinste Theile unter 0,01^{mm}	Summa
			2–1^{mm}	1–0,5^{mm}	0,5–0,2^{mm}	0,2–0,1^{mm}	0,1–0,05^{mm}			
2	Sehr sandiger Lehm	2,4			71,0			12,4	14,3	100,1
			2,0	3,6	16,0	32,3	17,1			
2	Sandiger Lehm	3,6			59,0			16,3	20,8	99,7
			2,1	4,1	11,6	26,7	14,5			
12–20	Oberer Dilu-vialmergel	1,5			53,9			16,8	27,2	99,4
			1,0	3,0	7,8	21,6	20,5			
10 +	Feiner Unte-rer Diluvial-sand									

II. Chemische Analyse.

a. Chemische Analyse der Feinsten Theile.

Aufschliessung mit Flussssäure.

Bestandtheile	Sehr sandiger Lehm in Procenten des		Sandiger Lehm in Procenten des		Oberer Diluvialmergel in Procenten des	
	Schlämm-produkts	Gesammt-bodens	Schlämm-produkts	Gesammt-bodens	Schlämm-produkts	Gesammt-bodens
Thonerde . . .	15,42 †)	2,21 †)	17,36 †)	3,61 †)	13,48 †)	3,67 †)
Eisenoxyd . . .	6,26	0,90	8,25	1,72	5,23	1,42
Kali	3,94	0,56	4,22	0,88	3,51	0,96
Kalkerde. . . .	1,73	0,25	1,48	0,31	16,92	4,60
Kohlensäure . .	fehlt	—	fehlt	—	12,92 *)	3,51 *)
Phosphorsäure. .	0,43	0,06	0,30	0,06	0,30	0,08
Glühverlust. . . .	16,73	2,39	6,31	1,31	5,04	1,37
Kieselsäure u. nicht Bestimmtes . .	55,49	7,94	62,08	12,91	42,60	11,59
Summa	100,00	14,31	100,00	20,80	100,00	27,20
†) entspr. wasserhaltig. Thon	38,82	5,55	43,70	9,09	33,94	9,23
*) entspr. kohlensaurem Kalk	—	—	—	—	29,37	7,99

b. Vertheilung des köhlensauren Kalkes im Diluvialmergel.

(Mit dem SCHEIBLER'schen Apparate bestimmt.)

In Procenten	Grand	Sand	Staub	Feinste Theile	Gesammt-Kalkgehalt
des Theilprodukts	43,42	8,71	23,89	29,37	—
des Gesammtbodens	0,65	4,69	4,01	7,99	17,34
Zweite Bestimmung direct bestimmt					15,35
Dritte - - -					16,02
				Im Durchschnitt	16,27

Gemeiner Oberer Diluvialmergel.

(Untersuchung einer zweiten Probe desselben Fundorts.)

Ludwig Dulk.

I. Mechanische Analyse.

Grand und Sand *)	Sand **)	Staub	Feinste Theile	Summa	Bemerkungen
6,7	57,6	8,8	26,9	100	*) über 1mm **) 1-0,05mm

II. Chemische Analyse.

a. Chemische Analyse der Feinsten Theile.

Aufschliessung mit Schwefelsäure.

Bestandtheile	In Procenten des		Bemerkungen
	Theil-produkts	Gesammt-bodens	
Wasserhaltiger Thon *)	29,7	8,4	*) gefunden 11,65 Thonerde
Eisenoxyd	6,0	1,6	
Kohlensaurer Kalk **)	18,8	5,0	**) gefunden 8,28 Kohlensäure
Quarz und Gesteinsmehl (Diff.) .	45,5	12,3	
Summa	100,0	26,9	

b. Vertheilung des kohlensauren Kalkes.

(Mit dem Scheibler'schen Apparate.)

In Procenten	Grand u. Sand *)	Sand **)	Staub	Feinste Theile	Summa	Bemerkungen
des Theilprodukts	25,90	4,76	12,95	18,78	—	*) über 1mm **) 1-0,05mm
des Gesammt-bodens { 1. Best.	1,73	2,74	1,14	5,05	10,66	
{ 2. Best.		7,46			9,19	

Verwitterungsboden des Öberen Diluvialmergels.

Oëstlich Marwitz. (Sect. Marwitz 5.)

Felix Wahnschaffe.

I. Mechanische Analyse.

Mäch-tigkeit Decimet.	Profil	Grand über 2mm	Sand					Staub 0,05– 0,02mm	Feinste Theile unter 0,01mm	Summa
			2– 1mm	1– 0,5mm	0,5– 0,2mm	0,2– 0,1mm	0,1– 0,05mm			
5	Lehmiger Sand	2,2	81,8					4,1	11,8	99,9
			2,2	4,9	17,2	37,6	19,9			
—	Sandiger Lehm	—	70,2					7,4	20,2	99,5
			2,1	4,8	13,5	40,4	9,4			

II. Chemische Analyse der Feinsten Theile.

Aufschliessung mit Flussäure.

Bestandtheile	Lehmiger Sand in Procenten des		Sandiger Lehm in Procenten des	
	Schlämm-produkts	Gesammt-bodens	Schlämm-produkts	Gesammt-bodens
Thonerde	12,29 *)	1,45 *)	20,77 *)	4,19 *)
Eisenoxyd	5,81	0,69	9,18	1,85
Kali	3,76	0,44	4,32	0,87
Kalkerde	0,18	0,02	nicht bestimmt	—
Kohlensäure	fehlt	—	fehlt	—
Phosphorsäure	0,42	0,05	0,27	0,06
Glühverlust	10,04	1,18	8,46	1,71
Kieselsäure und nicht Be-stimmtes	67,50	7,97	57,00	11,51
Summa	100,00	—	100,00	20,19
*) entspr. wasserhaltig. Thon	30,94	3,65	52,29	10,56

Zu Profil S. 109.

Grenzprobe zwischen dem sandigen Mergel und sehr sandigem Lehm.

Höhenrand beim Dorfe Rohrbeck (Sect. Rohrbeck 6).

LUDWIG DULK.

I. Mechanische Analyse.

Grand und Sand über 1ᵐᵐ	Sand 1–0,05ᵐᵐ	Staub 0,05–0,01ᵐᵐ	Feinste Theile unter 0,01ᵐᵐ	Summa
4,5	80,2	6,5	8,8	100,0

II. Chemische Analyse.

a. Chemische Analyse der Feinsten Theile.

Aufschliessung mit Schwefelsäure.

Bestandtheile	Feinste Theile (8,8 pCt.) in Procenten des	
	Schlammprodukts	Gesammtbodens
Thonerde	11,95 †)	1,05 †)
Eisenoxyd	6,67	0,59
Kohlensäure	2,42 ††)	0,21 ††)
Quarz- und anderes Gesteinsmehl (Diff.)	57,36	5,05
Summa	100,00	—
†) entspr. wasserhalt. Thon	30,47	2,68
††) entspr. kohlens. Kalk	5,50	0,48

b. Vertheilung des durch die Verwitterung noch nicht ganz entführten Kalkgehaltes.

(Bestimmt mit dem SCHEIBLER'schen Apparate.)

In Procenten	Grand und Sand über 1ᵐᵐ	Sand 1–0,05ᵐᵐ	Staub 0,05–0,01ᵐᵐ	Feinstes unter 0,01ᵐᵐ	Gesammt-Kalkgehalt
des Theilprodukts . . .	13,95	0,64	2,39	5,50	—
des Gesammt- { 1. Best.	0,63 }	0,51	0,15	0,48	1,77
bodens { 2. Best.			1,06		1,69
			Im Durchschnitt		1,73

Profil: Reste vom Oberen Diluvialmergel auf Unterem
Sande.

Höhenrand beim Dorfe Rohrbeck (Sect. Rohrbeck 6).

ERNST SCHULZ.

I. Mechanische Analyse.

Mächtigkeit Decimet.	Profil	Grand über 2mm	Sand					Staub 0,05–0,01mm	Feinste Theile unter 0,01mm	Summa
			2–1mm	1–0,5mm	0,5–0,2mm	0,2–0,1mm	0,1–0,05mm			
2-10	Schwach lehmiger Sand	5,5	85,6					6,0	2,8	99,9
			3,7	8,6	18,0	42,4	12,9			
2	Sandiger Lehm	1,0	77,9					8,2	12,2	99,3
			1,6	3,8	17,6	36,6	18,3			
—	Sandiger Mergel	nur nesterweise erhalten und daher nicht untersucht								
10	Sehr sandiger Lehm	1,3	85,9					5,3	7,4	99,9
			1,8	3,7	12,7	38,6	29,1			

II. Chemische Analyse.

Chemische Analyse der Feinsten Theile.

Aufschliessung mit Flusssäure.

Bestandtheile	Schwach lehmiger Sand (Oberkrume) in Procenten des		Sandiger Lehm in Procenten des		Sehr sandiger Lehm in Procenten des	
	Schlämm-produkts	Gesammt-bodens	Schlämm-produkts	Gesammt-bodens	Schlämm-produkts	Gesammt-bodens
Thonerde	14,25†)	0,40†)	19,79†)	2,41†)	15,64†)	1,16†)
Eisenoxyd	4,45	0,12	9,48	1,16	7,18	0,53
Kali	3,10	0,09	3,82	0,47	3,99	0,29
Kalkerde	Spur	—	0,63	0,08	0,94	0,07
Kohlensäure	fehlt	—	fehlt	—	fehlt	—
Phosphorsäure . . .	0,41	0,01	0,87	0,11	0,25	0,02
Glühverlust	7,85	0,22	7,71	0,94	5,14	0,38
Kieselsäure u. nicht Bestimmtes	69,94	1,96	57,70	7,04	66,86	4,95
Summa	100,00	2,80	100,00	12,21	100,00	7,40
Thon	35,87	1,00	49,82	6,08	39,37	2,91

†) entspr. wasserhaltig.

Profil: Reste vom Oberen Diluvialmergel auf Unterem
Sand (siehe S. 109).

Galgenberg bei Rohrbeck (Sect. Rohrbeck 6).

ERNST SCHULZ.

I. Mechanische Analyse.

Mäch-tigkeit Decimet.	Profil	Grand über 2^{mm}	Sand					Staub 0,05– 0,01^{mm}	Feinste Theile unter 0,01^{mm}	Summa
			2– 1^{mm}	1– 0,5^{mm}	0,5– 0,2^{mm}	0,2– 0,1^{mm}	0,1– 0,05^{mm}			
2	Lehmiger Sand (Ackerkrume)	1,1	83,4					11,3	4,1	99,9
			3,3	8,7	20,3	41,5	9,6			
3	Lehmiger Sand (unter-halb der Ackerkrume)	4,3	76,8					12,3	6,4	99,8
			2,5	7,8	18,4	33,8	14,3			
10+	Unterer Diluvialsand (Untergrund)		Untersuchung siehe S. 109							

II. Chemische Analyse der Feinsten Theile.

Aufschliessung mit Flusssäure.

Bestandtheile	Lehmiger Sand (Ackerkrume) in Procenten des		Lehmiger Sand in Procenten des	
	Schlämm-produkts	Gesammt-bodens	Schlämm-produkts	Gesammt-bodens
Thonerde	17,84 †)	0,73 †)	16,73 †)	1,07 †)
Eisenoxyd	4,41	0,18	4,80	0,31
Kali	4,12	0,17	4,07	0,26
Kalkerde	n. bestimmt	—	n. bestimmt	—
Kohlensäure	fehlt	—	fehlt	—
Phosphorsäure	0,43	0,02	0,42	0,03
Glühverlust	11,69	0,48	10,01	0,64
Kieselsäure u. nicht Bestimmtes	61,51	2,52	63,98	4,10
Summa	100,00	4,10	100,00	6,41
†) entspr. wasserhaltigem Thon	44,91	1,84	42,12	2,69

Oberer Mergel unter Oberem Sande.
(Profil siehe S. 201.)
Hohen-Neuendorf (Sect. Hennigsdorf 8).
ERNST SCHULZ.

I. Mechanische Analyse. a.
(Siehe auch zweite Bestimmung.)

Profil	Grand über 2mm	S a n d					Staub 0,05–0,01mm	Feinste Theile unter 0,01mm	Summa
		2–1mm	1–0,5mm	0,5–0,2mm	0,2–0,01mm	0,1–0,05mm			
Diluvial-mergel	8,2			48,7			21,2	21,8	99,9
		1,5	2,7	13,3	18,6	12,6			

II. Chemische Analyse.
a. Chemische Analyse der Feinsten Theile im Diluvialmergel.
ERNST. SCHULZ.
Aufschliessung mit Flusssäure.

Bestandtheile	In Procenten des		Bemerkungen
	Schlämm-produkts	Gesammt-bodens	
Thonerde	14,47 [1])	3,154 [2])	
Eisenoxyd	6,16	1,343	
Kali	4,08	0,889	
Kalkerde	9,97	2,174	[1]) entspricht 36,43 wasserhalt. Thon
Kohlensäure	7,98	1,740	[2]) entspricht 7,94 wasserhalt. Thon
Phosphorsäure	0,31	0,068	
Glühverlust excl. Kohlensäure	4,25	0,926	
Kieselsäure u. nicht bestimmt	52,78	11,506	
Summa	100,00	21,800	

b. Vertheilung des kohlensauren Kalkes im sandigen Mergel
(Diluvialmergel)
berechnet aus der ermittelten Kohlensäure.

In Procenten	Grand	Sand	Staub	Feinste Theile	Gesammt-Kalkgehalt
des Theilprodukts . . .	65,10	5,30	13,50	18,14	
des Gesammtbodens . .	5,34	2,58	2,86	3,95	14,73 *)

*) Ein Kalksteinchen dabei. (14,73 – 5,34 = 9,39 s. d. folg. Kalkbestimmungen).

Diluvialmergel von Hohen-Neuendorf.
Kalkbestimmungen (mit dem Scheibler'schen Apparate.)

In Procenten	Gemengtheile		Gesammt-Kalkgehalt
	über 1^{mm}	unter 1^{mm}	
des Theilprodukts . . ⎫ (L. Dulk) . . .	21,95	7,95	
des Gesammtbodens . ⎬ . . .	0,92	7,62	8,54
Zweite Bestimmung (E. Laufer)	9,93		

Hohen-Neuendorf (Sect. Hennigsdorf 8).
Mechanische Analyse. b.
Zweite Bestimmung. Ernst Laufer.

Profil	Grand	Sand					Staub	Feinste Theile	Summa
	über 2^{mm}	2–1^{mm}	1–0,5^{mm}	0,5–0,2^{mm}	0,2–0,1^{mm}	1–0,05^{mm}	0,05–0,01^{mm}	unter 0,01^{mm}	
Sandiger Diluvial-mergel	5,3	37,1					12,7	26,3	17,9	99,3

Birkenwerder (Sect. Hennigsdorf 8).
Felix Wahnschaffe.
I. Mechanische Analyse.

Mächtigkeit Decimet.	Profil	Grand	Sand					Staub	Feinste Theile	Summa
		über 2^{mm}	2–1^{mm}	1–0,5^{mm}	0,5–0,2^{mm}	0,2–0,1^{mm}	0,1–0,05^{mm}	0,05–0,01^{mm}	unter 0,01^{mm}	
3	Lehmiger Sand (Ackerkrume)	3,0	84,3					6,5	6,2	100,0
			2,1	5,8	23,7	39,8	12,9			
3	Lehmiger Sand (unterhalb der Ackerkrume)	9,1	79,2					6,0	5,4	99,7
			2,2	7,1	25,0	32,2	12,7			
3	Sandiger Lehm	1,8	71,6					12,7	13,2	99,3
			1,7	4,5	16,2	36,5	12,7			
—	Sand. Mergel (Ob. Diluvial-mergel)	4,0	71,8					11,2	13,0	100,0
			2,5	5,5	15,1	37,0	11,7			
—	(Unterer Diluvialmergel)	Untersuchung siehe S. 130.								

II. Chemische Analyse.

a. Chemische Analyse der Feinsten Theile.

Aufschliessung mit Flusssäure.

Bestandtheile	Lehmiger Sand (Ackerkrume) in Procenten		Lehmiger Sand unterhalb der Ackerkrume in Procenten		Sandiger Lehm in Procenten		Sandiger Diluvialmergel in Procenten	
	des Schlämm-produkts	des Gesammt-bodens	des Schlämm-produkts	des Gesammt-bodens	des Schlämm-produkts	des Gesammt-bodens	des Schlämm-produkts	des Gesammt-bodens
Thonerde	†) 13,97	†) 0,87	†) 13,36	†) 0,72	†) 17,58	†) 2,32	†) 12,25	†) 1,59
Eisenoxyd	4,79	0,30	4,91	0,27	8,18	1,08	5,43	0,71
Kali	4,05	0,25	3,81	0,21	4,52	0,60	3,69	0,48
Kalkerde	Spur	—	Spur	—	Spur	—	14,78	1,92
Kohlensäure . . .	fehlt	—	fehlt	—	fehlt	—	10,73	1,40
entspr. $CaCO_3$ . .	—	—	—	—	—	—	(24,39)	—
Phosphorsäure . .	0,60	0,04	0,65	0,04	0,35	0,05	0,45	0,06
Glühverlust excl. CO_2	9,32	0,58	5,40	0,29	6,64	0,88	4,79	0,62
Kieselsäure u. nicht bestimmt	67,27	4,17	71,87	3,88	62,73	8,28	47,88	6,22
Summa	100,00	6,21	100,00	5,41	100,00	13,21	100,00	13,00
†) entspricht wasserhalt. Thon	35,17	2,18	33,63	1,82	44,26	5,84	30,84	4,01

b. Vertheilung des kohlensauren Kalkes im Mergel

berechnet aus der ermittelten Kohlensäure.

	In Procenten	
	des Theilprodukts	des Gesammtbodens
Grand	35,12	1,40
Sand	4,93	3,54
Staub	12,91	1,45
Feinste Theile	24,89	3,07
Summa (Gesammt-Kalkgehalt)		9,46

Kalkbestimmung (mit dem Scheibler'schen Apparate).

Ludwig Dulk.

In Procenten		Gemengtheile über 1^{mm}	Gemengtheile unter 1^{mm}	Gesammt-Kalkgehalt
des Theilprodukts	erste Bestimmung . .	20,4	6,01	—
	zweite Bestimmung . .		5,89	
des Gesammtbodens	erste Bestimmung . .	1,10	5,69	6,79
	zweite Bestimmung . .		5,57	6,67
		Im Durchschnitt		6,73

Obere Diluvialmergel.
(Sect. Ketzin 10.)
Ludwig Dulk.
Mechanische Analyse und Kalkbestimmung.

Fundort	Grand über 2mm	Sand 2–1mm	Sand 1–0,1mm	Sand 0,1–0,05mm	Staub 0,05–0,01mm	Feinste Theile unter 0,01mm	Summa	Kohlen-saurer Kalk
Grube am Eulenberg N. Neu-Töplitz	2,6		83,5		4,9	9,0	100,0	4,07
		1,5	73,6	8,4				
Grube NO. Neu-Töplitz	2,2		72,9		8,6	16,3	100,0	6,10
		1,9	60,4	10,6				
Grube NO. Kartzow	4,3		85,8		3,1	6,8	100,0	6,30
		3,0	77,1	5,7				
Sand- und Lehmgrube N. Paretz	9,3		62,4		9,3	19,0	100,0	7,93
		2,2	51,1	9,1				

Oberer Diluvialmergel.
Elsholz. (Sect. Beelitz 2.)
Ernst Schulz.
I. Mechanische Analyse.

Profil	Grand über 2mm	Sand 2–1mm	Sand 1–0,5mm	Sand 0,5–0,2mm	Sand 0,2–0,1mm	Sand 0,1–0,05mm	Staub 0,05–0,01mm	Feinste Theile unter 0,01mm	Summa
Lehmiger Sand	3,3			82,9			4,7	9,1	100,0
			10,0		63,0	9,9			
Lehm	1,5			55,1			13,1	30,3	100,0
			6,1		36,6	12,4			
Diluvial-mergel	3,1			43,0			8,1 *)	28,7**)	82,9 + 17,1 CaCO₃
			5,4		28,4	9,2			

*) 8,1 + 1,3 Ca CO₃ = 9,4 pCt. Staub.
**) 28,7 + 6,8 Ca CO₃ = 35,5 pCt. Feinste Theile.

II. Chemische Analyse.

a. Chemische Analyse der Feinsten Theile.

Aufschliessung mit kohlensaurem Natron.

Bestandtheile	Lehmiger Sand 9,1 pCt. in Procenten des		Lehm 30,3 pCt. in Procenten des		Mergel 35,5 pCt. in Procenten des	
	Schlämm-produkts	Gesammt-bodens	Schlämm-produkts	Gesammt-bodens	Schlämm-produkts	Gesammt-bodens
Thonerde . . .	12,31 *)	1,12 *)	18,52 *)	5,61 *)	14,27 *)	5,06 *)
Eisenoxyd . . .	7,06	0,64	7,64	2,32	6,20	2,20
*) entspr. wasserhalt. Thon	30,98	2,82	46,61	14,12	35,92	12,73

b. Chemische Analyse des Staubes.

Aufschliessung mit kohlensaurem Natron.

Bestandtheile	Lehmiger Sand 4,7 pCt. in Procenten des		Lehm 13,1 pCt. in Procenten des		Mergel 9,4 pCt. in Procenten des	
	Schlämm-produkts	Gesammt-bodens	Schlämm-produkts	Gesammt-bodens	Schlämm-produkts	Gesammt-bodens
Thonerde . . .	7,19	0,34	12,51	1,63	8,12	0,76
Eisenoxyd . . .	1,84	0,09	4,50	0,59	3,05	0,29

c. Chemische Analyse des Gesammtbodens.

Bestandtheile	Lehmiger Sand	Lehm	Mergel
Thonerde	4,09	9,11	7,76
Eisenoxyd . . .	1,10	4,06	3,41

d. Vertheilung des kohlensauren Kalkes.

In Procenten	Grand und Sand über 0,05^{mm}	Staub 0,05-0,01^{mm}	Feinste Theile unter 0,01^{mm}	Gesammtkalkgehalt
des Gesammtbodens	9,03	1,30	6,78	17,11
Zweite Bestimmung direct gefunden				17,27
Im Durchschnitt				17,19

Oberer Diluvialmergel.
Nahe der Schneiderremise beim BORNIM'schen Amte.
(Sect. Fahrland 13.)
ERNST LAUFER.
Mechanische Analyse.

Mächtigkeit Decimet.	Profil	Grand über 2^{mm}	Sand				Staub*) 0,05-0,01^{mm}	Feinste Theile unter 0,01^{mm}	Summa
			2-1^{mm}	1-0,5^{mm}	0,5-0,1^{mm}	0,1-0,05^{mm}			
6-10	Lehmiger Sand			nicht untersucht					
2-9	Sehr sandiger Lehm	—		77,0			14,1	8,8	99,9
			3,9	60,3		12,8			
10	Diluvialmergel I. Probe	—		70,2			15,4	13,2	98,8
			3,9	61,1		5,2			
—	desgl. II. Probe	0,4		65,2			15,6	9,4*)	90,6 + 10,3CaCO$_3$
			1,7	6,2	57,3				

*) Der Staub besteht aus Körnern von

	Lehm	Mergel
0,5—0,02^{mm} =	9,6	10,6
0,02—0,01^{mm} =	4,5	4,8

Oberer Diluvialmergel.
Nahe Nedlitz. Viereck-Remise. (Sect. Fahrland 13.)
ERNST LAUFER.
I. Mechanische Analyse.

Mächtigkeit Decimet.	Profil	Grand über 2mm	Sand 2-1mm	Sand 1-0,5mm	Sand 0,5-0,1mm	Sand 0,1-0,05mm	Staub 0,05-0,01mm	Feinste Theile unter 0,01mm	Summa
5-8	Lehmiger Sand	4,7	\{ 78,7 \}				12,2	4,6	100,2
			2,0	4,5	51,9	20,3			
4	Lehm	0,7	\{ 62,3 \}				18,8	18,2	100,0
			1,4	3,5	40,4	17,0			
10	Diluvialmergel I. Probe	1,9	\{ 67,1 \}				14,4	9,9	93,3 + 7,3 CaCO₃
			1,8	4,1	42,2	19,0			
—	desgl. II. Probe (nicht mehr intact)	3,7	\{ 75,7 \}				6,1	11,2	96,7 + 2,8 CaCO₃
			4,7	11,5	59,5				

II. Chemische Analyse der Feinsten Theile.
Aufschliessung mit Flusssäure.

Bestandtheile	Lehmiger Sand. In Procenten des Schlämmprodukts	Lehmiger Sand. In Procenten des Gesammtbodens	Sandiger Lehm. In Procenten des Schlämmprodukts	Sandiger Lehm. In Procenten des Gesammtbodens	Mergel I. In Procenten des Schlämmprodukts	Mergel I. In Procenten des Gesammtbodens
Thonerde . . .	11,46 *)	0,53 *)	16,08*)	2,93 *)	11,81*)	1,41 *)
Eisenoxyd . . .	4,15	0,19	9,80	1,78	6,92	0,82
Kali	—	—	—	—	2,62	0,31
Kalkerde . . .	—	—	—	—	11,22	1,33
Kohlensäure . .	—	—	—	—	6,92**)	0,82
Glühverlust . .	—	—	—	—	7,06	0,84
Kieselsäure u. nicht Bestimmtes . .	—	—	—	—	53,45	6,36
Summa	—	—	100,00	—	100,00	11,89
*) entspr. wasserhaltig. Thon	28,84	1,33	40,47	7,37	29,73	3,55

**) entspr. kohlensaurer Kalkerde = 15,87 pCt. des Schlämmprodukts
            1,87 - - Gesammtbodens.

Mergel II., nicht mehr intacte Probe.

Aufschliessung der Feinsten Theile mit Flusssäure.

Bestandtheile	In Procenten des	
	Schlämmprodukts	Gesammtbodens
Thonerde	14,39 *)	1,75*)
Eisenoxyd	6,95	0,85
Kohlensaure Kalkerde	8,86	1,02
*) entspr. wasserhaltigem Thon . .	36,22	4,41

Bei geringerem Kalkgehalt steigt der Thongehalt des Bodens und findet dadurch bereits eine weitere Annäherung zur Lehmbildung statt.

Lehmiger Grand (Oberkrume).

Lichterfelde O. Bahnhof. (Sect. Teltow 16.)

Ernst Schulz.

I. Mechanische Analyse.

Grand	Sand			Staub	Feinste Theile unter 0,01^{mm}	Summa
über 2^{mm}	2-0,5^{mm}	0,5-0,1^{mm}	0,1-0,05^{mm}	0,05-0,01^{mm}		
23,6	67,0			2,7	6,8	100,1
	51,1	14,6	1,3			

II. Chemische Analyse der Feinsten Theile.

Aufschliessung mit kohlensaurem Natron.

Bestandtheile	In Procenten des	
	Schlämmprodukts	Gesammtbodens
Thonerde *)	21,41	1,45
Eisenoxyd	12,49	0,85
*) entspr. wasserhaltigem Thon . .	53,89	8,65

Reste vom Oberen Diluvialmergel (kalkhaltiger Sand).

Bahnhof Rondel, Halen-See. (Sect. Teltow 16.)

Ernst Schulz.

I. Mechanische Analyse*).

Grand über 2^{mm}	Sand						Staub 0,05–0,01^{mm}	Feinste Theile unter 0,01^{mm}	Summa
	2–1^{mm}	1–0,5^{mm}	0,5–0,2^{mm}	0,2–0,1^{mm}	0,1–0,05^{mm}				
0,2	95,8						1,0	1,9	98,9 + 1,25 Ca CO$_3$
	nicht bestimmt								

*) Nach Entfernung des Kalkes.

II. Chemische Analyse der Feinsten Theile.

Aufschliessung mit kohlensaurem Natron.

Bestandtheile	In Procenten des	
	Schlämmprodukts	Gesammtbodens
Thonerde*)	13,85	0,31
Eisenoxyd	8,10	0,18
*) entspr. wasserhaltigem Thon . .	34,86	0,78

Lehmiger Sand (Reste des Oberen Diluvialmergels).

O. Halen-See. (Sect. Teltow 16.)

Ernst Schulz.

I. Mechanische Analyse.

Grand über 2^{mm}	Sand			Staub 0,05–0,01^{mm}	Feinste Theile unter 0,01^{mm}	Summa
	2–0,5^{mm}	0,5–0,1^{mm}	0,1–0,05^{mm}			
0,5	81,2			6,1	12,1	99,9
	3,1	70,3	7,8			

II. Chemische Analyse der Feinsten Theile.

Aufschliessung mit kohlensaurem Natron.

Bestandtheile	In Procenten des	
	Schlämmprodukts	Gesammtbodens
Thonerde *)	18,03	2,17
Eisenoxyd	9,04	1,09
*) entspräche wasserhaltigem Thon	45,38	5,46

Schwach lehmiger Sand bis Sand.
(Reste des Oberen Diluvialmergels.)
Ô. Halen-See. (Sect. Teltow 16.)

ERNST SCHULZ.

I. Mechanische Analyse.

Grand über 2mm	Sand			Staub 0,05– 0,01mm	Feinste Theile unter 0,01mm	Summa
	2– 0,5mm	0,5– 0,1mm	0,1– 0,05mm			
0,2	96,0			1,3	2,6	100,1
	2,8	83,9	9,3			

II. Chemische Analyse der Feinsten Theile.

Aufschliessung mit kohlensaurem Natron.

Bestandtheile	In Procenten des	
	Schlämmprodukts	Gesammtbodens
Thonerde *)	15,78	0,40
Eisenoxyd	8,61	0,22
*) entspräche wasserhaltigem Thon . .	39,72	1,01

12*

Oberer Diluvialmergel.

S. Teltow. Am Wege nach der Striewitz. (Sect. Gross-Beeren 17.)

ERNST LAUFER.

Mechanische Analyse.

Grand	Sand			Staub	Feinste Theile	Summa
über 2ᵐᵐ	2-0,5ᵐᵐ	0,5- 0,1ᵐᵐ	0,1- 0,05ᵐᵐ	0,05-0,01ᵐᵐ	unter 0,01ᵐᵐ	
2,9	73,5			8,3	10,0	94,7 + 5,3 Ca CO₃
	7,7	53,0	12,8			

Die Feinsten Theile enthalten 13,7 Kalk.

Oberer Diluvialmergel.

Stahnsdorf. Am grünen Wege. (Sect. Gross-Beeren 17.)

ERNST LAUFER.

Mechanische Analyse.

Grand	Sand			Staub	Feinste Theile	Summa
über 2ᵐᵐ	2-0,5ᵐᵐ	0,5- 0,1ᵐᵐ	0,1- 0,05ᵐᵐ	0,05- 0,01ᵐᵐ	unter 0,01ᵐᵐ	
2,1	68,1			7,9	15,1	93,2 + 5,5 CaCO₃
	7,5	47,1	13,5			

Die Feinsten Theile enthalten 12,3 pCt. Kalk.

Schwach lehmiger Grand (Untergrund).

Lichterfelde O. Bahnhof. (Sect. Tempelhof 19.)

ERNST SCHULZ.

I. Mechanische Analyse.

Grand	Sand			Staub	Feinste Theile	Summa
über 2ᵐᵐ	2-0,5ᵐᵐ	0,5- 0,1ᵐᵐ	0,1- 0,05ᵐᵐ	0,05- 0,01ᵐᵐ	unter 0,01ᵐᵐ	
27,2	47,1			1,4	2,5	78,2 + 21,7 CO₃
	24,2	22,4	0,5			

II. Chemische Analyse der Feinsten Theile.
Aufschliessung mit kohlensaurem Natron.

Bestandtheile	In Procenten des	
	Schlämmprodukts	Gesammtbodens
Thonerde*)	13,52	0,42
Eisenoxyd	5,24	0,16
*) entspräche wasserhalt. Thon . . .	34,03	1,06

III. Kalkvertheilung.

Bestandtheile	In Procenten des			
	Theilprodukts		Gesammtbodens	
Grand	32,77		13,27	
Sand ⎰ 2–0,5ᵐᵐ	13,21 ⎫		6,43 ⎫	
⎱ 0,5–0,1ᵐᵐ	1,62 ⎬ 39,04		0,79 ⎬ 7,39	
0,1–0,05ᵐᵐ	24,21 ⎭		0,17 ⎭	
Staub	22,96		0,42	
Feinste Theile	19,44		0,61	
Summa (Gesammt-Kalkgehalt)			21,69	

Humoser schwach lehmiger Sand (Ackerkrume) des
Oberen Diluvialmergels.
S. Signal-Berg bei Friedenau. (Sect. Tempelhof 19.)
Ernst Schulz.

I. Mechanische Analyse.

Grand über 2ᵐᵐ	Sand			Staub 0,05– 0,01ᵐᵐ	Feinste Theile unter 0,01ᵐᵐ	Summa
	2–0,5ᵐᵐ	0,5–0,1ᵐᵐ	0,1–0,05ᵐᵐ			
1,1	75,5			13,3	9,8	99,7
	7,0	54,9	13,6			

II. Chemische Analyse der Feinsten Theile.
Aufschliessung mit kohlensaurem Natron.

Bestandtheile	In Procenten des	
	Schlämmprodukts	Gesammtbodens
Thonerde *)	11,87	1,16
Eisenoxyd	3,85	0,38
*) entspräche wasserhaltigem Thon . .	29,88	2,92

III. Humusgehalt im Gesammtboden 1,23 pCt.

Sehr sandiger Lehm (Uebergang zum Sand).

Eisenbahneinschnitt bei Friedenau. (Sect. Tempelhof 19.)

ERNST SCHULZ.

Mechanische Analyse.

Grand	Sand			Staub	Feinste Theile	Summa
über 2^{mm}	2-0,5^{mm}	0,5-0,1^{mm}	0,1-0,05^{mm}	0,05-0,01^{mm}	unter 0,01^{mm}	
0,3	79,9			6,9	12,9	100,00
	4,4	63,1	12,4			

Sehr sandiger Mergel (Uebergang zum Sand).

Eisenbahneinschnitt bei Friedenau. (Sect. Tempelhof 19.)

ERNST SCHULZ.

Mechanische Analyse und Kalkbestimmung.

Kohlensaurer Kalk	Entkalkter Rückstand						Summa
	Grand	Sand			Staub	Feinste Theile	
	über 2^{mm}	2-0,5^{mm}	0,5-0,1^{mm}	0,1-0,05^{mm}	0,05-0,01^{mm}	unter 0,01^{mm}	
im Grand, Sand, Staub 2,41 in den Feinsten Theilen 2,45	1,1	76,3			7,0	10,7	100,1
Summa 4,86		4,7	55,2	16,4			

Profil vom Oberen bis zum Unteren Diluvium.

Rixdorf. (Sect. Tempelhof 19.)

ERNST SCHULZ.

I. Mechanische Analyse.

Profil		Grand über 2^{mm}	Sand			Staub 0,05–0,01^{mm}	Feinste Theile unter 0,01^{mm}	Summa
			2–0,5^{mm}	0,5–0,1^{mm}	0,1–0,05^{mm}			
I.	Humoser lehmiger Sand, Ackerkrume	2,1	77,6			8,7	11,6	100,0
			6,8	55,5	15,3			
II.	Humoser lehmiger Sand	1,8	77,5			11,0	9,7	100,0
			7,0	55,9	14,6			
III.	Lehmiger Sand	2,0	76,0			10,0	12,0	100,0
			7,5	54,9	13,6			
IV.	Lehm	1,9	59,4			10,6	28,1	100,0
			6,2	41,5	11,7			
V.	Oberer Diluvial- mergel	3,4	61,4			10,0	25,2	100,0
			6,9	42,4	12,1			
VI.	Unterer Diluvial- sand	nicht untersucht (chemische Analyse siehe S. 122.)						
VII.	Unterer Diluvial- mergel	1,7	76,2			7,5	14,6	100,0
			4,3	53,2	18,7			

II. Chemische Analyse.

I. Humoser lehmiger Sand. (Ackerkrume.)

Bestandtheile	Feinste Theile in Procenten des		Staub in Procenten des		Gesammt-boden
	Schlämm-produkts	Gesammt-bodens	Schlämm-produkts	Gesammt-bodens	
Kieselsäure	57,71	6,68	75,47	6,58	86,67
Thonerde	12,57 *)	1,45 *)	6,54	0,57	4,28
Eisenoxyd	5,14	0,59	2,22	0,19	1,29
Kalkerde	2,45	0,28	2,24	0,19	1,21
Magnesia	2,24	0,26	0,51	0,04	0,31
Kali	2,95	0,34			1,53
Natron	1,37	0,16	Aus der Differenz		0,92
Kohlensäure	2,13	0,25	berechnet:		0,36
Phosphorsäure . . .	—	—	13,02	1,14	0,13
Humus	6,35	0,73			1,13
Glühverlust (excl. CO₂ und Humus) . . .	6,05	0,70			2,18
Summa	98,96	11,44	100,0	8,71	100,01
*) entspr. wasserhaltigem Thon . .	31,64	3,15	—	—	—

II. Humoser lehmiger Sand (tiefere Ackerkrume).

Bestandtheile	Feinste Theile in Procenten des		Staub in Procenten des	
	Schlämm-produkts	Gesammt-bodens	Schlämm-produkts	Gesammt-bodens
Kieselsäure	60,46	5,85	75,90	8,39
Thonerde	˙14,06	1,36	7,57	0,84
Eisenoxyd	5,02	0,48	2,15	0,24
Kalkerde	1,90	0,18	1,54 ·	0,17
·Magnesia . ˙. . . .	1,79	0,17	0,32	0,03
Kali	3,37	0,34		
Natron	1,80	0,17	Aus der Differenz	
Kohlensäure·	fehlt	—	berechnet:	
Phosphorsäure . . .	nicht bestimmt		12,52	1,38·
Humus	5,28	0,51		
Glühverlust (excl. CO$_2$ und Humus) . .	6,31	0,61		
Summa	99,99	9,67	100,00	11,05
Entspricht wasserhalti-gem Thon . . .	35,39	3,42	—	—

III. Lehmiger Sand.

Bestandtheile	Feinste Theile in Procenten des		Staub in Procenten des		Gesammt-boden
	Schlämm-produkts	Gesammt-bodens	Schlämm-produkts	Gesammt-bodens	
Kieselsäure	69,87	8,39	87,75	8,55	88,93
Thonerde	13,84 *)	1,66 *)	4,12	0,41	4,83
Eisenoxyd	3,66	0,44	1,40	0,14	1,30
Kalkerde	0,90	0,11	0,72	0,07	0,35
Magnesia . . . . :	1,34	0,16	0,64	0,06	0,33
Kali	4,06	0,49			1,82
Natron	1,86	0,22	Aus der Differenz berechnet:		1,24
Kohlensäure	—	—	7,37	0,74	—
Phosphorsäure . . .	0,18	0,02			0,038
Glühverlust (excl. CO_2)	4,31	0,52			—
Summa	100,02	12,01	100,00	9,97	99,67
*) entspricht wasser-haltigem Thon .	34,83	4,18	—	—	—

IV. Lehm.

Bestandtheile	Feinste Theile in Procenten des		Staub in Procenten des		Gesammt-boden
	Schlämm-produkts	Gesammt-bodens	Schlämm-produkts	Gesammt-bodens	
Kieselsäure	57,33	16,10	76,74	8,10	80,54
Thonerde.	18,37 *)	5,16 *)	10,32	1,10	8,25
Eisenoxyd	8,82	2,48	3,89	0,41	3,83
Kalkerde	0,71	0,20	0,94	0,10	0,47
Magnesia	2,05	0,57	0,99	0,10	0,70
Kali	3,44	0,96			2,29
Natron	1,83	0,51	Aus der Differenz berechnet:		1,04
Kohlensäure. . . .	—	—	7,12	0,75	—
Phosphorsäure . . .	0,18	0,05			0,076
Glühverlust(excl. CO_2)	7,87	2,07			3,14
Summa	100,10	28,10	100,0.	10,56	100,336
*) entspricht wasser-haltigem Thon .	56,24	12,99	—	—	—

V. Oberer Diluvialmergel.

Bestandtheile	Feinste Theile in Procenten des		Staub in Procenten des		Gesammt-boden
	Schlämm-produkts	Gesammt-bodens	Schlämm-produkts	Gesammt-bodens	
Kieselsäure	51,92	13,09	73,04	7,32	75,68
Thonerde	13,92 *)	3,51 *)	6,91	0,69	6,17
Eisenoxyd	5,92	1,49	2,20	0,22	2,53
Kalkerde	9,55	2,41	7,22	0,72	5,65
Magnesia	2,23	0,56	1,18	0,12	0,91
Kali	3,46	0,87	Aus der Differenz berechnet: 9,45	0,95	2,42
Natron	1,18	0,30			1,43
Kohlensäure	6,18	1,56			4,20
Phosphorsäure . . .	0,25	0,06			0,07
Glühverlust (excl. CO_2)	5,58	1,41			1,30
Summa	100,19	25,26	100,00	10,02	100,36
*) entspricht wasser-haltigem Thon .	35,04	8,83	—	—	—

VI. Siehe S. 183.

VII. Unterer Diluvialmergel.

Bestandtheile	Feinste Theile in Procenten des		Staub in Procenten des		Gesammt-boden
	Schlämm-produkts	Gesammt-bodens	Schlämm-produkts	Gesammt-bodens	
Kieselsäure	50,57	7,36	79,07	5,97	85,17
Thonerde	14,74 *)	2,15 *)	6,49	0,49	4,00
Eisenoxyd	6,52	0,95	1,68	0,13	1,39
Kalkerde	8,80	1,28	4,81	0,36	3,13
Magnesia	1,82	0,26	0,43	0,03	0,35
Kali	3,90	0,57			1,96
Natron	2,39	0,35	Aus der Differenz berechnet:		1,29
Kohlensäure	5,26	0,76	7,52	0,57	1,78
Phosphorsäure . . .	0,26	0,04			0,05
Glühverlust (excl. CO₂)	5,91	0,86			1,04
Summa	100,17	14,58	100,00	7,55	100,16
*) entspricht wasser-haltigem Thon .	37,10	5,41	—	—	—

Vertheilung des kohlensauren Kalkes.

In Procenten	Grand über 2^{mm}	Sand			Staub 0,05–0,01^{mm}	Feinste Theile unter 0,01^{mm}	Gesammt-kalk-gehalt
		2–0,5^{mm}	0,5–0,1^{mm}	0,1–0,05^{mm}			

Humoser lehmiger Sand. (Ackerkrume.).

der Theilprodukte	—	1,01			2,34	4,84	—
		—	0,28	0,73			
des Gesammtbodens	—	0,26			0,20	0,56	1,02
		—	0,15	0,11			

Zweite Bestimmung direct gefunden 0,81

Gesammtdurchschnitt 0,91

Oberer Diluvialmergel.

der Theilprodukte	43,03	19,23			11,84	14,05	—
		11,10	2,95	5,18			
des Gesammtbodens	1,44	2,64			1,18	3,54	8,80
		0,76	1,25	0,63			

Zweite Bestimmung direct gefunden 9,90
Dritte Bestimmung direct gefunden 9,20

Gesammtdurchschnitt 9,17

Unterer Diluvialmergel.

der Theilprodukte	13,83	10,10			6,58	11,95	—
		5,50	1,65	2,95			
des Gesammtbodens	0,23	1,66			0,50	1,74	4,13
		0,23	0,88	0,55			

Zweite Bestimmung direct gefunden 3,97
Dritte Bestimmung direct gefunden 4,16

Gesammtdurchschnitt 4,09

Profil des Oberen Diluvialmergels.

Lehmgrube N. des Weges von Glasow nach Mahlow.

(Sect. Lichtenrade 20.)

LUDWIG DULK.

I. Mechanische Analyse.

Mächtigkeit Decimet.	Profil	Grand über 2^{mm}	Sand $2-1^{mm}$	$1-0,5^{mm}$	$0,5-0,1^{mm}$	$0,1-0,05^{mm}$	Staub $0,05-0,01^{mm}$	Feinste Theile unter $0,01^{mm}$	Summa
5 *)	Lehmiger Sand (Ackerkrume)	1,0	75,6				11,1	12,3	100,0
			1,6	5,0	56,7	12,3			
4-10	Lehm	1,6	64,8				11,5	22,1	100,0
			2,0	5,3	46,5	11,0			
10+	Sandiger Mergel	1,3	66,4				9,8	13,1**)	90,6 + 9,4 CaCO$_3$
			1,9	5,5	49,6	9,4			

*) Probe aus 3-4 Dcm. Tiefe.

**) Die unveränderten kalkhaltigen Feinsten Theile betragen 16,12 pCt.

II. Kalkbestimmungen.

a) Kalkgehalt des Sandigen Mergels.

Erste Bestimmung 9,35 pCt.

Zweite   -   9,47 - .

Durchschnitt 9,41 pCt.

b) Kalkgehalt der Feinsten Theile im sandigen Mergel.

In Procenten des Theilprodukts.   18,82 pCt.

-   -   - Gesammtbodens   3,03   -

Profil des Oberen Diluvialmergels.

Mergelgrube. W. Kl. Kienitz. (Sect. Lichtenrade 20.)

LUDWIG DULK.

I. Mechanische Analyse.

Mächtigkeit Decimet.	Profil	Grand über 2mm	Sand				Staub 0,05–0,01mm	Feinste Theile unter 0,01mm	Summa
			2–1mm	1–0,5mm	0,5–0,1mm	0,1–0,05mm			
2	Humoser lehmiger Sand (Ackerkrume)	3,8	83,0				5,8	7,4	100,0
			2,1	7,8	66,2	6,9			
4	Lehmiger Sand	3,6	71,7				10,2	14,5	100,0
			2,8	6,4	51,0	11,5			
3	Sandiger Lehm	1,8	66,5				11,4	20,3	100,0
			2,2	5,7	47,2	11,4			
	Sandiger Mergel	1,5	65,6				10,2	15,3 *)	92,6 + 7,4 CaCO₃
			1,9	4,9	48,8	10,0			

*) Die unveränderten kalkhaltigen Feinsten Theile betragen: 17,92 pCt.

II. Humusgehalt der Ackerkrume 0,91 pCt.

III. Kalkbestimmungen.

(Mit dem SCHEIBLER'schen Apparate.)

a. Kalkgehalt des Sandigen Mergels.

Erste Bestimmung 7,28 pCt.

Zweite   -   7,52   -

Durchschnitt 7,40 pCt.

b. Kalkgehalt der Feinsten Theile desselben.

In Procenten des Theilprodukts   15,16 pCt.

-    -   - Gesammtbodens   2,62   -

Profil vom Oberen zum Unteren Diluvium.

Agronomisches Bohrloch No. II. O. Lichtenrade am Graben.
(Sect. Lichtenrade 20.)

LUDWIG DULK.

I. Mechanische Analyse.

Mäch-tigkeit Deci.met.	Profil	Grand über 2^{mm}	Sand				Staub 0,05–0,01^{mm}	Feinste Theile unter 0,01^{mm}	Summa
			2–1^{mm}	1–0,5^{mm}	0,5–0,1^{mm}	0,1–0,05^{mm}			
2	Humoser lehmiger Sand (Ackerkrume)	1,8		66,6			15,8	15,8	100,0
			1,3	4,5	45,3	15,5			
2	Lehmiger Sand (unterhalb der Ackerkrume)	5,1		70,3			12,2	12,4	100,0
			2,1	5,6	51,0	11,6			
1	Oberer Lehm	2,0		67,9			5,6	24,5	100,0
			0,8	3,9	48,4	14,8			
2	Unterer Diluvialthon								
	Unterer Diluvialthon-mergel								

Untersuchung siehe S. 98.

II. Humusgehalt der Ackerkrume 1,18 pCt.

Profil des oberen Diluvialmergels.

Brusendorf.   Mergelgrube am Orte.   (Sect. Königs-Wusterhausen 23.)

ERNST LAUFER.

I. Mechanische· Analyse.

Profil	Grand über 2^{mm}	Sand.					Staub 0,05– 0,01^{mm}	Feinste Theile unter 0,01^{mm}	Summa
		2– 1^{mm}	1– 0,5^{mm}	0,5– 0,2^{mm}	0,2– 0,1^{mm}	0,1– 0,05^{mm}			
Lehmiger Sand, Ackerkrume	2,2	75,3					11,8	10,7	100,0
		2,5	6,8	16,2	39,6	10,2			
Lehmiger Sand, unterhalb der Ackerkrume	1,8	70,0					16,1	12,1	100,0
		2,4	5,7	14,9	36,0	11,0			
Sandiger Lehm	1,7	65,5					13,8	19,0	100,0
		1,9	6,0	12,9	31,9	12,8			
Sandiger Mergel	3,0	62,9					11,8	15,6	93,3 + 6,7 CaCO$_3$
		2,4	5,1	16,4	29,4	9,6			

II. Humusgehalt der Ackerkrume = 1,3 pCt.

Profil des oberen Diluvialmergels.

Diepensee. Mergelgrube nahe dem Gutsgebäude.

(Sect. Königs-Wusterhausen 23.)

ERNST LAUFER.

I. Mechanische Analyse.

Profil	Grand über 2^{mm}	Sand					Staub 0,05– 0,01^{mm}	Feinste Theile unter 0,01^{mm}	Summa
		2– 1^{mm}	1– 0,5^{mm}	0,5– 0,2^{mm}	0,2– 0,1^{mm}	0,1– 0,05^{mm}			
Lehmiger Sand, Ackerkrume	2,3			74,3			11,4	12,0	100,0
		2,1	5,9	17,1	36,6	12,6			
Lehmiger Sand, unterhalb der Ackerkrume	1,3			76,2			10,6	11,9	100,0
		2,6	6,1	16,3	35,4	15,8			
Sandiger Lehm	3,9			65,5			16,6	14,0	100,0
		2,4	5,7	13,9	31,4	12,1			
Sandiger Mergel	6,0			60,2			9,8	17,4	93,4 + 7,6 Ca CO$_3$
		1,0	4,8	16,6	25,2	12,6			

II. Humusgehalt der Ackerkrume = 0,9 pCt.

Profil des Oberen Diluvialmergels.

Tasdorf WNW. Eisenbahneinschnitt. (Sect. Rüdersdorf 25.)

ERNST LAUFER.

I. Mechanische Analyse nach NÖBEL.

Mächtigkeit Decimet.	Profil	Schlämmrückstand in Tr. No. 2. pCt	III. Tr. No. 3. pCt.	II. Tr. No. 4. pCt.	I. Auslauf pCt.	Summa	Hygroskop. Wasser
7	Lehmiger Sand (unterhalb der Ackerkrume)	81,08	2,94	4,29	9,02	100,33	0,31
8	Lehm	72,86	2,42	4,48	20,11	99,87	1,90
	Oberer Diluvialmergel	77,00	1,45	3,16	17,91	99,52	0,83
	Unterer Diluvialsand	Untersuchung siehe S. 125.					

II. Petrographische Bestimmung.

Kies und Sand des Oberen Diluvialmergels, mit Salzsäure entkalkt, enthalten:

Bestandtheile	über 3^{mm} D. pCt	über 3–1^{mm} D. pCt.
Granit und Gneiss	34,30	7,61
Porphyr	0,76	—
Grünstein	0,15	—
Feldspath	2,24	22,84
Sandstein	6,39	6,29
Quarzit	1,11	—
Feuerstein	52,03	1,32
Quarz	2,07	49,33
Unbestimmbar	0,65	12,61
	100,00	100,00

III. Vertheilung des kohlensauren Kalkes im oberen
Diluvialmergel.

	Kohlensäure	entspr. kohlensaurem Kalk	
Körnung über 3^mm	6,18	14,05	
Zweite Best. (a. d. Diff.)	—	11,28	
3—2^mm	13,36	29,36	
2—1^mm	6,18	14,05	Summa kohlens. Kalk 5,11 pCt. vom Mergel
Zweite Bestimmung	6,49	14,75	
1—0,5^mm	1,08	9,45	
0,5—0,2^mm	0,22	0,50	
unter 0,2^mm	1,03	2,34	
Nöbel Trichter 3	2,02	4,59	Summa kohlens. Kalk 2,55 pCt. vom Mergel
- - 4	4,31	9,79	
Auslauf	5,34	12,14	

Gesammtkalkgehalt des Mergels 7,66 pCt.

IV. Mechanische Analyse des Oberen Diluvialmergels durch Decantiren und Aufschluss mit Schwefelsäure und Flusssäure.

ERNST LAUFER.

Bei 0,1^mm F. = 17,07 pCt. Schlämmprodukt,
darin nicht aufgeschlossener Kalifeldspath 6,56 pCt.
Bei 0,02^mm F. = 13,29 pCt. Schlämmprodukt,
darin nicht aufgeschlossener Kalifeldspath 7,66 pCt.

V. Analyse desselben im NÖBEL'schen Apparate mit aufgesetzter Piëzometerröhre.

ERNST LAUFER.

22 Cm. Druckhöhe
(120 Minuten 377 Kcm.)

Tr. I. = 59,32 pCt. } bei 7,0^mm Geschw. sind noch
- II. = 12,56 - } 17,32 pCt. abgeschlämmt.
- III. = 4,62 -
- IV. = 2,94 -
Auslauf in 40 Min. = 16,84 -
Auslauf bis zur Klä-
rung . . . . = 1,80 -
Hygrosk. Wasser . = 0,93 -
_____
99,01 pCt.

Humoser lehmiger Sand.

Gut Berghof, nach dem Walde zu. (Sect. Rüdersdorf 25.)

ERNST LAUFER.

I. Analyse im NÖBEL'schen Apparate mit aufgesetztem Piëzometer.

Grand	Sand	Rückstand			I. Auslauf bei 0,2^{mm} Geschw. in Tr. 4	II. Auslauf bei 7,0^{mm} Geschw. in Tr. 1
über 2^{mm}	2– 1^{mm}	im Tr. 1	im Tr. 2	im Tr. 3+4		
16,2	3,4	55,6	13,5	6,2	3,0	1,0

II. Chemische Analyse.

Humusbestimmung

gefunden: Kohlenstoff $= 0,56$ (1. Best.)

\-   \- $= 0,71$ (2. Best.)

Mittel $= 0,63$

entspr. Humus . . $= 1,09$ pCt.

hygroskop. Wasser . $= 0,42$ -

Oberer Diluvialmergel.

Kalksee. Kgl. Rüdersdorfer Forst. (Sect. Rüdersdorf 25.)

ERNST LAUFER.

Mechanische Analyse im NÖBEL'schen Apparate mit aufgesetzter Piëzometerröhre.

Sand					Staub		Feinste Theile	Summa
über 1^{mm}	1– 0,5^{mm}	0,5– 0,2^{mm}	0,2– 0,1^{mm}	0,1– 0,05^{mm}	0,05– 0,02^{mm}	0,02– 0,01^{mm}	unter 0,01^{mm}	
69,1					9,2		20,0	98,3
5,2	10,8	23,7	14,0	15,4				

Zur Beurtheilung des Verhältnisses von Sand, Staub und den Feinsten Theilen der Bildungen des Oberen Diluvialmergels (kalkhaltig geschlämmt) sei folgende Zusammenstellung gegeben:

a. Der Obere Diluvialmergel.

Fundort	Sand	Staub	Feinste Theile
Dorotheenhof (Sect. Linum)	48,2	11,8	38,8
Callin bei Grünefeld (Sect. Nauen) .	59,2	9,6	25,0
Schwante (Sect. Cremmen)	66,5	13,7	17,8
Vehlefanzer Ziegelei (do.)	53,9	16,8	27,2
Hohen-Neuendorf (Sect. Hennigsdorf) .	48,7	21,2	21,8
Birkenwerder (do.)	71,8	11,2	13,0
Rixdorf (Sect. Tempelhof)	61,4	10,0	25,2
Kalksee (Sect. Rüdersdorf)	69,1	9,2	20,0

Der Gehalt an Sand überwiegt stets den an Staub und den Feinsten Theilen. Der Staub tritt gegenüber den Feinsten Theilen zurück. Die berechneten Durchschnittszahlen sind:

    für den Sand . . . . 60 pCt.
    - den Staub . . . 14 -
    - die Feinsten Theile 24 -

Somit ist dies Verhältniss ungefähr dasselbe als das bei der gleichen Zusammenstellung der Unteren Diluvialmergel.

Um den Verwitterungsgang des einzelnen Profiles zu verfolgen, müsste man die Theilprodukte der Mergel auf kalkfreie Substanz berechnen und im Vergleich setzen zu folgender Zusammenstellung:

b. Die Lehme des Oberen Diluvialmergels.

Fundort	Sand	Staub	Feinste Theile
Callin bei Grünefeld (Sect. Nauen) .	64,2	12,8	20,1
Schwante (Sect. Cremmen)	70,9	14,0	13,5
Vehlefanzer Ziegelei: 1.Probe Sect.	71,0	12,4	14,3
- - 2. - Cremmen	59,0	16,3	20,8
Ost-Marwitz (Sect. Marwitz) . . .	70,2	7,4	20,2
Höhenrand beim Dorfe Rohrbeck . .	77,9	8,2	12,2
Birkenwerder (Sect. Hennigsdorf) . .	71,6	12,7	13,2
Elsholz bei Beelitz (Sect. Beelitz) . .	55,1	13,1	33,3
Schneiderremise b. Bornim (Sect. Fahrl.)	77,0	14,1	8,8
Nedlitz bei Potsdam (do.)	62,3	18,8	18,2
Rixdorf (Sect. Tempelhof)	59,4	10,6	28,1
Mahlow (Sect. Lichtenrade)	64,8	11,5	22,1
Klein Kienitz (do.)	66,5	11,4	20,3
Ost-Lichtenrade (do.)	67,9	5,6	24,5
Brusendorf (Sect. K. Wusterhausen) .	65,5	13,8	19,0
Diepensee (do.)	65,5	16,6	14,0
Im Durchschnitt	67 pCt.	12 pCt.	19 pCt.

Was den Kalkgehalt der oberen Mergel im Gesammtboden und die Vertheilung desselben in seinen Theilprodukten anlangt, so gilt auch hier das S. 155 Gesagte.

Der Thonerdegehalt der Feinsten Theile schwankt zwischen 11,8 bis 14,5 pCt., im Mittel beträgt derselbe 13,4 pCt. (siehe zum Vergleich S. 155).

Im Staube eines Mergels von Rixdorf wurde

Thonerde gefunden $= 6,9$ pCt.

Dies entspricht der bei dem Staube der Unteren Mergel berechneten Durchschnittszahl (siehe S. 155).

b. Oberer Diluvialsand.

Südlich Feldmark Schlaberndorf. (Sect. Markau 2.)
ERNST SCHULZ.

Mechanische Analyse.

Mäch-tigkeit Decimet.	Grand über 2mm	S a n d					Staub 0,05– 0,01mm	Feinste Theile unter 0,01mm	Summa
		2– 1mm	1– 0,5mm	0,5– 0,2mm	0,2– 0,1mm	0,1– 0,05mm			
7–15	—	98,5					0,8	0,6	99,9
		2,0	2,6	34,9	56,0	4,8			

über 2-5 Dec. Schwach lehmigem Sand. Siehe S. 159.

Oberer Diluvialsand auf Oberem Mergel.

Hohen-Neuendorf. (Sect. Hennigsdorf 8.)
Mechanische Analyse.
Probe I.
ERNST SCHULZ.

Mäch-tigkeit Decimet.	Profil	Grand über 2mm	S a n d					Staub 0,05– 0,01mm	Feinste Theile unter 0,01mm	Summa
			2– 1mm	1– 0,5mm	0,5– 0,2mm	0,2– 0,1mm	0,1– 0,05mm			
2	Feiner Sand (Ackerkrume) durchwurzelt	0,1	97,3					1,3	1,3	100,0
			0,1	0,6	14,3	68,3	14,0			
3	Feiner Sand (gelblich)	—	98,5					0,8	0,6	99,9
			—	0,3	17,0	55,1	26,1			
7–15	Feiner Sand von heller Farbe	—	99,0					0,6	0,4	100,0
			—	0,1	5,9	59,0	34,0			
	Sandiger Diluvial-mergel	Untersuchung siehe S. 170.								

Probe II.

ERNST LAUFER.

Mäch- tigkeit Decimet.	Profil	Grand über 2mm	Sand 2– 1mm	Sand 1– 0,5mm	Sand 0,5– 0,2mm	Sand 0,2– 0,1mm	Sand 0,1– 0,05mm	Staub 0,05– 0,01mm	Feinste Theile unter 0,01mm	Summa
2	Feiner Sand (Ackerkrume durchwurzelt)	—	\ 0,1	0,4	97,3 7,1	61,5	28,2 /	2,7		100,0
3	Feiner Sand (gelblich)	—	0,1	0,3	97,3 4,4	65,2	27,3	2,7		100,0
7–15	Feiner Sand von heller Farbe	—	—	0,1	98,9 5,5	62,4	30,9	1,1		100,0

Grandiger Sand und grober Sand.

Gross-Beerener Haide. (Sect. Gross-Beeren 17.)

ERNST LAUFER.

I. Mechanische Analyse.

Tiefe der Ent- nahme Decimet.	Profil	Grand über 2mm	Sand 2– 1mm	Sand 1– 0,5mm	Sand 0,5– 0,1mm	Sand 0,1– 0,05mm	Staub 0,05– 0,01mm	Feinste Theile unter 0,01mm	Summa
1	Waldober- krume	1,7 (Wurzeln) 0,3	0,7	84,1 5,3	67,3	10,8	8,7	4,4	99,1
5	Flacher Untergrund	26,2	0,7	71,0 4,8	58,3	7,2	1,6	0,6	99,4
10	Tieferer Untergrund	0,3	0,0	1,0	— unter 0,5mm 98,7				
20	Tiefster Untergrund	0,4	1,1	10,9	—. unter 0,5mm 87,6				

II. Chemische Analyse.

Phosphorsäure des Sandes aus 20 Dec. Tiefe = 0,003 pCt.
  (gewogen 0,0127 $P_2 O_7 Mg_2$ = 0,0127 Gr.)
Humus der Waldoberkrume . . . = 2,43 pCt.
Dabei Wurzeln . . . . = 1,7

Grandiger Sand. (Geschiebesand.)

Südlich Sputendorf. Schronenden. (Sect. Gross-Beeren 17.)

Ernst Laufer.

I. Mechanische Analyse.

Tiefe der Entnahme Decimet.	Profil	Grand über 2^{mm}	Sand				Staub 0,05– 0,01^{mm}	Feinste Theile unter 0,01^{mm}	Summa
			2– 1^{mm}	1– 0,5^{mm}	0,5– 0,1^{mm}	0,1– 0,05^{mm}			
1	Ackerkrume	6,2	77,5				4,8	3,7	99,2
			2,9	11,8	54,5	8,3			
2	Desgl.	19,0	77,2				2,3	0,9	98,4
			1,9	9,8	61,0	4,5			
10	Untergrund	1,2	—						
			1,9	15,6	unter 0,5^{mm} 81,3				
16	Tiefer Untergrund	1,1	—						
			2,5	14,8	unter 0,5^{mm} 82,0				

II. Chemische Analyse des Gesammtbodens.

Tiefe der Entnahme Decimet.	Kiesel-säure	Thonerde	Eisen-oxyd	Kalkerde	Magne-sia	Kali	Natron	Glüh-verlust	Summa
1	91,24	4,22	1,05	0,15	0,15	1,21	0,63	1,85 Humus- = 0,84	100,50
2	91,55	4,35	1,19	0,26	0,09	1,63	1,01	1,26	101,24
10	96,17	2,01	0,59	0,28	0,19	0,84	0,46	0,36	100,90
16	95,87	2,28	0,53	0,23	0,11	0,86	0,47	0,28	100,63

Grandiger Sand. (Geschiebesand.)

Schenkendorf. (Sect. Gross-Beeren 17.)

ERNST LAUFER.

I. Mechanische Analyse.

Tiefe der Entnahme Decimet.	Profil	Grand über 2mm	Sand				Staub 0,05–0,01mm	Feinste Theile unter 0,01mm
			2–1mm	1–0,5mm	0,5–0,1mm	0,1–0,05mm		
1	Ackerkrume	3,0	93,8				1,6	1,6
			3,2	17,9	68,1	4,6		
5	Flacher Untergrund	5,0	92,6				1,5	0,7
			5,8	32,8	51,9	2,1		
10	Tiefer Untergrund	0,3	—					
			2,4	59,8	unter 0,5mm 37,5			
16	Tiefster Untergrund	3,1	—					
			2,0	14,2	unter 0,5mm 80,6			

II. Chemische Analyse des Gesammtbodens.

Tiefe der Entnahme Decimet.	Kiesel-säure	Thonerde	Eisen-oxyd	Kalkerde	Magne-sia	Kali[*]	Na-tron[**]	Glüh-verlust	Summa
1	93,96	2,84	0,60	0,19	0,09	0,79	0,58	1,43 Humus 0,74 0,76 0,73	100,48
5	92,75	3,29	0,85	0,21	0,17	1,02	0,54	1,24	100,27
10	96,12	1,82	0,37	0,34	0,13	0,75	0,46	0,24	100,23

		Boden aus	1. Dec.	5. Dec.	10. Dec.
[*] entspräche	Kalifeldspath		4,73 } 9,03	6,10 } 10,75	4,49 } 8,45
[**]	Natronfeldspath		5,00	4,65	3,96

III. Petrographische Bestimmung.

Reiner Quarz		
in den Körnern	in Procenten	auf Gesammtboden berechnet
grösser als 2mm D.	32,3	0,97
2—1mm	66,9	1,60
1—0,5mm	88,9	53,10
kleiner als 0,5mm	97,2	36,40
	—	92,07

Profil des Oberen Diluvialgrandes.

Kiesgrube am N. Abhang der Gr. Kienitzer Berge. (Sect. Lichtenrade 20.)

Ludwig Dulk.

Mechanische Analyse.

Profil	Grand			Sand				Staub	Feinste Theile	Summa
	über 10mm	10–5mm	5–2mm	2–1mm	1–0,5mm	0,5–0,1mm	0,1–0,05mm	0,05–0,01mm	unter 0,01mm	
Schwach lehmiger Grand	34,8			60,0				1,1	2,1	100,0
	9,3	9,9	15,6	19,9	30,9	8,2	1,0			
Lehmiger Grand	35,6			58,2				1,9	4,3	100,0
	4,3	9,5	21,8	20,3	27,4	9,2	1,3			
Kalkiger Grand	18,1			73,7				0,6	1,2	93,6+ 6,4 Ca CO3
	4,8	2,9	10,4	24,6	28,3	20,0	0,8			

Oberer Diluvialgrand.

SO. Kl. Kienitz. (Sect. Lichtenrade 20.)

Ludwig Dulk.

Mechanische Analyse.

Mächtigkeit Decimet.	Profil	Grand	Sand				Staub	Feinste Theile	Summa
		über 2mm	2–1mm	1–0,5mm	0,5–0,1mm	0,1–0,05mm	0,05–0,01mm	unter 0,01mm	
5-10	Schwach lehmiger Grand	18,5		78,6			1,0	1,9	100,0
			24,7	26,1	26,8	1,0			

Kies- und Sandboden.

Rüdersdorfer Forst. Jagen 187. (Sect. Rüdersdorf 25.)

ERNST LAUFER.

Mechanische Analyse.

Mächtigkeit Decimet.	Profil	Grand über 2mm	Sand .					Staub		Feinste Theile unter 0,01mm	Summa
			2–1mm	1–0,5mm	0,5–0,2mm	0,2–0,1mm	0,1–0,05mm	0,05–0,02mm	0,02–0.01mm		
6	Kies- und Sandboden, Oberkrume	48,0		46,9				2,4		2,3	99,6
			11,5	9,9	14,5	0,8	10,3	1,7	0,6		
3	Schwach lehmiger Kies und Sand	50,3		43,0				3,0		3,7	100,0
			7,7	16,9	13,3		5,1	2,1	0,9		
7	Kies	68,4		29,1				0,6		0,6	98,7
			9,6	9,3	6,7	0,4	3,1	—	—		

Sand- und Kiesboden (Oberkrume) über Unterem Diluvialsand.

Zweiter Einschnitt nördlich vom Rüdersdorfer Weg, am Woltersdorfer Kietz.
(Sect. Rüdersdorf 25.)

ERNST LAUFER.

Mechanische Analyse.

Mächtigkeit Decimet.	Profil	Grand über 2mm	Sand					Staub		Feinste Theile unter 0,01mm	Summa	Hygrosk. Wasser
			2–1mm	1–0,5mm	0,5–0,2mm	0,2–0,1mm	0,1–0,05mm	0,05–0,02mm	0,02–0,01mm			
5	Sand- und Kiesboden, Oberkrume	37,0		59,7				1,5		1,4	99,6	0,40
			0,6	12,9	27,5	18,7	0,0(3)	1,2	0,3			
15	Unterer Diluvialsand	1,0		96,3				1,0		0,7	99,0	0,23
			3,1	66,9	20,2	1,1	5,0	0,9	0,1			

Grober Diluvialsand mit Kies über sehr feinem staubigen Diluvialsand.

Rüdersdorfer Forst, nahe am Kalksee. (Sect. Rüdersdorf 25.)

ERNST LAUFER.

Mechanische Analyse.

Profil	Grand über 2mm	Sand					Staub		Feinste Theile unter 0,01mm	Summa
		2–1mm	1–0,5mm	0,5–0,2mm	0,2–0,1mm	0,1–0,05mm	0,05–0,02mm	0,02–0,01mm		
Grober Sand und Kies	20,9			75,9			2,3		1,2	100,3
		14,2	26,1	22,6	0,5	12,5	2,2	0,0(4)		
Feiner *) Diluvialsand	fehlt			84,8			11,3		3,5	99,6
		0,2	0,4	1,0	23,6	59,6				

*) Wahrscheinlich Unterer Diluvialsand.

Oberer Diluvialsand.

Tasdorf, am Orte. (Sect. Rüdersdorf 25.)

ERNST LAUFER.

Mechanische Analyse nach NÖBEL.

Mächtigkeit Decimet.	Profil	Schlämmrückstand im Tr. No. 2 (Sand und Kies)	III. Tr. No. 3	II. Tr. No. 4	I. Auslauf	Summa	Hygroskopisches Wasser
4	Lehmiger Sand	85,6	3,6	2,8	8,3	100,3	0,63
4	Schwach gemengter Sand (Orth)	94,5	0,7	2,5	2,7	100,4	0,50
10	Sandiger Kies, darunter Diluvialmergel	99,1	0,5	0,5	0,6	100,7	—

Kies und grober Sand.

(Sect. Rüdersdorf 25.)

ERNST LAUFER.

Mechanische Analyse.

Fundort	Grand über 2mm	Sand					Staub		Feinste Theile unter 0,01mm	Summa
		2-1mm	1-0,5mm	0,5-0,2mm	0,2-0,1mm	0,1-0,05mm	0,05-0,02mm	0,02-0,01mm		
Jagen 187 Königlich Rüdersdorfer Forst	68,4			29,1				0,6	0,6	98,7
		9,6	9,3	6,7	0,4	3,1	0,5	0,1		
Jagen 188 ebenda	20,9			75.9				2,3	1,2	100,3
		14,2	26,1	22,6	0,5	12,5	2,2	0,0(4)		
ebenda	1,0			96,3				1,0	0,7	99,0
		3,0	66,9	20,2	1,1	5,1	0,9	0,1		

Da die Oberen Diluvialsande meist grandiger Natur sind und innerhalb ihrer mechanischen Mischung ungemein variiren, so lassen sich brauchbare Durchschnittszahlen aus den mechanischen Analysen nicht berechnen. In den Fällen, wo Staub und Feinste Theile in grösserer Menge vorhanden sind, muss dies auf eine später stattgefundene Verwitterung zurückgeführt werden. Diesen Verwitterungsgang zeigen ebenfalls die chemischen Gesammtbodenanalysen (S. 203 u. 204), aus denen hervorgeht, dass Thonerde und Eisenoxyd in den oberen Dcm. angehäuft sind. Kalkgehalt kommt in Folge der oberflächlichen Lagerung bei den Oberen Sanden nur in einzelnen Fällen vor und steigt bei kiesigen Bildungen bis auf 19 pCt.

C. Alluvium.

a. Alt-alluvialer Thalsand und Fuchserde (Ockersand).

Thalsand mit Fuchserde.

Flatower Kienhaide. (Sect. Linum 1.)

I. Mechanische Analyse.

FELIX WAHNSCHAFFE.

Mäch-tigkeit Decimet.	Profil	Grand über 2mm	Sand					Staub 0,05– 0,01mm	Feinste Theile unter 0,01mm	Summa
			2– 1mm	1– 0,5mm	0,5– 0,2mm	0,2– 0,1mm	0,1– 0,05mm			
2	Humoser Sand	2,1			84,0			10,5	3,1	99,7
			0,2	1,0	30,2	37,9	14,7			
3	Fuchserde	3,9			90,0			3,7	2,2	99,8
			0,3	0,6	31,6	30,1	27,4			
10+	Sand	0,1			99,4			1,5		101,0
			0,0	0,4	58,6	14,9	25,5			

II. Chemische Analyse der Feinsten Theile in der Fuchserde.

ERNST SCHULZ.

Aufschliessung mit Flusssäure.

Bestandtheile	In Procenten des	
	Schlämmprodukts	Gesammtbodens
Thonerde	17,85	0,393
Eisenoxyd	9,21	0,203
Kali	2,60	0,057
Kalkerde	nicht bestimmt	—
Kohlensäure	fehlt	—
Phosphorsäure	0,65	0,014
Glühverlust	21,04	0,463
Darin Humus	—	(0,3)
Kieselsäure und nicht Bestimmtes . .	48,65	1,070
Summa	100,00	2,200

Humusgehalt.

Ackerkrume . . . . 2,32 pCt. des Gesammtbodens.
Fuchserde . . . . 0,02 - - -
Desgl. in 2ter Probe . 0,30 - - -

14

Sand alter Seebecken.

Süd-Staffelde. (Sect. Linum 1.)

FELIX WAHNSCHAFFE.

I. Mechanische Analyse:

Mäch-tigkeit Decimet.	Profil	Grand über 2mm	Sand					Staub 0,05–0,01mm	Feinste Theile unter 0,01mm	Summa
			2–1mm	1–0,5mm	0,5–0,2mm	0,2–0,1mm	0,1–0,05mm			
4	Schwach humoser Sand	0,8	93,3					4,2	2,2	100,5
			0,9	2,1	13,9	49,6	26,8			
12+	Feiner Sand	0,1	99,4					0,5		100,0
			0,4	1,8	15,3	77,7	4,2			

II. Chemische Analyse der Feinsten Theile des schwach humosen Sandes.

Aufschliessung mit Flusssäure.

Bestandtheile	In Procenten des	
	Schlämmprodukts	Gesammtbodens
Thonerde	13,03†)	0,287†)
Eisenoxyd	4,35	0,096
Kali	2,07	0,045
Kalkerde	3,37	0,074
Kohlensäure	fehlt	—
Phosphorsäure	0,69	0,015
Glühverlust	29,31	0,645
Kieselsäure und nicht Bestimmtes . .	47,18	1,038
Summa	100,00	2,200
†) entspräche wasserhaltigem Thon .	32,80	0,722

Humusgehalt des schwach humosen Sandes   0,79 pCt.

Thalsand.
Süd-Weinberg bei Nauen. (Sect. Nauen 3.)
I. Mechanische Analyse.
ERNST SCHULZ.

Mäch-tigkeit Decimet.	Bodenart	Grand über 2mm	Sand					Staub 0,05-0,01mm	Feinste Theile unter 0,01mm	Summa
			2-1mm	1-0,5mm	0,5-0,2mm	0,2-0,1mm	0,01-0,05mm			
3-8	Schwach humoser Sand	0,0	96,5					2,1	1,3	99,9
			0,1	0,5	8,7	78,3	8,9			

II. Chemische Analyse.
ERNST LAUFER.
Humusgehalt = 0,41 pCt.

Humoser Sand.
Bärenklau, Remonte-Depôt. (Sect. Cremmen 4.)
FELIX WAHNSCHAFFE.
I. Mechanische Analyse der Oberkrume.

Mäch-tigkeit Decimet.	Grand über 2mm	Sand					Staub 0,05-0,01mm	Feinste Theile unter 0,01mm	Summa
		2-1mm	1-0,5mm	0,5-0,2mm	0,2-0,1mm	0,1-0,05mm			
6	0,8	88,6					7,4	2,8	99,6
		0,9	4,2	23,8	40,5	19,2			

II. Chemische Analyse.
a. Chemische Analyse der Feinsten Theile.
Aufschliessung mit Schwefelsäure.

Bestandtheile	In Procenten des	
	Schlämmprodukts	Gesammtbodens
Thonerde	11,10	0,311
Eisenoxyd	4,23	0,118
Humusgehalt	16,04	0,449
Kieselsäure und nicht Bestimmtes . .	68,63	1,922
Summa	100,00	2,800

b. Humusgehalt im Gesammtboden . . . . . $\begin{cases} \text{1 ste Best.} & 1,72 \text{ pCt.} \\ \text{2 te Best.} & 1,64 \text{ -} \end{cases}$

im Durchschnitt 1,68 pCt.

c. Humusgehalt in den Feinsten Theilen . . . $\begin{cases} \text{1 ste Best.} & 16,05 \text{ pCt.} \\ \text{2 te Best.} & 16,02 \text{ -} \end{cases}$

im Durchschnitt 16,04 pCt.

14*

Alt-Alluvialsand.

Havelhausen. (Sect. Oranienburg 7.)

I. Mechanische Analyse.

FELIX WAHNSCHAFFE.

Mäch-tigkeit Decimet.	Profil	Grand über 2mm	S a n d					Staub 0,05–0,01mm	Feinste Theile unter 0,01mm	Summa
			2–1mm	1–0,5mm	0,5–0,2mm	0,2–0,1mm	0,1–0,05mm			
3	Humoser Sand	fehlt	91,7					4,8	3,3	99,8
		—	0,2	2,2	59,4	29,9				
2	Brauner Ockersand	fehlt	96,6					1,7	1,6	99,9
		—	0,1	3,7	53,1	39,7				
10+	Feiner Sand (Alluvialsand)	fehlt	99,0					0,8	—	99,8
		—	—	0,6	83,8	14,6				

II. Chemische Analyse.

a. Chemische Analyse der Feinsten Theile.

ERNST SCHULZ.

Aufschliessung mit Flusssäure *).

Bestandtheile	Humoser Sand (Oberkrume) in Procenten des		Brauner Ockersand in Procenten des	
	Schlämm-produkts	Gesammt-bodens	Schlämm-produkts	Gesammt-bodens
Thonerde	11,75†)	0,39†)	14,77†)	0,24†)
Eisenoxyd	10,27	0,34	13,81	0,22
Kali	1,98	0,07	1,88	0,03
Kalkerde	1,05	0,04	1,30	0,02
Kohlensäure	fehlt	—	fehlt	—
Phosphorsäure	0,71	0,02	0,67	0,01
Glühverlust	30,87	1,02	24,78	0,40
Kieselsäure und nicht bestimmt	43,37	1,43	42,79	0,68
Summa	100,00	3,31	100,00	1,60
†) entspr. wasserhaltigem Thon	29,58	0,98	37,18	0,59

*) siehe auch Aufschliessung mit saurem schwefelsaurem Kali.

b. Humusbestimmung.

Bodenart	In Procenten des Gesammtbodens
Humoser Sand	1,03
Brauner Ockersand	0,69

Schwach humoser Sand (Oberkrume), andere Probe.

Havelhausen. (Sect. Oranienburg 7.)

ERNST LAUFER.

I. Mechanische Analyse.

Grand über 2mm	Sand 2–0,05mm	Staub 0,05–0,01mm	Feinstes unter 0,01mm	Summa
fehlt	92,58	3,93	5,13	101,65

II. Chemische Analyse.

Aufschliessung mit saurem schwefelsaurem Kali.

Bestandtheile	Sand in Procenten des		Staub (3,93 pCt.) in Procenten des		Feinste Theile (5,13 pCt.) in Procenten des		in Summa
	Schlämm-produkts	Gesammt-bodens	Schlämm-produkts	Gesammt-bodens	Schlämm-produkts	Gesammt-bodens	(Gesammt-Thon-Gehalt)
Thonerde*) .	0,73	0,67	8,39	0,33	7,36	0,38	—
Eisenoxyd . .	0,93	0,86	2,95	0,12	1,14	0,06	—
*) entspräche wasserh. Thon	1,84	1,70	21,14	0,83	18,52	0,95	3,48

Rothbräuner Ockersand (eingelagert im Thalsande).

Havelhausen. (Sect. Oranienburg 7.)

FELIX WAHNSCHAFFE.

I. Mechanische Analyse.

Grand	Sand					Staub	Feinste Theile	Summa
über 2^{mm}	2–1^{mm}	1–0,5^{mm}	0,5–0,2^{mm}	0,2–0,1^{mm}	0,1–0,05^{mm}	0,05–0,01^{mm}	unter 0,01^{mm}	
0,1			95,6			2,2	2,2	100,1
	—	0,1	1,2	70,6	23,7			

II. Chemische Analyse.

a. Chemische Analyse der Feinsten Theile.

Aufschliessung mit Flusssäure.

Bestandtheile	In Procenten des		Bemerkungen
	Schlämm-produkts	Gesammt-bodens	
Thonerde	17,02 [1]	0,374 [2]	[1] entspräche 42,85 wasserhalt. Thon
Eisenoxyd . . . . :	22,12	0,487	[2] entspräche 0,94 wasserhalt. Thon
Kali	1,39	0,031	
Phosphorsäure	1,15	0,025 *)	*) s. Bestimmung des Gesammtgehaltes besonders.
Glühverlust	22,80	0,502	
Kieselsäure u. nicht bestimmt .	35,52	0,781	
Summa	100,00	2,200	

b. Chemische Untersuchung des Gesammtbodens.

Humus { nach der ersten Bestimmung 0,53 pCt.

nach der zweiten Bestimmung 0,44 -

im Durchschnitt . . . . . 0,5 pCt.

Phosphorsäure . . . . 0,075 -

Durch Salzsäure wurde gelöst . . . . 1,22 pCt. Eisenoxyd.

Rothbrauner Ockersand von Havelhausen in 3 Dec. Tiefe.

ERNST LAUFER.

100 Gr. Gesammtboden wurden mit verdünnter Salzsäure gekocht.

Unlöslich in Salzsäure . . . . 95,70 Gr.

Löslich in Salzsäure
$\begin{cases} \text{Eisenoxyd, löslich . . .} & 1,22 \text{ -} \\ \text{Thonerde . . . . . .} & 1,78 \text{ -} \\ \text{Phosphorsäure . . . .} & 0,075 \text{ -} \\ \text{Nicht Bestimmtes (Diff.)} & 1,22 \text{ -} \end{cases}$

	pCt. der Feinsten Theile	pCt. des Gesammt- bodens
1. Feinste Theile bei 0,10^{mm} Geschw. abgeschl. gaben Humus	6,10	0,102
2. - - - 0,02^{mm} - - - -	6,12	0,055.

Thalsand.

Oranienburger Forst, östl. Lehnitz-See. (Sect. Oranienburg 7.)

ERNST LAUFER.

Mechanische Analyse.

Mächtigkeit Decimeter	Profil	Sand über 0,1^{mm}	0,1– 0,05^{mm}	Staub 0,05– 0,01^{mm}	Feinste Theile unter 0,01^{mm}	Summa
3–4	Sand (Oberkrume)	95,5		2,8	1,1	99,4
		55,6	39,9			
10 +	Sand (Untergrund)	97,3		3,1	0,4	100,8
		—	—			

Thalsand.

Westl. Velten. (Sect. Hennigsdorf 8.)

I. Mechanische Analyse.

Ernst Laufer.

Mäch-tigkeit Decimet.	Profil	Grand über 2mm	Sand					Staub 0,05– 0,01mm	Feinste Theile unter 0,01mm	Summa
			2– 1mm	1– 0,5mm	0,5– 0,2mm	0,2– 0,1mm	0,1– 0,05mm			
3	Schwach humoser Sand (Ackerkrume)	1,4			93,3			3,7	0,9	99,3
			0,2	0,7	6,7	63,8	21,9			
2	Ockersand (Fuchserde)	0,1			93,7			4,5	1,6	99,9
			0,1	0,6	5,7	59,6	27,7			
10+	Feiner Sand (von heller Farbe) (Tiefer Untergrund)	—			97,7			2,4		100,1
			—	0,2	4,1	76,9	16,5			

II. Chemische Analyse.

a) Chemische Analyse der Feinsten Theile*) im Ockersand.

Aufschliessung mit Flusssäure.

Ernst Schulz.

Bestandtheile	In Procenten des Schlämm-produkts	In Procenten des Gesammt-bodens	Bemerkungen
Thonerde	16,55 *)	0,265 **)	*) entspr. 41,66 wasserhalt. Thon
Eisenoxyd	7,00	0,112	**) entspr. 0,67 wasserhalt. Thon
Kali	2,49	0,040	
Kalkerde	2,23	0,036	
Kohlensäure	fehlt	—	
Phosphorsäure	1,07	0,017	
Glühverlust	15,25	0,244	
Kieselsäure und nicht bestimmt	55,41	0,886	
Summa	100,00	1,600	

*) Die chemische Analyse ist auf neue Schlämmprodukte basirt, aber auf die vorstehenden berechnet.

b) Humusgehalt der Oberkrume.

Analytiker für die erste und zweite Bestimmung: ERNST SCHULZ;
für die dritte und vierte Bestimmung: Dr. E. LAUFER.

	In Procenten des Gesammtbodens				
	1ste Best.	2te Best.	3te Best.	4te Best.	Durchschnitt
Schwach humoser Sand (Ackerkrume)	0,54	0,48	0,65	0,91	1 u. 2: 0,50 3 u. 4: 0,77
Ockersand (Fuchserde)	0,25	0,20	—	—	0,25

Havelthalsand.

Westl. Velten nahe dem Walde. (Sect. Hennigsdorf 8.)

ERNST LAUFER.

Chemische Analyse.

Mäch- tigkeit Decimet.	Profil	Eisenoxyd	Thonerde	entspr. wasserhalt. Thon	Humus
3	Schwach humoser Sand (Ackerkrume)	nicht untersucht			
2	Ocker- bez. Fuchs- sand (Untergrund)	0,56	1,04	2,62	0,65 }0,79 0,91
6+	Feiner Sand, von heller Farbe (tie- ferer Untergrund)	0,27	1,01	2,53	

Schwach humoser Sand.

Haidehaus beim Stern. (Sect. Potsdam 14.)

ERNST LAUFER..

I. Mechanische Analyse.

Grand- über 2ᵐᵐ	Sand			Summa
	2–1ᵐᵐ	1–0,5ᵐᵐ	unter 0,5ᵐᵐ	
0,2 Fasern	99,8			100,0
	0,5	4,7	94,6	

II. Humusbestimmung.

Humus = 0,44 (ausserdem Wurzelfaser = 0,37) pCt.

Thalsande.

(Sect. Tempelhof 19.)

ERNST SCHULZ.

Fundort	Grand über 2^{mm}	Sand 2– 0,5^{mm}	Sand unter 0,5^{mm}	Summa	Bemerkungen
Zwischen Pionier-strasse und den Kirchhöfen (a. 1^m Tiefe)	0,0	3,1	96,9	100,0	—
Zwischen Pionier-strasse und den Kirchhöfen (a. 0,5^m Tiefe)	0,2	1,3	98,5	100,0	Rother Thalsand (Eisenfuchssand), geglüht rothbraun
S. Rixdorf bei dem Chausséehause (a. 0,7^m Tiefe)	0,1	6,1	93,8	100,0	—
S. Rixdorf bei dem Chausséehause (a. 0,4^m Tiefe)	0,6	9,2	90,2	100,0	geglüht rothbraun

Thalsand. NW. Mariendorf. (Weiss, staubig.)

(Sect. Tempelhof 19.).

FELIX WAHNSCHAFFE.

Mechanische Analyse.

Grand über 2^{mm}	Sand			Staub 0,05– 0,01^{mm}	Feinste Theile unter 0,01^{mm}	Summa
	2– 0,5^{mm}	0,5– 0,1^{mm}	0,1– 0,05^{mm}			
0,0	77,7			12,3	10,0	100,00
	1,4	28,3	48,0			

Rothbrauner Ockersand. Thalsand.

Rüdersdorfer Forst bei Hortwinkel, Jagen 180—194. (Sect. Rüdersdorf 25.)

I. Mechanische Analyse.

Ludwig Dulk.

Grand	Sand					Staub		Feinste Theile	Summa
über 2^{mm}	2– 1^{mm}	1– 0,5^{mm}	0,5– 0,2^{mm}	0,2– 0,1^{mm}	0,1– 0,05^{mm}	0,05– 0,02^{mm}	0,02– 0,01^{mm}	unter 0,01^{mm}	
0,6	86,0					7,5		4,7	98,8
	0,8	2,4	15,8	57,8	9,2	5,9	1,6		

II. Chemische Analyse.

Ernst Laufer.

Humus = 0,67 pCt.

Gefunden: Kohlenstoff
0,41 und 0,37
0,39.

Der Gesammtboden, mit saurem schwefelsaurem Kali behandelt, gab:

Thonerde 1,88
Eisenoxyd 1,01
Glühverlust 1,28
Hygroskop. Wasser . 0,38
Ungelöster Rückstand 95,91.

Die Alt-Alluvialsande zeigen in ihrer mechanischen Mischung nicht die Verschiedenheiten wie die Sande des Diluviums. Grandige Bestandtheile treten in echten Thalsanden der breiten Flussthäler fast ganz zurück. Das Verhältniss von Sand (von 0,5— 0,05^{mm} D.) zu Staub und Feinsten Theilen geht aus nachstehender Zusammenstellung hervor.

Oberkrumen des Thalsandes (humushaltig).

Fundort	Sand 0,5-0,05^{mm}	Staub 0,05-0,01^{mm}	Feinste Theile unter 0,01^{mm}
Flatower Kienhaide	82,8	10,5	3,1
Süd-Staffelde	92,3	4,2	2,2
Nauen, Süd-Weinberg	95,9	2,1	1,3
Bärenklau . . . .·	83,5	7,4	2,8
Havelhausen	91,5	4,8	3,3
Oranienburger Forst	95,5	2,8	1,1
W. Velten	92,4	3,7	0,9
Im Durchschnitt	91 pCt.	5 pCt.	2 pCt.

Thalsande z. Th. Ockersande.
(Im Untergrund.)

Fundort	Sand 0,5-0,05^{mm}	Staub 0,05-0,01^{mm}	Feinste Theile unter 0,01^{mm}
Flatower Kienhaide (Ockersand) . .	89,1	3,7	2,2
Thalsand ebendas.	99,0	1,5	
Süd-Staffelde	97,2	0,5	
Havelhausen (Ockersand)	96,5	1,7	1,6
Ebendas. Thalsand *. . . . .·. . .	99,0	0,8	—
Ebendas. Ockersand	95,5	2,2	2,2
Oranienburger Forst (Thalsand) . .	97,3	3,1	0,4
W. Velten (Fuchserde)	93,0	4,5	1,6
Feiner Sand ebendas.	97,5	2,4	
Im Durchschnitt	96 pCt.		

In den Oberkrumen ist demnach eine Anhäufung von Staub und Feinsten Theilen vorhanden, die nicht nur aus humosen Theilen besteht. Daher wird dieser Sand von A. ORTH als schwach gemengter Sand bezeichnet.

b. Jung-Alluvialsand (Flusssand).

Flusssand, unter Moormergel.
Jägelitz-Wiesen. (Sect. Nauen 3.)
ERNST SCHULZ.

Mechanische Analyse.

Sand					Staub	Feinste Theile	Summa
2–1mm	1–0,5mm	0,5–0,2mm	0,2–0,1mm	0,1–0,05mm	0,05–0,01mm	unter 0,01mm	
98,3					1,7	0,0	100,0
0,0	0,0	27,1	46,7	24,5			

Jung-Alluvialsand. Flusssand.
Nördlich Lehnitz-See, am Stintgraben. (Sect. Oranienburg 7.)
ERNST LAUFER.

I. Mechanische Analyse.

Mäch-tigkeit Decimet.	Profil	Sand		Staub	Feinste Theile	Summa
		über 0,1mm	0,1–0,05mm	0,05–0,01mm	unter 0,01mm	
2	Humoser Sand (Oberkrume)	92,1		4,3	3,6	100,0
10 +	Sand	98,8		0,5	0,5	99,8
		84,5	14,3			

Anm. Auffallend ist bei der Oberkrume der hohe Gehalt an Staub u. Feinsten Theilen.

II. Chemische Analyse.
Humus-Bestimmung im humosen Sande.
In Procenten des Gesammtbodens.

Humus in den Feinsten Theilen . . . . 0,74 pCt.
- im Staub . . . . 1,28 -
- im Sand . . . . 0,96 -

Humus in Summa . . 2,98 pCt.

Humoser Flusssand.
Nahe Saarmund. (Sect. Potsdam 14.)
ERNST LAUFER.

I. Mechanische Analyse.

Grand über 2mm	Sand			Summa
	2–1mm	1–0,5mm	unter 0,5mm	
0,0	0,2	2,8	95,0	100,0

II. Humusbestimmung.
Humus . . . = 2,0 pCt.

c. Moormergel und Wiesenkalk.

Profil: Moormergel (7 Dcm.) über Torf.

Dyrotz-Wiesen. (Sect. Markau 2.)

Chemische Analyse des Moormergels.

ERNST SCHULZ.

Bestandtheile	In Procenten des Gesammtbodens	Bemerkungen
Thonerde	3,51 *)	*) entspr. wasser- halt. Thon 8,84 pCt.
Eisenoxyd	2,60	
Kalkerde	13,12	†) entspr. kohlens. Kalk 20,07 pCt.
Kohlensäure	8,83 †)	
Kali	1,11	
Phosphorsäure	0,14	
Humus	28,22	
Kieselsäure und nicht Bestimmtes . .	42,47	
Summa	100,00	

Chemische Analyse des Torfes.

FELIX WAHNSCHAFFE.

Bestandtheile	In Procenten des Gesammt- bodens	In Procenten der Aschen- bestandtheile	Bemerkungen
Thonerde	0,51 *)	4,91	*) Fast nur in Form von Feldspath vor- handen.
Eisenoxyd	2,10	20,21	
Kalkerde	4,93 †)	47,45	
Magnesia	0,15	1,44	†) an Humussäure gebunden.
Kali	0,19	1,83	
Natron	0,11	1,06	
Kieselsäure	1,64	15,78	
Phosphorsäure	0,33	3,18	
Schwefel	0,43	4,14	
Humus	61,94	—	
Chemisch gebundenes Was- ser (aus der Differenz) .	27,67	—	
Summa	100,00	100,00	

M o o r m e r g e.l (sehr sandig).
Jägelitz-Wiesen. (Sect. Nauen 3.)
Ernst Schulz.

I. Mechanische Analyse.

Mäch-tigkeit Decimet.	Grand über 2mm	S a n d					Staub 0,05–0,01mm	Feinste Theile unter 0,01mm	Summa
		2–1mm	1–0,5mm	0,5–0,2mm	0,2–0,1mm	0,1–0,05mm			
5	0,1			79,9			11,1	8,8	99,9
		0,2	13,0	18,2	37,2	11,3			

II. Chemische Analyse.

a) Chemische Analyse der Feinsten Theile im sehr sandigen ·
Moormergel.
Aufschliessung mit Flusssäure.

Bestandtheile	In Procenten des Schlämm-produkts	In Procenten des Gesammt-bodens	Bemerkungen
Thonerde †)	4,88 *)	0,429 **)	*) entspricht 12,28 wasserhalt. Thon
Eisenoxyd	4,62	0,407	
Kali	1,07	0,094	**) entspricht 1,08 wasserhalt. Thon
Kalkerde	35,09	3,088	†) Ein Theil der Thon-erde ist in Form von Feldspath oder von ähnlich zusammenge-.. setzten Silicaten vor-handen.
Kohlensäure	27,16	2,390	
Phosphorsäure	0,42	0,037	
Glühverlust excl. Kohlensäure	11,82	1,040	
Darin Humus	[7,37]	[0,65]	
Kieselsäure u. nicht bestimmt	14,94	1,315	
Summa	100,00	8,800	

b) Vertheilung des kohlensauren Kalkes im sehr sandg. Moormergel
berechnet nach der ermittelten Kohlensäure.
In Procenten des Gesammtbodens:
Erste Bestimmung . . . . 12,21 pCt.
Zweite Bestimmung . . . 15,38 -.
· (davon in den Feinsten Theilen. 5,43.)

c) Humusbestimmung im sehr sandigen Moormergel.
In Procenten des Gesammtbodens:
Humus 1,76 pCt. (davon 0,65 in den Feinsten Theilen).

Profil nördlich Schönwalde.

(Sect. Marwitz 5.)

ERNST SCHULZ.

I. Mechanische Analyse.

Mäch- tigkeit Decimet.	Profil	Grand über 2^{mm}	Sand					Staub 0,05– $0,01^{mm}$	Feinste Theile unter $0,01^{mm}$	Summa
			$2–$ 1^{mm}	$1–$ $0,5^{mm}$	$0,5–$ $0,2^{mm}$	$0,2–$ $0,1^{mm}$	$0,1–$ $0,05^{mm}$			
5	Kalkiger humoser Sand (Oberkrume)	0,2			88,4			8,3	2,8	99,7
			0,2	0,1	1,3	54,8	32,0			
1–2	Feinsandiger Wiesenkalk				. Untersuchung nachfolgend					
5+	Feiner Sand	—			91,3			5,7	2,8	99,8
			—	—	—	33,9	57,4			

II. Chemische Analyse.

a) Chemische Analysen der Feinsten Theile im kalkigen humosen Sande I und im Feinen Sande II).

Aufschliessung mit Flusssäure.

Bestandtheile	I. In Procenten des		II. in Procenten des	
	Schlämm- produkts	Gesammt- bodens	Schlämm- produkts	Gesammt- bodens
Thonerde	9,04 †)	0,25 †)	14,14 †)	0,40 †)
Eisenoxyd	3,71	0,10	11,36	0,32
Kali	1,96	0,05	3,71	0,10
Kalkerde	10,55	0,30	6,21	0,17
Kohlensäure	4,58	0,13	3,61	0,10
Phosphorsäure	0,51	0,01	0,52	0,01
Glühverlust (excl. Kohlensäure)	32,83	0,92	10,13	0,28
Kieselsäure u. nicht Bestimmtes	36,82	0,03	50,32	1,41
Summa	100,00	2,79	100,00	2,79 -
†) entspr. wasserhaltigem Thon	22,76	0,64	35,60	1,00

b) Humusgehalt im kalkigen humosen Sande.

In Procenten des Gesammtbodens 2,68 pCt.

c) Untersuchung des Wiesenkalkes.

In stark verdünnter Salzsäure:

unlöslich 66,2 pCt. · löslich 33,8 pCt.

α) Mechanische Analyse des unlöslichen Theils (66,2 pCt.)

Grand	S a n d					Staub	Feinste Theile	In HCl	Summa
über 2mm	2– 1mm	1– 0,5mm	0,5– 0,2mm	0,2– 0,1mm	0,1– 0,05mm	0,05– 0,01mm	unter 0,01mm	löslich	
—	52,4					7,6	6,2	33,8	100,0
	—	—	9,8	19,3	23,3				

β) Chemische Analyse der Feinsten Theile des in HCl unlöslichen Theiles.

Aufschliessung mit Flusssäure.

Bestandtheile	In Procenten des Schlämm-produkts	In Procenten des Gesammt-bodens	Bemerkungen
Thonerde	15,17	0,941 *)	*) entspricht 2,36 wasserhalt. Thon
Eisenoxyd	11,70	0,725	
Kali	2,41	0,149	
Phosphorsäure	0,84	0,052	
Glühverlust	17,33	1,075	
Kieselsäure und nicht bestimmt .	52,55	3,258	
Summa	100,00	6,200	

15

γ) Untersuchung des in Salzsäure löslichen Theiles (33,8 pCt.).

Bestandtheile	In Procenten der gelösten Theile	In Procenten des Gesammt-bodens	Bemerkungen
Thonerde	0,44	0,149 *)	*) entspricht 0,38 wasserhalt. Thon
Eisenoxyd	0,84	0,284	
Phosphorsäure	0,20	0,068	
Differenz (meist Kalk)	98,52	33,299	
Summa	100,00	33,800	

δ) **Kalkgehalt des Wiesenkalks.**

(Bestimmt mit dem SCHEIBLER'schen Apparate.)

Kohlensaurer Kalk.

Erste Bestimmung 32,39 pCt.

Zweite   -   31,92 -

Durchschnitt 32,16 pCt.

Sandiger Moormergel.

Körzin. (Sect. Wildenbruch 15.)

ERNST SCHULZ.

I. Mechanische Analyse.

Grand	Sand			Staub	Feinste Theile	Summa
über 2^{mm}	2–0,5^{mm}	0,5–0,1^{mm}	0,1–0,05^{mm}	0,05–0,01^{mm}	unter 0,01^{mm}	
0,7	60,3			9,2	8,2	78,4 + 21,6 $CaCO_3$
	5,8	46,2	8,3			

II. Chemische Analyse.

a) Kalkgehalt im Gesammtboden 21,35 pCt.

b) Humusgehalt im Gesammtboden 1,83 -

Moormergel.

Löwenbruch. (Sect. Gross-Beeren 17.)

Ernst Laufer.

Kohlensaurer Kalk = 13,40 $\big\}$ im Scheibler'schen
-     - = 13,54 $\big\}$ Apparate bestimmt

Nach dem Kochen mit Salzsäure, Abrauchen mit Schwefelsäure und Auskochen des Rückstandes mit Soda erhalten:

	Probe I.	Probe II.
Sand . . . . =	45,15	43,52
Kohlensaurer Kalk . . =	11,75	13,16
Thonerde . . . . . =	1,67	0,64
Eisenoxyd . . . . . =	3,42	2,89
Humus . . . . . . =	19,02 pCt.	
Phosphorsäure . . . =	0,028 -	

Moormergel.

Wiesen, südöstl. Gross-Beeren. (Sect. Gross-Beeren 17.)

Ernst Laufer.

Kohlensaurer Kalk = 22,4 pCt. (im Scheibler'schen Apparate
bestimmt.)

Nach dem Kochen mit Salzsäure, Abrauchen mit Schwefelsäure und Auskochen des Rückstandes mit Soda erhalten:

	Probe I.	Probe II.	
Sand . . . . =	38,71	40,25	
Kohlensaurer Kalk . =	24,71	22,57	
Thonerde . . . . =	0,90 $\{$	lösl. in Cl H 0,24	$\}$1,29
		- - SO_4H_2 1,05	
Eisenoxyd . . . . =	5,32 $\{$	lösl. in Cl H 1,98	$\}$6,52
		- - SO_4H_2 4,54	
Humus . . . . =	8,36 pCt.		
Phosphorsäure . . =	0,038 -		

Moormergel.

Proben von zwei Stellen der Britzer Wiesen. (Sect. Tempelhof 19.)

FELIX WAHNSCHAFFE.

	100 Theile Gesammtboden ergaben bei successiver Behandlung						
	mit heisser verdünnter Salzsäure				mit conc. Schwefelsäure		Rückstand †) beim Glühen
	Kohlensäure	entspr. kohlens. Kalk	Thonerde	Eisenoxyd	Thonerde	Eisenoxyd	Sand und Silikat
No. 1.	7,39	16,80	1,02 entspr. wasserh. Thon: 2,57 *)	1,02	1,96 entspr. wasserh. Thon: 4,93 *)	1,45	65,81
No. 2.	14,41	32,75	0,45 entspr. wasserh. Thon: 1,13 **)	0,43	0,58 entspr. wasserh. Thon: 1,46 **)	0,41	63,19

*) Summa des Thongehaltes = 7,5.
**) Summa des Thongehaltes = 2,6.
†) Der Rückstand von der Aufschliessung mit SO_4H_2 wurde mit concentrirter Sodalösung ausgekocht und dann geglüht.

Moormergel.

Wiesen von Rotzis. (Sect. Königs-Wusterhausen 23.)

ERNST LAUFER.

Kohlensaurer Kalk . . . . = 10,8 pCt.
Humus . . . . = 8,8 -
Sand . . . . = 80,0 -
_____
100,0 pCt.

d. Wiesenthonmergel.

Wiesenthonmergelprofil.

Berend'sche Grube bei Paretz. (Sect. Ketzin 10.)

Ludwig Dulk.

I. Mechanische Analyse.

Tiefe der Probe unter dem Torfe Decimet.	Profil	Sand		Staub 0,05– 0,01^{mm}	Feinste Theile unter 0,01^{mm}	Summa
		über 0,1^{mm}	0,1– 0,05^{mm}			
4–5	Wiesenkalk	1,3		8,1	40,2*)	49,6 + 50,4 Ca CO$_3$
		0,5	0,8			
19–20	Thonmergel	2,9		12,1	59,8**)	74,8 + 25,2 Ca CO$_3$
		0,6	2,3			
27–28	Thonmergel	3,0		19,2	62,2***)	84,4 + 15,6 Ca CO$_3$
		0,2	2,8			

*) 40,2 + 34,6 Ca CO$_3$ = 74,8 pCt. Feinste Theile.
**) 59,8 + 16,1 - = 75,9 -   -   -
***) 62,2 + 10,5 - = 72,7 -   -   -

II. Chemische Analyse.

a. Chemische Analyse der Feinsten Theile.

Aufschliessung mit kohlensaurem Natron.

Bestandtheile	Thonmergel bei 19—20 Dec. in Procenten des	
	Schlämmprodukts	Gesammtbodens
Kieselsäure	45,93	34,86
Thonerde	12,07 †)	9,16 †)
Eisenoxyd	3,76	2,85
Kohlensaure Kalkerde	21,20	16,10
Glühverlust und nicht Bestimmtes . .	17,04	12,93
Summa	100,00	75,90
†) entspr. wasserhaltigem Thon . . .	30,79	23,38

b. Kalkbestimmung im Gesammtboden und in den Feinsten
Theilen.

Kalkgehalt	Wiesenkalk bei 4—5 Dec. in Procenten des		Thonmergel bei 19—20 Dec. in Procenten des		Thonmergel bei 27—28 Dec. in Procenten des	
	Schlämm-produkts	Gesammt-bodens	Schlämm-produkts	Gesammt-bodens	Schlämm-produkts	Gesammt-bodens
in den Feinsten Theilen	46,3	34,6	21,2	16,1	14,5	10,5
im Gesammtboden	50,4		25,2		15,6	

c. Chemische Analyse des Gesammtbodens.

F. WAHNSCHAFFE und L. DULK.

Aufschliessung mit Flusssäure.

Bestandtheile	Thonmergel bei 19—20 Dec.
Thonerde	9,77 †)
Eisenoxyd	3,92
Kali	1,96
Magnesia	1,40
Kalkerde	16,85
Kohlensäure . . . . , .	12,23 ††)
Phosphorsäure	0,07
Glühverlust	7,53
Kieselsäure und nicht Bestimmtes . .	46,27
Summa	100,00
†) entspr. wasserhaltigem Thon . .	24,59
††) entspr. kohlensaurem Kalk : . .	27,79

Kalkbestimmungen in verschiedenen Proben des in 19—20 Dec.
unter dem Torf entnommenen Thonmergels
(mit dem SCHEIBLER'schen Apparate bestimmt).

Probe, welche zur chemischen Analyse des Gesammtbodens diente 27,79 pCt.
  -    -   - mechanischen -   -   -   - 25,20 -
eine dritte Probe . . . . 24,46 -
Schaustück aus der Samm- { rauhe Seite { 1. Bestimmung 24,82 } 24,38 -
lung der Geologischen { { 2. Bestimmung 23,92 }
Landesanstalt (glatte Seite . . . . 25,03 -
Durchschnitt 25,37 pCt.

Wiesenthonmergelprofil.

Müller-Neumann'sche Grube bei Ketzin. (Sect. Ketzin 10.)

LUDWIG DULK.

I. Mechanische Analyse.

Tiefe der Probe unter dem Torfe Decimet.	Profil	Sand		Staub 0,05– 0,01mm	Feinste Theile unter 0,01mm	Summa
		bis zu 0,1mm	0,1– 0,05mm			
2-3	Wiesenkalk	8,0		16,2	25,2*)	49,4 + 50,6 CaCO₃
		3,1	4,9			
10-12	Wiesen- thonmergel	9,4		29,9	43,7 **)	83,0 + 17,0 CaCO₃
		0,8	8,6			
ca. 20	Desgl.	6,4		29,2	49,9 ***)	85,5 + 14,5 CaCO₃
		1,1	5,3			

*) 25,2 + 27,9 CaCO₃ = 53,1 pCt. Feinste Theile.
**) 43,7 + 8,5 - = 52,2 - - -
***) 49,9 + 9,1 - = 59,0 - - -

II. Chemische Analyse.

a. Chemische Analyse der Feinsten Theile.

Bestandtheile	Aufschliessung mit:					
	kohlens. Natron. Wiesenkalk bei 2—3 Dec. in Procenten des		Flusssäure. Thonmergel bei 10—12 Dec. in Procenten des		kohlens. Natron. Thonmergel bei ca. 20 Dec. in Procenten des	
	Schlämm-produkts	Gesammt-bodens	Schlämm-produkts	Gesammt-bodens	Schlämm-produkts	Gesammt-bodens
Kieselsäure . . .	17,53	9,32	—	—	49,85	29,39
Thonerde . . .	3,05†)	1,62†)	11,62†)	6,04†)	12,53†)	7,41†)
Eisenoxyd . . .	1,64	0,87	4,51	2,51	5,22	3,08
Kali	—	—	2,42	1,25	—	—
Kohlens. Kalk .	52,50	27,87	16,35	8,52	15,48	9,14
Phosphorsäure .	—	—	0,20	0,10	—	—
Glühverlust . .	16,74	8,89	10,78	5,60	—	—
Nicht Bestimmtes	8,54	4,53	54,12	28,18	16,92	9,98
Summa	100,00	53,10	100,00	52,20	100,00	59,00
†) entspr. wasserh. Thon	7,78	4,14	29,64	15,46	31,95	18,86

b. Kalkbestimmungen im Gesammtboden und in den Feinsten
Theilen.

Bestandtheile	Wiesenkalk bei 2—3 Dec. in Procenten des		Thonmergel bei 10—12 Dec. in Procenten des		Thonmergel bei 20 Dec. in Procenten des	
	Schlämm-produkts	Gesammt-bodens	Schlämm-produkts	Gesammt-bodens	Schlämm-produkts	Gesammt-bodens
in den Feinsten Theilen	52,5	27,9	16,3	8,5	15,5	9,1
im Gesammtboden	50,6		16,9		14,5	

e. Moorerde, Humoser Sand und Flusssand.

Bahnhof Nauen, Wiesen an der Gasanstalt. (Sect. Nauen 3.)

FELIX WAHNSCHAFFE.

I. Mechanische Analyse.

Mäch-tigkeit Decimet.	Profil	Grand über 2mm	Sand					Staub 0,05–0,01mm	Feinste Theile unter 0,01mm	Summa
			2–1mm	1–0,5mm	0,5–0,2mm	0,2–0,1mm	0,1–0,05mm			
2–3	Moorerde *)	0,0	57,6					14,3	28,1	100,0
0–7	Humoser Sand*)	0,0	77,2					12,8	9,2	99,2
			0,0	0,3	3,0	39,1	34,8			
10 +	Feiner Sand	0,0	99,4					0,2	0,5	100,1
			0,0	0,7	15,0	21,2	2,5			

*) Geschlämmt mit den humosen Theilen.

II. Chemische Analyse.

a. Chemische Analyse der Feinsten Theile

	in der Moorerde: Aufschliessung mit kohlens. Natron		im humosen Sande: Aufschliessung mit Flusssäure	
Bestandtheile	in Procenten des		in Procenten des	
	Schlämm-produkts	Gesammt-bodens	Schlämm-produkts	Gesammt-bodens
Thonerde	5,09	1,43	13,50	1,24
entspricht wasserhalt. Thon .	[12,81]	[3,60]	[33,99]	[3,13]
Eisenoxyd	2,50	0,70	7,82	0,72
Kali	—	—	1,24	0,11
Kalkerde	—	—	4,74	0,44
Kohlensäure	—	—	Spuren	—
Phosphorsäure	—	—	0,34	0,03
Humusgehalt	—	—	14,55	1,34
Glühverlust excl. Humus . . .	—	—	9,28	0,85
Kieselsäure und nicht bestimmt .	—	—	48,53	4,47
Summa	— —	—	100,00	9,20

b. Humusgehalt im Gesammtboden.

In der Moorerde . . . . 11,71 pCt.
Im Humosen Sande . . . . . 2,49 -

Moorerde.

Feuerhorstwiesen. (Sect. Nauen 3.)

FELIX WAHNSCHAFFE.

I. Mechanische Analyse.

Grand	Sand					Staub	Feinste Theile	Summa
über 2mm	2–1mm	1–0,5mm	0,5–0,2mm	0,2–0,1mm	0,1–0,05mm	0,05–0,01mm	unter 0,01mm	
0	90,9					8,0	1,8	100,8
	0,3	0,9	9,2	55,2	25,3			

Bemerk. Nach dem Glühen geschlämmt.

II. Chemische Analyse.

Glühverlust der Moorerde = 10,01 pCt. mit 7,25 pCt. Humus.

f. Flugsand (Dünensand).

Flugsande.

(Sect. Linum 1.)

Mechanische Analyse.

Mächtigkeit Decimet.	Fundort	Grand über 2mm	Sand					Staub 0,05–0,01mm	Feinste Theile unter 0,01mm	Summa	Analytiker
			2–1mm	1–0,5mm	0,5–0,2mm	0,2–0,01mm	0,1–0,05mm				
8	Callin	0,0			99,1				0,8	99,9	SCHULZ
			0,1	13,4	15,8	48,6	21,2				
7	West-Staffelder Communal-Haide	0,0			94,1				6,0	100,1	WAHNSCHAFFE
			0,3	0,4	3,7	70,8	18,9				
13	Dorotheenhof	0,1			97,6			1,2	1,2	100,1	
			0,1	0,5	9,7	62,8	24,5				

Anm. Unter diesen Flugsanden folgt das Bodenprofil:

Lehmiger Sand
Sandiger Lehm
Sandiger Mergel

Flugsand.

Brand. (Sect. Wildenbruch 15.)

ERNST SCHULZ.

Mechanische Analyse.

Grand über 2mm	Sand			in Summa
	2–1mm	1–0,5mm	unter 0,5mm	
0,0		3,5	96,5	100,0
	0,1	3,4		

Flugsand.

Nahe dem Dorfe Sputendorf. (Sect. Gross-Beeren 17.)

ERNST LAUFER.

I. Mechanische Analyse.

Tiefe der Entnahme Decimet.	Bezeichnung	Grand über 2^{mm}	Sand			
			2–1^{mm}	1–0,5^{mm}	0,5–0,2^{mm}	unter 0,2^{mm}
0,5–1,0	Waldoberkrume	fehlt	—			
			0,9 (Wurzeln)	1,0	3,1	95,0
10	Untergrund	fehlt	—			
			1,3	8,4	23,0	67,0

II. Chemische Analyse des Gesammtbodens.

Tiefe der Entnahme Decimet.	Kiesel- säure	Thon- erde	Eisen- oxyd	Kalk- erde	Mag- nesia	Kali	Natron	Glüh- verlust	Summa
0,5–1,0	95,41	1,63	0,47	0,24	0,18	0,89	0,43	1,21	100,46
10	95,59	0,88	0,52	0,20	0,62	0,75	0,42	0,48	99,47

Flugsand.

Genshagen. Am Orte. (Sect. Gross-Beeren 17.)

Ernst Laufer.

Mechanische Analyse.

Grand über 2mm	Sand		
	2–1mm	1–0,5mm	unter 0,5mm
0,0			
	0,2	1,0	98,8

Flugsand. Staubiger, sehr feiner Sand.

Woltersdorfer Kietz. Königl. Rüdersdorfer Forst (Sect. Rüdersdorf. 25.)

Ernst Laueer.

Mechanische Analyse.

Grand über 2mm	Sand					Staub 0,05–0,01mm	Feinste Theile unter 0,01mm	Summa
	2–1mm	1–0,5mm	0,5–0,2mm	0,2–0,1mm	0,1–0,05mm			
fehlt	84,8					11,3	3,5	99,6
	0,2	0,4	1,0	23,6	59,6			

Die Flugsande stehen in ihrer Körnung den Thalsanden sehr nahe, was darauf beruht, dass dieselben meist aus den Ablagerungen der letzteren aufgeweht sind. Die chemische Analyse zeigt eine grosse Armuth an Silicat.

g. Infusorienerde.

Kalkhaltige Infusorienerden.

(Sect. Spandow 9.)

FELIX WAHNSCHAFFE.

Aufschliessung des Gesammtbodens mit kohlensaurem Natron, Auskochen desselben mit kohlensaurem Natron und Humus- bezw. Glühverlust - Bestimmung.

.Bestandtheile	Von den Freiheits-wiesen bei Spandow (Bohrloch)	Von den Jütelwiesen bei Spandow (Bohrloch)
Sand und als Silikat gebundene Kiesel-säure	73,73	28,97
Lösliche Kieselsäure (Diatomeenpanzer)	15,07	34,39
Thonerde	3,34	4,92
Eisenoxyd	1,84	14,71
Humus	2,87	nicht bestimmt
Glühverlust (Wasser und wenig Humus)	nicht bestimmt	13,71
Differenz (Kalk in geringer Spur, Magne-sia und Alkalien)	3,15	3,30
Summa	100,00	100,00

Infusorienerde.

Am Schiffsgraben bei Amt Bornim. (Sect. Fahrland 13.)

ERNST LAUFER.

I. Mechanische Analyse.

Grand über 2mm	Sand				Staub 0,05–0,01mm	Feinste Theile unter 0,01mm	Organische Substanz
	2–1mm	1–0,5mm	0,5–0,1mm	0,1–0,05mm			
0,0	39,5				26,2	19,9	14,4 (incl. 3,9 pCt. Wurzelfaser)
	0,1	0,5	31,4	7,5			

II. Chemische Analyse.

a) Chemische Analyse der Feinsten Theile.

Aufschliessung mit kochender Soda und Flusssäure.

Bestandtheile	In Procenten des	
	Schlämmprodukts	Gesammtbodens
Thonerde	1,93*)	0,38*)
Eisenoxyd	1,94	—
Kalkerde	1,57	—
Magnesia	0,36	
Glühverlust	21,72	
Kieselsäure	70,22	
Nicht Bestimmtes	2,26	—
Summa	100,00	—
*) entspräche wasserhaltig. Thon . .	4,86	0,95

b. Chemische Analyse des Gesammtbodens.

Aufschliessung mit kochender Soda und Flusssäure.

Lösliche Kieselsäure (Infusorienschalen)	22,14	⎫ 69,36
Unlösliche Kieselsäure	47,22	⎬
Thonerde	2,80	
Eisenoxyd	0,83	
Kalkerde	1,97	
Humus	10,29	⎫ 23,32
Wasser	13,03	⎬
Differenz (Magnesia und Alkalien)	1,72	
	100,00	

h. Anhang.

Profil der Ziegelei Grube von Birkheide. (Sect. Markau 2.)

FELIX WAHNSCHAFFE.

I. Mechanische Analyse.

Mächtigkeit Decimet.	Profil	Grand über 2mm	Sand 2-1mm	1-0,5mm	0,5-0,2mm	0,2-0,1mm	0,1-0,05mm	Staub 0,05-0,02mm	Feinste Theile unter 0,01mm	Summa
6	Lehmig. Sand (weissl. grau), Abraum bez. Auftragung	—			50,1			39,9	10,0	100,0
			0,7	2,5	10,1	18,0	18,8			
1-2	Lehmig. Sand (dunkelbraun, verhärtet, alte Grasnarbe)	0,3			82,8			11,0	6,0	100,1
			0,1	0,8	2,0	31,4	48,5			
3	Lehm (feingeschichtet, hellbraun)	—			71,8			14,6	13,9	100,3
			0,0(3)	0,5	4,8	27,6	38,9			
2	Lehm (steinig)				nicht untersucht					
8	Lehm (grau, geschichtet, sandstreifig)	—			48,3			25,0	26,1	99,4
			0,3		18,4 (wesentl. Concretionen)		29,7			
—	Sandiger Thon*) (fette, untere Lage)	—			27,0			15,6	57,4	100,0
			—		6,5		20,5			

*) Schlämmanalyse von L. DÜLK.

II. Chemische Analyse.

In dem dunkelbraunen lehmigen Sande:

Eisenoxyd *) . . . . 1,21 pCt.

Humus . . . . 0,33 -

*) Durch Aufschliessung mit Kaliumbisulfat erhalten.

Salzboden am Dechtower Damm nahe Weinberg bei Nauen.
(Sect. Nauen 3.)

FELIX WAHNSCHAFFE.

a) Auszug der Oberkrume mit kaltem destillirten Wasser.

Bestandtheile	Der Wasserauszug aus 100 Theilen Gesammtboden enthält:		100 Theile der gelösten Substanzen enthalten:	
	Salzkrusten der Oberkrume des Wiesenbodens	Salzboden. Oberkrume eines Haferfeldes	Salzkrusten der Oberkrume des Wiesenbodens	Salzboden. Oberkrume eines Haferfeldes
Chlor	3,0368	1,7536	53,84	39,74
Kieselsäure	0,0056	0,0042	0,10	0,10
Schwefelsäure (SO_3) .	0,0160	0,3534	0,28	8,01 *)
Salpetersäure	fehlt	Spuren	fehlt	Spuren
Calcium	0,0967	0,3612	1,71	8,19
Magnesium	0,0383	0,0330	0,68	0,75
Natrium	1,8337	0,0128	32,51	22,95
Kalium	0,0512	0,0403	0,91	0,91
Glühverlust (Humussäuren und Wasser .	0,5296	0,7536	9,39	17,08
Summa	5,6079	4,3121	99,42	97,73 *)
Summa der gelösten Substanzen bei 100° C. direct gewogen . .	5,6400	4,4128	—	—

*) Setzt man die Schwefelsäure SO_4 = 9,62 — so wird die Summe 99,34.

b) Berechnung der im Wasser gelösten Substanzen der Oberkrume auf anorganische Salze.

Bestandtheile	Der Wasserauszug aus 100 Theilen Gesammtboden enthält:		Die anorgan. Salze ohne Berücksichtigung des Kalkrestes und der Humussäuren auf 100 berechnet:	
	Salzkrusten der Oberkrume des Wiesenbodens	Salzboden. Oberkrume eines Haferfeldes	Salzkrusten der Oberkrume des Wiesenbodens	Salzboden. Oberkrume eines Haferfeldes
Chlornatrium (Na Cl) .	4,6640	2,5760	93,03	74,21
Chlorkalium (K Cl) . .	0,0976	0,0768	1,95	2,21
Chlormagnes. (MgCl₂) .	0,1516	0,1306	3,02	3,73
Calciumsulfat (Ca SO₄) .	0,0272	0,5998	0,54	17,28
Chlorcalcium (Ca Cl₂) .	0,0732	0,0880	1,46	2,54
Calciumrest an Humussäuren gebunden . .	0,0204	0,1538	100,00	100,00

c) Auszug des Untergrundes vom Haferfeld mit kaltem destillirten Wasser.

Profil: Humoser Alluvial-Sand salzreich . . 0,5 Decimeter
       -      -   salzarm . . 2,5   -
Alluvial-Sand noch salzärmer.

Bestandtheile	Der Wasserauszug aus 100 Theilen Gesammtboden enthält:		100 Theile der gelösten Substanzen enthalten:	
	Humoser Alluvial-Sand in 2 Dc. Tiefe unt. d. Salzkrusten. Haferfeld	Alluvial-Sand unter dem humosen Sand. Haferfeld	Humoser Alluvial-Sand in 2 Dc. Tiefe unt. d. Salzkrusten. Haferfeld	Alluvial-Sand unter dem humosen Sand. Haferfeld
Anorganische Substanzen *)	0,3456	0,1696	65,45	81,85
Glühverlust (Humus u. Wasser)	0,1824	0,0376	34,55	18,15
Summa der gelösten Substanzen . . .	0,5380	0,2072	100,00	100,00

*) hauptsächlich Chlornatrium.

d) Humusgehalt des humosen Sandes in 2 Decimeter Tiefe unter den Salzkrusten = 1,65 pCt.

Profil: Schönwalde am Orte.

(Sect. Marwitz 5.)

ERNST SCHULZ.

I. Mechanische Analyse.

| Mächtigkeit Decimet. | Profil | Grand über 2^{mm} | Sand | | | | | Staub 0,05– 0,01^{mm} | Feinste Theile unter 0,01^{mm} | Summa |
			2– 1^{mm}	1– 0,5^{mm}	0,5– 0,2^{mm}	0,2– 0,1^{mm}	0,1– 0,05^{mm}			
6	Schwach humoser Sand (Oberkrume)	—	94,5					3,4	2,1	100,0
			—	0,2	1,9	60,0	32,4			
2	Feiner Sand		nicht untersucht							
4	Lehmige Sandstreifen im feinen Sande	—	84,1					8,5	7,2	99,8
			—	—	—	22,9	61,2			

II. Chemische Analyse.

a. Chemische Analyse der Feinsten Theile in den lehmigen Sandstreifen des Untergrundes.

Aufschliessung mit Flusssäure.

| Bestandtheile | in Procenten des | | Bemerkungen |
	Schlämmprodukts	Gesammtbodens	
Thonerde*)	19,81 [1]	1,426 [2]	[1] entspricht 49,87 wasserhalt. Thon.
Eisenoxyd	12,72	0,916	
Kali	2,00	0,144	
Kalkerde.	3,26	0,235	[2] entspricht 3,58 wasserhalt. Thon.
Kohlensäure	fehlt	—	
Phosphorsäure.	0,60	0,043	*) Ein geringer Theil der Thonerde ist in Form von Feldspath und ähnlichen Silicaten vorhanden.
Glühverlust	13,26	0,955	
Kieselsäure u. nicht Bestimmtes	48,35	3,481	
Summa	100,00	7,200	

b. Humusgehalt der Oberkrume $\left\{\begin{array}{l}\text{1ste Bestimmung 0,45 pCt.}\\\text{2te} \quad - \quad 0,40 \; \text{-}\end{array}\right.$

im Durchschnitt 0,42 pCt.

Profil südlich Segefeld. (Sect. Rohrbeck 6.)
I. Mechanische Analyse.
Ludwig Dulk.

Mächtigkeit Decimet.	Profil	Grand über 2ᵐᵐ	Sand 2-1ᵐᵐ	Sand 1-0,5ᵐᵐ	Sand 0,5-0,2ᵐᵐ	Sand 0,2-0,1ᵐᵐ	Sand 0,1-0,05ᵐᵐ	Staub 0,05-0,01ᵐᵐ	Feinste Theile unter 0,01ᵐᵐ	Summa
3	Schwach lehmiger, humushalt. Sand (Oberkrume)	—	73,6 (→)					18,1	7,7	99,4
			0,2	0,3	2,8	31,7	38,6			
3	Schwach lehmiger Sand (humusfrei)	—	70,1 (→)					20,3	9,2	99,6
			—	0,1	2,1	35,0	32,9			
3	Feiner Sand (Alluvialsand)	—	86,4 (→)					9,8	3,6	99,8
			—	0,2	2,0	36,5	47,8			
—	Lehmiger Sand	—	81,2 (→)					5,2	11,4	97,8
			0,3	2,2	46,3	32,4				

II. Chemische Analyse.
a. Chemische Analyse der Feinsten Theile.
Ernst Schulz.
1. Aufschliessung mit Flusssäure.

Bestandtheile	Schwach lehmiger, humushaltiger Sand in Procenten des Schlämmprodukts	des Gesammtbodens	Schwach lehmiger Sand (humusfrei) in Procenten des Schlämmprodukts	des Gesammtbodens	Feiner Sand in Procenten des Schlämmprodukts	des Gesammtbodens	Lehmiger Sand in Procenten des Schlämmprodukts	des Gesammtbodens
Thonerde	†) 9,87	†) 0,76	†) 10,77	†) 0,99	†) 14,30	†) 0,52	†) 21,82	†) 2,49
Eisenoxyd	3,81	0,29	3,18	0,29	4,49	0,16	9,93	1,13
Kali	2,58	0,20	2,36	0,22	3,39	0,12	3,16	0,36
Kalkerde	2,14	0,17	Spur	—	0,98	0,03	1,05	0,12
Kohlensäure	fehlt	—	fehlt	: —	fehlt	—	fehlt	—
Phosphorsäure	0,34	0,03	0,22	0,02	0,25	0,01	0,36	0,04
Glühverlust	12,12	0,93	4,63	0,43	5,23	0,19	9,80	1,12
Kieselsäure u. nicht Bestimmtes	69,14	5,32	78,84	7,25	71,36	2,57	53,88	6,14
Summa	100,00	7,70	100,00	9,20	100,00	3,60	100,00	11,40
†) entspricht wasserhalt. Thon	24,85	1,91	27,11	2,49	36,00	1,29	54,93	6,26

16*

Alluvium.

2. Aufschliessung mit Schwefelsäure, saurem schwefels. Kali und Flusssäure.

α) Im Feinen Sande des vorstehenden Profiles.

Ludwig Dulk.

Bestandtheile	Es ergab die Aufschliessung mit		
	Schwefel-säure	saurem schwefels. Kali	Flusssäure *)
Thonerde †)	9,38 [0,34]	10,58 [0,381]	14,30 [0,52]
Eisenoxyd	3,51 [0,13]	3,68 [0,132]	4,49 [0,16]
Kali	0,73 [0,03]	—	3,39 [0,12]
Natron	0,14 [0,005]	—	nicht best.
Kalkerde	0,72 [0,03]	—	0,98 [0,03]
Phosphorsäure	nicht best.	—	0,25 [0,01]
Kieselsäure	14,16 [0,51]	—	—
Summa	28,64 [1,05]	—	—
†) entspr. wasserhaltig. Thon .	23,9 [0,86]	27,0 [0,97]	—

*) Analytiker: Ernst Schulz.

[ ] Die eingeklammerten Zahlen geben den Procentsatz berechnet auf Gesammt-boden.

β) Im lehmigen Sande.

Bestandtheile	Es ergab die Aufschliessung mit		
	Schwefel-säure	saurem schwefels. Kali	Flusssäure
Thonerde †)	nicht aus-geführt	20,71 [2,36]	21,82
Eisenoxyd		9,69 [1,11]	9,93
Kali		—	3,16
Kalkerde		—	1,05
Phosphorsäure		0,16 [0,019]	0,36
†) entspr. wasserhaltig. Thon .	—	52,8 [6,02]	—

b) Chemische Analysen des Gesammtbodens,

α) des schwach lehmigen humushaltigen Sandes und Feinen Sandes.

LUDWIG DULK.

Aufschliessung mit Schwefelsäure.

Bestandtheile	Schwach lehmiger humushaltiger Sand	Feiner Sand
Thonerde	1,47	0,99
Eisenoxyd	0,56	0,42
Kali	0,11	0,09
Natron	0,05	0,09
Kalkerde	0,21	0,15
Kieselsäure	2,59	2,03
Summa	4,99	3,77

β) Vom ganzen Profile.

LUDWIG DULK.

Aufschliessung mit Kaliumbisulfat.

Bestandtheile	Schwach lehmiger humushalt. Sand (Oberkrume)	Schwach lehmiger Sand (humusfrei)	Feiner Sand	Lehmiger Sand
Thonerde	2,94	3,34	1,45	3,71
Eisenoxyd	0,65		0,46	1,54

c) Humusgehalt der Oberkrume.

ERNT LAUFER.

Erste Bestimmung . . . . . . 0,43 pCt.

Zweite - . . . . . 0,65 -

Durchschnitt 0,54 pCt.

Geh·ängeboden.

Westl. Velten.   Rand der diluvialen Hochfläche.   (Sect. Hennigsdorf 8.)

ERNST SCHULZ

I. Mechanische Analyse.

Mächtigkeit Decimet.	Profil	Grand über 2mm	Sand					Staub 0,05–0,01mm	Feinste Theile unter 0,01mm	Summa
			2–1mm	1–0,5mm	0,5–0,2mm	0,2–0,1mm	0,1–0,05mm			
2–4	Schwach humoser lehmiger Sand (Ackerkrume)	1,2			87,0			4,6	7,1	99,9
			1,1	3,7	48,5	19,6	14,1			
3–6	Schwach lehmiger Sand	5,3			88,8			4,5	1,4	100,0
			1,3	4,0	26,9	37,7	18,9			
10+	Feiner Sand	—			97,8			1,5	0,4	99,7
			—	2,4	30,9	40,0	24,5			

II. Chemische Analyse.

a. Chemische Analyse der Feinsten Theile der Oberkrume.

Aufschliessung mit Flusssäure.

Bestandtheile	Schwach humos. lehm. Sand (Ackerkrume) in Procenten des.		Schwach lehmiger Sand in Procenten des	
	Schlämmprodukts	Gesammtbodens	Schlämmprodukts	Gesammtbodens
Thonerde	15,92 *)	1,13 *)	16,26 *)	0,23 *)
Eisenoxyd	5,54	0,39	6,56	0,10
Kali	3,84	0,27	2,88	0,04
Kalkerde	0,97	0,07	1,91	0,03
Kohlensäure	fehlt	—	fehlt	—
Phosphorsäure	0,62	0,04	1,59	0,02
Glühverlust	9,13	0,65	14,17	0,20
Kieselsäure und nicht Bestimmtes	63,98	4,54	56,63	0,79
Summa	100,00	7,09	100,00	1,41
*) entspr. wasserhaltig. Thon	40,08	2,84	40,93	0,57

b. Humusgehalt der Ackerkrume . . . . . . = 0,42 pCt.

           des schwach lehmigen Sandes = 0,26 -

T o r f.

Am Stienitzsee *). (Sect. Rüdersdorf 25.)

(Lufttrocken. Probe nahe Tasdorf entnommen)

F. WAHNSCHAFFE.

Kohlenstoff = 33,60 pCt. (entspr. 56 pCt. organischer
Torfmasse (Orth.)
Asche . = 13,98 -

---

*) Siehe Abhandlungen zur geologischen Specialkarte von Preussen und den
thüringischen Staaten Bd. II, Heft 2. Rüdersdorf und Umgegend S. 75.

2. Zusammenstellung der aus den Analysen sich ergebenden Resultate.

A. Gehalt an kohlensaurem Kalk.

a. Unterer Diluvialthonmergel.

Fundort	Kohlensaurer Kalk pCt.	Bemerkungen.
Niederhof bei Nauen, Sect. Markau .	8,8 (L.)	
Mühle SW. Nauen. (Schwache Einlagerung im Unter. Diluvial-Sande und Grande), Sect. Nauen	12,2 (L.)	
Britzer Berg, N. Leest, Sect. Ketzin .	7,2 (D.)	Uebergang zum Mergelsande
Sandgrube N. Eisenbahndamm, westl. Sectionsgrenze, Sect. Ketzin . . .	15,5 (D.)	Klein. blauschwarz. Thonbänkchen ca. 3 Dcm. mächtig
Thongrube bei Phoeben, Sect. Ketzin .	7,6 (D.)	Uebergang zum Mergelsande
Bohrloch an der Chaussée, Sect. Ketzin	10,1 (D.)	
Bohrloch am Uferabhang S. Leest, Sect. Ketzin	13,7 (D.)	
Gegend W. Petzow am Rankefang, Sect. Werder	5,0 (D.)	
Desgl., Sect. Werder	4,8 (D.)	
Thongrube N. Löcknitz Sect. Werder { Obere Lage	19,5 (D.)	
Untere Lage	12,2 (D.)	
Thongrube von Jahn, Werdersche Erdberge, NO. Glindow, Sect. Werder { a. . . .	16,1 (D.)	Uebergang zum Mergelsande
b.	8,6 (D.)	
Grube am Wege, Ostrand der Petzower Haide { 3 Dcm. unter der Oberen Grenze .	20,7 (D.)	
23 Dcm. unter der Oberen Grenze .	17,9 (D.)	

Fundort	Kohlensaurer Kalk pCt.	Bemerkungen
Im Jagen 55/56 bei Stolpe, Sect. Fahrland	9,8 (L.)	
Stolpe, Sect. Fahrland	13,8 (L.)	
Gr. Glienicker Ziegeleien, Sect. Fahrland	22,0 (L.)	
Nahe dem Springbruch, am Engelbrunnen, Sect. Potsdam	15,1 (L.)	
Ebendaselbst, Eisenbahneinschnitt, Sect. Potsdam	13,5 (L.)	
Alt-Langerwisch, Ziegelei, Sect. Potsdam	19,1 (L.)	
Cunersdorf, Sect. Wildenbruch . . .	13,0 (S.)	
Schönblick, Sect. Wildenbruch . . .	9,4 (S.)	
Tremsdorf, Sect. Wildenbruch . . .	4,6 (S.)	Uebergang zum Mergelsande
Agronomisches Bohrloch, O. Lichtenrade, Sect. Lichtenrade	11,4 (D.)	
Agronom. Bohrloch, SSO. Lichtenrade, Sect. Lichtenrade	8,7 (D.)	
Nördlich Ragow, Süd Jagen 86, Sect. K.-Wusterhausen	14,5 (L.)	
Carlshof, Sect. Königs-Wusterhausen .	19,9 (L.)	
Wildau, Sect. Königs-Wusterhausen .	14,1 (L.)	Eingelagert im Unteren Mergel
Schöneicher Plan, Grube von Plettenberg — Obere Bank (aus 2^m T.), Sect. Mittenwalde . .	13,5 (W.)	
Untere Bank (aus 4^m T.), Sect. Mittenwalde . .	12,7 (W.)	
Schöneicher Plan, Grube von Buchholz und Schulz, Sect. Mittenwalde . .	11,3 (W.)	
Schöneicher Plan, Grube von Schlickeisen, Sect. Mittenwalde	12,6 (W.)	
Motzen N. Grube von Meinecke, Sect. Mittenwalde	13,0 (W.)	
Grube SW.-Ecke der Section (westl. v. Langen Grunde), Sect. Mittenwalde .	10,1 (W.)	
Grube Schöneiche SW. Höhenrand (Eingelagerte Bank im Unteren Sande), Sect. Mittenwalde	5,3 (W.)	Uebergang zum Mergelsande
Streganzer Ziegelei, Sect. Friedersdorf	16,9 (L.)	
Colberg, Sect. Friedersdorf	8,8 (L.)	

b. Unterer Diluvialmergelsand.

Fundort	Kohlensaurer Kalk pCt.	Bemerkungen
Britz-Berg, N. Leest, Sect. Ketzin . .	7,2 (D.)	
Am Eisenbahndamm, N. Derwitzer Fichten, Sect. Ketzin	8,5 (D.)	
Sandgrube dicht am Kirchhof von Stolpe, Sect. Fahrland	5,8 (L.)	
Stolpe, Jagen 55/56, Sect. Fahrland .	7,4 (L.)	
Pfingstberg bei Potsdam, do. . .	9,4 (L.)	
Kesselberg, Sect. Wildenbruch . .	4,1 (S.)	
Schönhagen, do. do.	0,3 (S.)	Wahrscheinlich nicht mehr intact
Brunnengrube, Mühle von Ahrensdorf, Sect. Gross-Beeren	19,0 (L.)	
Bank in den Kiesgruben am Vorwerk Neu-Beeren, Sect Gross-Beeren . .	7,1 (L.)	
Brunnen in Gr. Ziethen, Sect. Lichtenrade	10,7 (D.)	Bei 18′. Tiefe unter ober. Diluvialmergel.
Kleine Gruben am Ostabhange des Stückenbergs, Motzen O., Sect. Mittenwalde	13,2 (W.)	
Unter-Försterei, Streganz, Sect. Friedersdorf	4,6 (L.)	
Radeberge, Dubrow Forst	5,3 (L.)	
Park Witzleben, Sect. Spandow . .	26,6 (W.)	
Unter-Försterei Charlottenburg, Sect. Spandow	19,8 (W.)	Fayence-Mergel
Trebbin, Sect. Trebbin	18,2 (S.)	

c. Unterer Diluvialmergel.

Fundort	Kohlensaurer Kalk pCt.	Bemerkungen
Obere Lage	28,3 (S.)	Thonige Ausbildung
Zweite Probe, Obere Lage . .	27,1 (D.)	-
Untere Lage (fett) mit Steinen .	19,0 (S.)	
Zweite Probe, Untere Lage . .	17,4 (D.)	
Unterste Lage (fett) mit Kreide	18,2 (S.)	
Zweite Probe, Unterste Lage . .	16,6 (D.)	-
Birkenwerder, Sect. Hennigsdorf . .	19,1 (W.)	
Hermsdorf nahe der Windmühle, Sect. Hennigsdorf	11,0 (L.)	
Aus einem Brunnen, Bergfelde, Sect. Hennigsdorf	30,6 (L.)	
Aus der Ausschachtung der Berliner Verbindungsbahn bei der bisherigen Unterförsterei Charlottenburg . . .	9,9 (W.)	
Mergelgrube am Waldrande, SW. Kemnitzer Wiesen, Sect. Ketzin . . .	7,8 (D.)	
SW. Kemnitzer Wiesen, S. Phöben, Sect. Ketzin	7,9 (D.)	
Gegend von Eiche, Sect. Ketzin . . .	3,5 (D.)	
Lehmgrube, SW. Leest, do. . . .	4,6 (D.)	
Lehmgrube, SSO. Kartzow, do. . . .	5,4 (D.)	
N.-Abhang des Mühlenbergs bei Alt-Töplitz, Sect. Ketzin	10,4 (D.)	
Lehmgrube SSO. Kartzow, W. des Weges, Sect. Ketzin . . I. Probe	10,1 (D)	
II. Probe	15,8 (D.)	
Thongrube bei Phöben, mächtigste Bank, Sect. Ketzin . . . . :	11,1 (D.)	Uebergang zum Unteren Diluvialthonmergel
Sand- und Lehmgrube N. Paretz, Sect. Ketzin	11,7 (D.)	Uebergang zum Unteren Diluvialthonmergel

Veltener Ziegeleien Sect. Oranienburg

Fundort	Kohlensaurer Kalk pCt.	Bemerkungen
Bohrloch an der Chaussée NO. Ketzin, Sect. Ketzin	5,0 (D.)	
Bohrloch am Wege, Ketzin-Etzin, Sect. Ketzin	5,2 (D.)	
Bohrloch an der Chaussée NO. Ketzin, Sect. Ketzin	6,0 (D.)	
Bohrloch am Graben bei der Heerwegbrücke NO. Ketzin, Sect. Ketzin . .	6,9 (D.)	
Bohrloch in der Wiese S. Satzkorn, Sect. Ketzin	7,2 (D.)	
Bohrloch N. Mittelpfuhl NO. Ketzin, Sect. Ketzin	7,5 (D.)	
Bohrloch W. Marquardt, Sect. Ketzin .	7,6 (D.)	
Bohrloch am Wege nach Satzkorn SO. Kl. Paaren, Sect. Ketzin	8,8 (D.)	
Bohrloch am Graben N. Mittelpfuhl, N. Ketzin, Sect. Ketzin	10,2 (D.)	
Bohrloch O. Kl. Paaren, Sect. Ketzin .	10,4 (D.)	
Grube SSO. Kartzow, O. des Weges, Sect. Ketzin	11,1 (D.)	
Bohrloch auf dem Kieswerder O. Kl. Paaren, Sect. Ketzin	15,2 (D.)	
Bohrloch O. Kr. Paaren, Sect Ketzin .	15,8 (D.)	
Hinter der Schäferei Bornim, Sect. Fahrland	7,4 (L.)	
Am Abhang des Pfingstberges, Sect. Fahrland	6,0 (L.)	
Colonie Alexandrowska, Sect. Fahrland	6,2 (L.)	
Brunnengrube S. Nedlitz, do. . .	7,8 (L.)	
Schneiderremise bei Bornim, do. . .	9,9 (L.)	Enthält Valvaten und Bythinien
Am Crampnitzsee, do. . .	5,4 (L.)	
Fahrland am Wege nach der Schaafdammbrücke, Sect. Fahrland . . .	5,0 (L.)	
Am Griebnitzsee nahe Kohlhasenbrück, Sect. Fahrland	10,5 (L.)	

Fundort	Kohlensaurer Kalk pCt.	Bemerkungen
Chausséeeinschnitt zwischen Nedlitz und Crampnitz, Sect. Fahrland	6,1 (L.)	
Holzabladeplatz am Crampnitzsee, Sect. Fahrland	12,6 (L.)	
Zwischen den beiden Mühlen von Born-stedt, Sect. Fahrland . . , . . .	15,0 (L.)	
Raubfang bei Bornstedt, Sect. Fahrland	12,8 (L.)	
Orangeriehaus bei Bornstedt, do. . .	12,1 (L.)	
Sohle der Kiesgrube von Bornstedt, Sect. Fahrland	15,9 (L.)	
Neuer Garten, Potsdam, Sect. Fahrland	10,7 (L.)	
Grube an der Kirche bei Bornstedt, Sect. Fahrland	6,9 (L.)	
Kleiner See bei Gross-Glienicke westl., Sect. Fahrland	10,2 (L.)	
Am Giebelfenn bei Gross-Glienicke, Sect. Fahrland	10,6 (L.)	
Wegeeinschnitt bei der Mühle am Müh-lenberg bei Potsdam, Sect. Fahrland	11,7 (L.)	
Kempfstücken bei Stolpe, Sect. Fahrland	4,9 (L.)	
Steinstücken, Sect. Potsdam	12,9 (L.)	
Kleiner Rabensberg, do.	7,6 (L.)	
Abhang der Schönen Berge, Sect. Potsdam	8,5 (L.)	
S. Wildparkstation, Sect. Potsdam . .	15,5 (L.)	
Oberhalb Bergholz, do.	5,7 (L.)	
Neu-Babelsberg, Ufer des Griebnitzsees, Sect. Potsdam	8,9 (L.)	
Ebendas. an der Bahnlinie, Sect. Potsdam	6,6 (L.)	
Am Torfweg, nahe dem Forellenteich (beim Springbruch), Sect. Potsdam .	6,5 (L.)	
Ziegelei Alt-Langer-wisch, Sect. Potsdam { Obere Lage . .	9,3 (L.)	
{ Untere Lage . .	8,2 (L.)	

Fundort	Kohlensaurer Kalk pCt.	Bemerkungen
Wegeeinschnitt auf dem Rollberge, Potsdamer Forst, Sect. Potsdam . . .	12,2 (L)	
Grube am Saugarten-Gestell, W. von Kl. Rabensberg, Sect. Potsdam . .	13,2 (L.)	
Abhang der Saarmünder Berge nahe Saarmund, Sect. Potsdam	4,5 (L.)	
Grube an der Saarmund-Langerwischer Grenze, dicht am Wege nach Saarmund, Sect. Potsdam	11,3 (L.)	
Nördlich vom Weinberge bei Neu-Langerwisch, Sect. Potsdam . . .	6,2 (L.)	
Vorwerk Breite Sect. Wildenbruch { Obere Lage	7,2 (S.)	Muschelführend
Mittlere -	10,9 (S.)	do.
Untere -	19,7 (S.)	do.
Schiass, Sect. Wildenbruch	6,5 (S.)	
Stangenhagen, do.	10,7 (S.)	
Stücken-Körzin, Sect. Wildenbruch . .	9,5 (S.)	
Schlunkendorf, do.	8,9 (S.)	
O. Wildenbruch, do.	14,6 (S.)	Muschel-mergel { Kalkbestimmung nach Auslesung der Schalreste
N. Fuchsberg, do.	7,9 (S.)	Muschelmergel
Freesdorf-Kesselberg, do.	10,8 (S.)	
Am Wege nahe dem Gute Gatow, Sect. Teltow	8,9 (L.)	
An der Gatower Grenze, am Wege nach Cladow, Sect. Teltow	3,7 (L.)	
Gatow, gegenüber der Ofenfabrik, Sect. Teltow	5,6 (L.)	
Stahnsdorf, an der Striewitz, Sect. Gr.-Beeren	5,4 (L.)	
Schenkendorfer Enclave, Sect. Gr.-Beeren	5,1 (L.)	

Fundort	Kohlensaurer Kalk pCt.	Bemerkungen
Südlich Teltow, Sect. Gr.-Beeren	5,3 (L.)	
W. von dem Pechpfuhl, bei Ahrensdorf, Sect. Gross-Beeren	3,7 (L.)	
Rixdorf, Sect. Tempelhof	4,1 (L.)	
Bahnhof Marienfelde, Sect. Tempelhof	9,2 (S.)	
Mergelgrube W. Diedersdorf, Sect. Lichtenrade	5,1 (D.)	
Kiesgrube S. Mahlow, Sect. Lichtenrade	9,7 (D.)	
Kiesgrube N. Gr.-Kienitz, do.	9,5 (D.)	
Mergelgrube SW. dem Kirchpfuhl N. Ragow, Sect. Königs-Wusterhausen	13,1 (L.)	
W. Hoherlöhme, Sect. Königs-Wusterhäusen	5,7 (L.)	
Grube bei Wildau, Sect. Königs-Wusterhausen	6,5 (L.)	
Südlich Jagen 86, über Diluvialthon, Sect Königs-Wusterhausen	8,3 (L.)	
Miersdorf, ca. 1m unter der Lehmgrenze, Sect. Königs-Wusterhausen	7,3 (L.)	
Zweite Probe, sandige Ausbildung	4,7 (L.)	
Niederlöhme, Ziegeleigruben, Sect. K.-Wusterhausen	12,1 (L.)	
Grube der Neuen Ziegelei bei Wildau, Sect. Königs-Wusterhausen	7,5 (L.)	
Aus dem Brunnen des Gutes Brusendorf, Sect. Königs-Wusterhausen	8,2 (L.)	Uebergang zum Thonmergel
Aus dem Brunnen des Gasthauses von Brusendorf, Sect. K.-Wusterhausen	10,0 (L.)	do.
Weinberg bei Gräbendorf, Sect. Friedersdorf	6,8 (L.)	
Hukatzberg bei Gussow, Sect. Friedersdorf	9,1 (L.)	

Fundort	Kohlensaurer Kalk pCt.	Bemerkungen
Am Hölzernen See, Sect. Friedersdorf	1,8 (L.)	
Bindow　　　　　　do. . . .	9,9 (L.)	
Süd-Friedersdorf, am Dünenzuge, Sect. Friedersdorf	7,2 (L.)	
Limberg bei Friedersdorf, Sect. Friedersdorf	4,4 (L.)	
Prieros, Sect. Friedersdorf	7,1 (L.)	

Diluvialmergel

von zweifelhaftem geognostischen Alter, vermuthlich meist unterer *).

Fundort	Kohlensaurer Kalk pCt.	Bemerkungen
Grube am Eulenberg, N. Neu Töplitz Sect. Ketzin	4,1 (D.)	
NO. Kartzow . . - -	6,8 (D.)	
NO. Neu Töplitz . - -	6,1 (D.)	
N. Paretz . . . - -	7,9 (D.)	
Ziegeleigrube, W. Uetz - -	6,9 (D.)	
Eisenbahndamm, N. Kemmnitz Sect. Ketzin	7,4 (D.)	Enthält Valvaten
Satzkorn, am Wege, - -	9,2 (D.)	Gelber Mergel
Satzkorner Ziegelei - -	7,6 (D.)	
Fahrland. Oestlich des Kirchhofes, Sect. Fahrland	8,8 (L.)	

*) Anmerkung während des Druckes. Nach Revision der Sect. Ketzin erkannte Dr. WAHNSCHAFFE die Mergel 1. 3. 4. mit Sicherheit als obere, die übrigen als untere; derjenige von Fahrland bleibt fraglich.

d. Unterer Diluvialsand und Grand.

Fundort	Kohlensaurer Kalk pCt.	Bemerkungen
Ziegelei W. Vehlefanz, Sect. Cremmen	2,3 (W.)	Feiner Diluvial-Sand
N. Vorwerk Wolfsberg, Sect. Rohrbeck	7,8 (W.)	Kalkreicher Grand
Höhenrand bei Rohrbeck, do. . .	2,6 (L.)	Feiner Diluvial-Sand
Veltener Ziegeleien, Sect. Oranienburg ·	{ 3,7 (S.)	Diluvial-Sand
	8,6 (S.)	Diluvial-Grand
Sandgrube am Mittelbusch, Neu-Falkenrehde, Sect. Ketzin	0,9 (D.)	
SW. Lange Pfuhl, NO. Ketzin, Sect. Ketzin	1,3 (D.)	Profil: Schwach lehmiger Sand 7 Dcm. Kalkiger Sand 13+ Probe bei 18 Dcm.
N. Rohrenden, N. Ketzin, Sect. Ketzin	2,1 (D.)	Profil: Schwach lehmiger Grand 6 Dcm. - - Sand Kalkiger Grand 12+
Beelitz, Sect. Beelitz	1,2 (S.)	Grand
Holzabladeplatz am Crampnitzsee, Sect. Fahrland	8,3 (L.)	Grand
Oberhalb Bergholz, Sect. Potsdam . .	2,6 (L.)	Unter Unt. Diluv.-Mergel
Neu-Babelsberg, do.	2,0 (L.)	(wie vorhergehend) ·
Nahe der Försterei Caputh, do.	7,8 (L.)	grandig
Schiass, Sect. Wildenbruch	0,7 (S.)	feinkörnig
Rauhe Berge, do.	2,0 (S.)	grobkörnig
Station Tempelhof, Sect. Tempelhof .	0,9 (W.)	(unter 4m Unterem Mergel)
Rixdorf, do.	0,9 (L.)	feinkörnig
do. do.	0,7 (S.)	feiner Sand, über grandig. Sand (unter Unterem Mergel)
do. do.	8,7 (S.)	grandig, über Unt. Mergel
do. do.	0,5 (S.)	unterste Lage, unter Unt. Mergel
Kiesgruben S. Mahlow, Sect. Lichtenrade	12,8 (D.) ·	Grand .
- N. Gr.-Kienitz, do. . . .	17,8 (D.)	desgl.
Sandgruben von Nieder-Lehme, Sect. Königs-Wusterhausen	2,3 (L.)	desgl.
Ebenda (siehe S. 124)	0,2 (L.)	mittelkörnig bis fein
Sandgrube am Dorfe Kiekebusch, Sect. Königs-Wusterhausen	0,3 (L.)	}
Mühlenberg bei Königs-Wusterhausen, · Sect. Königs-Wusterhausen . . .	2,2 (L.)	} Siehe S. 124

17

e. Oberer Diluvialmergel.

Fundort	Kohlensaurer Kalk pCt.	Bemerkungen
Dorotheenhof, Sect. Linum	11,4 (D.)	
Callin (bei Grünefeld), Sect. Nauen . .	11,0 (D.)	
Lietzow, do. . . .	aus 3—4 Dcm. Tiefe unt. Lehm 11,6 (L.) aus 9—10 Dcm. Tiefe unt. Lehm 9,9 (L.)	
Ziegelei W. Vehlefanz, Sect. Cremmen	16,2 (W.)	
Ebenda do. . .	9,9 (D.)	andere Probe von demselben Fundorte
Schwante, do. . .	9,6 (W.)	
Zwischen Vehlefanz und Bärenklau, Sect. Cremmen	7,2 (D.)	
Wegeeinschnitt zwischen Ziegelei und Dorf Vehlefanz	7,6 (D.)	
Birkenwerder, Sect. Hennigsdorf . .	9,5 (S.) 6,7 (D.)	2 verschiedene Proben
Hohen-Neuendorf, .do.	14,7 *) (S.) 8,5 (D.) 9,9 (L.)	*) Ein Kalksteinchen dabei 14,73—5,34 = 9,4
Eisenbahneinschnitt am Pfingstberge bei Hermsdorf, Sect. Hennigsdorf . . .	8,8 (L.)	
Nahe der Försterei Elseneck, Sect. Hennigsdorf	11,8 (L.)	
Elsholz-Beelitz, Sect. Beelitz	17,2 (S.)	
Schneiderremise, Sect. Fahrland . . .	10,3 (L.)	
Nahe Nedlitz, do.	7,3 (L.) 2,8 (L.)	(nicht mehr intact)
Nahe dem Holländer Pfuhl, Sect. Fahrland	5,7 (L.)	
Viereckremise beim Potsdamer Exerzierplatz, Sect. Fahrland	6,7 (L.)	
Stahnsdorf, am grünen Wege, Sect. Gross-Beeren	5,5 (L.)	
Nahe Osdorf, Sect. Gross-Beeren . .	7,3 (L.)	
Gütergotz, Grosse Wendemark, Sect. Gross-Beeren	5,3 (L.)	
Bahnhof Marienfelde, Sect. Tempelhof .	3,9 (W.)	

Fundort	Kohlensaurer Kalk pCt.	Bemerkungen
Eisenbahneinschnitt bei Friedenau, Sect. Tempelhof	4,9 (W.)	Sehr sandig
Rixdorf, Sect. Tempelhof	9,5 (S.)	
Mergelgrube W. Klein-Kienitz, Sect. Lichtenrade	7,4 (D.)	
Mergelgrube N. des Weges von Glasow nach Mahlow, Sect. Lichtenrade . .	9,4 (D.)	
Brusendorf, Mergelgrube am Ort, Sect. Königs-Wusterhausen	6,7 (L.)	
Diepensee, Sect. Königs-Wusterhausen.	7,6 (L.)	
Südlich Carlshof, do.	8,3 (L.)	
Sdgr. von Schönefeld, do.	6,4 (L.)	
NW. Rotzis, do.	8,0 (L.)	aus 1,5^m Tiefe.

f. Oberer Diluvialsand und Grand.

Fundort	Kohlensaurer Kalk pCt.	Bemerkungen
Triftberg von Niederlöhme, Sect. Königs-Wusterhausen	2,3 (L.)	Oberer Grand
Kiesgrube am N. Abhang der Gr. Kienitzer Berge, Sect. Lichtenrade . .	6,4 (D.)	Oberer Grand
Kiesgrube am Raubfang, Sect. Fahrland	3,0 (L.)	
Donnersberg bei Cladow, do. . .	18,9 (L.)	
Südlich dem Kienfenn bei Gross-Glienicke, Sect. Fahrland	10,4 (L.)	

17*

g. Wiesenkalk.

Fundort	Kohlensaurer Kalk pCt.	Bemerkungen
Feuerhorst-Wiesen, Sect. Nauen . . .	53,6 (D.)	Eine andere Probe mit Cl H behandelt Rückstand = 37,16 darin Glühverlust = 0,55 Rückstand concretionär
Nördlich Schönwalde, Sect. Marwitz .	32,2 (D.)	
Veltener Wiesen, an den Schlangenbergen, Sect. Oranienburg	34,5 (L.)	
Friedenthal, Sect. Oranienburg . . .	65,9 (L.)	
Hermsdorf, Sect. Hennigsdorf . . .	84,7 (L.)	
Phöbener Bruch-Wiesen, Sect. Ketzin	2,5 (D.)	Humoser kalkiger Sand
Ketzin, Müller-Neumann'sche Grube, Sect. Ketzin	50,6 (D.)	
Paretz, Sect. Ketzin	50,4 (D.) 64,0 (D.)	Berend'sche Grb. Müller'sche Grb. über Wiesenthonmergel
Alt-Töplitzer Wiesen (bei 2—4 Dcm.), Sect. Ketzin	1,9 (D.)	
Süd-Satzkorn, Sect. Ketzin	65,3 (D.)	
Ketzin, do.	50,4 (D.)	über Wiesenthonmergel
Amtswiesen bei Fahrland, Sect. Fahrland	48,5 (L.)	
Langes Fenn bei der Försterei Zedlitz, Sect. Fahrland	25,0 (L)	
Körzin, Sect. Wildenbruch	21,6 (S.)	
Süd-Genshagen, Sect. Gross-Beeren .	64,9 (L.)	
O. Gerichtsfichtenberg, W. der Chaussée, Sect. Lichtenrade	16,4 (D.)	
Schöneicher Plan, Grube von Buchholz und Schulz, Sect. Mittenwalde . .	26,0 (W.)	8—9 Dcm. mächtig
Mittenwalde, NW. am Zülow-Canal, Sect. Mittenwalde	9,8 (W.)	nach dem Lösen in Salzsäure hinterblieb reiner, humusfreier Sand
Friedersdorfer Wiesen, Sect. Friedersdorf	24,6 (L.)	
Am Wolziger See, do. . .	71,4 (L.)	
Am Ziest-See, do. . .	75,6 (L.)	
Pätzer Plan, do. . .	78,5 (L.)	

h. Moormergel.

Fundort	Kohlensaurer Kalk pCt.	Bemerkungen
Dyrotz-Wiesen, Sect. Markau . . .	20,1 (S.)	
Kleebucht. N. Kemnitz, Sect. Ketzin .	13,2 (D.)	
Phöbener-Wiesen, kl. Werder am Ufer Sect. Ketzin	2,5 (D.)	sehr sandig
Wiesen südöstlich Gr.-Beeren, Sect. Gr.-Beeren	23,2 (L.)	
Wiesen südöstlich Genshagen, Sect. Gr.-Beeren	32,0 (L.)	
Wiesen von Löwenbruch } Sect. Gr.-Beeren . . {	13,5 (L.) 11,8 (L.)	
Proben von 2 Stellen der Britzer Wiesen } Sect. Tempelhof . . {	16,8 (W.) 32,8 (W.)	
Rotzis, Sect. Königs-Wusterhausen . .	10,8 (L.)	

I. W-i e s e ñ t h o n m e r g e l.

Fundort	Kohlensaurer Kalk pCt.	Bemerkungen
Bohrloch W. Neu-Falkenrehde, nahe der Erdbrücke, Sect. Ketzin	38,9 (D.)	
Müller-Neumann'sche Grube · Sect. Ketzin — Grauer Mergel bis Wiesenkalk bei 2—3 Dcm. unter Torf	50,6 (D.)	
10—12 Dcm. unter Torf	17,0 (D.)	
20 Dcm. unter Torf . .	14,6 (D.)	
Berend'sche Grube bei Paretz Sect. Ketzin — Grauer Mergel bis Wiesenkalk bei 4—5 Dcm. unter Torf	50,4 (D.)	
19—20 Dcm. unter Torf	25,4 (D.)	
27—28 Dcm. unter Torf·	15,6.(D.)	
32—33 Dcm. unter Torf	14,0 (D.)	
Müller'sche Grube bei Paretz Sect. Ketzin — Grauer Mergel bis Wiesenkalk, 5 Dcm. unter Torf	64,0 (D.)	
14—15 Dcm. unter Torf	24,2 (D.)	
26 Dcm. unter Torf . .	15,1 (D.)	
Seeger'sche Grube N. Ketzin Sect. Ketzin — 10—12 Dcm. unter Torf	12,2 (D.)	
17 Dcm. unter Torf . .	10,4 (D)	
Grb. in der Wiese S. Satzkorn, Sect. Ketzin	65,3 (D.)	

k. Maxima, Minima und Durchschnittszahlen*) des Gehaltes an kohlensaurem Kalk.

Geognostische Bezeichnung	Maximum pCt.	Minimum pCt.	Durch- schnitt pCt.	Bemerkungen
Unterer Diluvial- thonmergel	22,0	4,6	12,5	
Unterer Diluvial- mergelsand	19,8	3,5	8,1	Berechnet ohne Berücksichti- gung des Fayence-Mergels von Park Witzleben und des Mergelsandes von Schön- hagen.
Unterer Diluvial- mergel	15,9	1,8	8,5	Berechnet ohne Berücksichti- gung der Mergel von den Veltener Ziegeleien, von Bir- kenwerder, von Vorwerk Breite und aus einem Brun- nen bei Bergfelde, da diese keine normalen Bildungen sind.
Unterer Diluvial- sand und Grand	17,8	0,2	3,9	
Oberer Diluvial- mergel	17,2	3,9	9,0	Berechnet ohne Berücksichti- gung eines Mergels von Hohen-Neuendorf und eines nicht mehr intacten Mergels von Nedlitz.
Oberer Diluvial- sand und Grand	18,9	2,3	8,2	
Jungalluvialer Wiesenkalk	84,7	9,8	47,3	Berechnet ohne Berücksichti- gung der Proben von den Phöbener Bruch-Wiesen und den Alt-Töplitzer Wiesen, da diese als kalkhaltige hu- mose Sand zu bezeichnen sind.
Jungalluvialer Moormergel	32,8	2,5	17,7	
Jungalluvialer Wiesenthonmergel	65,3	10,4	29,8	

---

*) Schlüsse, wie dieselben A. Jentzsch, die Zusammensetzung des altpreussischen Bodens, Physical. öcon. Ges. Königsberg 1879, bei einer Vergleichung der Dilu- vialbildungen Ost- und Westpreussens mit der Berliner Umgegend aus den ihm damals vorliegenden Untersuchungen zieht, werden wir erst dann bringen können, wenn grössere Reihen gleichmässig untersuchten Materiales vorliegen werden. Besonders gilt dies hinsichtlich der Berechnung der Mittelzahlen für Phosphor- säure- und Humusmengen.

B. Humusgehalt der Acker- resp. Oberkrume.

Bezeichnung und Fundort	Humus pCt.	Bemerkungen
A l l u v i u m.		
Schwach humoser Sand, Süd-Staffelde, Sect. Linum	0,79 (W.)	
Humoser Sand, Ackerkrume, Flatower Kienhaide, Sect. Linum	2,32 (W.)	
Fuchserde, ebenda, Sect. Linum . . .	0,02 (S.)	
Desgl. in zweiter Probe, ebenda, Sect. Linum	0,30 (S.)	
Dunkelbrauner, lehmiger Sand, Ziegelei Birkhaide, Sect. Markau	0,33 (W.)	
Moormergel, Dyrotz, do.	28,22 (S.)	(salzhaltig)
Humoser Sand, am Dechtower Damm, nahe Weinberg bei Nauen, Sect. Nauen	1,65 (W.)	
Schwach humoser Sand, Süd-Weinberg bei Nauen, Sect. Nauen	0,41 (L.)	
Moorerde, Feuerhorst-Wiesen, Sect. Nauen	7,25 (W.)	
Desgl. Bahnhof Nauen (Wiesen an der Gasanstalt), Sect. Nauen	11,71 (W.)	
Humoser Sand, ebenda, Sect. Nauen .	2,49 (W.)	
Moormergel, Jäglitz-Wiesen, do. . .	1,76 (S.)	In den Feinsten Theilen Humus = 0,65 pCt.
Humoser Sand, Bärenklau, Sect. Cremmen	1,68 (W.)	In den Feinsten Theilen Humus = 16,0 pCt.
Kalkig humoser Sand, nördlich Schönwalde, Sect. Marwitz	2,68 (S.)	
Schwach humoser Sand, Schönwalde, Sect. Marwitz	0,42 (S.)	
Desgl. Süd-Segefeld, Sect. Rohrbeck .	0,54 (L.)	
Humoser Sand, Havelhausen, Sect. Oranienburg	1,03 (L.)	

Bezeichnung und Fundort	Humus pCt.	Bemerkungen
Brauner Ockersand, ebenda	0,69 (W.)	
Rothbrauner Ockersand, ebenda I.Probe	0,50 (W.)	Schlämmprod. bei Humus 0,1ᵐᵐ Geschw. 6,1 (L.)
- - - II. Probe	0,44 (L.)	0,02ᵐᵐ . - 6,12 (L.)
Humoser Sand, nördl. Lehnitz-See, am Stintgraben, Sect. Oranienburg . .	2,98 (L.)	Humus Feinste Theile 0,74 Staub . . . 1,28 Sand . . . 0,96
Gehängeboden, westl. Velten, Sect. Hennigsdorf	0,42 (S.)	2,98
1. Ackerkrume	0,26 (S.)	
2. Schwach lehmiger Sand . . .	0,50 (S.)	
Schwach humoser Sand, westl. Velten, Sect. Hennigsdorf	0,77 (L.)	
Ockersand, ebenda	0,25 (L.)	
Desgl. zweite Probe	0,79 (L.)	
Infusorienerde, Freiheitswiesen, Spandow, Sect. Spandow	2,87 (W.)	
Desgl. am Schiffsgraben, beim Amte Bornim, Sect. Fahrland	10,29 (L.)	
Schwach humoser Sand, Haidehaus am Stern, Sect. Potsdam	0,44 (L.)	
Humoser Flusssand, nahe Saarmund, Sect. Potsdam	2,0 (L.)	
Sandiger Moormergel, Körzin, Sect. Wildenbruch	1,83 (S.)	
Moormergel, Löwenbruch, Sect. Gross-Beeren	19,02 (L.)	
Desgl., Wiesen südöstl. Gross-Beeren, Sect. Gross-Beeren	8,36 (L.)	
Desgl., Rotzis, Sect. K.-Wusterhausen	8,8 (L.)	
Rothbrauner Thalsand, Rüdersdorfer Forst bei Hortwinkel, Sect. Rüdersdorf	0,67 (L.)	

Bezeichnung und Fundort	Humus pCt.	Bemerkungen
D i l u v i u m.		
Ackerkrume am Abhang nahe Dallgow, Sect. Rohrbeck	0,65 (W.)	
Schwach humoser lehmiger Sand, N. Vorwerk Wolfsberg, Sect. Rohrbeck	0,21 (W.)	
Schwach lehmiger Sand, unter der Ackerkrume, ebenda	0,17 (W.)	
Ackerkrume, Geschiebesand, Schenkendorf, Sect. Gross-Beeren	0,74 (L.)	
Desgl., S. Sputendorf, Schronenden, Sect. Gross-Beeren	0,84 (L.)	
Waldoberkrume, Gross-Beerener Haide, Sect. Gross-Beeren	2,43 (L.)	Dabei Wurzelfaser = 1,17 pCt.
Humoser lehmiger Sand, Signalberg bei Friedenau, Sect. Tempelhof . . .	1,23 (S.)	
Ackerkrume, Rixdorf, Sect. Tempelhof	1,13 (S.)	Feinste Theile Humus = 6,35 (S.) Staub Humus = 0,73 (S.)
Tiefere Ackerkrume, ebenda, do. . . .	. . . .	Feinste Theile Humus = 5,28 (S.) Staub Humus = 0,5 (S.)
Ackerkrume, O. Lichtenrade, am Graben, Sect. Lichtenrade	1,18 (D.)	
Desgl., Mergelgrube W. Kl. Kienitz, Sect. Lichtenrade	0,91 (D.)	
Desgl., Mergelgrube Brusendorf, Sect. Königs-Wusterhausen	1,3 (L.)	
Desgl., Mergelgrube Diepensee, Sect. Königs-Wusterhausen	0,9 (L.)	
Humoser lehmiger Sand, Gut Berghof, Sect. Rüdersdorf	0,63 (L.)	

C. Gehalt an Phosphorsäure.

1. Phosphorsäurebestimmungen des Gesammtbodens.

Bezeichnung und Fundort	Phosphorsäure
Septarienthon. Hermsdorf. Sect. Hennigsdorf·	0,07 (S.)
Thonmergelboden am Rankefang. W. Petzow. Sect. Werder	
1. Thonmergel-Boden bei 1 Dcm.	0,08 (D.)
2. desgl. - 3 -	0,07 (D.)
Diluvialthonmergel. Werder'sche Erdeberge. NO. Glindow	0,27 (D.)
desgl. im Uebergange zum Mergelsand. Ebenda . .	0,10 (D.)
Fayencemergel, Trebbin	0,15 (S.)
Eisenstreifen, Ost-Dallgow, Sect. Rohrbeck	0,105 (S.)
Sand zwischen den Eisenstreifen. Ebenda	0,032 (S.)
Profil vom Oberen zum Unteren Diluvium, Rixdorf.	
1. Humoser lehmiger Sand (Ackerkrume) . . .	0,13
2. Lehmiger Sand	0,038
3. Lehm . . . . :	0,076 ⟩ (S.)
4. Oberer Diluvialmergel	0,07
5. Unterer -	0,05
Oberer Diluvialsand, Gross-Beerener Haide . . . . · .	0,003 (L.)
Rothbrauner Ockersand, Havelhausen bei Oranienburg . .	0,075 (L.)
Moormergel, Löwenbruch, Sect. Gross-Beeren	0,028 (L.)
desgl., Südöstl. Gross-Beeren	0,038 (L.)
Wiesenthonmergel, Paretz, Sect. Ketzin	0,07 (W.)

2. Phosphorsäurebestimmungen der Feinsten Theile.

Bezeichnung und Fundort	In Procenten		Bemerkungen
	der Feinsten Theile	des Gesammtbodens	
Diluvialthonmergel, Thongrube N. Löcknitz, Unt. Lage, Sect. Werder	0,11 (D.)	0,09	Aufschliessung mit: Flusssäure
Unterer. Diluvialmergel, Bornstedt, Unterhalb des Orangeriegebäudes, Sect. Fahrland	0,091 (L.)	0,03	Salzsäure
Desgl., Kemnitzer Wiesen, Sect. Ketzin			
1. Lehmiger Sand	0,13 (D.)	0,01	-
Profil 2. Lehm	0,11 (D.)	0,023	-
3. Mergel	0,14 (D.)	0,024	-
Desgl., Veltener Ziegeleien, Sect. Oranienburg			
1. Sandiger Lehm, Oberkrume .	0,16 (S.)	0,05	Flusssäure
Profil 2. Lehm (Thon)	0,17 (S.)	0,10	-
3. Diluvialmergel (Thonmergel), Obere Lage	0,12 (S.)	0,06	-
4. Desgl. untere Lage mit Steinen	0,15 (S.)	0,07	-
Unterer Diluvialsand, Galgenberg bei Rohrbeck	0,40 (S.)	0,01	-
Eisenconcretionen im Diluvialsand, Nord Vorwerk Wolfsberg, Sect. Rohrbeck	0,17 (W.)	0,006	Schwefelsäure
Desgl., Dallgow, Sect. Rohrbeck .	0,50 (W.)	0,046	Flusssäure
Lehmiger Sandstreifen, Schönwalde, Sect. Marwitz	0,60 (S.)	0,043	-
Birkenwerderer Ziegeleigruben			
1. Lehmiger Sand, Ackerkrume	0,60 (W.)	0,04	-
2. Desgl. unterhalb der Ackerkrume	0,65 (W.)	0,04	-
Profil 3. Lehm	0,35 (W.)	0,05	-
4. Oberer Diluvialmergel . . .	0,45 (W.)	0,06	-
5. Unterer - . . .	0,07 (W.)	0,02	-

Bezeichnung und Fundort	In Procenten der Feinsten Theile	des Gesammt-bodens	Bemerkungen
Schwach lehmiger Sand, Nord Vorwerk Wolfsberg, Sect. Rohrbeck	0,43 (W.)	0,009	Aufschliessung mit: Flussssäure
Desgl., Dallgow, Sect. Rohrbeck .	0,80 (W.)	0,04	-
Lehmiger Sand, ebenda	0,61 (W.)	0,04	-
Oberer Diluvialmergel, Hohen-Neuendorf, Sect. Hennigsdorf	0,31 (S.)	0,068	-
Desgl., Ziegelei W. Vehlefanz, Sect. . Cremmen			
Profil { 1. Sehr·sandiger Lehm . . .	0,43 (W.)	0,06	-
Profil { 2. Sandiger Lehm	0,30 (W.)	0,06	-
Profil { 3. Oberer Diluvialmergel . .	0,30 (W.)	0,08	-
Desgl. Schwante, Sect. Cremmen			
Profil { 1. Lehmiger Sand	0,38 (W.)	0,04	-
Profil { 2. Sandiger Lehm	0,51 (W.)	0,07	-
Profil { 3. Oberer Diluvialmergel . .	0,24 (W.)	0,04	-
Desgl. Callin (bei Grünefeld), Sect. Nauen			
Profil { 1. Lehmiger Sand	0,23 (W.)	0,01	-
Profil { 2. Lehm :	0,28 (W.)	0,06	-
Profil { 3. Oberer Diluvialmergel . .	0,20 (W.)	0,05	-
Desgl. östlich Marwitz			
Profil { 1. Lehmiger Sand	0,42 (W.)	0,05	-.
Profil { 2. Sandiger Lehm	0,27 (W.)	0,06	-
Desgl. Höhenrand bei Rohrbeck			
Profil { 1. Schwach lehmiger Sand · .	0,41 (S.)	0,01	-
Profil { 2. Sandiger Lehm	0,87 (S.)	0,11	-
Profil { 3. Sehr sandiger Lehm . . .	0,25 (S.)	0,02	-
Desgl. Galgenberg, Rohrbeck			
Profil { 1. Lehmiger Sand,. Ackerkrume	0,43 (S.)	0,02	-
Profil { 2. Desgl., unter der -	0,42 (S.)	0,03	
Desgl. Rixdorf			
Profil { 1. Humoser lehmiger Sand . .	0,18 (S.)	0,05	Flusssäure { Siehe Bestimmung der Phosphorsäure im Gesammtboden
Profil { 2. Lehm	0,25 (S.)	0,06	
Profil { 3. Oberer Diluvialmergel . .	0,26 (S.)	0,04	

Bezeichnung und Fundort	In Procenten der Feinsten Theile	des Gesammt-bodens	Bemerkungen
Rand der Hochfläche westl. Velten, Sect. Oranienburg			Aufschliessung mit:
Profil { 1. Schwach humöser lehm. Sand	0,62 (S.)	0,04	Flusssäure
2. Schwach lehmiger Sand . .	1,59 (S.)	0,02	-
Südlich Segefeld, Sect. Rohrbeck			
1. Schwach lehmiger Sand (humushaltig)	0,34 (S.)	0,03	-
Profil 2. Desgl. (humusfrei)	0,22 (S.)	0,02	-
3. Feiner Sand	0,25 (S.)	0,01	-
4. Lehmiger Sand	0,36 (S.)	0,04	-
Derselbe	0,16 (D.)	0,019	saurem schwefel-saurem Kali
Nördlich Schönwalde, Sect. Marwitz			
1. Kalkig humoser Sand . .	0,51 (S.)	0,01	Flusssäure
Profil 2. Feinsandiger Wiesenkalk			
In Salzsäure löslicher Theil	0,20 (S.)	0,068	Salzsäure
- - unlöslicher -	0,84 (S.)	0,052	Flusssäure
3. Feiner Sand	0,52 (S.)	0,01	-
Humoser Sand, unter Moorerde, Bahnhof Nauen	0,34 (W.)	0,03	-
Thalsand, Havelhausen bei Oranienburg			
1. Schwach humoser Sand . .	0,71 (S.)	0,02	-
2. Ockersand: Probe I . . .	0,67 (S.)	0,01	-
desgl., Probe II . . .	1,65 (W.)	0,025 *)	*) siehe P₂O₅ im Gesammtboden
Ockersand, Velten, Sect. Hennigsdorf	1,07 (S.)	0,017	Flusssäure
Desgl. (Fuchserde), Flatower Kienhaide, Sect. Linum	0,65 (S.)	0,014	-
Thalsand, Süd-Staffelde, Sect. Linum	0,69 (W.)	0,014	-
Moormergel, Jägelitz-Wiesen, Sect. Nauen	0,42 (S.)	0,037	-
Wiesenthonmergel, Ketzin, Probe bei 10—12 Dcm.	0,20 (D.)	0,10	-

D. Gehalt an Kali im Gesammtboden.

Bezeichnung und Fundort	Kali pCt.	Bemerkungen
A. Unteres Diluvium.		
Unterer Diluvialthonmergel, Sect. Werder: Thongrube N. Löcknitz (Untere Lage)	3,47 (D.)	Aufschliessung mit: Flusssäure
Unterer Diluvialthonmergel, Sect. Werder: Werdersche Erdeberge, NO. Glindow	2,53 (D.)	-
Unterer Diluvialthonmergel, Sect. Werder: Von demselben Fundort . .	3,77 (D.)	-
Unterer Diluvialthonmergel: Streganzer Ziegelei, Sect. Friedersdorf	3,25 (L.)	-
Unterer Diluvialthonmergel: NO. Brusendorf, Südl. vom Jagen 86, Sect. Königs-Wusterhausen . .	2,88 (L.)	-
Fayence-Mergel, Trebbin, Sect. Trebbin	2,64 (S.)	-
Unterer Diluvialmergel, Rixdorf, Sect. Tempelhof	1,96 (S.)	-
Unterer Diluvialsand, Sect. Rohrbeck, Oestl. Dallgow: Sand zwischen gekitteten Streifen	1,83 (S.)	-
Unterer Diluvialsand, Sect. Rohrbeck, Oestl. Dallgow: Gekittete Streifen . . .	0,98 (S.)	-
Unterer Diluvialsand, Sect. Rohrbeck, Dallgow: Feiner Sand (in der Umgebung der gekitteten Streifen)	0,08 (W.)	Schwefelsäure
Unterer Diluvialsand, Sect. Rohrbeck, Dallgow: Gekittete Streifen . . .	0,29 (W.)	
Unterer Diluvialsand: Aus 1^m Tiefe, Damsdorfer Haide, Brandstellen am Pech-Pfuhl, Sect. Gross-Beeren	0,73 (L.)	Flusssäure
Unterer Diluvialsand: Rixdorf, Sect. Tempelhof . . .	0,92 (L.)	-

Bezeichnung und Fundort	Kali pCt.	Bemerkungen
B. Oberes Diluvium.		Aufschliessung mit:
Profil des Oberen Diluvialmergels — Humoser lehmiger Sand (Ackerkrume) . . . } *Rixdorf, Sect. Tempelhof*	1,53 } (S.)	Flusssäure
Lehmiger Sand . . .	1,82	-
Lehm	2,29	-
Mergel	1,96	-
Oberer Diluv.-sand, Grandiger Sand — Profil { aus 1 Dcm. T. } *Schenkendorf, Sect. Gross-Beeren*	0,79 } (L.)	-
- 5 - -	1,02	-
- 10 - -	0,75	-
Oberer Diluvialsand — Profil { aus 1 Dcm. Tiefe } *Südlich Sputendorf, Schronenden, Sect. Gross-Beeren*	1,21 } (L.)	-
- 2 - -	1,63	-
- 10 - -	0,84	-
- 16 - -	0,86	-
C. Alluvium.		
Flugsand nahe dem Dorfe Sputendorf, Sect. Gross-Beeren { aus 5—10 Dcm. T.	0,89 } (L.)	-
- 10 - -	0,75	-
Jung-Alluvium — Profil { Moormergel . } *Dyrotz-Wiesen Sect. Markau*	1,11 (L.)	-
Torf	0,19 (W.)	-
Wiesenthonmergel, Berend'sche Grube, Paretz, Sect. Ketzin . .	1,96 (D.)	-

Aus dem Alkaligehalte einiger reineren Sande liessen. sich folgende Feldspathmengen berechnen:

Feldspathmengen

quartärer Sande von Sect. Gross-Beeren.

Berechnet aus den gefundenen Alkalien.

, ERNST LAUFER.

Bezeichnung und Fundort	Kalifeld-spath pCt.	Natronfeld-spath pCt.	Summe der Feldspathe
Schenkendorf, Sect. Gross-Beeren			
Geschiebesand (Ackerkrume . . . . (1 Dcm.)	4,7	5,0	9,7
Untergrund . . . . (5 Dcm.)	6,1	4,6	10,7
Tieferer Untergrund . (10 Dcm.)	4,5	4,0	8,5
Geschiebesand, Schronenden bei Sputen-dorf			
Ackerkrume . . . . (1 Dcm.)	7,2	5,4	12,6
desgl. . . . . (2 Dcm.)	9,8	8,7	18,5
Untergrund . . . . (10 Dcm.)	5,0	4,0	9,0
desgl. . . . . (16 Dcm.)	5,1	4,0	9,1
Dünensand, Sputendorf			
Waldoberkrume . . . (1 Dcm.)	5,3	3,7	9,0
Untergrund . . . . (10 Dcm.)	4,5	3,6	8,1
Unfruchtbarer Unterer Diluvialsand			
Damsdorfer Haide	4,4	3,6	8,0

18

E. Die Feinsten Theile der lehmigen Bildungen.

a. Die Feinsten Theile der Diluvialthonmergel:
1) nach den analytischen Ergebnissen zusammengestellt.

Fundort	SiO₂	Al₂O₃	Fe₂O₃	CaO	MgO					
			Aufgeschlossen mit Schwefelsäure.							
Bieselhaus, Sect. Hennigsdorf. Kalkfrei an der Oberfläche	21,27	14,23	5,30	—	—	—	—	—	fehlt	
			Aufgeschlossen mit kohlensaurem Natron.							
Vom Rankefang bei Petzow, Sect. Werder Thonboden aus 1. Dcm. T. . . .	—	11,92	5,76	8,77 } CaCO₃ {	—	—	—	—		
Thonboden aus 3. Dcm. T. . . .	—	12,85	5,79	7,74 }	—	—	—	—		
			Aufgeschlossen mit Flusssäure.							
Werder'sche Erdeberge . . . Uebergangsbildung zum Mergelsand	—	11,30	4,07	9,06	2,44	2,64	1,21	—	7,59	6,
			Aufgeschlossen mit kohlensaurem Natron.							
Thongruben N. Löcknitz 1. Obere Lage	48,37	13,05	4,52	—	—	—	—	—	8,15	
			Aufgeschlossen mit Flusssäure.							
2. Untere Lage Gross-Glienicker See	—	16,52	6,49	7,86 CaCO₃	—	3,77	0,68	0,11	6,00	10,
Alt-Langerwisch	—	10,13	4,39	17,04	—	—	—	—	—	
	—	14,96	7,03	— CaCO₃	—	—	—	—	fehlt	
Ebendas. . . . Obere Bank entkalkt	—	9,84	5,18	13,44	—	—	—	—	—	
			Aufgeschlossen mit kohlensaurem Natron							
Rieben, Sect. Wildenbruch .	—	17,24	6,53	— CaCO₃	—	—	—	—	—	
Cunersdorf, Sect. Wildenbruch .	—	12,18	4,17	14,80	—	—	—	—	—	
Nordöstlich Brusendorf. Südl. des Jagen 86	53,88	14,21	4,58	8,99	2,23	—	—	—	6,96	6,

2) Berechnet nach Abzug des kohlensauren Kalkes.

Fundort	Al_2O_3	Fe_2O_3	Fundort	Al_2O_3	Fe_2O_3
Bieselhaus, Sect. Hennigsdorf .	14,23	5,80	Gross-Glienicker See , . . .	12,21	5,29
Kalkfreie·Bank, Rankefank bei Petzow, Sect. Werder			Alt-Langerwisch		
1. Thonboden aus 1 Dcm. .	13,07	6,31	Obere entkalkte .Bank . . .	14,96	7,03
2. Thonboden aus 3 Dcm. .	14,08	6,34	Untere kalkhaltige Bank . .	11,37	5,98
Werder'sche Erdeberge . . .	13,46	4,85	Cunersdorf, Sect. Wildenbruch	14,30	4,89
Thongruben, N. Löcknitz			Nordöstlich Brusendorf. Süd-		
1. Obere Lage	16,02	5,55	lich Jagen 86.	16,88	5,44
2. Untere Lage	19,13	7,47			

b. Die Feinsten Theile der Diluvialmergelsande.

Fundort	$Si O_2$	Al_2O_3	Fe_2O_3	$Ca O$	MgO	K_2O	P_2O_5	CO_2	Glüh-verlust (H_2O)	
Sandgrube dicht am Dorf Stolpe, Sect. Fahrland	—	13,77	6,21	9,10	—	2,72	Spuren	4,86	7,76	Aufgeschlossen mit Flusssäure
Nahe Stolpe, am Gestell von Jagen 55 e /56, Sect. Fahrland	—	14,10	7,61	Ca O₃ 9,46	—	—	—	—	—	
Kesselberg, Sect. Wildenbruch Probe I.	—	14,27	7,18	Ca O₃ 9,49	—	—	—	—	—	Aufgeschlossen mit kohlensaurem Natron
Probe II.	—	17,47	9,27	—	—	—	—	—	—	
Ebendas. Probe III.	—	15,79	7,20	Ca O₃ 9,15	—	—	—	—	—	
Probe IV.	—	18,47	8,65	—	—	—	—	—	—	

18*

c. Die Feinsten Theile der Diluvialmergel.
α) Die Feinsten Theile des Unteren Diluvialmergels.
Aufschliessung mit Soda und Flusssäure.

Fundort	SiO_2	Al_2O_3	Fe_2O_3	CaO	K_2O	P_2O_5	CO_2	Glüh-verlust (H_2O)
Velten, Sect. Oranienburg, Obere Lage	—	10,35	4,08	17,36	3,99	0,12	14,83	3,33
Fette, Untere Lage mit Steinen . .	—	13,72	5,86	14,60	3,50	0,15	11,04	3,18
Birkenwerder, Sect. Hennigsdorf . .	—	14,50	5,36	13,99	3,50	0,07	12,38	5,79
Kemnitzer Wiesen, Sect. Ketzin . .	—	12,43	6,52	13,38	2,94	—	9,18	7,65
Gegend N. Eiche, Sect. Ketzin . .	50,00	13,71	8,39	kohlensaurer Kalk 6,94	—	—	—	—
Orangeriegebäude nahe Bornstedt, Sect. Fahrland .	47,52	16,64	6,38	9,73	3,88	0,091	5,71	8,14
Kempfstücken bei Stolpe, Sect. Fahrland	—	13,54	6,20	9,08	3,33	Spur	3,02	8,65
Steinstücken bei Potsdam . . .	—	13,60	6,80	11,09	4,35	—	7,87	6,42
Stangenhagen, Sect. Wildenbruch . .	—	14,06	6,35	kohlensaurer Kalk 14,95	—	—	—	—
Stücken-Körzin . .	—	15,14	6,07	kohlensaurer Kalk 14,70	—	—	—	—
Schiass, Sect. Wildenbruch . . .	—	10,92	6,76	kohlensaurer Kalk 17,59	—	—	—	—
Vorwerk Breite, Sect. Wildenbruch . . . . a	—	9,41	5,47	32,99	$CaCO_3$	Muschelführender Mergel		
b	—	9,46	3,42	32,40				
c	—	7,88	4,56	16,45				

Fundort	SiO₂	Al₂O₃	Fe₂O₃	CaO	MgO	K₂O	P₂O₃	CO₂	Glüh-verlust (H₂O)
Aufschliessung mit Schwefelsäure.									
Orangeriegebäude bei Bornstedt, Sect. Fahrland . . .	—	12,98	6,38	9,73	1,10	2,11	—	—	—
Velten — Obere Lage . .	—	7,97	4,42	18,16	—	—	—	14,27	—
Velten — Untere Lage (Töpferthon mit Kreide) . . .	—	10.75	5,85	10,80	—	—	—	8,49	—
Birkenwerder . .	—	10,26	5,83	13,91	—	—	—	9,15	—
Bahnhof Rüdersdorf	—	14,84	4,97	5,98	—	—	—	5,17	—
Aufschliessung mit Salzsäure.									
Orangeriehaus bei Bornstedt . . .	—	1,60	0,75	9,73	0,48	0,08	0,091	5,71	—.

β) Die Feinsten Theile der Oberen Diluvialmergel.

1. Nach den analytischen Ergebnissen.

Fundort	SiO₂	Al₂O₃	Fe₂O₃	CaO	MgO	K₂O	P₂O₅	CO₂	Glüh-verlust (H₂O)
Aufschliessung mit Soda und Flusssäure.									
Callin bei Grünefeld, Sect. Nauen	—	13,41	6,45	13,03	—	4,10	0,20	7,94	6,06
Schwante, Sect. Cremmen . . .	—	14,04	6,85	9,95	—	3,41	0,24	8,00	5,26
Ziegelei Vehlefanz .	—	13,48	5,23	16,92	—	3,51	0,30	12,92	5,04
Hohen Neuendorf, Sect. Hennigsdorf	—	14,47	6,16	9,97	—	4,08	0,31	7,98	4,25
Birkenwerder, Sect. Hennigsdorf . .	—	12,25	5,43	14,78	—	3,69	0,45	10,73	4,79
Elsholz, Sect. Beelitz	—	14,27	6,20	—	—	—	—	—	—
Nahe Nedlitz, Sect. Fahrland . . .	—	11,81	6,92	11,22	—	2,62	—	6,92	7,06
Ebendas.	—	14,39	6,95	8,36 kohlensaurer Kalk	—	—	—	—	—
Rixdorf, Sect. Tempelhof	51,92	13,92	5,92	9,55	2,23	3,46	0,25	6,18	5,58
Aufschliessung mit Schwefelsäure									
Dorotheenhof, Sect. Linum	—	11,90	5,38	20,66 kohlensaurer Kalk	—	—	—	—	—

2.. Berechnet nach Abzug des kohlensauren Kalkes.

Fundort	Al_2O_3	Fe_2O_3	K_2O	P_2O_5	Glüh-verlust
Callin bei Grünefeld, Sect. Nauen . .	16,36	7,87	5,00	0,24	7,39
Schwante, Sect. Cremmen	17,16	8,37	4,17	0,29	6,23
Ziegelei, W. Vehlefanz, Sect. Cremmen	19,09	7,40	4,97	0,42	7,14
Hohen Neuendorf, Sect. Hennigsdorf.	17,68	7,52	4,98	0,38	5,19
Birkenwerder, Sect. Hennigsdorf . .	16,20	7,18	4,88	0,60	6,33
Elsholz, Sect. Beelitz	15,44	6,65	—	—	—
Nahe Nedlitz, Sect. Fahrland . . .	14,04	8,22	3,11	—	8,39
Ebendas.	15,70	7,58	—	—	—
Rixdorf, Sect. Tempelhof . . . . :	16,19	6,89	4,03	0,29	6,49

γ) Die Feinsten Theile der Lehme des Unteren Diluvialmergels.

Fundort	SiO_2	Al_2O_3	Fe_2O_3	CaO	MgO	K_2O	P_2O_5	Glüh-verlust (H_2O)
—	Aufschliessung mit Schwefelsäure.							
Tasdorf, SW. am Bahn-hof, Sect. Rüdersdorf .	19,57 (löslich in Na_2CO_3)	12,71	4,96	—	—	—	—	—
Velten, Sect. Oranienburg	—	14,01	7,53	—	—	—	—	—
	Aufschliessung mit Fluorwasserstoffsäure.							
SW. Kemnitzer Wiesen, Mgb. am Waldrande, Sect. Ketzin	—	18,03	10,44	1,59	—	2,65	—	13,90
Gegend N. Eiche, Sect. Ketzin	54,77	17,65	9,52	—	—	—	—	—
Kempfstücken bei Stolpe, Sect. Fahrland . . .	—	15,99	7,44	2,00	—	3,27	—	5,81
Steinstücken nahe am Dorfe, Sect. Potsdam . . .	—	19,83	7,76	1,09	—	—	—	—

δ) Die Feinsten Theile der Lehme des Oberen Diluvialmergels.

Aufschliessung mit Fluorwasserstoffsäure.

Fundort	SiO_2	Al_2O_3	Fe_2O_3	CaO	MgO	K_2O	P_2O_5	Glüh-verlust (H_2O)
Callin bei Grüne-feld, Sect. Nauen	—	19,65	9,10	1,15	—	4,80	0,28	7,41
Schwante, Sect. Cremmen . . .	—	16,17	11,37	Spur	—	4,97	0,51	7,79
Ziegelei, W. Vehle-fanz, Sect. Crem-men	—	17,36	8,25	1,48	—	4,22	0,30	6,31
O. Marwitz, Sect. Marwitz , . .	—	20,77	9,18	—	—	4,32	0,27	8,46
Höhrenrand beim(a Dorfe Rohrbeck, Sect. Rohrbeck(b	— —	19,79 15,64	9,48 7,18	0,63 0,94	— —	3,82 3,99	0,87 0,25	7,71 5,14
Birkenwerder, Sect. Hennigsdorf . .	—	17,58	8,18	Spur	—	4,52	0,35	6,64
Elsholz, Sect. Bee-litz	—	18,52	7,64	—	—	—	—	—
Nahe Nedlitz (Vier-eck-Remise), Sect. Fahrland . . .	—	16,08	9,80	—	—	—	—	—
Rixdorf, Sect. Tem-pelhof	57,33	18,37	8,82	0,71	2,05	3,44	0,18	7,37

ε) Die Feinsten Theile der lehmigen Sande des Oberen Diluvialmergels.

Fundort	SiO_2	Al_2O_3	Fe_2O_3	CaO	MgO	K_2O	Na_2O	P_2O_5	Glühverlust (excl. Humus)
I. Ackerkrume (schwach humos).									
Schwante, Sect. Cremmen . . .	—	12,91	6,14	Spur	—	4,36	—	0,38	13,74
O. Marwitz, Sect. Marwitz	—	12,29	5,81	0,18	—	3,76	—	0,42	10,04
Galgenberg b. Rohrbeck, Sect. Rohrbeck	—	17,84	4,41	—	—	4,12	—	0,43	11,69
Birkenwerder, Sect. Hennigsdorf . .	—	13,97	4,79	Spur	—	4,05	—	0,60	9,32
Elsholz, Sect. Beelitz	—	12,31	7,06	—	—	—	—	—	—
S. Signalberg bei Friedenau, Sect. Tempelhof . . .	—	11,87	3,85	—	—	—	—	—	—
Rixdorf, Sect. Tempelhof Profil a	57,71	12,57	5,14	2,45 $+\binom{2,13}{CO_2}$	2,24	2,95	1,37	—	12,34 Humus = 6,05
Rixdorf, Sect. Tempelhof Profil b	60,41	14,06	5,02	1,90	1,77	3,37	1,80	—	11,59 Humus = 5,28
II. Unterhalb der Ackerkrume.									
Galgenberg b. Rohrbeck, Sect. Rohrbeck	—	16,73	4,80	—	—	4,07	—	0,42	10,01
Höhenrand beim Dorfe Rohrbeck, Sect. Rohrbeck .	—	14,25	4,45	—	—	3,10	—	0,41	7,85
Birkenwerder, Sect. Hennigsdorf . .	—	13,36	4,91	Spur	—	3,81	—	0,65	5,40
Nahe Nedlitz (Viereck-Remise), Sect. Fahrland . . .	—	11,46	4,15	—	—	—	—	—	—
Rixdorf, Sect. Tempelhof	69,87	13,84	3,66	0,90	1,34	4,06	1,86	0,18	4,31
O. Halen-See, Sect. Teltow	—	18,03	9,04	—	—	—	—	—	—
O. Halen-See, Sect. Teltow	—	15,78	8,61	—	—	—	—	—	—
Bahnhof Rondel, Halen-See, Sect. Teltow	—	13,85	8,10	—	—	—	—	—	—

d. Maxima, Minima und Durchschnittszahlen des Gehaltes an Thonerde, Eisenoxyd, Kali und Phosphorsäure in den Feinsten Theilen der lehmigen Bildungen.

(Berücksichtigt sind nur die Aufschliessungen mit Flusssäure und kohlensaurem Natron.)

Geognostische Bezeichnung	Bemerkungen	Maximum, Minimum, Durchschitt pCt.	Thonerde	Entsp. wasserhaltigem Thon	Eisenoxyd	Kali	Phosphorsäure
Die Feinsten Theile der Diluvialthonmergel	1. Nach den analytischen Ergebnissen	Maximum	17,24	—	7,03	—	—
		Minimum	9,84	—	4,39	—	—
		Durchschnitt	13,11	32,99	5,32	—	—
	2. Berechnet nach Abzug des kohlensauren Kalkes	Maximum	19,13	—	7,47	—	—
		Minimum	11,37	—	4,85	—	—
		Durchschnitt	14,55	36,62	5,92	—	—
Die Feinsten Theile der Diluvialmergelsande		Maximum	18,47	—	9,27	—	—
		Minimum	14,10	—	7,18	—	—
		Durchschnitt	15,65	39,39	7,69	—	—
Die Feinsten Theile der Unteren Diluvialmergel		Maximum	16,64	—	8,39	4,35	—
		Minimum	9,41	—	4,08	2,94	—
		Durchschnitt	12,52	31,51	5,87	3,64	—
Die Feinsten Theile der Oberen Diluvialmergel	1. Nach den analytischen Ergebnissen	Maximum	14,47	—	6,92	4,10	0,45
		Minimum	11,81	—	5,23	2,62	0,20
		Durchschnitt	13,56	34,13	6,23	3,55	0,29
	2. Nach Abzug des kohlensauren Kalkes	Maximum	19,09	—	8,37	5,00	0,60
		Minimum	14,04	—	6,65	3,11	0,24
		Durchschnitt	16,43	41,36	7,52	4,45	0,37
Die Feinsten Theile der Lehme der Unteren Diluvialmergel		Maximum	19,83	—	10,44	—	—
		Minimum	15,99	—	7,44	—	—
		Durchschnitt	17,88	45,00	8,79	—	—
Die Feinsten Theile der Lehme der Oberen Diluvialmergel		Maximum	20,77	—	11,37	4,97	0,51
		Minimum	16,08	—	7,18	3,44	0,18
		Durchschnitt	17,99	45,28	8,90	4,26	0,38
Die Feinsten Theile der lehmigen Sande der Oberen Diluvialmergel	1. Ackerkrume (schwach humos)	Maximum	17,84	—	6,14	4,36	0,60
		Minimum	11,87	—	3,85	2,95	0,38
		Durchschnitt	13,48	33,93	5,28	3,77	0,46
	2. Unterhalb der Ackerkrume	Maximum	18,03	—	9,04	4,07	0,65
		Minimum	11,46	—	3,66	3,10	0,18
		Durchschnitt	14,66	36,90	5,95	3,76	0,42

F. Der Staub der lehmigen Bildungen.

Fundort	SiO_2	Al_2O_3	Fe_2O_3	CaO	MgO	K_2O	CO_2	Glüh-verlust (H_2O)

Der Staub (0,05—0,01^{mm} D.) des Oberen Diluvialmergels.
Aufschliessung mit kohlensaurem Natron und Flusssäure.

Rixdorf	73,04	6,91	2,20	7,22	1,18	—	11,84 $CaCO_3$	—

Der Staub (0,05—0,01^{mm} D.) des Unteren Diluvialmergels.
Aufschliessung mit Soda und Flusssäure.

Rixdorf . . . . ·. .	79,07	6,49	1,68	4,81	0,43	—	6,58 $CaCO_3$	—
Stangenhagen, Section Wildenbruch . . .	—	5,89	2,42	—	—	—	5,04 $CaCO_3$	—
Stücken-Körzin, Sect. Wildenbruch . . .	—	7,67	2,14	—	—	—	12,10 $CaCO_3$	—
Schiass, Sect. Wilden- bruch	—	6,54	2,84	—	—	—	7,07 $CaCO_3$	—

Aufschliessung mit Schwefelsäure.

SW. Tasdorf, Bahnhof Rüdersdorf . . .	6,72	5,20	2,30	—	—	—	2,09 entspr. 4,75 $CaCO_3$	—

Der Staub (0,05—0,01^{mm} D.) des Diluvialthonmergels.
Aufschliessung mit Flusssäure.

Werder'sche Erdeberge, Sect. Werder . . .	—	8,08	2,07	6,83	2,25	2,53 Na_2O 1,14	6,17 entspr. 14,02 $CaCO_3$	2,74

Aufschliessung mit kohlensaurem Natron.

Thongruben. Löcknitz .. . . . Obere Lage des Thones	59,65	10,37	3,32	—	—	—	7,45 entspr. 16,94 $CaCO_3$	—
West Petzow. Thon- 1. Aus 1 Dec.	—	7,60	2,84	—	—	—	6,19 $CaCO_3$	—
boden 2. Aus 3 Dec.	—	6,65	2,66	—	—	—	6,07 $CaCO_3$	—
Cunersdorf, Sect. Wil- denbruch.	—	9,77	3,02	—	—	—	10,42 $CaCO_3$	—

Der Staub (0,05—0,01^{mm} D.) des Diluvialmergelsandes.

Aufschliessung mit kohlensaurem Natron.

Fundort	Si O$_2$	Al$_2$O$_3$	Fe$_2$O$_3$	Ca O	Mg O	K$_2$O	Na$_2$O	C O$_2$	Glüh-verlust (H$_2$O)
Kesselberg, Sect. Wildenbruch									
Probe I . . .	—	6,54	2,06	—	—	—	—	7,87 CaCO$_3$	—
Probe II . . .	—	7,08	3,94	—	—	—	—	—	—

A. W. Schade's Buchdruckerei (L. Schade) in Berlin, Stallschreiberstr. 45/46.

Abhandlungen

zur

geologischen Specialkarte

von

Preussen

und

den Thüringischen Staaten.

BAND III.

Heft 3.

BERLIN.

Verlag der Simon Schropp'schen Hof-Landkartenhandlung.

(J. H. Neumann.)

1882.

Abhandlungen

zur

geologischen Specialkarte

von

Preussen

und

den Thüringischen Staaten.

BAND III.
Heft 3.

BERLIN.

Verlag der Simon Schropp'schen Hof-Landkartenhandlung.

(J. H. Neumann.)

1882.

Abhandlungen

zur

geologischen Specialkarte

von

Preussen

und

den Thüringischen Staaten.

———

BAND III.

Heft 3.

BERLIN.

Verlag der Simon Schropp'schen Hof-Landkartenhandlung.

(J. H. Neumann.)

1882.

Die Bodenverhältnisse

der

Provinz Schleswig-Holstein

von

Dr. Ludewig Meyn,

als Erläuterung

zu dessen

Geologischer Uebersichtskarte von Schleswig-Holstein.

Mit Anmerkungen

sowie dem Schriften-Verzeichnisse und Lebensabrisse des Verfassers

von

Dr. G. Berendt.

BERLIN.

Verlag der Simon Schropp'schen Hof-Landkartenhandlung.

(J. H. Neumann.)

1882.

Vorwort.

Dr. LUDEWIG MEYN, der Schöpfer der vorliegenden geologischen Uebersichtskarte Schleswig-Holsteins, wurde der Wissenschaft durch einen plötzlichen und unerwartet frühen Tod am 4. November 1878 entrissen. Sein letztes, nur eben vollendetes Werk war die genannte, im Auftrage der Königlichen Geologischen Landesanstalt ausgeführte Uebersichtskarte, eine Frucht jahrelangen Studiums, bei welchem ihm die geniale Kartenskizze FORCHHAMMER's vom Jahre 1847 nur als erste Anleitung dienen konnte.

Ursprünglich im Maassstabe 1 : 200000 auf Grund der betreffenden Sectionen der REYMANN'schen Karte von Deutschland aufgenommen und handschriftlich ausgeführt, wurde dieselbe seitens der Geologischen Landesanstalt — nachdem man sich überzeugt hatte, dass sämmtliche Angaben auch in einem etwas kleineren Maassstabe noch voll und ganz zum Ausdrucke kamen, während das Gesammtbild dabei durch gleichzeitigen Ueberblick in einem Blatte unfraglich gewann — auf 1 : 300000, den Maassstab der LIEBENOW'schen Karte, verkleinert.

Es würde kaum möglich sein, in kürzerer und klarerer Weise eine Erläuterung zu der vorliegenden geologischen Uebersichtskarte von Schleswig-Holstein zu geben, als es LUDEWIG MEYN in einer, ursprünglich für Landwirthe bestimmten und im landwirthschaftlichen Centralblatte, Jahrg. XXIV, erschienenen Abhandlung, „die Bodenverhältnisse der Provinz Schleswig-Holstein", etwa 2 Jahre vor seinem Tode unbewusst selbst bereits gethan hat.

Vorwort.

Diese Abhandlung wird desshalb unverändert, mit einigen in der Hauptsache nur auf die Ausführung der Karte bezüglichen Anmerkungen versehen, hier wiedergegeben. Hinzugefügt sei nur zum weiteren Andenken an den Autor ein kurzer Abriss seines selten thätigen Lebens und ein Verzeichniss seiner zahlreichen, aber meist durch die verschiedensten Zeitschriften zerstreuten Schriften, welche, wie überhaupt sein ganzes Streben nach geologischer Seite hin, kaum einen volleren und würdigeren Abschluss hätten finden können, als durch die vorliegende Karte.

Berlin, im November 1881. G. BERENDT.

Lebensabriss.

CLAUS CHRISTIAN LUDEWIG MEYN wurde am 1. October 1820
in Pinneberg, etwa $2^1/_2$ Meile nordwestlich von Hamburg, geboren, wo sein Vater praktischer Arzt und Distrikts-Physikus
war. Den ersten Unterricht genoss der Knabe in der dortigen
Privatschule des Candidaten MARTENS, mit welchem er später
stets und namentlich, als derselbe Lehrer am Seminar in
Segeberg geworden war, in freundschaftlichster Beziehung stand.
Als sein Vater im Jahre 1832 als Professor der Medizin und
Direktor des akademischen Krankenhauses nach Kiel berufen
wurde, kam der 12jährige MEYN auf das dortige Gymnasium, be-
suchte dasselbe bis 1839 und demnächst noch ein halbes Jahr das
Gymnasium in Hamburg, von wo er, noch ohne die Bequemlichkeit
der jetzigen Eisenbahn zu kennen, zum Beginn seiner Universitäts-
studien nach Berlin zog.

Hier widmete sich MEYN anfangs vorzugsweise der Chemie
und war sogar im Laufe der 3 Studienjahre, während welcher er
Berlin treu blieb, 3 Semester hindurch Assistent im chemischen
Laboratorium des Professor MARCHAND, woraus ihm zugleich die
angenehme Genugthuung erwuchs, seinem Vater die Kosten seines
Studiums namhaft zu erleichtern. Bald jedoch fesselten ihn die
Vorträge eines CHRISTIAN SAMUEL WEISS so sehr, dass er sich
immer entschiedener der Mineralogie zuwandte. Daher lehnte er
denn auch, als er zu Ende dieser Zeit im Jahre 1843 vom Professor
ERDMANN in Leipzig die verlockende Aufforderung erhielt, in dem
dort soeben neu gegründeten Laboratorium sein Assistent zu werden,
ab und kehrte mit dem Entschlusse, sein Studium zu beenden,
nach Kiel zurück, studirte dann noch kurze Zeit auf der dortigen

Hochschule und erwarb daselbst. auf Grund einer Dissertation
„Ueber Mineralsysteme" am 30. August 1844 die Doktorwürde.

Der junge Doktor begab sich nun nach Kopenhagen, hörte
an der dortigen Universität wie auf der polytechnischen Schule
noch nachträglich einige ihn besonders interessirende Vorlesungen
und trat hier bald mit dem Geheimen Conferenzrathe OERSTEDT
trotz des grossen Altersunterschiedes in ein sehr vertrautes, freund-
schaftliches Verhältniss, welches auch die nationalen Zwistigkeiten
der späterer Jahre überdauerte.

Auf OERSTEDT's Wunsch und im täglichen Verkehre mit demselben bearbeitete MEYN dessen „Lehrbuch der mechanischen
Physik für das deutsche Volk", das aber in Folge von Misshellig-
keiten mit dem Verleger erst im Jahre 1851 bei Vieweg erschien.

Im Anfange des Jahres 1845 erhielt MEYN von der Königl.
Dänischen Akademie den ehrenvollen Antrag, als Mineraloge die
Weltumsegelungs-Expedition der „Galathea" mitzumachen, was er
jedoch auf Rath älterer gelehrter Freunde und jedenfalls in dem
Wunsche, möglichst bald eine eigene Lehrthätigkeit in der Heimath
zu beginnen, nach kurzem Schwanken ablehnte. In Anerkennung
seines wissenschaftlichen Strebens erhielt er nun jedoch vom Könige
CHRISTIAN VIII ein Reisestipendium zu freier Benutzung. In
Gemeinschaft mit zwei jungen norwegischen Bergleuten bereiste
er in Folge dessen die Erzgruben und Hüttenwerke des Oberharzes
und des Sieger-Landes, begab sich dann nach Wien, wo er einige
Monate hindurch fleissig das Kaiserliche Hofmineralien-Cabinet
studirte und kehrte über Berlin zurück. Aber die bekannte An-
ziehungskraft seines alten Lehrers WEISS machte sich auch bei
ihm von neuem geltend und liess ihn noch einmal ein volles Semester zu dessen Füssen verweilen.

Im Jahre 1846 begann MEYN sodann seine eigene akademische
Lehrthätigkeit in seiner Vaterstadt Kiel, wo er gleichzeitig als
Lehrer der Naturwissenschaften am Gymnasium wirkte. Schwer
empfand er, der über die Allgemeinheit nie das engere Vaterland
aus den Augen verlor, den vollständigen Mangel aller und jeder,
selbst privater Sammlungen, durch welche, wie er sich in dem
Vorwort zu seiner ersten geognostischen Abhandlung selbst aus-

drückt, die geognostischen Verhältnisse, die paläontologische Bevölkerung und die Mineralvorkommnisse desselben dargestellt würden. Er begann daher sofort die Anlage einer solchen Sammlung und begrüsste es als eine erste Errungenschaft, dass er gleich im folgenden Jahre 1847 von dem Vorstande der XI. allgemeinen Versammlung deutscher Land- und Forstwirthe gradezu den Auftrag erhielt, eine zur Beurtheilung schleswig-holstein'scher Verhältnisse wünschenswerth erscheinende, geognostische Uebersichtssammlung der genannten Lande zusammenzustellen.

In wenigen Monaten hatte er sich dieses Auftrages zu entledigen. „Bedenkt man", schrieb er selbst damals, „dass sich diese Sammlung auf ein Land bezieht, das bei einem Flächenraum von 320 Quadratmeilen eine sehr bedeutende Längenausdehnung hat, durch Föhrden und Sunde in eine Reihe von Halbinseln und Inseln zersplittert ist, ein Land, in dessen einer Hälfte, sobald man die Meeresküste verlässt, die Verkehrsmittel fast vollständig aufhören und auf dessen einer Seite sogar das Meer nicht mehr als Hülfsmittel, sondern als Hinderniss des Verkehrs gelten muss, so übersieht man leicht, welche Schwierigkeiten sich dem Reisen und dem Transporte der gesammelten Naturalien entgegenstellten, da nicht blos die Herbeischaffung, sondern auch die Bestimmung, Ordnung und Aufstellung in dem kurzen Zeitraume der für den Geognosten noch durch das Wetter verkürzten Zeit eines Sommers geschehen sollte." Zu diesen mehr äusserlichen Schwierigkeiten kamen nun noch die in der Aufgabe selbst liegenden.

„Unser Land", schreibt MEYN ebenda, „ist in seiner geognostischen Zusammensetzung bisher nur von einem Manne, dem Professor FORCHHAMMER, mit wissenschaftlichem Auge untersucht und mit Genialität gedeutet worden, und mich selbst hatten die Kosten, mit denen das Docententhum der Naturwissenschaften an der Landesuniversität verknüpft ist, bisher verhindert, grössere Summen zur Bereisung und geognostischen Erforschung unseres Landes aufzuwenden.

Es war daher zur Orientirung vielfache Arbeit vonnöthen, denn dieses Land besteht an seiner Oberfläche fast allein aus jenen lockeren Bildungen, deren geognostische Scheidung eben so

schwierig von wissenschaftlicher Seite ist, als von mechanischer
Seite der Transport und die Erhaltung der gebrechlichen Muster-
stücke, wenn dieselben ihre charakteristischen Kennzeichen behalten sollen."

     Auf diese Weise sammelte MEYN 1847 1500 Handstücke bezw.
Proben, die in starken Pappkasten mit steifen Etiquetten versehen,
auf 48 Schubladen vertheilt, zwei Schränke füllten und die erste
derartige, vaterländische Sammlung bildeten.

     Gleichzeitig schrieb er dazu eine im Jahresberichte der
XI. Versammlung deutscher Land- und Forstwirthe abgedruckte,
im Buchhandel bereits längst vergriffene Abhandlung: „Geognostische Beobachtungen in den Herzogthümern Schleswig und
Holstein", welche, wie eine ähnliche, spätere, zur Erläuterung der
FORCHHAMMER'schen geognostischen Karte der Herzogthümer ge-
schriebene: „Die Bodenbildung der Herzogthümer Schleswig,
Holstein und Lauenburg", die erste und wirkliche Grundlage einer
Geognosie der Herzogthümer nicht nur ist, sondern auch bleiben
wird. Zur selben Zeit und zum Theil ebenfalls als Ergebniss
dieser Sammelreisen im Vaterlande erschien dann auch sein „Führer
durch Stadt und Land Holstein und Lauenburg, Hamburg und
Lübeck".

     Es kam das verhängnissvolle Jahr 1848 mit seinen politischen
Umgestaltungen, die auch auf MEYN's Leben nicht nur einen di-
rekten, sondern auch für die Ausgestaltung desselben nachhaltigen
Einfluss ausüben sollten. Nachdem unter dem ersten Eindrucke
der Erhebung die dänischen Beamten der Saline in Oldesloe und
beim Gypswerk in Segeberg ihre Aemter verlassen hatten, wurde
MEYN von der provisorischen Regierung unverzüglich dorthin ge-
sandt, um Bericht über beide Werke zu erstatten, worauf er noch
im September desselben Jahres als Obersalinen-Inspektor und Berg-
controlleur daselbst eingesetzt wurde. Welches Ansehen MEYN
schon damals bei seinen Landsleuten besass, beweist auch der bald
darauf ihm gewordene Auftrag, ein Berggesetz für Schleswig-
Holstein auszuarbeiten, was ihm bei dem Mangel jeglicher Vor-
arbeit nicht unerhebliche Arbeit verursachte, die aber in Folge
der weiteren Gestaltung der politischen Ereignisse, welche den

Entwurf gar nicht mehr zur Berathung gelangen liessen, eine ver-
gebene zu nennen war.

Eine grössere, oft ausgesprochene Freude hatte er dagegen
an der in diesem Jahre unter seiner Theilnahme in Berlin statt-
gefundenen Stiftung der „Deutschen geologischen Gesellschaft", zu
deren regelmässigen Versammlungen in Berlin er später zuweilen
direkt herüberkam und in deren Schriften er einen grossen Theil
seiner geognostischen Beobachtungen veröffentlicht hat.

Im Jahre 1849 verheirathete er sich mit AGNES ALBERS,
Tochter des schon im Jahre 1841 verstorbenen Rechtsanwaltes Dr.
ALBERS in Hamburg, den LUDEWIG. MEYN jedoch nicht mehr
kennen gelernt hatte, so wenig wie seine Schwiegermutter, die
schon vorher im Jahre 1847 gestorben war. Sein glückliches
Auge fand die Erwählte seines Herzens aber auch in dem stillen
Hause der Grossmutter, bei der sie in Hamburg lebte. Freud'
und Leid, Arbeit wie Genuss, insonders geistigen Genuss an den
Früchten wissenschaftlicher Forschung, hat sie redlich und treu
mit ihm getheilt und vermisst ihn als seine Wittwe jetzt um so
schmerzlicher, weil er unterwegs starb und sie, wie so oft in späteren
Jahren, zu seinen häufigen kleinen Reisen, noch wenige Stunden
vor seinem plötzlichen Tode in vollem Wohlsein verlassen hatte.

Im Jahre 1852, bald nach Abzug der Bundestruppen, wurde
MEYN aus seinen Aemtern entlassen, welche wieder von den
früheren Beamten, zwei geborenen Dänen, eingenommen wurden.
Es gelang ihm jedoch, in Kopenhagen das Zugeständniss zu erhalten, an der Landes-Universität Kiel als Privat-Docent wieder
Vorlesungen halten zu dürfen, ja es wurde ihm sogar drei Jahre
hindurch eine kleine Staatsentschädigung für diese seine Thätigkeit
zu Theil.

Dennoch überzeugte sich MEYN sehr bald und erfuhr es in
Kopenhagen bei einer persönlichen Unterredung mit dem derzeitigen
Minister für Schleswig-Holstein aus dessen eigenem Munde ziemlich
unumwunden, dass er nie auf eine Professur in Kiel hoffen dürfe.
Er bemühte sich in Folge dessen anfänglich um eine Docenten-
stelle an der in der Bildung begriffenen preussischen landwirthschaftlichen Lehranstalt Waldau bei Königsberg. Als sich die

Eröffnung jedoch länger, als vorauszusehen war, hinzog, lehnte er schliesslich doch die Stelle, zu der er bereits in Aussicht genommen, ab, im Grunde wohl nur desshalb, weil es ihm, dem echten Holsteiner, zu schwer wurde, sein Vaterland dauernd zu verlassen.

Wie gross und wie eigenartig diese Liebe MEYN's für sein engeres Vaterland war, wie sie sich in einem so ideal angelegten Charakter gestaltete, das beweisen vielleicht am besten die Anfangsworte eines Briefes, den er an den Unterzeichneten im Februar des Jahres 1867 schrieb. Es heisst da:

„Uetersen-Sägemühle 1867, Febr. 5.

„Sie werden es sehr unfreundlich gefunden haben, dass ich „auf Ihren Brief vom 9. September v. J. sammt Sendung noch „nicht dankend geantwortet. Der Grund ist ein politischer. Sie „nannten schon damals unser Vaterland ein völlig gemeinsames, „wir aber waren grade damals unter dem unerträglichsten, „Preussischen Joche der Militairherrschaft. Jetzt ist die An- „nexion unwiderruflich geschehen, wir müssen uns in unser „Schicksal finden, wir haben jetzt alle Pflichten der Preussen „schon überkommen und sollen ja auch zum 1. October die „Rechte derselben erhalten, ich kann jetzt ohne Bitterkeit und „Verstimmung auf Ihr Schreiben eingehen, da meines Heimath- „landes schöne, selbständige Geschichte völlig ab- „geschlossen ist, und kann mich dem eigentlichen Gegen- „stande unseres gemeinsamen Strebens zuwenden u. s. w."

So zog MEYN auch damals, als er seine Universitäts-Laufbahn an der Landesuniversität verschränkt und ein Ankämpfen dagegen für fruchtlos erkannte, es vor, so schwer es ihm auch wurde, lieber seine schönsten Pläne aufzugeben, als das Vaterland zu verlassen und an einer anderen Universität zu suchen, was ihm daheim versagt war. Da ihm zufällig die Gelegenheit nahe trat, entschloss er sich plötzlich und kaufte 25 Kilometer von Hamburg bei dem Städtchen Uetersen im Pinneberg'schen, seiner engsten Heimath, ein Fabrikgeschäft, bestehend aus einer Holzsägemühle, einer Kalk- brennerei und einer Papiermühle, welche letztere er sofort eingehen und die Räumlichkeiten zu einer Düngerfabrik umbauen liess. Aus einem sehr bescheidenen Anfange ist, schliesslich mit Aufgabe der Sägemühle wie der eigentlichen Kalkbrennerei, ein grosses Geschäft mit künstlichen Düngmitteln — das erste der Provinz — geworden, was vor allem auch dem grossen, stets wachsenden Vertrauen zuzuschreiben war, das MEYN bei den Landwirthen, zunächst seiner Heimath, aber auch weit hinaus in Deutschland, genoss.

Weniger glücklich war MEYN bei ein Paar anderen industriellen Unternehmungen, die er in praktischer Verwerthung seiner Wissenschaft in's Leben rief. Weder eine im Jahre 1857 mit einigen Heider Bürgern gegründete Photogenfabrik, noch eine im Jahre 1866 angelegte Torfdestillation in Sondershöved in Jütland entsprachen den gehegten Erwartungen.

Und doch zeugt auch gerade wieder die Auffindung des Erdölvorkommens bei Heide und die Bestrebung MEYN's, dasselbe trotz der entgegenstehenden Schwierigkeiten*) zu verwerthen, ebenso wie überhaupt seine klar ausgesprochenen Hoffnungen auf eine Zukunft deutschen Petroleums, wie richtig er den in dieser Hinsicht in deutschem Boden zwar nicht wie in Amerika fliessenden, aber aufgespeicherten Reichthum erkannte. Wie würde es ihn freuen, wenn er — abgesehen von darauf gegründeten, schwindelhaften Spekulationen — die im heutigen Oelheim errungenen, wirklichen Erfolge sähe, welche beweisen, dass es in der Möglichkeit liegt, diese von den verschiedenen Erdschichten gleichsam festgehaltenen Erdölschätze mit Vortheil zu gewinnen.

Seine vielen wissenschaftlichen wie praktischen Kenntnisse und Erfahrungen wurden aber auch in immer zunehmendem Maasse von allen Seiten in Anspruch genommen, so dass er bald in ungeahnter Weise, mehr als es ihm wahrscheinlich in der akademischen Laufbahn möglich gewesen wäre, gradezu eine, ich möchte sagen, praktisch-wissenschaftliche Autorität für ganz Schleswig-Holstein in Stadt und Land und darüber hinaus wurde. Musste er doch

---

*) Das Erdöl der Hölle bei Heide ist von den Kreideschichten vollständig aufgesogen, so dass dieselben auf 800 Fuss Tiefe durchweg braun gefärbt erscheinen.

beispielsweise auf sich immer wiederholende Bitten so manche Reise
für Hamburger Kaufleute machen, um die Rentabilität dieses oder
jenes Unternehmens zu prüfen. Bei provinziellen Unternehmungen
wie Eisenbahnbauten und dgl. wurde sein Rath in erster Reihe
gesucht, und war er in Folge dessen z. B. seit 1854 schon Ausschuss-
Mitglied der Altona-Kieler Eisenbahn-Gesellschaft.

Ganz besonders aber galt sein Bestreben den Landwirthen,
denen er nicht nur vielfach in Vereinssitzungen lehrreiche und, was
die Hauptsache war, auch verständliche Vorträge hielt (in Folge-
dessen er auch zu wissenschaftlichen Vorträgen in Hamburg häufig
in Anspruch genommen wurde), denen er vielmehr, von Jahr zu
Jahr mehr, auf mündliche und schriftliche Anfragen Rede und
Antwort stand. Der landwirthschaftliche General-Verein hatte ihn
daher schon früh zum Ehrenmitgliede ernannt und sandte ihn 1856
nach Paris, insbesondere, um die zur Vervollkommnung der Torf-
gewinnung neu erfundenen Maschinen zu prüfen. Gleichzeitig
wurde er vom landwirthschaftlichen Verein an der Trave zum
Berichterstatter für den landwirthschaftlichen Theil der Ausstellung
in Paris ernannt.

Auf's Aeusserste aber wurde seine Thätigkeit von den Landwirthen in Anspruch genommen, als er im Jahre 1858 Mitarbeiter
der Itzehoer Nachrichten wurde und von nun ab unter dem Namen
„der Wirthschaftsfreund" den Landleuten in jeder Hinsicht Be-
lehrung zukommen liess, indem er die an ihn gerichteten Fragen,
soweit solches überhaupt möglich und von allgemeinerem Interesse
war, öffentlich beantwortete. Hunderte von Briefen sind mir bei
Durchsicht seines wissenschaftlichen Nachlasses in die Hände gekommen, welche mit der Anrede begannen: „Lieber Herr Wirthschaftsfreund!" Hochgeschätzter Herr Wirthschaftsfreund!" u. s. w.

Hören wir, wie vom landwirthschaftlichen Standpunkte an
competenter Stelle über diese seine Thätigkeit geurtheilt wird.
Prof. Dr. BACKHAUS in Kiel sagt in einem dem Verstorbenen
gewidmeten Nachruf im „Norddeutschen Landwirth" Jahrg. III,
No. 52: „Durch langjährige Studien hatte er sich einen eigenen
selbstständigen Standpunkt errungen, beurtheilte, vertraut mit den
geologischen Processen im Grossen, die Vorgänge in der Acker-

krume weit correkter, als die herrschende Agrikulturchemie und
trat der in der landwirthschaftlichen Praxis herrschenden Technik
mit weit mehr. Achtung entgegen als LIEBIG. „„Alle Gestaltung
der Praxis nach den Grundsätzen der Wissenschaft muss den
Männern der Praxis allein überlassen werden““ war sein Grund-
satz. „„Die Landwirthschaft kann, wo sie, den gewohnten Gang
verlassend, weiter ausgebildet werden soll — äussert MEIN an
einem anderen Ort — nur unter der Devise ‚Selbst ist der Mann‘
geübt werden. Der wissenschaftliche Gedanke stiftet nur Segen,
wenn er successiv in den Betriebsmethoden zum Ausdruck kommt.
Jede Ueberstürzung schadet. Die Wissenschaft wird dann nur
ein Spielzeug des gentleman-farming.““

„Correkter kann man die Stellung, welche die Wissenschaft
der Praxis gegenüber einnehmen soll, nicht bezeichnen. Mit der
auch heute noch lesenswerthen Broschüre über die nachhaltige
Vertilgung des Duvock eröffnete er die lange Reihe von Flug-
schriften, in welchen er der besseren Erkenntniss zum Durchbruch
zu verhelfen suchte. Es finden sich unter denselben wahre Perlen
populärer Darstellung, wie denn z. B. die beiden Abhandlungen
„die richtige Würdigung des Peruguano für den Rest des Jahrhunderts (1872)“ und „die natürlichen Phosphate und deren Bedeutung für die Zwecke der Landwirthschaft (1873)“ die meisten
jener dickleibigen Compendien an Werth und innerem Gehalt
überragen, womit unreife Agrikulturchemiker, die nie über die
Wände des Laboratoriums hinaus einen Blick in das Leben und
das Getriebe des Gewerbes gethan, unverdrossen uns noch immer
zu beglücken fortfahren.“

Insbesondere über die genannten, 20 Jahre hindurch in den
Itzehoer Nachrichten geschriebenen kleineren Artikel, deren Ge-
sammtumfang Professor BACKHAUS auf 13 400 Spalten, genau
837¹/₂ Druckbogen, d. h. auf ein Werk von etwa 15 Bänden
berechnet hat, sagt derselbe wörtlich: „Es liegt auf der Hand,
dass man an diese rasch hingeworfenen und für die flüchtige
Stunde berechneten Artikel keinen strengen Maassstab anlegen
darf; aber bei näherer Prüfung wird man zugeben müssen, dass

selbst in diesen flüchtigen Erzeugnissen der Genius Goldkörner mit verschwenderischer Hand ausgestreut hat;"

Bedenkt man, dass MEYN bei alledem und bei mancherlei in der Folge von wissenschaftlicher wie praktischer Seite noch hinzutretenden Ansprüchen bis zu seinem Tode daneben doch immer die Sorge und Leitung eines eigenen Fabrikgeschäftes hatte, so muss man ob der seltenen Leistungsfähigkeit staunen.

Nicht minder staunen aber muss man, dass ein in so hervorragender Weise Praxis und Wissenschaft vereinender, die letztere überall der ersteren nutzbar machender Charakter, wie LUDEWIG MEYN es war, von Grund aus so ideal angelegt sein und trotz steter Beschäftigung mit der realen Wirklichkeit es auch in dem Grade bleiben konnte. Diese ideale Richtung kann nicht genug in MEYN's Leben betont werden, denn sie erfüllte sein Wesen in ganz seltener Weise.

Nicht ohne Bedeutung scheint es mir daher auch, dass sein erstes öffentliches Lebenszeichen, noch vor seiner Dissertation, ein, wie zum Abschluss seiner Berliner Studienzeit, bei seiner Rückkehr nach Kiel im Jahre 1843 veröffentlichter Band Gedichte war. Zwar hat MEYN in der Folge nur noch selten, wie z. B. in dem von ihm später herausgegebenen Hauskalender, ein oder das andere Gedicht veröffentlicht, aber verlassen hat ihn diese Gottesgabe dichterischen Sinnes auch in seinem späteren Leben nicht.

Das beweist neben einem im Jahre 1866 in Kiel erschienenen, eigenartigen Lustspiel nach altenglischem Muster, „Fünf Stunden Abenteuer" betitelt, manches Blättchen, das er den Händen seiner treuen Gattin übergab. Das mögen auch folgende, befreundeter Hand anvertraute Verse aus dem Jahre 1867 beweisen, die ich hier hersetze:

> Die Sorge schwebt ob allen Dächern
> Und unerwartet kehrt sie ein.
> Sie trinkt mit Dir aus gold'nen Bechern
> Und aus dem schlichten Glase Dein.
>
> Sie lässt sich nicht gewaltsam bannen,
> Sie bleibt ein Gottgesandter Gast.
> Doch zieht sie schliesslich auch von dannen,
> Wenn Du sie nicht gerufen hast.

Und auch die Freude steigt hernieder,
Tritt ein, man wird es nicht gewahr,
Und lichthell ist die Hütte wieder,
Die eben noch so dunkel war.

Doch beide bleiben nur als Gäste,
Wenn sie auch Gottes Engel sind,
Am Trauertage wie am Feste
Kommend und fliehend wie der Wind.

Der dritte Bote ist der Frieden,
Den Gott uns sendet in das Haus;
Wem dieser Gast von Gott beschieden,
Der lass ihn nimmer wieder aus.

Wer diesen Boten siehet kommen,
Der biet' ihm eine Heimath an.
Glückseelig, wenn er's angenommen,
Glückseelig nenn' ich Weib und Mann.

6. November 1867.

Wie schmerzlich ein sonst so glückliches Ehepaar die Poesie
wie die Prosa eines fröhlichen Kinderlebens im Hause vermissen
musste, lässt sich wohl denken. Im Jahre 1858 nahm MEYN daher
einen verwaisten Knaben aus Hamburg zu sich. Kaum zwei Jahre
darauf, im Jahre 1860, wurde ihm zwar eine Tochter geboren; dieses
Glückes sollten sich die Eltern jedoch nur wenige Wochen erfreuen
und so wurde der Knabe später an Kindes Statt angenommen.
Derselbe ist jetzt Inhaber des Geschäftes, zu dessen gewinnbrin-
gender Fortführung ihm der Vater die bestmöglichste Ausbildung
angedeihen liess.

Ehrende Anerkennung fand MEYN in dieser Zeit auch dadurch,
dass er zum Abgeordneten des 7. ländlichen Wahlkreises erwählt
würde und während zweier Sitzungsperioden in Itzehoe die Stände-
zeitung redigirte. Im Jahre 1866 gab er dem vielen Andrängen
seiner Freunde nach und nahm die Wahl zum Landtags-Abgeordneten
in Berlin an, musste aber noch nachträglich ablehnen, da im November, kurz vor Beginn der Landtagssitzung, seine Sägemühle
und einige Fabrikgebäude abbrannten und seine Anwesenheit zu
Hause somit dringend nothwendig wurde. Das Geschäft wurde

nun wesentlich umgestaltet, das Holzgeschäft gänzlich aufgegeben
und das Düngergeschäft dafür gefördert durch Ausbau zu einer
in jeder Hinsicht praktischen Fabrik.

Inzwischen hatte, wie bekannt, der politische Umschwung der
Dinge in Schleswig-Holstein stattgefunden, in den, wie der oben
schon angeführte Brief vom Jahre 1867 bewies, das treue Holsteiner
Herz MEYN's sich schwer finden konnte. Die preussische Regierung
erkannte aber sehr bald die Verdienste des echten Vaterlands-
freundes und zeichnete ihn durch Berufung zu verschiedenen Ver-
trauensämtern aus. So arbeitete er, um nur Einiges zu nennen,
mit an der Veranlagung der Klassensteuer, nahm wesentlichen
Antheil an der Landesbonitirung behufs Veranlagung der Grund-
steuer, wirkte mit bei den Vorarbeiten für die schleswig-holstein'sche
Synode u. s. w., Arbeiten, denen er sich, seinem Charakter gemäss,
in so eingehender Weise widmete, dass besondere Auszeichnungen,
wie z. B. die Ertheilung des Königl. Kronenordens für seine um-
fassenden Bonitirungsarbeiten nicht ausbleiben konnten.

Schon im Jahre 1863 hatte MEYN die Redaktion des „Landwirthschaftlichen Taschenbuches" übernommen, welches in Itzehoe
bei PFINGSTEN erschien, wobei es sein stetes auch mit Erfolg ge-
kröntes Bemühen war, dasselbe in jeder Hinsicht praktisch und
bequem für den Landwirth einzurichten, wie auch mit lehrreichen,
die Erkenntniss des Landwirthes fördernden Aufsätzen auszustatten,
so dass das Buch bald immer grössere Verbreitung fand. 1868
wurde er von Dr. KECK, damals in Schleswig, aufgefordert, die
Herausgabe des „Vaterländischen Lesebuches" mit zu fördern, indem er die naturkundlichen Aufsätze für dasselbe schriebe und
fand er hierin wieder eine Aufgabe, die sein warmes Interesse in
Anspruch nahm. 1872 übernahm er auch noch die Herausgabe
des „Haus-Kalenders für Schleswig-Holstein".

Trotz all' dieser zum mindesten Zeit raubenden Arbeiten und
Geschäfte schrieb MEYN, der in der That eine seltene Arbeitskraft
besass, nicht nur noch eine grössere, populäre, geognostische Abhandlung: „Am Anfang schuf Gott Himmel und Erde. Briefe an
eine Freundin über die natürliche Geschichte der Schöpfung", aus
der ich, wenn es der Rahmen dieses Lebensabrisses erlaubte, gern

einige, ganz eigenartige Gedanken hervorhében würde, sondern
fand auch noch den Muth und die Zeit, im Jahre 1870 als aus-
wärtiger Mitarbeiter in die, in der Gründung begriffene, „Preussische
geologische Landesanstalt" einzutreten und alljährlich einen Theil
seiner Zeit speciell geognostischen Aufnahme-Reisen in der Provinz,
bezw. einer Specialaufnahme der Insel Sylt zu widmen. Einen
neuen Anstoss zu freudiger Arbeit auf diesem Gebiete bot ihm
eine Reise nach Holland, die er als Mitglied einer, preussischer
Seits zum Studium der STARING'schen Kartenaufnahme jenes Landes
entsandten, grösseren Commission 1873 mitmachte. „Wie schön
unsre hiesigen Aufschlüsse im Diluvium sind, wie stolz ich in
Nord-Schleswig auf einem wirklichen Diluvialgebirge stehe" —
schreibt er kurz darauf an den Unterzeichneten —‚„das merke ich
erst nach der Rückkehr aus Holland, das trotz der mächtigen
Veluwe, die wir beide erst noch zuletzt kennen lernten, doch
gleichsam verschwindet mit allem, besonders aber mit nordischem
Diluvium."

Als Erfolg dieser Thätigkeit erschien im Jahre 1876 in den
Abhandlungen zur geologischen Specialkarte von Preussen und
den Thüringischen Staaten (Band I, Heft 4) eine „Geognostische
Beschreibung der Insel Sylt und ihrer Umgebung" nebst
einer geognostischen Karte im Maassstabe 1:100000, sowie 2 Tafeln
Profile und lag endlich bei seinem, im Jahre 1878 erfolgten Tode,
seine ganze geognostische Thätigkeit zusammenfassend und krönend,
die Handzeichnung zu der, mit diesen Zeilen nun im Drucke vorliegenden „Geologischen Uebersichtskarte von Schleswig-Holstein"
fertig vor.

Diese grosse Arbeitskraft MEYN's, gepaart mit ausdauerndem
Fleiss, lässt sich nur einigermaassen erklären aus der seltenen
Leichtigkeit des Arbeitens, die ihm verliehen war, bezw. dem Vermögen sofortiger, innerlicher Sammlung nach unvermeidlichen
Störungen, wie sie nicht nur das Geschäft, sondern namentlich die
täglichen, zahlreichen Besuche Rathsuchender, nicht selten auch
gelehrter Freunde, mit sich brachten. Vermöge dieser Gabe schrieb
er manchen Artikel für den Wirthschaftsfreund, manchen Bericht
über eine, auf seinen vielen Reisen ihm mittheilenswerth er-

scheinende Thatsache sofort während der Fahrt im Eisenbahnwagen oder mitten im Lärm einer Wirthshaustafel.

Im Jahre 1876 reiste MEYN in voller Gesundheit zur Einweihung des neu gebauten Kieler Universitätsgebäudes, erkältete sich aber in der Aula desselben, da er erhitzt dort ankam und ohne wärmende Umhüllung während der gehaltenen Reden dem Zuge ausgesetzt war. Einige Tage später wurde er, noch im vollen Jubel des Festes, das sein ganzes Wesen erfüllte, von einem sehr leichten Schlaganfall betroffen, den der Hausarzt damals nicht einmal mit Bestimmtheit als solchen erklären konnte. Dennoch blieb eine geringe Lähmung der rechten Hand, die MEYN das Schreiben oft erschwerte und ihn dadurch verstimmte in dem, seinem regen und frischen Geiste widerstrebensten Gedanken, er werde sich seinen vielen Obliegenheiten in der Folge vielleicht nicht mehr wie bisher hingeben können.

Am 4. November 1878 war er den ganzen Morgen eifrig bei der Arbeit gewesen, da er Mittags für einige Tage verreisen wollte. Gleich nach dem Essen verliess er seine Frau und einige Verwandten frisch und gesund und reiste mit seinem Sohne nach Hamburg, eine neue Geschäftsverbindung mit einem dort ansässigen Engländer zum Abschluss zu bringen, was ihm auch zu voller Zufriedenheit gelang. Die Herren wollten noch einen gemeinsamen Ausgang machen. Während man sich rüstet und MEYN noch eine Treppe höher weilte, hört man plötzlich seinen Ruf „I am sick!"

Die dort beschäftigte, englische Magd hatte den Sinkenden noch eben rechtzeitig aufgefangen, um ihn vor einem Fall, die Treppe hinunter, zu bewahren. Die hinzueilenden Herren trugen ihn auf ein Bett, ärztliche Hülfe wurde sofort herbeigeschafft, doch als dieselbe eintraf, blieb nur noch zu bestätigen, dass keine menschliche Hülfe mehr nützen könne. Um 8 Uhr Abends verschied er ruhig, ohne wieder zum Bewusstsein gekommen zu sein, ohne dass seine treue Gattin, die auf ein Telegramm hin sofort mit dem Hausarzte herbeigeeilt war, noch rechtzeitig mit dem Eisenbahnzuge eintreffen konnte.

Am nächsten Morgen wurde die sterbliche Hülle auf der Chaussee nach Uetersen gefahren und kam kaum 24 Stunden

nach des Lebenden Abreise dort an. Am 7. November wurde
der reich mit Blumen geschmückte Sarg in der Kirche aufgestellt; von dort am 8. unter regster Betheiligung aus Nah und
Fern herbeigeeilter Freunde in unermesslich langem Zuge zur
Ruhestätte geleitet und unter den Klängen des Liedes „Christus,
der ist mein Leben" von den Arbeitern seiner Fabrik zur Erde
bestattet.

Wir aber, wir wollen das Andenken des Freundes — des
Forschers sowohl als des Menschen insbesondere — so frisch
als möglich erhalten und dazu möge denn auch das folgende, nur
seinen nächsten Freunden bisher mitgetheilte Gedicht beitragen.
Es thut dabei nichts, dass uns dasselbe den Forscher noch auf
dem Standpunkte der LYELL'schen Drift-Theorie zeigt, die er
später, als ihre Unhaltbarkeit speciell für norddeutsche Verhältnisse sich ihm und Anderen immer mehr aufdrängte, schliesslich
rückhaltlos verliess und nun mit der AGASSIZ - TORELL'schen
Binnenlandeistheorie plötzlich den grössten Theil der Räthsel, wie
sie das Special-Studium des Diluvium bietet, gelöst fand.

Der Geolog.

Oft geh' ich einsam durch das Feld,
Auf Forschen meinen Sinn gestellt;
Dann seh' ich nicht das Korn, das reift,
Den Hirsch nicht, der von dannen schweift,
Nicht den zum Dom gewölbten Wald,
Der vom Gesang der Vögel hallt.
Gesenkten Aug's seh' ich allein
Vor meinen Füssen Erd' und Stein.
Mir ist alsdann der Wald verhasst,
Weil er durch jeden morschen Ast,
Durch Moose, Flechten, Rinden, Laub
Den Fels verhüllt mit Moderstaub.
Mir ist alsdann das schönste Feld,
Weil es der Pflug berührt, vergällt;
Der Wiese blumenreichen Plan
Seh' ich erst recht mit Unlust an,
Sie deckt durch weichen Schlamm und Torf
Das Erdreich wie mit einem Schorf. —
Nur da, wo Wind und Welle fegt
Und von der Küste Trümmer schlägt,
Und sie verwäscht in wildem Spiel:
Da find' ich meiner Wand'rung Ziel,
Und nach dem vielgeliebten Strand
Sind meine Schritte hingewandt.
Vom Bau der Erde, die uns trägt,
Ist dort ein Stücklein blosgelegt,
Das sagt mir täglich neue Mähr'
So oft ich komm' des Weg's daher,
Und neue Beute jedesmal
Bringt mir des Hammers harter Stahl,
Der Wunder, die ein Zweifler glaubt,
Aus Felsen oder Schiefer klaubt.
Wenn ich nun weidlich aufgeklopft
Und meine Tasche vollgepfropft
Und dann vom Suchen müde bin,
So leg' ich mich zu ruhen hin,

Im weissen Sande ausgestreckt,
Wo mich kein kühler Schatten deckt,
Wo mit dem Winde mich zumal
Trifft ungeschwächter Sonnenstrahl.
Indess die Welle, die sich bricht,
Von tausend Wunderdingen spricht,
Fass' ich, halb träumend, mit der Hand
Die Steinlein aus gewasch'nem Sand
Und prüfe nach dem Farbenschein
Von welcher Art sie mögen sein.
Und wenn ich dann den Fels erkannt,
Den ich als Berg im Norden fand,
Wo er das Haupt in Wolken streckt
Und sich mit Schnee und Eis bedeckt,
Wo er den tief gespalt'nen Schlund
Der Föhrde bildet bis zum Grund:
Dann denk' ich an die Wunderzeit,
Da noch die Erde weit und breit
Und alles Land auch hier umher
Nichts war als ein still wogend Meer.
Auf diesem Meer' zog dazumal
Von stillen Schiffen grosse Zahl,
Die gaben alle hellen Schein
Als wär' das Segel weisses Lein',
Die führten einen tiefen Kiel
Und strandeten unendlich viel.
Von einem Riff kam jedes Schiff
Und jedes ging zu einem Riff;
Denn seine Segel silberweiss
Und auch sein Kiel war lauter Eis. —
Ein abgebroch'ner Gletscherfuss
Fällt in das Meer mit Donnergruss
Und schwimmt hieher und pflügt sich ein,
Schmilzt vor dem warmen Sonnenschein
Und lässt dies kleine Felsenstück
Mit tausend anderen zurück.
Der Ursprung und der weite Lauf
Steht noch mit Runenschrift darauf;
Denn jede Furche ist ein Wort,
Das Kunde bringt vom finster'n Nord. —
Das Steinchen, das so schön erzählt,
Wird zu den ander'n noch gewählt,

Und wandert, wenn das Träumen aus,
Mit mir zurück in's stille Haus.
Da waltet mit getreuem Sinn
Ein vielgeliebtes Weib darin.
Für sie ist jeder Schatz bestimmt,
Den meine Hand vom Boden nimmt.
Sie hört so gern die Wundermähr',
Die ich vom Strande bringe her —
Geliebtes Weib, auch dieser Stein
Und seine Kunde werde Dein;
Er ist's, auf welchem uns zu Lieb'
Der Gletscher seinen Namen schrieb.

6. November 1863.   LUDEWIG MEYN.

Die Bodenverhältnisse der Provinz Schleswig-Holstein

von

Dr. Ludewig Meyn.

Die Bodenbeschaffenheit der Provinz Schleswig-Holstein ist ein Abbild im Kleinen von der Bodenbeschaffenheit des gesammten norddeutschen Tieflandes. Was von Russland bis Holland zu einer Breite von hundert Meilen aus einander gelegt ist, das findet sich in dieser schmalen, gen Norden gerichteten Halbinsel auf ein halbes Dutzend Meilen zusammengedrängt.

Kann in Folge dessen Jeder, der Norddeutschland kennt, von vorn herein sich ein anschauliches Bild von dem Boden Schleswig-Holsteins machen, so kann anderseits bei eingehendem Studium dieser Provinz Jeder ein tieferes Verständniss für den inneren Zusammenhang der verschiedenen Landschaften Norddeutschlands sich erwerben.

Die Ostseeküste der Halbinsel ist in ihrer gesammten Erscheinung, und ebenso ihrer Entstehungsweise und inneren Zusammensetzung nach, identisch mit den übrigen deutschen Ostseeländern und der Provinz Brandenburg, so weit letztere in den, die Ostsee umzingelnden, breiten Gürtel langgestreckter buchtenreicher Landseen hineinragt.

Der mittlere Theil der Halbinsel ist identisch in seiner Erscheinungsweise und den Bedingungen seiner Entstehung vorzugsweise mit der Lüneburger Haide, dem grossen Hochland des nördlichen Hannover, sammt den sich daran anschliessenden gleichen und ähnlichen, aber niedriger gelegenen Bildungen in Oldenburg, Westphalen, Belgien und Holland, und dem sandigen Niederland derselben Gegenden wie des südlichen Mecklenburg.

2*

Der westliche Theil endlich ist das getreue Abbild der Nord-
seeküsten von Hannover, Oldenburg und Holland in einem so
hohen Grade, dass selbst die Vormauer einer gleichartigen Insel-
kette die Richtigkeit der Auffassung bekräftigt.

Für den ersten Anblick zerfällt also die Halbinsel in drei
grosse, parallel neben einander, von Norden nach Süden streichende
Gürtel, dem sorgfältigeren Beobachter zeigt sich aber sehr bald,
dass nicht drei, sondern vier verschiedene Landschaften zu unterscheiden sind. Ehe deren bestimmtere Charakteristik unternommen
wird, sollen sie mit ihren üblichen, oder wenigstens dem Total-
eindruck entsprechenden Namen bezeichnet werden.

1. Den Osten bildet die fruchtbare Hügellandschaft,
welche man, nach Analogie der übrigen Ostseeländer, die Seen-
platte nennen könnte, wenn eine solche Bezeichnung nicht deshalb unzulässig wäre, weil durch Schmalheit und Zerrissenheit
dieses Gürtels der Eindruck einer Platte — bis auf einen Theil
von Holstein — gänzlich verwischt und eine Anzahl der tiefen,
langen und buchtenreichen Seebecken durch Communication mit
dem Meere in Föhrden umgewandelt ist, zwischen denen die
Hügellandschaft nur in reich gegliederten Halbinseln liegt.

2. Daran schliesst sich der unfruchtbare Haiderücken,
welcher den Kamm der Halbinsel in seiner ganzen Länge krönt,
nach Osten um die innersten Enden der Föhrden sich biegend,
und einen leichten convexen Schwung in jede der Halbinseln
machend, nach Westen in eine ununterbrochene Folge ebensolcher
Haiderücken sich spaltend, die dann sich theilweise zu grösseren
Plateaux erweitern und mit ihren letzten Ausläufern bis an die
Marsch oder das Meer reichen.

3. Zwischen diesen nach Westen gerichteten Haiderücken,
die Tiefe erfüllend und grösstentheils auch ihren westlichen Fuss
umsäumend, befindet sich ein ebenes, dem Anscheine nach ganz
horizontales, in der That aber vollkommen gleichmässig von Osten
nach Westen abfallendes Land, aus dem, wie aus einem Meere,
sich der nordsüdliche Hauptkamm, so wie die nach Westen auslaufenden Halbinseln und Inseln des Haiderückens erheben. In

der Nähe des Kammes, wo diese Fläche bis zu einer Höhe von 100 Fuss über den Meeresspiegel steigt, gleicht sie dem nahen Haiderücken selber und wird am besten mit ihm zusammengefasst. Ihre harte und feste Ebene ist dort ein vollkommenes Blachfeld, nur hin und wieder leise geschwellt durch die erwähnten Rücken; weiter abwärts, wo sich die einzelnen Haiderücken schon höher über sie erheben, bildet sich die weite Haidesandebene mit ihren Flugsandwildnissen, endlich am westlichen Fusse der Haiderücken, wo sie die Marsch berührt, verwandelt sie sich in die grasreiche Sandmarsch. Obgleich der Entstehung nach verschieden, werden landwirthschaftlich am besten die Haiderücken mit dem Blachfelde zusammengefasst und als der Haiderücken bezeichnet, der im allgemeinen als der Typus der hohen Geest betrachtet werden kann, während man ebenso für die Haidesandebene und die Sandmarsch zusammen landwirthschaftlich am besten den Namen Vorgeest acceptirt, welcher im Bremischen für diese Bildung üblich ist, die im nordwestlichen Deutschland, Holland und Belgien unter durchaus gleichen Charakteren auftritt.

4. Die Marsch, welche im Wesentlichen eine horizontale, graswüchsige, feinsandige Klei-Ebene darstellt, bildet um die Vorgeest und die vorspringenden Punkte des Haiderückens einen schmaleren oder breiteren, durch die Thätigkeit des Menschen gegenwärtig meist zunehmenden Saum von Alluvionen des Meeres und der Flüsse.

Das sind die vier Landschaften verschiedenen Bodens auf der Halbinsel*). Von den Inseln, um diese gleich zu erledigen, gehören sämmtliche Ostseeinseln der fruchtbaren Hügellandschaft an; unter den Nordseeinseln bestehen Sylt, Amrum und Föhr aus Haiderücken, Vorgeest und Marsch, zusammen eine kleine Parallelerhebung neben der Halbinsel bildend, während Romö ganz aus Vorgeest, alle übrigen Nordseeinseln ganz aus Marsch bestehen.

---

*) Den drei parallelen Gürteln entsprechen die vier Landschaften derartig, dass die beiden unter 2 und 3 genannten in ihrer Gesammtheit den mittleren dieser drei Gürtel bilden und bei Zusammenfassung der beiden entsprechenden, geognostischen Farben diese parallele Gürtelbildung auch auf der Karte hervortritt.

G. B.

Es wird daher mit einer Charakteristik der vier Landschaften
die Bodenbeschaffenheit des ganzen Landes geschildert sein, während es nur einer sorgfältigen Specialuntersuchung gelingen kann
(s. d. Karte), die mannigfach in einander eingreifenden Grenzlinien
derselben festzustellen, da die Kultur selbstverständlich bestrebt
ist, sie zu vermischen.

Da, geologisch genommen, von Osten gegen Westen hin jede
folgende Landschaft die jüngere ist, so ist es nicht bloss bequem,
sondern auch bedeutsam, die Schilderung der Oberfläche von Osten
her zu beginnen, von wo aus man zugleich den Einblick in die
i n n e r e Zusammensetzung der übrigen Landschaften erhält.

Punkte anstehenden älteren Gesteins.

In der Tiefe hat die Halbinsel selbstverständlich einen felsigen
Kern, doch tritt derselbe nur an wenigen Stellen zu Tage. Die
bedeutsamsten Punkte sind Lieth bei Elmshorn und Segeberg mit
Stipsdorf, weil an beiden Stellen ein sehr mächtiges Salzgebirge
zu Tage tritt, für dessen weitere Erstreckung unter der norddeutschen Ebene zahlreiche Thatsachen angeführt werden könnten.

Zu Lieth ist das Salz eingebettet in einen fast 4000 Fuss
mächtigen, mergeligen, rothen Sandstein mit Stinksteinschiefern,
zu Segeberg liegt es unter einer Decke von 500 Fuss Gyps und
Anhydrit, ohne dass bis dato entschieden wäre, zu welcher Formation beide Lagerstätten gehören, ob zur Zechsteinbildung, oder wie
Andere meinen zur Trias.

Alle übrigen Punkte älteren Gebirges, welche erscheinen,
gehören, da die Andeutungen der Juraformation doch noch nicht
Anstehendes auffinden liessen, der Kreideformation an. Obenan
steht hier die gewaltige Kreideentblössung zu Lägerdorf und
Schinkel südlich von Itzehoe, demnächst das nicht ganz entblösste
Gebirge von weisser Kreide bei Heide, welches in einer Mächtigkeit von mehr als 1000 Fuss wie ein Schwamm mit Petroleum
gesättigt ist, endlich im Osten die steil aufgerichteten Felspartien
turonischer Kreide bei Waterneversdorf und Heiligenhafen. Alle
diese Felsgebilde liegen in Holstein; aus Schleswig ist noch keins

bekannt. Da aber in der nördlichen Fortsetzung der Halbinsel, in Jütland, die Kreidegebilde eine grosse Entwickelung zeigen und an sehr zahlreichen Punkten zu Tage treten, bleibt wohl kein Zweifel, dass auch Schleswig davon unterteuft sei.

Ueber dem felsigen Kern liegt eine Tertiärbildung, welche zwar, von der Südgrenze bei Altona bis zur Nordgrenze an der Königsau, vielfach in isolirten Punkten, namentlich des Haiderückens zu Tage tritt, aber nirgends die Bodenverhältnisse für den Anbau wesentlich beeinflusst. Dagegen dienen die Fundpunkte allerdings vielfach zur Ziegel- und Thonwarenfabrikation, zur Gewinnung ökonomisch wichtiger Sandmassen, aber bisher nirgends für die Braunkohlengewinnung.

An dreien dieser Punkte im östlichen Holstein ist der oligocäne Septarienthon nachgewiesen, an allen anderen, obgleich sie über das ganze Land verbreitet sind, ist nur miocäner Glimmerthon, Glimmersand, Quarzsand und Limonitsand blossgelegt, welcher letztere auf der Insel Sylt, wo wenigstens die Küstenränder durch die Formation bedeutsam beeinflusst werden, auch als Limonit-sandstein eine Felsenküste bildet.

Wegen der Kleinheit und Isolirtheit der Tertiärpunkte wird dieses Gebilde, gewiss mit Recht, gleich dem Flötzgebirge zu dem Kern der Halbinsel gerechnet, und nur die oben erwähnten vier Abstufungen des Bodens, welche sämmtlich den quartären Bildungen angehören, zwei von ihnen der Diluvialformation, zwei der Alluvialformation, haben eine landökonomische Bedeutung und sollen in dieser Beziehung jetzt skizzirt werden.

Die bodenbildende Quartärformation.

Die fruchtbare Hügellandschaft.

In der Hügellandschaft der Ostseite sind alle Tiefen der Diluvialformation von Natur offengelegt, nicht bloss an den Küsten-rändern, sondern auch in der Ackerfläche selber, durch tiefe, nachträglich aber stark zugespülte Schründe, welche von dem nahen Haiderücken herab bis in die sehr tiefen Föhrden reichen, oder, das Land nach allen Richtungen durchziehend, in dem weichen

Materiale die kurzhügelige, scheinbar völlig gesetzlos gestaltete Oberfläche zu Wege brachten.

Zu unterst liegt ein steinfreier, geschichteter, sehr magerer, zuweilen in wirklichen Formsand übergehender Mergel, welcher das Material zu den weit verbreiteten, schön gelben Ziegelwaaren liefert und eine präglaciale Nordseefauna umschliesst*).

Als Boden ist dieser Mergel von vorzüglichster Fruchtbarkeit und angenehmster Bestellungsweise, würde besonders zu der ausgedehntesten Gartenkultur fast unübertrefflich sein; er ist aber leider nicht auf grossen Flächen zu Tage gelegt, sondern zusammenhängend nur im Sundewitt, Kreis Sonderburg, in den Umgebungen des Nübel-Noor, sowie zwischen Reinfeld und Lübeck im Kreise Stormarn. An vielen Punkten der Ostseite tritt er auf einzelnen Ackerparcellen hervor, wie es die Zerklüftung dieser Landschaft mit sich bringt.

Auf ihn folgt als Hauptgebilde des Ostens und in der Tiefe als Hauptgebilde des ganzen Landes eine sehr mächtige, ungeschichtete, graublaue Mergelbank, gefüllt mit Sand und Steinen der mannigfaltigsten Art und Grösse, die verschiedenartigsten Gesteine der scandinavischen Halbinsel und einer gliederreichen Kreide- und Tertiärformation begreifend, meist scharfkantig mit schwach gerundeten Ecken und mit Gletscherstreifen gezeichnet, die Feuersteine aber in ihrer originalen Knollengestalt — die Mergelmasse selber gebildet aus zerriebener Kreide, zerriebenem Silurgestein und zerriebenen, nicht verwitterten, also kalireichen

---

*) Dieses in der Mark Brandenburg und im übrigen Norddeutschland nicht immer „zu unterst" liegende und von mir überhaupt nicht als eine ältere Stufe, sondern nur als ein mit dem Geschiebemergel gleichzeitiger Tiefwasserabsatz betrachtete, geschiebefreie Thonmergelniveau ist in der Karte mit dunkelbrauner Farbe bezeichnet und als Alt-Diluvium gesondert. Wie ein Blick auf die Karte beweist, tritt es einerseits fast ausschliesslich an den Rändern von Flussthälern und sonstigen Senken hervor: So längs der Elbe von Lauenburg bis Hamburg und vereinzelt von Hamburg bis Itzehoe und Meldorf, längs der Stör bei Itzehoe, der Trave bei Lübeck. Andererseits zeigt die Karte dieses Alt-Diluvium an mehr oder weniger steil abgebrochenen Stellen der Seeküste, beziehungsweise der Buchten oder Fjorde: So in besonders schöner Weise und als sogenannter Bröckenmergel ausgebildet im Brothener Ufer bei Travemünde, sodann an der Schlei bei Schleswig, am Flensburger Fjord und Nübel-Noor, wie auch an der Apenrader Bucht.   G. B.

Feldspathgesteinen, eine wahrhafte Gletscher- und zwar Moränen-
bildung, in welcher der Krosstengrus und der Glacialmergel
Schwedens zu einem einzigen Gebilde vereinigt sind.

Diese Bank wird hier zu Lande gewöhnlich als blauer Lehm,
wo man sich ihrer zum Mergeln bedient, als blauer Mergel, vom
geognostischen Standpunkte neuerdings vielfach als Gletschermergel
oder Moränenmergel, in der Mark Brandenburg und der
Provinz Preussen als Unterer Diluvial- oder Geschiebe-Mergel
bezeichnet.

Am meisten trägt diese für die üppigste Vegetation mit fast
unerschöpflicher Pflanzennahrung ausgestattete Bank zur Bildung
der Ackerkrume in den östlichen Küstenrändern bei, namentlich
auf den Inseln Fehmarn und Alsen, im sogenannten Lande Oldenburg, der Propstei und dem Sundewitt, auch im dänischen Wohld
und den Küstenrändern der Kreise Apenrade und Hadersleben.
Wo sie in ungestörter Lagerung ist, wird sie gewöhnlich bedeckt
von einem eigenthümlichen Sand, der stellenweise auch zu Grand
und grobem Gerölle wird und genau dieselben, nach der Gegend
wechselnden Bestandtheile enthält wie der Moränenmergel, wenn
man dessen thonigen Bestandtheil auswäscht. Er ist sehr deutlich
geschichtet, mit sehr ausgeprägter, discordanter Parallelstruktur.
Seine Steine aber sind gerundet, seine Feuersteine in kleinste
Splitter zerbrochen oder gänzlich abgestossen; statt der Kreide-
stücke enthält er nur die daraus ausgewaschenen Bryozoen, welche
man früher als Mooskorallen bezeichnete, daher man ihn hier zu
Lande Korallensand, im täglichen Leben Sandmergel, in der Mark
Brandenburg Unterer Diluvialsand oder Spathsand nennt. An
der Oberfläche der Ländereien erscheint diese Schicht vorzugsweise
in den Umgebungen der Föhrden, namentlich in derem innerstem
Winkel, und ebenso, inländisch, in Streifen, welche die zusammen-
hängenden Züge der Landseen begleiten. Ihre Fruchtbarkeit ist
unter Umständen ausserordentlich, da dieser Sand in seinem reichen
Mineralgemisch jedes Bedürfniss der Pflanze befriedigen kann, und
nur, wo er zu mächtig und durchlässig wird, also an der Oberfläche ausgelaugt ist, bringt er vereinzelte, unfruchtbare Parcellen
zu Wege, die jedoch als Waldboden immer ihres Gleichen suchen.

Auf dem Korallensande liegt ein gelber, nach unten hin
zuweilen blauer, ungeschichteter, in der Tiefe mergeliger Lehm,
von ähnlicher Zusammensetzung wie der Moränenmergel. Seine
aufschlämmbaren Bestandtheile sind aber weit weniger mergelig,
wenig kalihaltig, der eingemengte Sand und die einliegenden Steine
weit weniger mannigfaltig, namentlich fehlt es an Kreide- und
Kalksteinbrocken; die Feuersteine sind zerbrochen; neben kleinen
Blöcken der feldspathigen Gesteine kommen zahlreichere grosse
Blöcke vor, die nur selten deutliche Gletscherspuren zeigen; auch
sind die Feldspathgesteine und andere eruptive Felsarten, die im
Moränenmergel frisch erscheinen, in diesem Lehm oft zum Zerfallen zersetzt.

Im täglichen Leben wird diese Bank als gelber Lehm oder
schlichtweg Lehm, von den Geognosten als Blocklehm, in der
Mark Brandenburg als Oberer Diluvial- oder Geschiebe-Mergel
bezeichnet. Ihre Fruchtbarkeit ist bisweilen eben so gross, als die des
Moränenmergels, in der Regel aber wesentlich geringer. Ihre
Verbreitung füllt alle Lücken zwischen den Flächen des Moränenmergels und Korallensandes aus und reicht überdies in einer
breiteren Zone bis an den Kamm der Halbinsel, wo sie mit dem
gleich zu charakterisirenden Boden des Haiderückens zusammen-
stösst und Uebergänge in denselben bildet.

Diese drei Gebilde, die zwei ungeschichteten Lehm- und
Mergelbänke und der dazwischen liegende, geschichtete Sand,
bilden ein zusammengehöriges Ganze, einen Absatz aus der Glacial-
periode, das sogenannte Mittlere Diluvium*), das in den anderen
Provinzen auf grossen Flächen ungestört in seiner Lagerung
beobachtet werden kann. Im Osten dieser Halbinsel ist aber bei
Gelegenheit ihrer Hebung und noch mehr durch die in deren
Folge eingetretenen, partiellen Senkungen der weichen und losen
Massen, aus welchen die hügelige Oberfläche hervorgegangen,
das Schollenhaufwerk derselben so durch einander geschoben, dass

---

*) In der Karte ist das mittlere Diluvium durch die graue Farbe zusammen-
gefasst und beschränkt sich, einige grössere Flächen im Amte Rendsburg ausge-
nommen, fast nur auf den Osten der Provinz, wo es den Eingangs hervorge-
hobenen ersten oder östlichen Parallelgürtel der ganzen Halbinsel bildet. G. B.

alle drei Glieder dieser fruchtbaren Schichtenfolge oft auf kürzester
Entfernung zu Tage treten und die Bonitirung der Parcellen im
höchsten Grade erschweren, jedenfalls niemals gerechtfertigte
Schlüsse auf einen grösseren Complex gestatten *).

Acker, Wiese, Wald und Wasser wechseln in dieser Region
in mannigfaltigster Weise mit einander ab, und der Acker ist fast
ohne Ausnahme für die mehrjährige Weidezeit, die ihm geboten
wird, in hohem Grade graswüchsig. In Folge der eigenthümlichen
Gestaltung der Oberfläche dieser Landschaft, welche sich durch
Erdfälle und Spaltsenkungen auszeichnet, finden sich zahlreiche
kleine, meist an der Oberfläche fruchtbare Kesselmoore, deren
Torf durch die Waldvegetation gebildet wurde, welche einst in
höchster Ueppigkeit das ganze Hügelland bedeckte. Seit Eintritt
der Ackerkultur sind diese Kesselmoore durch Naturwirkung und
menschliche Nachhülfe allmählich mit fruchtbarer Feinerde von den
Höhen bedeckt, und werden als „Sichten" in den Acker hinein-
gezogen, oder als kräuterreiche Wiesenflecken inmitten des Ackers
bewirthschaftet.

In den buchtenreichen Thälern finden sich weniger eigentliche
Flüsse, als Ketten von Seen, welche durch eine Au an einander
gereiht sind und deren jeder einst grössere Ausdehnung hatte.
Jetzt werden sie durch moorige Wiesen von einander getrennt,
deren Torf zuerst aus der Vegetation der Süsswasserseen, nachher
aus der Grasvegetation entstand, und bei jedem Winde von den
fruchtbaren Höhen überstäubt, bei jedem Regenguss überspült,
gras- und kräuterreiche, blumengeschmückte Wiesen trägt, welche
lebhaft an Gebirgswiesen erinnern. Die schrofferen Abhänge, die
grandreichen Stellen, die Plätze, an denen zahlreiche Steinblöcke
dem Pflug widerstreben, und ein Theil der allerschwersten Lehm-
bodenarten tragen hier noch die Reste des einst die ganze Land-

---

*) Aus diesem Grunde, der eine zeitraubende Specialaufnahme bedingt, sah
sich MEYN auch genöthigt, von einer gesonderten Darstellung der drei Glieder,
der „zwei ungeschichteten Lehm- und Mergel-Bänke" und des „dazwischen liegenden Sandes", für eine Uebersichtskarte, wie die vorliegende, abzusehen, so
erspriesslich auch er eine solche, in anderen Provinzen, wie in der Mark Brandenburg und in Ostpreussen durchgeführte Sonderung, nicht nur vom landwirthschaftlichen, sondern auch vom geognostischen Standpunkte hielt.   G. B.

schaft bedeckenden, majestätischen Buchenwaldes, der nur dort
verkümmert, wo seine Wipfel den Kamm der Halbinsel überragen,
und von dem über die Haide fegenden Westwinde getroffen werden.
Diese Waldreste und die lebendigen Hecken, welche bei dem
Weidegange des Viehes mitten zwischen den Aeckern unentbehrlich,
und wohl auch bei der Zerrissenheit der Oberfläche zur Begrenzung des Eigenthums an vielen Stellen nothwendig sind, im Verein
mit der grossen Fruchtbarkeit, welche den mannigfaltigsten Anbau
gestattet, geben der Hügellandschaft des Ostens den Charakter
eines grossen, durch Wasserspiegel von jeglicher Gestalt und Ausdehnung geschmückten Gartens.

Der unfruchtbare Haiderücken. (Die hohe Geest.)

Ueberschreitet man den Kamm der Halbinsel gegen Westen
hin, so zeigt sich ein völlig entgegengesetztes Bild. Man tritt
unmittelbar aus der waldreichen Hügellandschaft in das waldarme,
wasserleere, dunkelbraune Gebiet der Haiderücken, eine schwach-
wellige Hochebene, welche, auf dem Kamme zusammenhängend,
nach Westen hin nur mehr oder minder breite Ausläufer sendet.
Noch ein Mal ist es hervorzuheben, dass der Haiderücken selber
sich nicht gegen Westen hin abdacht, dass vielmehr nur die Ausfüllung der Thäler, welche nicht wesentlich zu ihm gehört, eine
solche Abdachung darstellt. Da aber die Thäler zwischen je zwei
Haiderücken von unverhältnissmässiger Breite sind und da ihre
Ausfüllung am innersten Ende sich fast bis zur Höhe der Rücken
selber erhebt, so wird dieser Theil der Thalfüllung, das Blachfeld, mit den Haiderücken selber als eine einheitliche, landwirthschaftliche Zone betrachtet werden, wie es auf den ersten Blick
erscheint und in der Bevölkerung des Landes allgemein angenommen ist.

Der Haiderücken im eigentlichen Sinne ist bedeckt mit einem
schwach lehmigen, aber stark eisenschüssigen, meistens ungeschichteten Sande, der gewöhnlich ausserordentlich reich an Grand
und Gerölle ist. Die Gerölle sind selten grösser als ein Menschen-
kopf und alle sehr stark gerundet. Die einzelnen Riesenblöcke,
welche auf dem Haiderücken liegen, und auf ihren Kämmen

Anlass zu majestätischen Steinsetzungen der Vorfahren und zu unzählbaren Hünengräbern gaben, gehören nicht der Schicht selber an, sondern liegen oben auf derselben als noch späterer Absatz.

Die Gerölle bestehen ausschliesslich aus harten Gesteinen, Quarzite und Sandsteine gewinnen sogar die Oberhand über die sonst so unzähligen Granite und Gneuse; Kalksteine und andere weiche Gesteine, namentlich Kreide, fehlen gänzlich, und fast keine Spur von Kalk ist selbst in der sparsamen Feinerde nachzuweisen. Die Feuersteine sind nicht wie im Korallensande zersplittert, oder in grösseren Stücken an den Ecken rund gestossen, sondern meist kantig zerbrochen, und die Stelle des schönen, schwarzen Feuersteins aus der weissen Kreide, welcher in der Hügellandschaft vorherrscht, wird von grauem und braunem, löcherigen und unansehnlichen Feuer- und Hornstein anderer jüngerer Kreideabtheilungen eingenommen. In Schleswig-Holstein hat man diese Bodenart Geschiebesand, in der Mark Brandenburg anfangs Decksand, später Oberer Diluvialsand oder gleichfalls Geschiebesand genannt; neuerdings ist im Bremischen der Name Geschiebedecksand angewendet, welcher offenbar das Wesen der Sache trifft und sich deshalb wohl bleibend erhalten wird, denn seine Gesteine stammen nicht aus der Verwaschung seiner Unterlage*).

Fruchtbar nur in sehr seltenen Fällen, meistens unfruchtbar durch seine Bestandtheile (eine Feinerde von Eisenoxydhydrat) und seine übertriebene Durchlässigkeit, trägt dieser Sand ursprünglich nur Haide und Brahm, *Calluna vulgaris* und *Spartium scoparium*, von Waldbäumen nur sparsam die verkrüppelte Eiche, auf dem Acker nur Roggen. Allein nicht die ganzen Haiderücken sind so beschaffen, denn diese unfruchtbare Decke, welche zwar stellenweise 30—40 Fuss mächtig werden kann, ist oft nur 2—3 Fuss

---

*) Die Karte giebt den Geschiebesand mit der hellbraunen Farbe und zeigt seine Verbreitung durch die ganze Mitte der Halbinsel von den Thoren Hamburgs bis hinauf in die Spitze des eigentlichen Jütland. Aber erst in Gemeinschaft mit der gelben Farbe des altalluvialen Haidesandes tritt dem Beschauer der immer noch durch die grüne Farbe eingestreuter und eingreifender Jung-Alluvialbildungen etwas zerrissene, breite Mittelgürtel der Geest deutlich entgegen. (S. auch die folgende Anmerkung.)   G. B.

mächtig, verschwindet zuweilen ganz. In der Tiefe besteht der
Haiderücken aus demselben Mittel-Diluvium wie die Hügellandschaft, aber in ungestörter Lagerung und daher mit dem Unterschiede, dass selten der Korallensand, meistens der Blocklehm und
nur im äussersten Westen der Moränenmergel unmittelbar darunter
liegt und ein rascher Wechsel, wie im Osten, unbekannt ist. An
den höchsten Kuppen der Haiderücken, 200—300 Fuss hoch, sind
ungeheure Mergelgruben eröffnet, in denen der Blocklehm und
unter ihm der Moränenmergel gegraben und auf viele Meilen über
das kalk- und kalibedürftige, auch nach Feinerde schmachtende.
Haideland verbreitet wird. Ebenfalls an den Rändern von Niede-
rungen, wo der Geschiebedecksand theilweise weggespült worden,
sieht man oft die Mergelgruben im Moränenmergel dicht aneinander,
und einzelne beschränkte Gegenden, wo der Haiderücken sich zum
Plateau verbreitet, also auch von Wasserläufen durchfurcht wird,
wie in dem Hochlande, welches Ditmarschen und Alt-Holstein
gemeinsam haben, können sich zu der Fruchtbarkeit und dem
Ansehen des Ostens erheben, weil in ihnen der Geschiebedecksand
völlig beseitigt ist. Ja in dem Kreise Tondern, wo bedeutende
Flächen, die mit dem Haiderücken zusammenhangen, völlig von
Geschiebedecksand befreit daliegen und ganz aus Moränenmergel
bestehen, liefern die Rücken ein Acker- und Weideland, das sich
mit den besten Ländereien des Ostens messen kann.

Während der Geschiebedecksand noch der Diluvialformation
angehört und als jüngeres Diluvium unterschieden werden muss,
gehört der Sand des Blachfeldes, der ihm so ähnlich ist und
in der Nähe des Kammes der Halbinsel mit ihm zu einer breiten,
welligen Hochfläche zusammenfliesst, bereits der Alluvialformation
an und wird als älteres Alluvium unterschieden.

Dieses Blachfeld, in welchem man kaum die leiseste Terrain-
bewegung und selbst die Neigung nach Westen, weil sie so
allmählich und gleichmässig ist, nicht gewahrt, besteht aus grobem
Sande ohne Rollsteine, nur mit Feuersteinbrocken, welche höchstens die Grösse einer Wallnuss erreichen; er ist oberflächlich
ungeschichtet wie der Geschiebedecksand, aber nicht eisenschüssig,
sondern vielmehr humos, daher im Allgemeinen fruchtbarer, aber

landschaftlich viel einförmiger, und weil der Lehm und Mergel meistens in der Tiefe nicht erreicht werden kann, sondern aus den entlegenen Haiderücken geholt werden muss, aus diesem Grunde wieder schwerer zu kultiviren.

Dazu kommt, dass wegen der ausgesprochenen Horizontalität in einer, und der geringen Neigung in der darauf normalen Richtung sehr ausgedehnte Flächen der Versumpfung anheimfallen, welche keineswegs wirkliche Torfmoore, sondern mehr Moorsümpfe (dänisch: Kjaer) bilden und völlig unzugänzliche Theile zwischen die zerstreuten Kulturflächen einschalten.

Wo der Untergrund besser ist und wahrscheinlich das Mittel-diluvium in geringerer Tiefe liegt, da werden diese Flächen zu einer Art von Wiesen, welche sich ganz unregelmässig ausbreiten, nach keiner Seite Abfluss haben und durch ihre Graswüchsigkeit inmitten der ödesten Haideebene den Beobachter in Erstaunen setzen.

In der Mitte jeder solchen Blachfeldgegend fliesst aber ein vom Kamme entspringender Bach, der, weil er kein eigentliches Bette und noch weniger ein rechtes Thal einschneidet, oft auf sehr grosse Breiten hin halb saure, halb fruchtbare Wiesen im Blachfelde schafft und durch diese die Ansiedelungen erhält, welche bei dem mageren Acker allein vergehen müssten. Die Aufzucht des Viehes auf diesem Geflechte von ebener Haide und Wiese neben dem Ackerbau der Rücken, die Schmalheit des ganzen Landstriches dieser Art und die Nachbarschaft zweier sehr fruchtbarer Landstriche, deren einer, der östliche, junge Kühe fordert, während der westliche junge Ochsen verlangt, bewirkt dennoch, dass auch in diesen scheinbar entsetzlichen Einöden ein ziemlicher Wohlstand herrscht und ein relativ behagliches Dasein für den Landmann geschaffen wird.

Die Haideebene. (Die Vorgeest.)

Weiter gegen Westen geht das Blachfeld, welches immer tiefer und tiefer sinkt und über welchem daher die Haiderücken sich mehr erheben, rasch in die schlechte Haideebene über, in welcher ein steinleerer, mehliger Haidesand, an sich schon

unfruchtbar genug, noch unfruchtbarer dadurch gemacht wird, dass
seine tieferen Lagen durch ein humoses Bindemittel, herrührend
von der Auslaugung einer tausendjährigen Haidevegetation, in
einen vollkommen undurchlässigen Humussandstein verwandelt
sind, den man in verschiedenen Gegenden des Landes als „Ahl,
Ur, Norr, Fuchs" bezeichnet und mit noch manchen anderen Lokal-
namen nennt*). Für Baumwurzeln ganz undurchdringlich, bringt
dieser Boden auch nicht den kleinsten Busch hervor. Für die
Ackerkultur ist er bei guter Düngung zwar zugänglich, aber die
undurchlässige Schicht macht ihn kaltgründig und bewirkt in
trockenen Zeiten, weil die Feuchtigkeit von unten her fehlt, ein
augenblickliches Vertrocknen der Kulturpflanzen.

Wo der Wind den Haidesand erfassen kann, thürmt er ihn
überdies zu Sandschollen und Binnenlandsdünen auf, welche
diesem Theile der Haide das abschreckendste Ansehen geben.

---

*) Genau genommen gilt beim Haidesande dieser Fortschritt vom älteren zum
jüngeren in der Richtung nach Westen zu nur im nördlichen und südlichen Theile
der Karte, also im Törning-Lehn und im Amte Hadersleben, von der Nordgrenze
Schleswigs über Ripen und Lügumkloster bis in die Gegend von Tondern und
andererseits im Süden in der Gegend von Elmshorn und Uetersen. Dagegen beginnt
schon in der Gegend von Tondern der Haidesand bez. der Blachfeldsand, der
mit derselben gelben Farbe ausgedrückt ist, weiter und weiter landeinwärts zu
überwiegen und schiebt sich im Amte Gottorp, also etwa von der Stadt Schleswig bis Rendsburg hin, ja sogar weiter im Amte Rendsburg bis in die Gegend
von Neumünster fast wie eine Zone zwischen Geschiebesand (Jung-Diluvium) und
Geschiebemergel etc. (Mittel-Diluvium) hinein. Angedeutet ist solches auch schon
in der Bemerkung Meyn's beim Sande des Blachfeldes, „der ihm (dem Geschiebesande) so ähnlich ist und in der Nähe des Kammes der Halbinsel mit
ihm zu einer breiten, welligen Hochfläche zusammenfliesst". Es
hängt diese Abweichung von der im übrigen so auffallend regelmässig erschei-
nenden, man möchte sagen, schematischen Bildung der Halbinsel unstreitig
zusammen mit der Abtrennung des oben besprochenen Blachfeldsandes vom
Geschiebesande, zu welchem er jedensfalls in eben so nahem Verhältnisse stehen
dürfte, wie zum Haidesande. Ich meinerseits sehe mich wenigstens jetzt nach
weiterem Fortschreiten der Specialkartenaufnahmen genöthigt, alle drei Sande
nur für petrographisch verschiedene Abstufungen einer der Zeit nach gleichen
Bildung zu halten und sämmtlich dem Jung-Diluvium zuzusprechen. Auf die
Karte von Schleswig-Holstein angewendet, auf welcher petrographische Unterschiede
im Mittel-Diluvium ja auch nicht gemacht sind, hiesse das: durch Verschmelzung
der gelben und hellbraunen Farbe die Regelmässigkeit der von Meyn stets hervor-
gehobenen drei Gürtel vollständig herstellen.   G. B.

Dasselbe wird noch weiter gesteigert durch die unzugänglichen Einöden der Hochmoore, welche überall da entstehen, wo der Haidesand an Gabelungen des·Haiderückens heranreicht, aus denen dieselben zungenförmig, wie die Gletscher aus den Hochgebirgs-thälern, herabreichen und sich in der Ebene überschwellend aus-breiten, bis ihnen die Kultur und die an den Rändern beginnende Ausbeutung des Torfes Grenzen setzt*).

Das aber sind nur die öden Theile des Haidesandes. Wo ihn die aus dem Blachfelde kommenden, uferlosen Bäche betreten, da gewinnt derselbe rasch ein anderes Ansehen. Die in der ganzen·Sandregion sich verbreitende Wassermasse, die als Grund-wasser sehr hoch steht, hat hier nicht gestattet, dass ein ausge-laugter Haidehumus in die Tiefe dringe und daselbst eintrockne, vielmehr ist an die Stelle der Haidevegetation schon ursprünglich-eine Grasvegetation getreten. Hier ist auf grosse Breiten der Haidesand zu Ackerbau und Weide geeignet und durchzogen von Wiesen ohne scharfe Grenzränder, die reicher an süssen Gräsern sind, als der obere, im Blachfeld liegende Theil desselben Wiesen-zuges. So bereitet sich die Landschaft vor, in welcher der Haide-sand mit etwas Marschklei vermischt, schon einen marschähnlichen Charakter und eine marschähnliche Fruchtbarkeit annimmt, be-sonders im Südosten der Stadt Tondern, wo die ausgeprägte Sandmarsch besteht, die fast ohne Ausnahme als Wiese und Weide dient und eine durch Viehzucht wohlhabende Bevölkerung ernährt.

Die Marsch.

Zum Theil allmählich aus diesem Sande sich entwickelnd, zum Theil unmittelbar auf demselben liegend, häufiger noch unter

---

*) Ebenso wie im Mitteldiluvium die Art der Aufnahme für eine Uebersichts-karte des ganzen Landes die Abgrenzung petrographischer Unterabtheilungen noch nicht gestattete, konnte auch im Jungalluvium an eine Abtrennung der Binnenlandsdünen von den Strandbildungen einerseits, wie der Hochmoore von den eigentlichen Torfmooren und der Moorerde andererseits noch nicht·gedacht werden, und sind die einen unter der scharf gelben Farbe der Flug- und Strand-bildung, die anderen unter der gelbgrünen Farbe des Süsswasser-Alluviums mitbegriffen. G. B.

Zwischenschaltung eines graswüchsigen ·Grünlandmoores, das in schmälen oder breiten Streifen, zuweilen auch mit dem Namén der Vormarsch bezeichnet; die Grenzen beider Landschaften scheidet, nur selten ganz unter dem Marschklei verschwindet, noch seltener hier, wie es in Hannover der Fall ist, durch ein Hochmoor gekrönt wird, tritt dann die Marschbildung ein*).

Während der Haidesand mit der Sandmarsch noch einer vorhistorischen Zeit angehört, ist die Marsch als heutiges Alluvium gänzlich der historischen Zeit zuzuweisen, wenn auch in diesen Gegenden selber mit dem Anfang der Marschbildung noch nichts Geschichtliches sich vollzog.

Der Marschklei, die einzige Erdart, aus welcher die ganze horizontale Fläche dieses letzten Gürtels bis zu oft beträchtlicher Tiefe zusammengesetzt ist, erscheint als ein mehr oder weniger sandiger und glimmerreicher Schlick, welchen die Nordsee und die in dieses Meer ·mündenden Flüsse, namentlich die Elbe,. Eider und Widau mit ihren Nebenflüssen unter der Einwirkung von · Ebbe und Fluth auf den sandigen Plaaten und Watten absetzen. Gebildet wird dieser Schlick aus den feinerdigen Stoffen, welche die Flüsse von oben herabbringen, mehr von zerstörten, älteren Flussalluvionen als von zerstörtem Gebirge herrührend, aus dem Mineralstaub, den das Meer an den benachbarten tertiären, diluvialen und alluvialen Küsten abnagt, dem feinen Meeressande, welcher durch die Brandung mit in Suspension gebracht wird,

---

*) Durch die blaugrüne Farbe in der Karte bezeichnet tritt dieser dritte oder jüngste Gürtel ebenso klar und bestimmt, wie der älteste, östliche Gürtel der Halbinsel in seinem ganzen Verlaufe von Süden nach Norden auf den ersten Blick heraus. Er gewinnt aber unstreitig an Breite sowohl als an Ebenmaass — letzteres nicht nur in sich, sondern auch den beiden anderen Hauptgürteln gegenüber verstanden — wenn man, wie man dazu berechtigt ist, das ganze vorliegende, dem Meere noch nicht wieder abgerungene Watten-Meer hinzurechnet. In der Karte tritt dasselbe durch die angewandte Wasserschraffirung, wie·durch die Benennung der einzelnen Watten, Gründe oder Plaaten, klar heraus und erscheinen dann die dünnen Ketten der Inselreihe Amrum, Sylt, Romö und Fanö, die Regelmässigkeit der Gürtelbildung vollendend, als die westlichste Begrenzung dieses — wie MEYN in seiner geognostischen Beschreibung der Insel Sylt überzeugend nachweist — ehemaligen Niederlandes oder mit anderen Worten, einer marinen Jungalluvialzone.　　　　　　　　　　　　· G. B.

den Resten mikroskopischer Pflanzen und Thiere des Meeres selber und der ins Meer geführten Süsswasserbewohner, den Humussäuren der von allen Seiten kommenden Moorwasser, welche sich mit den Kalk- und Talkerdesalzen des Meeres niederschlagen — kurz, aus einer Summe von Bestandtheilen, welche mit geringen Ausnahmen die äusserste Fruchtbarkeit, namentlich für die Korn-, Oel- und Hülsenfrüchte und eine bis zu ungewöhnlichen Tiefen reichende, fast gar nicht schwankende Zusammensetzung der tragfähigen Krume garantiren.

Aber nur im Schutze vermag das Meer dieses köstliche Land zu schaffen. Wo die Küste schutzlos den Brandungen ausgesetzt ist, da zerstört es dieselbe wie jede andere Küste, und wenn Gelegenheit ist, bewirkt dann die Zerstörung eine Ansammlung des gröberen Sandes, der sich zu beträchtlichen Hügeln kettenförmig vor dem Winde erhebt und eine schmale Randzone von völlig unfruchtbaren Dünen bildet, deren grösste Länge hier glücklicherweise auf der Aussenkante der Inseln Romö, Sylt und Amrum sich erhebt, während nur eine kleine Länge auf dem Festlande von Eiderstedt Platz gefunden hat.

Da diese Parallelzone wohl nur ganz selten eine Viertelmeile Breite gewinnt, durfte sie in dieser Weise bloss als Anhang erwähnt und das Bild des ganzen Landes in die Vorstellung von vier Landschaften entsprechend drei parallelen Streifen zusammengedrängt werden.

Verzeichniss

der

Schriften Dr. Ludewig Meyn's.

I. Geologie.

Grössere Abhandlungen.

Geognostische Beobachtungen in den Herzogthümern Schleswig und Holstein. Altona 1848.

Das Salz im Haushalte der Natur und des Menschen, mit 19 Illustrationen. Leipzig 1857.

Zur Geologie der Insel Helgoland. Kiel 1864.

Ueber die Petroleumfundorte in der Umgebung Hamburgs, mit einer Karte. Vortrag. (Separat-Abdruck ohne jede weitere Angabe.)

Ueber die geognostischen Verhältnisse der Elbherzogthümer in Bezug auf Baumaterialien. Vortrag, gehalten auf der XII. General-Versamml. des Schleswig-Holstein'schen Ingenieur-Vereins zu Neumünster, 14. Dec. 1869. Gedruckt Flensburg 1870.

Geognost. Beschreibung der Insel Sylt und ihrer Umgebung nebst einer geognost. Karte im Maasstab 1:100000, sowie 1 Lithographie und 2 Tafeln Profile. Berlin 1876.

Am Anfang schuf Gott Himmel und Erde. Briefe an eine Freundin über die natürliche Geschichte der Schöpfung. Schleswig 1878.

Die Bodenverhältnisse der Provinz Schleswig-Holstein nebst einer Geologischen Uebersichtskarte von Schleswig-Holstein im Maassstabe 1:300000 (s. d. vorhergeh. Abhandl.). Berlin 1882.

Kleinere Abhandlungen und Aufsätze.

In den neuen Kieler Blättern:

Im Bericht der Deutschen Naturforscher-Versammlung in Kiel 1846:

In den Verhandlungen des Vereins für naturwissenschaftliche Unterhaltung
in Hamburg:

In der Zeitschrift der Deutschen Geologischen Gesellschaft:

---

* Gleichzeitig unter dem Titel: » Holsteinsche Geschiebe. I. Asphalt im
Granit« im Michaelis-Programm der Kieler Stadtschule. Kiel 1846, Seite 3—22.

** Wohl nur Auszug aus der grösseren Abhandlung gleichen Namens, s. oben.

---

* Gleichzeitig veröffentlicht in der Schulzeitung für die Herzogthümer Schleswig, Holstein und Lauenburg.

---

* S. auch Zeitschrift der Deutschen Geologischen Gesellschaft VI u. VIII.
** S. auch Wirthschaftsfreund, 1858, 3 u. 4.
*** S. auch Wirthschaftsfreund, 1862, 39.
† S. auch Leipz. ill. Zeitung: Ueber Sombrarogestein.
†† S. auch Mitth. d. Ver. N. d. Elbe IV. 44.

Ausserdem in dem allgemeinen Theile der Itzehoer Nachrichten eine Anzahl zerstreuter, theils anonymer Artikel, wie z. B.:

Geognostische Landesaufnahme, 5 Aufsätze, 1858, 1859 u. 1860.

Ehrenrettung JOHANNES MEYER's rücksichtlich seiner Karte vom alten Nordfrieslande 1875.

Alterthümer in den Marschen.

Ansprache an die Landbewohner, vaterländische Steinalterthümer betreffend 1875.

Als Manuscript gedruckt:

Die Holsteinische Oelgrube bei Heide in Dithmarschen mit einer graphischen Tiefenschichten-Darstellung. Itzehoe 1876.

II. Uebrige Naturwissenschaften.

Zoologie.

Kleinere Aufsätze.

Im »Wirthschaftsfreund« der Itzehoer Nachrichten:

Ausserdem eine Reihe einschlagender Aufsätze des »Vaterländischen Lesebuches« von KECK und JOHANNSEN.

Botanik.

Kleinere Aufsätze.

Im »Wirthschaftsfreund« der Itzehoer Nachrichten:

	Jahrgang	No.
Die Birke, Erzlagerstätten anzeigend	1858	17
Ueber Cynoglossum officinale	»	52
Ueber Raphanus Raphanistrum und Sinapis arvensis . .	1859	47
Ueber Berberis vulgaris	»	60
Ueber Convolvulus arvensis	»	72
Ueber Nasturtium officinale	1860	31
Ueber Sinapis nigra und alba	1861	50
Ueber Elodea canadensis	1862	5

Chemie.

Kleinere Aufsätze.

Im Journal für praktische Chemie:

	Jahrgang
Uebersetzungen aus englischen und französischen Zeitschriften	1840—43

Im »Wirthschaftsfreund« der Itzehoer Nachrichten:

	Jahrgang	No.
Grüne Tapeten, heimliche Mörder!	1858	41
Ueber die Bestandtheile des Seewassers	»	92
Soda im Haushalt	1859	71
Ueber den Sauerstoff	»	80
Lehrbuch der qual. u. quant. Analyse von Fresenius .	»	105
Ueber das Benzin	1860	19
Entfernung von Quecksilberamalgam von silbernen Gegenständen	»	37
Ueber das Wasser	»	56
Chemische Farbewandlungen	1862	101

Physik.

Grössere Abhandlungen.

OERSTED. Lehrbuch der mechanischen Physik für das deutsche Volk. Uebersetzt und bearbeitet von L. MEYN. Braunschweig 1851.

Kleinere Aufsätze.

Im »Wirthschaftsfreund« der Itzehoer Nachrichten:

	Jahrgang	No.
Ueber Blitzableiter	1858	53 u. 56
Desgl.	»	81 u. 82

III. Technologie und Technik.

Grössere Abhandlungen.

Torf-Concentrationsmethode des Hrn. CHALLÈTON. Kiel 1856.
Der Asphalt und seine Bedeutung für den Strassenbau grosser Städte. Halle 1872.

Kleinere Abhandlungen und Aufsätze.

Im »Wirthschaftsfreund« der Itzehoer Nachrichten:

	Jahrgang	No.
Ueber Ziegelöfen	1860	?
Fabrikation der Drainröhren	»	?
Ueber Ziegelbrennen	1862	95
Asphaltöl	1859	78 u. 84
Behandlung der Kühne'schen Bassinlampe für Solaröl .	»	100
Ueber Solaröl-Lampen	1860	7, 13 u. 77
Solaröl. als Brennmaterial	»	84
Das Petroleum	1862	81
Das Heider Petroleum	1863	92
Ueber Dintefabrikation	1858	21
Das Schwefeln des Hopfens	»	39
Ueber die Bereitung des Obstweines	»	70
Bereitung der Kartoffelstärke	1859	89

IV. Landwirthschaft.

1. Düngemittel und ihre Verwendung.

Grössere Abhandlungen.

Aufklärungen über den Guanohandel für den deutschen Landmann. Itzehoe 1867.

Die richtige Würdigung des Peru-Guano in der Landwirthschaft für den Rest des Jahrh. Halle 1872.

Curaçao-Phosphat, ein wichtiges Hülfsmittel der Düngerfabrikation, enth. im Journ. f. Landw. Jahrg. XXVII, S. 411. Berlin 1879.

Kleinere Abhandlungen und Aufsätze.

Im »Wirthschaftsfreund« der Itzehoer Nachrichten:

	Jahrgang	No.
Ueber Peruguano	1859	19
Desgleichen	1860	16 u. 79
Ueber Fischguano	1862	54 u. 66
Ueber künstlichen Dünger	»	98
Ueber Düngerverfälschung	1858	26
Ueber Düngegyps	»	84
Festhalten des Ammoniaks im Dünger	1858 89 u 1860 26	
Melioration des Stalldüngers	1860	29.
Gaskalk als Düngemittel	»	42
Lohe als Düngemittel	»	88

2. Acker-, Garten-, Wald- und Wiesen-Wirthschaft.

Grössere Abhandlungen.

Die nachhaltige Vertilgung des Duwok. Wismar 1854.
Die Plaggenwirthschaft. Kiel 1858.
Neue allgemeine und wohlfeile Methode der höchsten Wiesenkultur.
Wismar 1854.

Kleinere Aufsätze.

Im »Wirthschaftsfreund« der Itzehoer Nachrichten:

3. Den Viehstand betreffend.

Kleinere Aufsätze.

Im »Wirthschaftsfreund« der Itzehoer Nachrichten:

4. Geräthe und Baulichkeiten.

Kleinere Aufsätze.

Im »Wirthschaftsfreund« der Itzehoer Nachrichten:

5. Verschiedene kleinere Aufsätze.

Im landwirthschaftlichen Taschenbuch, Jahrg. 1861—78.

Ausserdem in dem allgemeinen Theile der Itzehoer Nachrichten eine Anzahl zer-
    streuter, theils anonymer Artikel, wie z. B.:

Die internationale landwirthschaftliche Ausstellung in Hamburg, 16 Auf-
    sätze. 1863.
Permanente landwirthschaftliche und industrielle Verkaufsausstellung. 1863.
Ein Wort für die milchwirthschaftliche Versuchsstation und die Meierei-
    consulenten. 1875.

V. Verschiedenes.

Kleinere Abhandlungen und Aufsätze.

Im »Wirthschaftsfreund« der Itzehoer Nachrichten:

	Jahrg.	No.
Zur Gesindefrage	1858	90
Ueber den Stand des Dienstbotenwesens	»	100
Der Hofbesitzerstand	1859	15
Ueber Assekuranzgesellschaften	»	86
Ueber landwirthschaftliche Creditanstalten	1860	33 u. 73
Ueber Creditcassen	»	81
Lebensversicherung	»	96
Desgleichen	1861	34
Das Projekt einer Aktien-Bierbrauerei	1860	?
Creditanstalt für ländliche Hypotheken	1862	100
Ueber unorganisirte Gallertmassen, sogen. Sternschutt	1859	18 u. 22
Desgleichen	»	24 u. 42
Ueber Irrlichter	1860	76, 85 u. 99
Desgleichen	1861	39 u. 62
Desgleichen	»	65 u. 87
Ueber Einfluss des Mondes auf die Witterung	»	63, 89 u. 93
Ueber den Einfluss des Windes auf das Wetter	1862	38
Nachricht über ein merkwürdiges St. Elmsfeuer	1863	8 u. 12
* Ueber St. Elmsfeuer	»	20 u. 43
Leuchtender Regen, Schnee und Hagel	»	35
Ueber verschiedene Arten von Telegraphen	»	54
Mikroskop als Weihnachtsgeschenk	»	92
Ueber einen merkwürdigen Blitzschlag	1864	2
Ueber das zweite Gesicht	1862	20 u. 35
Desgleichen	»	54 u. 76
Ueber Aberglauben	»	28
Zur Geschichte des Aberglaubens	»	30
Ein Traumgesicht	»	65
Ueber den Hausschwamm	1858	25
Vertilgung der Mäuse	»	44
Die Wünschelruthe beim Wassersuchen	»	30
Ueber Conservation des Holzes	»	34
Schutz der Schiffe gegen Insekten	1859	29
Schutz gegen durchnässende Wände	»	30
Schutz der Dinte gegen Schimmel	»	95
Mittel gegen den Holzwurm	»	97

---

* S. a. besonderen Aufsatz in der Gartenlaube, Jahrgang 1862: Ueber grossartige Erscheinungen des St. Elmsfeuers.

Ausserdem:

Verschiedene, theils politische, theils wirthschaftliche Aufsätze, meist anonym,

in der Hamburger Börsenhalle,

in der Kieler Zeitung,

in der Beilage der Augsburger Allgemeinen Zeitung 1850 — 1862.

VI. Dichtungen und erzählende Schriften.

* Gedichte, Kiel 1843.

Fünf Stunden Abenteuer, Lustspiel in fünf Akten nach einem alteugl. Muster des SAMUEL TUKE. Kiel 1865.

Holstein und Lauenburg, Hamburg und Lübeck, ein Führer durch Stadt und Land, mit 7 Karten und einem Meilenzeiger. Kiel 1847.

Der Durchstich der Holsteinischen Landenge. Schleswig 1865.

Die naturwissenschaftlichen Artikel in: »Vaterländisches Lesebuch von KECK und JOHANNSEN 1868«.

---

* Gedichte von Lud. Meyn finden sich auch im Plöner Wochenblatt und in d. literar. u. kritisch. Blätt. 1838 — 40, sowie einzelne Aufsätze in Gutzkow's Telegraph 1840.

In Dr. L. Meyn's Hauskalender, Garding 1873—1879:

A. W. Schade's Buchdruckerei (L. Schade) in Berlin, Stallschreiberstr. 45/46.

A. W. Schade's Buchdruckerei (L. Schade) in Berlin, Stallschreiberstr. 45/46.

Abhandlungen

zur

geologischen Specialkarte

von

Preussen

und

den Thüringischen Staaten.

BAND III.

Heft 4.

BERLIN.

Verlag der Simon Schropp'schen Hof-Landkartenhandlung.

(J. H. Neumann.)

1882.

C

Abhandlungen

zur

geologischen Specialkarte

von

Preussen

und

den Thüringischen Staaten.

———

BAND III.
Heft 4.

BERLIN.

Verlag der Simon Schropp'schen Hof-Landkartenhandlung.

(J. H. Neumann.)

1882.

Geognostische Darstellung

des

Niederschlesisch-Böhmischen

Steinkohlenbeckens

nebst einer Uebersichtskarte, 4 Tafeln Profile und einem Anhang,

bergtechnische und historische Notizen enthaltend,

von

A. Schütze,

Königl. Berg-Rath und Director der Bergschule zu Waldenburg i./Schl.

———

Herausgegeben

von

der Königlich Preussischen geologischen Landesanstalt.

BERLIN.

Verlag der Simon Schropp'schen Hof-Landkartenhandlung.

(J. H. Neumann.)

·1882.

Vorwort.

Der vorliegenden Arbeit liegt eine zu Unterrichtszwecken in geringerem Umfange verfasste Beschreibung der Lagerungsverhältnisse der Niederschlesischen Steinkohlenmulde, in welcher aber das paläontologische Material keine Berücksichtigung fand, zu Grunde. Für die Herstellung dieser erweiterten Abhandlung wurden die älteren Beschreibungen, das im Text einige Male citirte BOCKSCH-sche Manuscript, · eine von dem Königl. Markscheider BOCKSCH vor etwa 40 Jahren für den Unterricht an hiesiger Bergschule verfasste Beschreibung des Waldenburger und Neuroder Reviers und die ZOBEL und v. CARNALL'sche Arbeit nur für diejenigen Punkte benutzt, welche jetzt unzugänglich sind, in der Darstellung der Lagerungsverhältnisse daher nur für diejenigen · Gruben, welche seit langer Zeit ihren Betrieb eingestellt haben. Die Beschreibung derselben Verhältnisse auf den grösseren, noch jetzt im Betriebe befindlichen schlesischen Gruben ist einem seit fast 30 Jahren von mir gesammelten Material entnommen; für die Schatzlarer Gruben und das Werk des Liebauer Kohlenvereins zu Reichhennersdorf. verdanke ich dasselbe dem Grubendirector HERMANN, · welcher letzteres leitete und zum Zweck der Erforschung des Zusammenhanges der Reichhennersdorfer mit den übrigen Flötzen der Mulde sich namentlich über · die Lagerung der Schatzlarer Flötze genau informirt hatte, was mir um so mehr zu statten kam, da bei einem Theil des Schatzlarer Grubenbesitzes die betreffenden Beamten in ihren Mittheilungen sehr zurückhaltend waren. Die Uebersichtskarte ist durch Verkleinerung aus der von der Niederschlesischen Steinkohlenbergbau-Hilfskasse herausgegebenen Flötzkarte unseres Steinkohlenbeckens, welche nicht im. Buchhandel erschienen ist, entstanden, indem die geognostischen Grenzen der Formationen aus der geologischen Karte von Niederschlesien, herausgegeben von BEYRICH, ROSE, ROTH und RUNGE, entnommen wurden. Um das bei den Publikationen der Königl. geologischen Landesanstalt gebräuchliche Kartenformat innezuhalten, gleichzeitig aber auch einen Maassstab anzuwenden, welcher den Anforderungen der Deutlichkeit Genüge leistet, musste der nördlichste und östlichste Theil des Culmgebietes auf der Uebersichtskarte weggelassen werden. · Da die genannte Flötzkarte ohne Profile und ohne Text erschienen ist, so bildet die vorliegende Abhandlung eine wesentliche Ergänzung derselben. Die Einzeichnung der Flötze in die Uebersichtskarte erfolgte bei Schatzlar nach dem von mir gesammelten und dem von HERMANN erhaltenen Material, und für den ganzen übrigen Theil des böhmischen Muldenflügels von Sedlowitz bis Straussenei verschaffte mir der glückliche Umstand, dass der ganze Grubenbesitz sich in den Händen eines intelligenten, allen seinen industriellen Anlagen unausgesetzt das wärmste Interesse wahrenden Grossgrundbesitzers vereinigt findet, den Vortheil, dass die zur Darstellung nöthigen Karten und Profile mit grösster Bereitwilligkeit in dem Prinzl. Lippe-Schaumburgischen Bergamt zu Schwadowitz meinem Zweck entsprechend angefertigt wurden. Die daselbst vorgenommene Einzeichnung in die Uebersichtskarte dehnte sich auch auf die Qualischer und Radowenzer Flötze aus. Zum grössten Dank bin ich jedoch der Königl. geologischen Landesanstalt dafür · verpflichtet, dass sie die Herstellung des Druckes der vorliegenden Arbeit und die wegen des verschiedenen Maassstabes, in welchem die preussischen und österreichischen Original-Profile gezeichnet waren, umständliche Arbeit der Reduction derselben auf ein handliches Format übernahm.

Waldenburg, im Februar 1882.

Der Verfasser.

Inhalt.

Einleitung.

Die einzige vollständige, den vorliegenden Gegenstand betreffende Arbeit ist immer noch die bereits 1831 und 1832 im III. und IV. Bande von KARSTEN's Archiv für Mineralogie, Geognosie etc. erschienene Geognostische Beschreibung von einem Theil des Niederschlesischen, Glätzischen und Böhmischen Gebirges von ZOBEL und v. CARNALL, zu welcher der letztere eine in der Risssammlung des Königl. Ober-Bergamts zu Breslau aufbewahrte topographisch-geognostische Karte des Waldenburger und Neuroder Bergbau-Reviers in 11 Sectionen, im Maassstabe von 1 : 25,000 entworfen und selbst gezeichnet hatte, wogegen die dem Druckwerk beigelegte Karte das ganze durchforschte Gebiet vom östlichen Ende des Riesengebirgs-Granits bis Glatz und von Freiburg bis Nachod nur auf einer Fläche von etwa 1 Fuss Höhe und Breite darstellt.

Die später erschienenen Arbeiten von BEYRICH, DAMES, TIETZE, SEMENOW, GÖPPERT behandeln nur einzelne Theile dieses Gebietes und bezweckten die Richtigstellung einzelner Ablagerungen in Betreff ihres geologischen Alters unter Zuhilfenahme der seitdem erst in anderen Gegenden gewonnenen Resultate paläontologischer Forschung. Auch dem vom Verfasser bearbeiteten Cap. VIII in Geinitz: die Steinkohlen Deutschlands und anderer Länder Europas, welches die schlesischen Steinkohlenbecken und deren Fortsetzung nach Böhmen und Mähren schildert, waren entsprechend dem Zweck des Gesammtwerkes und der im Voraus gegebenen Ausdehnung desselben gewisse Schranken gesetzt, welche innegehalten werden mussten.

Die ZOBEL und v. CARNALL'sche Beschreibung des Nieder-
schlesisch-Glätzischen Gebirges zerfällt in 4 Abschnitte:

I. Das Urgebirge:

1. Riesengebirge,
2. Altvatergebirge und dessen Fortsetzung im Glatzischen,
3. Das Eulengebirge.

II. Das Uebergangsgebirge:

1. Nördliches Uebergangsgebirge,
2. Südliches oder Glatzer Uebergangsgebirge,
3. Hausdorfer Uebergangsgebirge.

Unter dem Begriff »Uebergangsgebirge« werden hier die
Hornblendeschiefer (Dioritschiefer), die Grünen Schiefer, welche
zwischen Thon-, Glimmer- und Hornblendeschiefer mitten inne-
stehen, die Urthonschiefer, die Silur-, Devon- und Culm-Schichten
noch als ein Ganzes zusammengefasst, jedoch auf die grosse
Mannigfaltigkeit der Gesteine und die Uebergänge des Hornblende-
schiefers in Glimmerschiefer, Thonschiefer und Grünstein hingewiesen.

III. Porphyr-Gebirge.

Dasselbe wird zwischen dem Uebergangs- und Flötzgebirge
eingeschaltet, »weil gewisse Porphyrmassen schon da waren, ehe
die ältesten Schichten des Flötzgebirges entstanden«; welche
Porphyrmassen damit gemeint sind, wird bei der speciellen Beschreibung nicht angegeben. Zur Porphyr-Formation werden:

1. der eigentliche Porphyr (Orthoklas-Porphyr),
2. der Basaltit nebst den zu ihm gehörigen Mandelsteinen,
3. das Porphyr-Conglomerat

gerechnet. Die beiden Verfasser verwerfen die früher von
v. RAUMER[1]) gewählte Bezeichnung Basaltit für gewisse, jetzt

---

[1]) Das Gebirge Niederschlesiens, der Grafschaft Glatz etc. geognostisch dargestellt durch CARL VON RAUMER. 1819.

Melaphyr genannte Eruptivgesteine, weil sie sehr wenig Aehnlichkeit mit Basalt haben, und geben denselben den Namen Porphyrit, »weil sie einen deutlichen Uebergang in den Orthoklas-Porphyr, eine mit ihm gemeinschaftliche Lagerung und ein Eingreifen in die Bildung des Rothliegenden zeigen, und wahre Basalte in dem untersuchten Bezirk vollständig fehlen.«

IV. Das Flötzgebirge.

A. Rothliegendes. Dasselbe zerfällt nach dieser Darstellung in 3 Abtheilungen:

1. Der untere rothe Sandstein im Liegenden des Steinkohlengebirges,
2. das Steinkohlengebirge selbst,
3. der obere rothe Sandstein.

An die Beschreibung der Gesteine schliesst sich die der Lagerungsverbältnisse des Porphyrs im Rothliegenden.

B. Quadersandstein-Gebirge.

Die seitdem erfolgte weitere Entwickelung der geognostischen Kenntniss des in Rede stehenden Gebietes führte natürlich auch eine Aenderung der damaligen Anschauungen über das Uebergangs- und Flötzgebirge, namentlich in Betreff der angeblichen Einlagerung der Niederschlesisch-Böhmischen Kohlenflötze im Rothliegenden herbei. Was diejenigen Ablagerungen anbetrifft, welche das Liegende des productiven Steinkohlengebirges bilden, so ist die Ausscheidung der Urschiefer aus den deutlich sedimentären Gesteinen des Glatzer Uebergangsgebirges und die Zutheilung der letzteren hier wie im nördlichen und Hausdorfer Uebergangsgebirge zur unteren Abtheilung der Steinkohlen-Formation in der Mitte der 40er Jahre durch BEYRICH erfolgt.

Die Auffassung, dass das Steinkohlengebirge eine dem Rothliegenden eingelagerte, ihm untergeordnete Schichtenreihe sei, wurde dadurch hervorgerufen, dass thatsächlich auf dem böhmischen Muldenflügel von Trautenbach bei Schatzlar an bis Bohdaschin bei Kosteletz das Rothliegende als Liegendes der Stein-

kohlen-Formation erscheint und auch die beiden Flötzzüge daselbst
durch rothgefärbte Feldspath-Sandsteine getrennt werden, welche
jedoch — um es hier bald einzuschalten — BEYRICH später ge-
legentlich der Aufnahmen für die Geologische Karte vom
Niederschlesischen Gebirge als grösstentheils der Steinkohlen-Formation angehörig erkannt hat. Auf der schlesischen
Seite waren es die rothgefärbten Conglomerate und Sandsteine
des ·Culm bei Altwasser und Reussendorf, welche als unterer
rother Sandstein aufgefasst wurden. Diese Ansicht hatte sich bis
in die 40er Jahre erhalten. Dieselbe entsprach der etwa um dieselbe Zeit von v. VELTHEIM aufgestellten Theorie, · nach welcher
die Steinkohlenbildung bei Wettin und Löbejün ein local ent-
wickeltes mittleres Glied des Mansfeldschen Rothliegenden sein
sollte; auch hier wurde dieselbe durch den Umstand unterstützt,
dass das· flötzleere Liegende der Kohlenablagerung fast immer roth
gefärbt ist. Zuerst wurde dieses merkwürdige Lagerungsverhältniss
von v. WARNSDORFF[1]) durch ein Profil und eine Beschreibung
erläutert und nachgewiesen, dass das bei Eipel im Liegenden des
Steinkohlengebirges mit· dem bei Qualisch im Hangenden desselben
auftretenden Rothliegenden identisch ist, dass beide durch eine
Hebung, welche das Steinkohlengebirge heraufdrängte, aus ihrem
Zusammenhange gebracht worden sind, und dass auf der Hebungs-
kluft ein Theil der Kreideformation in gestörter Lagerung ein-
gesunken ist. Diese profilarische Darstellung wurde später in
einem Vortrage BEYRICH's, gehalten 1856 in der Januar-Sitzung
der Deutschen geologischen Gesellschaft[2]), noch weiter vervollstän-
digt und in Betreff des ·eingesunkenen Theils der Kreide-Formation berichtigt. Derselbe schilderte die Erscheinung im Zusammenhange mit ähnlichen Vorkommnissen in Niederschlesien,
nämlich mit der Aufrichtung und theilweisen Ueberstürzung der
Kreideschichten in Verbindung mit dem Rothliegenden am Nord-
und Südrand der Lähner Kreidemulde, am Rothen Berge bei

---

[1]) Geognostische Notiz über die Lagerung des Nachoder Steinkohlenzuges
in Böhmen. L. u. BRONN's Jahrb. 1841.

[2]) Zeitschr. d. D. geol. Ges. Bd. VIII, S. 16.

Profil a.

Piltsch südlich von Glatz und der Kreide-
Formation allein am grössten Theile des östlichen Randgebirges der Grafschaft Glatz,
und zwar von Melling zwischen Glatz und
Habelschwerdt an bis Neudorf nordöstlich
von Mittelwalde auf der Grenze mit Gneuss,
und am westlichen Rande an seiner Grenze
mit Glimmerschiefer, fasste also dieselbe
von einem allgemeineren höheren Standpunkte auf und gab dadurch dieser Dis-
lokationserscheinung eine allgemeinere Bedeutung[1]).

Das hier dargestellte Profil a ist das
WARNSDORFF'sche, nach dem BEYRICH-
schen Vortrage berichtigte Profil, in welchem nur das Verflächen der Flötzzüge
dem thatsächlichen Verhalten gemäss ge-
ändert worden ist. Die sattelförmige Umbiegung des Rothliegenden bei Eipel,
Kosteletz etc., in Folge deren der das
scheinbare Liegende der Steinkohlen-Formation bildende Sattelflügel conform mit
dem letzteren nach Nordost fällt, dasselbe also unterteuft, war schon früher
von v. CARNALL beobachtet und auf der
Karte durch Angabe des Verlaufs der
Sattelkante dargestellt worden. Die Sattellinie fällt, wie später noch erwähnt werden
wird, nördlich von Eipel auf eine kurze
Erstreckung in die Steinkohlen-Formation.
Auffallender Weise hielt Prof. JOKÉLY zur

[1] BEYRICH: Ueber die Lagerung der Kreide-
ormation im Schlesischen Gebirge. Schriften der
Königlichen Akademie der Wissenschaften zu Berlin.
1854.

Profil *b.*

Zeit seiner Aufnahmsarbeiten im nördlichen Böhmen (1861) an der alten Ansicht fest, dass nicht nur der den Schwadowitzer und Radowenzer Flötzzug trennende, aus Feldspath-Sandsteinen (Arkosen) bestehende Schichten-Complex, sondern auch das Mittel zwischen dem stehenden Flötzzug bei Markausch und dem flachfallenden Ida-Stollner Flötzzug dem Rothliegenden angehöre. Durch diese Auffassung stellten sich die Lagerungsverhältnisse so complicirt dar, dass er das Vorhandensein mehrfacher Verwerfungen annehmen musste, um den 3 Mal hinter einander folgenden Wechsel von Steinkohlengebirge und Rothliegendem plausibel zu machen.

In dem nebenstehenden Profil *b*, welches JOKÉLY im Jahrbuch der geologischen Reichsanstalt zu Wien Bd. XII, No. 2, Verhandlungen S. 169 mittheilt, sind diese Verwerfungen durch stärkere Linien markirt. Grösstentheils wurde diese Ansicht bei JOKÉLY durch den Umstand hervorgerufen, dass die von GÖPPERT als *Araucarites Schrollianus* bestimmten verkieselten Hölzer sowohl zu Neu-Paka im Rothliegenden, als auch in den Arkosen auf dem Gehänge zwischen Schwadowitz und Radowenz vorkommen, und er aus der Identität der Species auch auf ein genau gleiches Alter der diese verkieselten Stämme einschliessenden Schichten schliessen zu müssen glaubte. (Vergl. auch V. Etage.)

Der vorliegenden Schilderung soll nicht die Ausdehnung der ZOBEL und v. CARNALL'schen Arbeit gegeben werden, da die Beschreibung des Rothliegenden und der Kreide-Formation für dieselbe entbehrlich ist und auch die Bearbeitung der in der Steinkohlen-Formation auftretenden Orthoklas-Porphyre nebst ihren Conglomeraten und Tuffen einer anderen Hand überlassen wird.

Allgemeine topographische und geognostische Verhältnisse.

Das Niederschlesisch-Böhmische Steinkohlenbecken ist wie sämmtliche niederschlesischen und nordböhmischen Gebirgsformationen einerseits dem aus Granit, Gneuss und Glimmerschiefer bestehenden Riesen-, andererseits dem aus Gneuss bestehenden Eulengebirge an- und aufgelagert. An den Riesenkamm, welcher circa 1190ᵐ Kammhöhe besitzt, schliesst sich östlich der Schmiedeberger oder Forstkamm mit 1170ᵐ und an diesen der Landeshüter Kamm mit 700ᵐ Kammhöhe, welcher letztere vom Schmiedeberger Kamm aus nach Norden fortzieht und am Boberthal sich schnell einsenkt.

An diese ebenfalls aus Granit, Gneuss und Glimmerschiefer bestehenden Kämme und an das Rabengebirge, welches 940ᵐ hoch ist und hauptsächlich aus Glimmerschiefer besteht, schliesst sich östlich von Schmiedeberg zunächst eine Zone von Urschiefern an, welche von Kupferberg bis Kunzendorf, südwestlich von Liebau, reicht und aus Hornblende- und Chlorit-Gneuss, Hornblende- und Chlorit-Glimmerschiefer, Hornblendeschiefer, talkigen Glimmerschiefern und aus Grünen Schiefern besteht; auf dieselbe folgt das von sogenanntem Urthonschiefer eingenommene Gebiet, dessen Ausdehnung im Allgemeinen durch die Orte: Kupferberg, Berbisdorf bei Hirschberg, Liebenthal, Lauban, Klein-Neundorf, Ober-Görisseifen und Ober-Schmottseifen bei Löwenberg, Lähn, Schönau, Goldberg, Jauer, Striegau, Freiburg, Kupferberg angedeutet wird, ein Gebiet, in welchem deutlich ausgesprochene Bergzüge schon sehr zurück- und nur mehr einzelne Berg- und Hügelgruppen auftreten, welche jedoch an einigen Punkten noch die Höhe von

620 — 630 m erreichen. Thonschiefer, Alaunschiefer, Kieselschiefer, Grüne Schiefer, welche den Dioritschiefern sich nähern, Thonschiefer mit einem Uebergange in talkige Glimmerschiefer und Urkalke sind die Gesteine, welche dieses Gebiet zusammensetzen. Am Steinberge bei Lauban und bei Schönau sind in diesen Schichten Graptolithen gefunden worden und es darf behauptet werden, dass, wenn nicht das ganze, so doch der grösste Theil dieses Gebietes dem Silur zuzusprechen ist. Porphyre treten verhältnissmässig selten auf. Dies ist das Grundgebirge auf der West- und Nordseite der Steinkohlenmulde.

Auf der Ostseite sehen wir zwischen Waldenburg und Schweidnitz das Eulengebirge allmählich aus der Ebene auftauchen; in südöstlicher Richtung bis nach Wartha fortsetzend und in derselben immer mehr an Höhe gewinnend erhebt es sich in seinem höchsten Gipfel, in der Hohen Eule zu 992 m und erhält sich weiter südöstlich an der Sonnenkoppe bei Hausdorf und Hahnkoppe bei Silberberg noch auf einer Höhe von 930 und 715 m.

Der westliche Abfall berührt mit seinen Vorhöhen die Orte: Salzbrunn, Charlottenbrunn, Tannhausen, Rudolphswaldau und Hausdorf bei Neurode; auf der Ostseite wird es durch eine ziemlich gerade Linie, welche man von Freiburg bis Silberberg ziehen kann, von dem seinen Fuss erreichenden Diluvium geschieden. Das Eulengebirge besteht aus Gneuss mit untergeordneten Lagern von Hornblendegneuss, Hornblendeschiefer (Dioritschiefer), Serpentin und Granulit, im südöstlichen Theil zwischen Silberberg und Wartha aus Silurschichten. Von Silberberg aus weiter nach Süden lässt sich die Grenze der Steinkohlen-Formation gegen die älteren Gebirgsmassen über Herzogswalde, Wiltsch, Eichau, Königshain, Glatz, Wiesau, Neuhof und Roth-Waltersdorf verfolgen, in welcher Linie Hornblendeschiefer, Grüne Schiefer, Urthonschiefer mit untergeordnetem dünnflaserigem Gneuss, Glimmerschiefer und Silur das unterliegende Grundgebirge zusammensetzen. Bei Eckersdorf verschwindet die Steinkohlen-Formation vollständig unter dem Rothliegenden und erscheint erst in einer westlichen Entfernung von 3 Meilen bei Straussenei westlich von Wünschelburg wieder. In der ganzen Erstreckung von Straussenei in nordwestlicher

Richtung über Schwadowitz bis Trautenbach bei Schatzlar tritt
das Grundgebirge, der Glimmerschiefer, nur in der Umgegend
von Bober und Schatzlar mit der Steinkohlen-Formation in unmittelbare Berührung, während in dem übrigen Theil des böhmischen Muldenflügels, wie bereits in der Einleitung erwähnt,
das Rothliegende und die Kreide-Formation das scheinbare
Liegende derselben bilden.

Durch die Richtung der Höhenzüge der vorgenannten älteren
Gebirge wird eine Mulde gebildet, welche in nordwest-südöstlicher
Richtung eine Ausdehnung von $7^3/_4$, in südwest-nordöstlicher
Richtung eine solche von $4^1/_4$ Meilen besitzt und bis auf die
Unterbrechung von Eckersdorf bis Schatzlar durch die hohen
Randgebirge geschlossen erscheint. Der südwestliche Muldenrand
war in dem grössten Theil seiner Erstreckung offenbar zu niedrig,
um das Material zur Bildung des productiven Steinkohlengebirges
zurückzuhalten. Die Schichten desselben heben sich zwar an der
bereits in der Einleitung erwähnten Sattellinie heraus, legen sich
aber, wie sich aus den früheren bergmännischen Aufschlüssen in
der Umgegend von Welhota ergab, über das Grundgebirge und
fallen dann nach Südwesten ein. In der weiteren Forterstreckung
nach Nordwest und Südost ist die Sattellinie im Rothliegenden
aus der Fallrichtung der Schichten erkennbar: Die Neigungswinkel derselben betragen auf beiden Seiten in der Nähe der
Sattellinie nur 5—10⁰, während auf dem Sattelrücken die Schichten
horizontal liegen; weiterhin beträgt die durchschnittliche Schichtenneigung auf der nordöstlichen Seite 20—25⁰, auf der südwestlichen 10⁰ und weniger [1]).

Dass der Glimmerschiefer das Grundgebirge des böhmischen
Muldenflügels bildet, beweist der Umstand, dass er an verschiedenen Stellen, nämlich südlich von Trautenau und Pilnikau und
bei Eipel im Rothliegenden, bei Ratiborczitz gegenüber von Zlicz
(nördlich von Skalitz) und nordwestlich von Zlicz unter dem Pläner
hervorkommt. An allen diesen Punkten ist er nur dadurch zu
Tage getreten, dass die aus Rothliegendem und Pläner bestehende

---

[1]) v. Carnall in Karsten's Archiv. Bd. IV, S. 11.

jedenfalls nicht sehr mächtige Decke über dem Glimmerschiefer fortgewaschen ist. In dieser elliptischen Mulde finden wir die Steinkohlen-Formation, das Rothliegende und die Kreide-Formation in einer Mächtigkeit abgelagert, dass noch jüngere Formationen keinen Ablagerungsraum mehr darin vorfanden; das hier und da auftretende Diluvium ist ohne Bedeutung.

Das von der Steinkohlen-Formation eingenommene hügelige Terrain erhebt sich in Schlesien zwar an einigen Punkten zu 530—560ᵐ Höhe, ohne dass Porphyre in unmittelbarer Nähe anständen, hält sich jedoch sonst im Allgemeinen innerhalb der Grenzen von 400—470ᵐ. In Böhmen dagegen erreicht der zwischen Qualisch und Radowenz einerseits und Sedlowitz und Schwadowitz andererseits dem Streichen des Steinkohlengebirges parallel gerichtete Rücken im Johannisberg bei Petersdorf und Preuss. Albendorf 367 Klafter (696ᵐ) und im Hexenstein bei Markausch 380 Klafter (721ᵐ) Höhe.

Die zahlreich in der genannten Formation auftretenden, zu einzelnen Gruppen und kurzen Bergzügen vereinigten meist kegelförmigen Porphyrberge gewinnen eine Höhe von über 816ᵐ, das Rothliegende in der Umgegend von Neurode von über 596ᵐ, in seinen Porphyren bis zu circa 890ᵐ, so dass sie die des Quadersandsteins in der Heuscheuer, welche 900ᵐ, und im Spiegelberg, welcher 894ᵐ Höhe misst, fast erreichen. Man sieht hieraus, dass die im Innern der Mulde abgelagerten Sedimentärschichten selbst jetzt noch, wo die Alles nivellirende Gewalt des Wassers ihre ursprüngliche Höhe in stärkerem Grade vermindert hat, als die der aus krystallinischen Gesteinen bestehenden Randgebirge, den letzteren nicht an Höhe nachstehen.

Was die im Innern der Mulde auftretenden Höhenzüge im Speciellen betrifft, so sind der Gabbro-Zug, welcher von Volpersdorf in südöstlicher Richtung bis Colonie Leppelt zwischen Schlegel und Roth-Waltersdorf als Liegendes der Steinkohlen-Formation sich hinzieht, die südwestlich von ihm liegenden, dem Rothliegenden angehörigen Höhen des Anna-Allerheiligen-Berges und der Wolfskoppe und endlich noch 2 Höhenzüge, welche sich durch

ihre Parallelität unter sich und mit dem Hauptstreichen der
Mulde bemerklich machen, zu erwähnen. Der eine derselben ist
der dem Rothliegenden eingelagerte, aus Orthoklas-Porphyr und
Melaphyr bestehende Höhenzug, welcher bei Tuntschendorf zwischen Neurode und Braunau beginnt, bis Landeshut zieht, wo er
dem Streichen des Rothliegenden conform sich scharf umwendet,
um über Liebau bis Albendorf fortzusetzen; derselbe erreicht
zwischen Ober-Wüstegiersdorf und Heinzendorf bei Braunau seine
grösste Breite mit fast 1 Meile. Der andere Höhenzug, der
innerste der Mulde, ist das mehr dem Südwestrande genäherte
Heuscheuer Gebirge, welches aus Quadersandstein und Pläner-
gesteinen bestehend bei Grüssau beginnt und zwischen Glatz und
Reinerz sich steil ins Weistritz-Thal einsenkt, um jenseits desselben als Habelschwerdter Gebirge bis an die Landesgrenze fortzusetzen.

Gliederung der Steinkohlen-Formation.

Das vollständigste Bild der Entwickelung der Steinkohlen-Formation finden wir im nordwestlichen Theil der Mulde in der Erstreckung von Landeshut bis Charlottenbrunn, indem hier nicht nur die untere Abtheilung derselben ihre grösste Mächtigkeit in der querschlägigen Linie von Landeshut bis Rudelstadt bei Kupferberg zeigt, sondern auch die obere, das productive Kohlengebirge, zwischen Schwarzwaldau und Charlottenbrunn ihren grössten Kohlenreichthum darbietet. Waldenburg ist daher der Mittelpunkt desjenigen Gebietes, in welchem die Natur ihre reichsten Schätze an fossilem Brennstoff abgelagert und dadurch den Grund zu einer blühenden Industrie gelegt hat. Von Charlottenbrunn weiter in südöstlicher Richtung vermindert sich die Mächtigkeit der ganzen Formation sehr bedeutend, erlangt erst wieder bei Mölke und Hausdorf eine grössere technische Bedeutung, nimmt in dem weiteren Verlauf von hier bis Volpersdorf an Kohlenreichthum zu und verschwindet bei Eckersdorf von der Oberfläche, indem sich in Folge einer Verwerfung das Rothliegende vorlegt. Ein ähnliches Verhalten finden wir, wenn wir uns von Landeshut über Liebau und Schatzlar nach Schwadowitz begeben, auch hier zunächst schwache Flötze bei Landeshut und Liebau, dann die grössere Anzahl mächtigerer Flötze bei Schatzlar und Schwadowitz, bis die Formation bei Straussenei plötzlich in Folge einer ähnlichen Dislocation unter der Kreideformation verschwindet.

Wie überhaupt alle Forschungen und Studien zur Feststellung der Lagerungsverhältnisse der Niederschlesisch-Böhmischen Kohlenmulde in der Hauptsache aus dem Waldenburger Bezirk ihren

Ursprung nahmen[1]), wo ein lebhafter Bergbau sie hervorrief und
förderte, so gingen auch die ersten paläontologischen Forschungen
von hier aus, und bereits am Ende der 40er Jahre konnten
GÖPPERT und BEINERT, angeregt durch das von 1828—44 erschienene Epoche machende Werk BRONGNIART's: histoire des
végétaux fossiles, nachdem GÖPPERT allein schon seine Mono-
graphie der fossilen Farnkräuter veröffentlicht hatte[2]), der wissenschaftlichen Welt ihre Preisschrift: Ueber die Beschaffenheit
und Verhältnisse der fossilen Flora in den verschiedenen Steinkohlen-Ablagerungen eines und desselben
Reviers. Leiden, 1849. übergeben, in welcher sie eine kurze
Uebersicht über die Zusammensetzung des liegenden und des in
unmittelbarer Nähe der Stadt Waldenburg liegenden Theils des
hangenden Flötzzuges und einer im äussersten Hangenden liegenden Flötzgruppe nebst einem Verzeichniss der bis dahin auf
den 3 Flötzzügen beobachteten fossilen Pflanzen geben, und in
dem den Schluss der Arbeit bildenden Gesammt-Resultat bereits
den Charakter der Floren dieser 3 »Flötzperioden« durch Hervor-
hebung ihrer Leitpflanzen feststellen. Durch diese Abhandlung
wurde eine für spätere Zeiten für Niederschlesien und Böhmen
gleich brauchbare Grundlage zur Trennung der einzelnen Etagen
der Formation unter Zuhilfenahme der fossilen Pflanzen gegeben.
Die dadurch gewonnene Kenntniss der Unterschiede der Floren
beider Hauptzüge — den äusserst hangenden Flötzzug vorläufig
ausser Acht lassend —, erstreckte sich damals jedoch nicht über
den nächsten um die Stadt zu ziehenden Kreis hinaus, nicht über
die westlich davon bei Gottesberg,. Schwarzwaldau, Kohlau und
Landeshut liegenden Gruben, und noch weniger über Charlottenbrunn in die Grafschaft Glatz hinein. In Betreff der letzteren war
man bis in die neueste Zeit der Ansicht, dass der die Grafschaft
durchziehende schmale Flötzzug aus einer Vereinigung der beiden

---

[1]) Siehe L. v. BUCH's Abhandlungen aus den Jahren 1797—1802, verschiedene Aufsätze in LEONHARD's Taschenbuch, Jahrg. 1811 u. 12, und KARSTEN's
Archiv; alte Reihe, Bd. IV.

[2]) Die fossilen Farnkräuter von H. R. GÖPPERT waren 1836, also schon
während des Erscheinens des BRONGNIART'schen Werkes publicirt werden.

Waldenburger Flötzzüge hervorgegangen sei, indem zugleich ein grosser Theil der Flötze sich ausgekeilt habe, wie man dies auch von dem zwischen Landeshut und Liebau ebenso beschaffenen Flötzzuge glaubte. Erst durch die in den letzten 5 Jahren unternommenen sorgfältigen Aufsammlungen fossiler Pflanzen für die Mineralien-Sammlung der Waldenburger Bergschule gelang es, ohne grosse Mühe festzustellen, dass die dem Neuroder Revier angehörigen Gruben keineswegs alle auf ein und demselben Flötzzuge, sondern einige auf dem liegenden, andere auf dem hangenden Waldenburger Flötzzuge bauen und dass in keinem Grubenfelde Ablagerungen beider Flötzzüge anzutreffen sind.

Der in Böhmen liegende Theil des Kohlenbeckens wurde zuletzt erforscht, was zum Theil auf der geringeren Mächtigkeit und Qualität der Flötze im Vergleich zu den auf schlesischer Seite liegenden beruht, da in Folge dessen auch der Bergbau sich hier langsamer entwickelte und nicht die gleiche Ausdehnung gewinnen konnte. Da, wie oben erwähnt, die Ansicht, dass die auf dem böhmischen Flügel der Lagerung nach zu unterscheidenden beiden Flötzzüge dem Rothliegenden angehören, sich bis in die 40er Jahre erhielt, konnte von einer Parallelisirung derselben mit den beiden Waldenburger Flötzzügen zu der Zeit, wo GÖPPERT und BEINERT die letzteren bereits mit Hülfe der fossilen Pflanzen als zwei verschiedenen Entwickelungsperioden angehörig erkannt hatten, nicht die Rede sein. Die fossilen Einschlüsse des böhmischen Kohlengebirges bei Schatzlar, Schwadowitz etc. waren überhaupt damals fast ganz unbekannt. Graf C. v. STERNBERG erwähnt in seiner Flora der Vorwelt in den vor GÖPPERT's Bearbeitung der fossilen Farnkräuter erschienenen beiden Heften (1820 und 25) 30 Species von Waldenburg, 8 derselben auch zu Schatzlar vorkommend, von welcher Gesammtzahl aber höchstens 20—22 als bleibende Species zu betrachten sind, und CORDA in seinen Beiträgen zur Flora der Vorwelt, welche 1845 erschienen, nur eine einzige fossile Pflanze von den Kohlengruben von Nachod, unter welchen die Schwadowitzer zu verstehen sind. GÖPPERT beschreibt in seinem Werk: Die fossilen Farnkräuter 80 Species aus dem Waldenburger Gebiet, dem Fundort nach 58 von

Waldenburg selbst, 19 von Charlottenbrunn und je 1 von Schlegel, Schwarzwaldau und Albendorf. Hier wird jedoch noch von keiner Species angegeben, ob sie aus dem liegenden oder hangenden Flötzzuge stammt, auch finden sich einige Irrthümer in Bezug auf den Fundort vor. Erst die oben citirte Preisschrift von GÖP-PERT und BEINERT giebt ein ziemlich vollständiges, nach den beiden Flötzzügen getrenntes Verzeichniss der fossilen Pflanzen des in Rede stehenden Steinkohlenbeckens; letztere bildet demnach den Ausgangspunkt für alle Forschungen zur speciellen Fixirung der einzelnen Stufen desselben, und auf sie folgte erst im Jahre 1877, also nach einem Zeitraum von fast 30 Jahren, eine die inzwischen gewonnenen Ergebnisse paläontologischer Untersuchungen zusammenfassende Arbeit: Die Culm-Flora der Ostrauer und Waldenburger Schichten von D. STUR.

Geht man bei Feststellung der Gliederung der Formation von Waldenburg aus, wo zuerst der Unterschied im Floren-Charakter des Liegend- und Hangend-Zuges von GÖPPERT und BEINERT festgestellt wurde, »so ergiebt sich«, um ihre eigenen Worte zu gebrauchen, »eine natürliche Eintheilung des Waldenburger Kohlenbeckens von selbst. Fasst man dabei zunächst die Wahrnehmung ins Auge, dass im Liegendzuge 31 Kohlenflötze in einer querschlägigen Breite von circa 225 Ltr. aufeinander lagern, worauf eine 590 Ltr. mächtige Lage flötzleeren Kohlensandsteins von theils conglomeratartiger, theils feinkörniger Beschaffenheit ruht, dass dann erst die Erscheinung einer Kohlenablagerung in 19 bauwürdigen, durch unbedeutende Zwischenmittel von einander getrennten Flötzen sich wiederholt, dass endlich diese Flötze von den bis jetzt bekannten hangendsten Kohlenflötzen bei Alt-Hayn wiederum durch eine circa 1600 Ltr. mächtige Auflagerung von flötzleerem Kohlensandstein geschieden sind, so dürfte der Annahme einer allgemeinen Flötzepoche von ununterbrochener, sehr langer Dauer, die hinsichtlich der vegetabilischen Einschlüsse in 3 zeitlich ziemlich weit auseinanderfallende Flötzbildungs-Perioden, und zwar: in eine untere, mittlere und obere zerfällt, Nichts entgegenzustellen sein.«

GÖPPERT giebt an, dass der Pflanzenreichthum des im äussersten Hangenden liegenden, der dritten Flötzbildungs-Periode angehörenden Flötzzuges ein geringer ist, was darum natürlich und nur relativ richtig, da auf demselben nur ein einziges Flötz in Bau genommen worden .ist. Auch bis in die neueste Zeit hinein ist auf den dortigen Halden[1]) mit wenigen Ausnahmen nur das gefunden worden, was schon vom Hangendzug bekannt war. Zu diesen Ausnahmen gehört ein *Sphenophyllum*, welches von den beiden, den Schatzlarer Schichten angehörigen Species, *S. emarginatum* und *saxifragaefolium*, verschieden ist, und eine kleinblättrige *Neuropteris*, welche einerseits der *N. heterophylla* Brg., andererseits der *Odontopteris neuropteroïdes* Röm. sich nähert. Beide sind auf dem tieferen Theile des Hangendzuges noch nicht beobachtet worden. . Vom paläontologischen Standpunkt aus ist es daher nicht gerechtfertigt, drei Stufen im productiven Kohlengebirge bei Waldenburg zu unterscheiden, sondern nur zwei. Das Zwischenmittel zwischen dem Hangendzug und dieser hangendsten Flötzgruppe ist in der Richtung vom Anhalt-Segen-Flötz bei Ober-Waldenburg bis zum Friederiken-Flötz bei Neu-Hayn, an der Oberfläche gemessen, allerdings 2000^m stark, verschwächt sich aber nach Westen sehr bald und so bedeutend, dass dieser weite Abstand der letzten noch zur zweiten Flötzbildungs-Periode gehörigen Kohlenflötze nichts Befremdliches an sich trägt; auch flötzleer ist dieses Mittel nicht, die hier ausgeschürften Flötze der Louis- und Emanuel-Grube sind unrein und daher noch nicht in Bau genommen worden.

Der der ersten Flötzbildungs-Periode angehörige Liegendzug ist, wie weiter unten ausführlich nachgewiesen werden soll, nur in der Erstreckung von Gablau bis Ebersdorf bei Neurode und auch in dieser nur mit einer längeren Unterbrechung vorhanden; von Gablau bis Schatzlar fehlt er und auch in der Strecke über Markausch und Schwadowitz bis Straussenei dürfte es für wahrscheinlicher gelten, dass er hier überhaupt nicht zur Ausbildung gelangte, als dass er unter dem Sattel von Welhota in der Tiefe

---

. [1]) Friedrich Stolberg- und Amalie-Grube.

liegend durch die bis jetzt geführten Baue nicht hat erreicht
werden können. Die am Muldenrande von Hártau bei Landeshut
bis Tschöpsdorf den Culmschichten zunächst aufgelagerten Flötze,
sowie in Böhmen die am weitesten im Liegenden auftretende
sogenannte »Stehende Flötzgruppe« bei Markausch haben sich
durch die sie begleitenden fossilen Pflanzen als unserem Hangend-
zug gleichalterig erwiesen, ebenso dürfte die weiter südöstlich bei
Zdiarek in Bau genommene Gruppe von 4 Flötzen noch demselben
Zuge angehören. Dass der Waldenburger Liegendzug auf dem
böhmischen Flügel fehle, wurde vom Verfasser bereits 1865 in
GEINITZ's Steinkohlen Deutschlands und anderer Länder Europas
(S. 216) als Vermuthung ausgesprochen und diese letztere auf rein
petrographische Merkmale gestützt, da die damals kurz bemessene
Zeit nicht erlaubte, auf das Vorkommen der organischen Ueberreste näher einzugehen. Aus demselben Grunde wurde damals
auch die stehende Flötzgruppe bei Markausch und die im Hangenden derselben auftretende flachfallende Ida-Stollner Flötzgruppe
bei Petrowitz als ein zusammengehöriger Flötzzug betrachtet, während, wie sich später aus den organischen Ueberresten ergab und
zuerst von STUR ausgesprochen worden ist, der Ida-Stollner Flötzzug zu einer selbstständigen Stufe erhoben werden muss, da keine
der Leitpflanzen des Hangendzuges hier mehr auftritt, vielmehr
vollständig neue Species die Rolle der Leitpflanzen übernehmen.
Da nun endlich der Flötzzug von Albendorf über Qualisch und
Radowenz bis Drewitz vom Ida-Stollner Flötzzug nicht nur durchgängig durch ein horizontal gemessen 13 — 1500^m starkes Mittel
getrennt, sondern auch in paläontologischer Hinsicht durch seine
Flora, mehr aber noch durch das Auftreten von Fischresten sich
als eine unter anderen Verhältnissen erfolgte Ablagerung darstellt,
so zerfällt die Steinkohlen-Formation des Niederschlesisch-Böhmischen Beckens in 5 Stufen, nämlich:

I. Stufe:	Kohlenkalk und Culm (Unter-Culm STUR) mit der 1. Flora		Unter-Carbon.
II. Stufe:	Der Waldenburger Liegendzug (Waldenburger und Ostrauer Schichten STUR, Ober-Culm STUR) mit der 2. Flora	Unteres	Ober-Carbon.
III. Stufe:	Der Waldenburger Hangendzug (Saarbrücker Schichten WEISS, Schatzlarer Schichten STUR) mit der 3. Flora		
IV. Stufe:	Der Ida-Stollner Flötzzug (Untere Ottweiler Schichten WEISS, Schwadowitzer Schichten STUR) mit der 4. Flora.	Mittleres	
V. Stufe:	Der Radowenzer Flötzzug (Obere Ottweiler Schichten WEISS, Radowenzer Schichten STUR) mit der 5. Flora	Oberes	

Rothliegendes.

Bekanntlich hat STUR den Waldenburger Liegendzug aus dem Ober- in das Unter-Carbon gewiesen, und zwar darum, weil die Flora dieses Flötzzuges mit der des Culm nach der bis dahin geltenden Auffassung des letzteren 11 Species[1] gemeinsam hat. Obgleich schon GEINITZ aus gleichem Grunde in seiner 1854 erschienenen Preisschrift: Darstellung der Flora des Hainichen-Ebersdorfer und des Flöhaer Kohlenbassins die beiden kleinen Ablagerungen von Hainichen und von Ebersdorf in Sachsen als dem Kohlenkalk parallel stehend, die Kohle also als Culmkohle erklärt hatte, ohne einen Widerspruch zu erfahren, will man im vorliegenden Fall sich mit STUR's Ansicht um so weniger befreunden,

---

[1] Die Zahl 11 ist um eine Species zu vermindern, da *Adiantides tenuifolius* GÖPP. ausschliesslich im Culm bei Landeshut vorkommt.

2*

als nach derselben auch die Sattelflötze von Zabrze, Königshütte,
Laurahütte und Rosdzin, also der Hauptflötzzug Oberschlesiens,
dessen Flötze in Bezug auf Mächtigkeit und Reinheit ihres Gleichen in Deutschland suchen, dem Culm anheimfallen. [1])

'Es handelt sich hier nicht um das Versprengtsein oder zu-
fällige Ueberdauern einer Species in wenigen Exemplaren, sondern um das häufige Vorkommen zweier Pflanzen in den Waldenburger Schichten, welche bisher als ächte Leitpflanzen des Culm
gegolten haben, nämlich um *Archaeocalamites radiatus* Brg. (*Calamites transitionis* Göpp.) und *Sagenaria Veltheimiana* Stbg. Diese
Leitpflanzen des Culm vergesellschaften sich mit den Leitpflanzen
der Waldenburger Schichten, so dass es nur die Alternative giebt,
entweder den bisherigen Begriff »Culm« dahin zu erweitern, dass
man nicht mehr das Auftreten des ersten bauwürdigen Flötzes als
Grenze zwischen Culm und Ober-Carbon festhält, sondern für diese
mehr technische eine paläontologische Grenze substituirt, oder
dass man *Archaeocalamites radiatus* und *Sagenaria Veltheimiana*
nicht mehr als ausschliessliche Leitpflanzen des Culm
gelten lassen darf.

WEISS hat, ohne die Identificirung der von STUR namhaft gemachten Species vorläufig anzufechten, die von Letzterem vorgeführten Gründe für seine Zutheilung der Waldenburger Schichten zum
Culm dadurch zu entkräften gesucht, dass er den 11 identischen
und 8 analogen, welche letztere STUR nicht angiebt, zusammen
also 19 Arten, welche die Dachschiefer-Flora (Unterer Culm) mit
den · Waldenburger Schichten (Oberer Culm) gemeinsam haben,
5 oder 9? identische und 26 analoge, zusammen also 31—35
Species, welche die Waldenburger Schichten mit späteren Floren
gemeinsam besitzen sollen [2]), entgegenstellt, um dadurch die Zugehörigkeit der Waldenburger Schichten zum Ober-Carbon darzuthun.

Was zunächst die dem Culm und den Waldenburger Schichten gemeinsamen Arten betrifft, so sind, wenn man nur den

---

[1]) STUR in der Verhandl. d. K. K. geol. Reichs-Anstalt 1878, No. 11.
[2]) Ztschr. d. D. geol. Ges. 1879, S. 218.

engeren Kreis Niederschlesien ins Auge fasst, beiden Stufen 5 Species gemeinsam, nämlich:

Archaeocalamites radiatus Brg.

Sphenopteris (Diplotmema) patentissima[1]) Ettg.

    »   »   *distans* Stbg.

Lepidodendron Veltheimianum Stbg.

Stigmaria inaequalis Göpp.,

da von den noch übrigen 6 von Stur aufgeführten zwei (*Calymmotheca divaricata* Göpp. sp. und *Rhacopteris transitionis* Stur) dem Niederschlesischen Culm fehlen und dem Mährischen Dachschiefer, 3 (*Calymmotheca moravica*, *Todea Lipoldi* und *Archaeopteris Dawsoni*) den Waldenburger Schichten fehlen und den Ostrauer angehören und *Adiantides tenuifolius* dem Landeshuter Culm ausschliesslich gehört. Bei der Fixirung der einzelnen Etagen ist jedoch von den Calamiten abzusehen, da sie durch lange Zeiträume hindurch ihre äussere Form beibehalten und eine ähnliche Vorsicht den *Lepidodendreen* gegenüber zu beobachten, so dass nur die Farne allein als geeignete Beweismittel übrig bleiben. Zur Scheidung der einzelnen Stufen kann man, wie ich schon längst überzeugt bin, nur die Farne brauchen; die Calamarien scheinen zu unempfindlich gegen die Aenderungen in den äusseren physikalischen Verhältnissen ihrer Vegetationsgebiete und daher zähe, langlebige Creaturen zu sein, während die Farne als höher organisirte, zartere Pflanzen gegen diese Aenderungen viel empfindlicher, auch zugleich entwickelungsfähiger sind und darum in den einzelnen Stufen grössere Formenunterschiede, als die Calamarien zeigen. *Archaeocalamites radiatus* Brg. kommt ausser im Culm nicht nur in den Waldenburger, sondern auch noch, wie wir später sehen werden, in den Schatzlarer Schichten vor, reicht also durch 3 Stufen. *Calamites Suckowi* Brg. der III. Stufe kommt noch auf den Radowenzer Gruben, also in der V. Stufe vor; rechnet man zu dieser Species noch den von Stur als *Cal. ostraviensis* von Mährisch-Ostrau beschriebenen und abgebildeten Cala-

---

[1]) Wenn man *S. patentissima* des Culm mit *S. Schützei* der Waldenburger Schichten identificirt.

miten, welcher als der unmittelbare Vorläufer desselben gelten
kann und so wenig von ihm verschieden ist, dass man keinen
grossen Fehler begehen würde, wenn man ihn ebenfalls noch *Cal.*
Suckowi nennt, so haben wir eine Species vor uns, welche durch
4 Etagen geht. Aehnliches beweisen die in den Ostrauer Schichten vorkommenden beiden STUR'schen Species: *Cal. approximati-*
formis und *Cistiiformis,* der den Ostrauer und Schatzlarer Schichten
gemeinsame *Calamites approximatus* und wenn die Ansicht von
WEISS richtig, dass *Calamites ramifer* Stur von *Cal. ramosus* Brg.
nicht zu unterscheiden ist, so reicht letzterer ebenfalls von der
II. bis zur III. Stufe.

Der Identität von 2 Diplotmema-Species in den Culm- und
Waldenburger Schichten steht aber die weit grössere Anzahl von
Farn-Species gegenüber, welche nur den Waldenburger Schichten
eigen ist und dem hiesigen Culm fehlt, nämlich:

1. *Sphenopteris (Diplotmema) elegans* Brg.
2.   »   »   *subgeniculatum* Stur.
3.   »   »   *Schützei* Stur.
4.   »   »   *dicksonioides* Göpp.
5.   »   »   *cf. Schillingsii* Andr.
6.   »   *cf. Gersdorfii* Göpp.
7.   »   *(Calymmotheca) divaricata* Göpp.
8.   »   *Linkii* Göpp.
9.   »   »   *subtrifida* Stur.
10. *Hymenophyllum Waldenburgense* Stur.
11. *Rhodea Stachei* Stur.
12. *Adiantides oblongifolius* Göpp.
13. *Oligocarpia quercifolia* Göpp.
14. *Rhacopteris transitionis* Stur.
15. *Aphlebiocarpus Schützei* Stur

nebst den specifisch noch nicht näher bestimmbaren Resten von
Cardiopteris und *Senftenbergia.* Diese überwiegend grössere Zahl
eigenthümlicher Species und die durchgängig sehr grosse petró-
graphische Verschiedenheit zwischen den Culm- und Walden-
burger- und die grosse Uebereinstimmung der letzteren mit den

Schatzlarer, Schwadowitzer und Radowenzer Schichten dürfen als Gründe für die gegentheilige Ansicht vorgeführt werden, um das grosse Gewicht, welches auf das Vorkommen von *Archaeocalamites radiatus* und *Lepid. Veltheimianum* gelegt wird, zu vermindern. . Das Hinaufreichen der Letzteren in höhere Stufen verbietet es fortan, sie als ausschliessliche Leitpflanzen des Culm zu betrachten, welche bei Feststellung der einzelnen Stufen den Ausschlag geben müssten und mit Rücksicht hierauf werden die Waldenburger Schichten hier als unteres Ober-Carbon, nicht als Ober-Culm aufgefasst.

Was zweitens die von WEISS behauptete grössere Hinneigung zwischen der II. und späteren Floren im Vergleich zu der zwischen der I. und II. Flora bestehenden Verwandtschaft betrifft, so kann dieser Meinung nur mit Rücksicht auf die Flora der Sattelflötzschichten Oberschlesiens, welche gegen die der Waldenburger Schichten auffallende Abweichungen zeigt (s. Schlusskapitel) zugestimmt werden.

Es entspricht dem gegenwärtigen Standpunkt der noch offenen Streitfrage, ob man die Waldenburger Schichten »Culm« nennen darf oder nicht, und dem vorliegenden Zweck am besten, die oben aufgeführten 5 Stufen des Beckens als gleichwerthige zu betrachten, indem man damit meint, dass kein Grund vorliegt, in der weiter oben mitgetheilten Uebersichts-Tabelle zwischen der I. und II. Stufe eine stärkere Scheidelinie zu ziehen, als zwischen den übrigen.

Die Waldenburger Schichten erscheinen als Uebergangsstufe vom Culm zum Ober-Carbon und dieser Ansicht ist auch WEISS, indem er meint, dass man die Waldenburger Schichten als mittlere Abtheilung der Steinkohlen-Formation betrachten könne [1]. Sie sind jedoch keine lokale Zwischenbildung; da sie ausser hier noch im Königreich Sachsen, in Oesterreich-Schlesien und wie STUR nachgewiesen [2] im westlichen Frankreich in der Umgegend von Nantes

---

[1] a. a. O. S. 220.
[2] Reisebericht vom 31. Juli in den Verhandl. d. K. K. geol. Reichs-Anstalt. 1876, No. 11. Studien über die Steinkohlenformation in Oberschlesien und in Russland. Verhandl. d. K. K. geol. Reichs-Anstalt 1878, No. 11.

und in Russland am Donetz und Ural zur Ausbildung gelangten,
so liegt in dieser grossen Verbreitung der Beweis, dass sie als
eine selbstständige Stufe zu betrachten sind. Wie die I. Stufe
ein typischer Culm, so entspricht die III. der Hauptstufe des Ober-
Carbon, welche mit den übrigen gleichalterigen Schichten Deutschlands und Frankreichs, namentlich mit den unteren Saarbrücker
Schichten eine nicht geringe Anzahl von fossilen Pflanzen gemein
hat. Die IV. Stufe, die Schwadowitzer Schichten sind von min-
derer Bedeutung, da sie die geringste Ausdehnung im Streichen
besitzen; mit Rücksicht auf die organischen Einflüsse sind dieselben
den unteren Ottweiler Schichten parallel zu stellen [1]). In der V. Stufe
endlich ist die Zahl der bauwürdigen Flötze und der organischen
Reste nicht gross, aber genügend, um diese Stufe als unzweifelhaft
identisch mit den bei Saarbrücken auftretenden oberen Ottweiler
Schichten zu erklären [2]); einige organische Reste verbinden sie zugleich mit der Wettiner Kohlenablagerung, welche ebenfalls den
oberen Ottweiler Schichten parallel steht.

---

[1]) Weiss in Zeitschr. d. D. geol. Ges. 1879, S. 633.
[2]) Derselbe, ebendas., S. 439.

I. Stufe. Culm.

Dieselbe tritt in 3 grösseren Gebieten auf, welche v. RAUMER und v. CARNALL das nördliche, das Hausdorfer und das südliche oder Glatzer Uebergangsgebirge nannten, und in einigen kleinen, von diesen getrennten Ablagerungen.

1. Das nördliche Culmgrauwacken-Gebiet.

Unter den 3 genannten besitzt dieses die grösste Ausdehnung, nimmt den Flächenraum zwischen Rudelstadt bei Kupferberg, Freiburg, Altwasser, Gablau, Landeshut, Blasdorf und Schreibendorf ein und besteht vorherrschend aus Conglomeraten und grobkörnigen Sandsteinen; weniger häufig sind feinkörnige Sandsteine und Thonschiefer. Auf der Grenze mit dem unterliegenden Urgebirge treten sehr häufig zuerst grobe Conglomerate auf, deren Geschiebe zum Theil abgerundet, zum Theil scharfkantig sind, Menschenkopfgrösse erreichen und aus denjenigen Urgebirgs-gesteinen bestehen, welche zunächst im Liegenden anstehen, also aus Glimmerschiefer zwischen Oppau und Michelsdorf, aus Grünem Schiefer in der Umgegend von Rudelstadt, aus Gneuss bei Fürstenstein, Hausdorf, Neudorf und Silberberg. Die schon früher von BEINERT beschriebene Erscheinung der verschobenen Kiesel[1]), bei welcher dieselben durch den Gebirgsdruck gespalten, die Spaltungsstücke ein wenig verschoben und in dieser Lage durch Quarzmasse wieder fest verkittet worden sind, erstreckt sich sowohl auf

---

[1]) Zeitschr. d. D. geol. Ges. VI, 663.

die Conglomerate des Culm, als auch auf die des Ober-Carbon.
Ausnahmsweise treten an der Oeffnung des Fürstensteiner Grundes
auf der Grenze mit dem Urthonschiefer bei Freiburg Thonschiefer
auf, welche im Thal aufwärts in feinkörnige Grauwacke und endlich in ein aus grossen Gneussblöcken bestehendes Conglomerat
übergehen. Je entfernter vom Grundgebirge, desto kleiner werden
die Fragmente, die Conglomerate gehen durch grob- in feinkörnige
Grauwacke über, zwischen deren Schichten aber immer wieder
einzelne mächtige Bänke des gröberen Conglomerats vorkommen,
welche in kleinen Felsenreihen zu Tage liegen, wie z. B. bei
Tschöpsdorf, Ober-Blasdorf, Schreibendorf, Krausendorf, Liebersdorf, Conradsthal u. a. O.

Die grobkörnigen Sandsteine bestehen aus Körnern von weissem
und grauem Quarz, Kieselschiefer, Jaspis, Thonschiefer, stellenweise aus Kalkstein. Bei den Conglomeraten stellt das Bindemittel einen aus zerriebenem Gneuss, Glimmerschiefer oder Grünem
Schiefer entstandenen grobkörnigen Sandstein vor, bei den grob-
und feinkörnigen Sandsteinen ist es bald thonig, bald kieselig und
enthält meist reichlich silberweissen Glimmer beigemengt. Die
Conglomerate und Sandsteine sind im Gegensatz zu den gleichen
Gesteinen der productiven Abtheilung, welche stets hellgraue,
gelblichgraue oder weisse Farbe besitzen, von dunklen Farben,
bräunlichgrau, grünlichbraun bis gelblichgrau. In dem Strich von
Mittel-Salzbrunn nach Adelsbach und darüber hinaus bis in die
Gegend von Reichenau macht sich ein Streifen von rothem Conglomerat bemerkbar, dessen aus Quarz, Gneuss und Glimmerschiefer
bestehende Brocken durch ein dunkelrothes, thoniges Bindemittel
fest vereinigt sind; das Conglomerat geht in einen ebenso gefärbten feinkörnigen, glimmerreichen Sandstein über. In geringerer
Flächenausdehnung findet dieselbe Abweichung von der herrschenden Gesteinsfärbung bei Altwasser, Neu-Krausendorf und Reussendorf statt; hier wie dort macht sich dieselbe schon von ferne
durch die rothe Färbung des Bodens bemerkbar und hat an beiden
Orten zur Bezeichnung »Rothe Höhe« Veranlassung gegeben. In
Bezug auf die muthmaassliche Entstehung der rothen Färbung
der Schichten bei Adelsbach ist noch hinzuzufügen, dass die

Mineralien-Sammlung der hiesigen Bergschule ein Stück von einem Gestein enthält, welches von fleischrother Farbe, Feldspathhärte, mit einer versteckten Tendenz zur schiefrigen Textur und mit der letzteren entsprechend vertheilten schmutzig grünlich grauen, schmalen länglich runden Flecken und kurzen Streifen und nach der Etiquette ein »Lager im Grauwackengebirge zwischen Adelsbach und Reichenau« bilden soll. Ueber das Anstehen des Gesteins ist Nichts bekannt, auch keine Darstellung desselben auf der Geologischen Karte von Niederschlesien erfolgt; die Richtigkeit der Etiquette vorausgesetzt, darf vermuthet werden, dass es, wenn auch nicht an der Oberfläche, so doch in geringer Tiefe ansteht und bei irgend einer Schurfarbeit entblösst worden ist. Wie anderwärts, so sind auch hier die Conglomerate undeutlich in dicke Bänke geschichtet; mit dem Uebergange in feinkörnige Grauwacken wird die Schichtung deutlicher, auch stellt sich damit ein reichlicherer Gehalt an Glimmer ein.

Der Thonschiefer bildet das untergeordnetste Glied der Abtheilung, erscheint in der Regel nur in einzelnen wenige Fuss mächtigen Bänken und die den Uebergang dieses Schiefers in Sandstein bildenden Grauwackenschiefer sind ebenfalls nicht häufig. Der Thonschiefer ist meistens von blau- oder rauchgrauer grünlich- und bräunlichgrauer, bei Blasdorf, Reussendorf und Oppau von rothbrauner Farbe, deutlich geschichtet, dünnschiefrig und durch innig beigemengten feinen Quarzsand fester, als die Schieferthone der oberen Abtheilung, so dass sie der Verwitterung länger widerstehen, als diese. Das mächtige Lager von blaugrauem Thonschiefer, welches durch einen Steinbruch am Wilhelminen-Berge bei Ober-Bögendorf aufgeschlossen ist, sowie diejenigen Thonschiefer, welche der Friedrich-Wilhelm-Stollen bei Altwasser zwischen dem Mundloch und der in 558^m Entfernung von demselben liegenden Grenze des productiven Steinkohlengebirges in Wechsellagerung mit Grauwackensandsteinen durchfahren hat, sind jedenfalls die bedeutendsten Ablagerungen dieser Art. Weniger mächtige Zwischenlager von Thonschiefer finden sich an beiden Abhängen der Vogelkippe bei Altwasser, am Abhange des Ameisenberges nach Nieder-Bögendorf hin, am Käthelberge bei

Seifersdorf, am Kalkberge zwischen Liebichau und Seifersdorf,
zwischen Gablau und Conradsthal, nordöstlich von der Wilhelmshöhe bei Salzbrunn u. s. w. Durch Aufnahme von Kohlenstoff entstehen Brandschiefer.

Beginn der Flötzbildung.

Mit den Brandschiefern treten an verschiedenen Orten reine
und verschieferte Bestege von Steinkohle resp. Anthracit auf,
welche zu verschiedenen Zeiten, namentlich wieder seit Anfang
der 70er Jahre, zu Schurfarbeiten nach Steinkohle Veranlassung
gegeben haben. Nach den Aufzeichnungen in den Akten des
Waldenburger westlichen Reviers über die in den letzten 10 Jahren
besichtigten Funde schwankt die Mächtigkeit dieser Bestege zwischen 0,13 und 0,26 m; wenn dieselben mit gleich schwachen Lagen
von Brandschiefer in Wechsellagerung treten, so entstehen die
0,50 — 1,80 m mächtigen Flötze eines verschieferten oder versteinten
Anthracits, wie sie bei Alt-Reichenau, Reussendorf und Rudelstadt
ausgeschürft worden sind. Im Allgemeinen lassen sich diese ersten
Anfänge der Flötzbildung in 3 Niveaux unterbringen; im ersten
oder untersten Niveau liegen die Bestege bei Schreibendorf, Reussendorf, Rudelstadt und Alt-Reichenau, im mittleren die von Michelsdorf, Alt-Weissbach, Johnsdorf, Krausendorf, Merzdorf, Ruhbank
und Giessmannsdorf, im oberen die von Buchwald, Blasdorf, Leppersdorf, Vogelsdorf, Wittgendorf, Gablau und Liebersdorf. Bei
den zuerst genannten ist ein östliches und südöstliches Fallen vorherrschend, während in dem mittleren Niveau ausser diesem bei
den Bestegen zu Merzdorf, Ruhbank und Giessmannsdorf ein südwestliches Verflächen beobachtet worden ist; im oberen Niveau
ist dasselbe bei Buchwald nach Osten, bei Leppersdorf nach
Süden, bei Liebersdorf nach Nordosten gerichtet. Der Neigungswinkel, unter welchem die liegendsten Culmschichten dem Innern
der Mulde zufallen, beträgt am nördlichen Rande 50—90°, am
östlichen längs des Gneusses 30—40°, ausnahmsweise in der Gegend südöstlich von Bögendorf 70—80°, an der Vogelkippe
60—70°, am westlichen Rande geht er stellenweise bis auf 30 und

20⁰ herab. Bei den Flötzbestegen beträgt er im tieferen Niveau 35—45⁰, im oberen Niveau 20—25⁰.

Bergmännische Untersuchungs-Arbeiten haben nur in den Grubenfeldern von Johannes bei Rudelstadt, von Antonie im Wald bei Reussendorf in 20ᵐ Teufe, im Felde von Aurelie, westlich von Nieder-Leppersdorf und Krausendorf in 90ᵐ Teufe, von Albinus ebendaselbst durch eine 100ᵐ lange Rösche, endlich im Felde von Ernst-Wilhelm bei Johnsdorf stattgefunden. Im Felde der Aurelie-Grube wurde ein Versuchsbau auf zwei steil aufgerichteten, vielfach mit Bergmitteln verunreinigten Flötzen von 0,60 bis 1ᵐ Mächtigkeit vorgenommen, welcher jedoch als unlohnend wieder aufgegeben werden musste. Im Felde der Grube Johannes wurde im Dorfe Rudelstadt am linken Ufer des Bobers ein 1,8ᵐ mächtiges, durch Schiefer verunreinigtes Anthracitflötz, welches mit 45—50⁰ nach Osten einfällt und h. 0,7 streicht, im Felde von Carls-Glück-Grube ebendaselbst ein ähnlich beschaffenes Flötz von 1ᵐ Mächtigkeit, welches h. 1,4 streicht und mit 50⁰ nach Osten einfällt, untersucht. Im östlichen Revier befindet sich im Liegenden der später zu erwähnenden Harte-Grube die consolidirte Gute-Hoffnung-Grube bei Salzbrunn, entstanden durch die Consolidation der 3 Gruben: Gute-Hoffnung, Emma-Ernestine und Gute-Hoffnung Zubehör. Vom Liegenden aus gerechnet besteht das Fundflötz

	der Gute-Hoffnung	der Emma-Ernestine
aus:	0,04ᵐ Kohle	0,22ᵐ Kohle
	0,04 » Letten	0,10 » Schiefer
	0,13 » Kohle	0,10 » Kohle
	0,21ᵐ	0,08 » Schiefer
		0,60 » Kohle
		1,10ᵐ

der Gute-Hoffnung Zubehör
0,16ᵐ Kohle
0,20 » Schiefer
0,36 » Kohle
0,72ᵐ.

Das Streichen dieser Flötze geht in h. 11, das westliche
Fallen beträgt circa 20⁰. Dieselben liegen etwa 250 m im Liegenden vom Harte-Flötz (Fixstern-Flötz) entfernt. Die hier unternommenen Versuchsarbeiten wurden 1878 eingestellt, nachdem sich
ihre Nutzlosigkeit herausgestellt hatte und ebenso sind in den im
Liegenden der Seegen-Gottes-Grube bei Altwasser befindlichen,
auch erst in den letzten Jahren verliehenen Feldern der Gruben
Waldrose und Achenbach, welche fast vollständig auf Culmgrauwacken liegen und erst in unmittelbarer Nähe der hangenden
Markscheide das Ausgehende des Fixstern-Flötzes einschliessen,
bauwürdige Flötze nicht bekannt.

Alle im östlichen und westlichen Revier innerhalb des Culm
gemachten Funde von Flötzbestegen haben ohne Ausnahme keine
technische Bedeutung. Sie beweisen im Einklang mit den fossilen
Pflanzen, welche nur an sehr wenigen Lokalitäten auftreten und
auch da nur in kleine Fragmente zerschlitzt in den Schiefern eingeschlossen zu finden sind, dass die Flora des Culm noch keine
grossen Flächen überzog, mit Ausnahme der Sagenarien und einiger verwandter Gattungen nur aus niedrig wachsenden Crypto-
gamen bestand, deren geringes Material nicht ausreichte, bauwürdige Flötze zu constituiren.

Kalklager.

In dem in Rede stehenden Gebiet treten Kalklager bei Freiburg, Ober-Kunzendorf und Fröhlichsdorf bei Freiburg, Bögendorf, Liebichau und Adelsbach auf. Das dicht an der Stadt
Freiburg auf der Grenze von Urthonschiefer und Culm auftretende
Kalklager zeigt eine Mächtigkeit von 40—60ᵐ und ein Fallen von
durchschnittlich 65⁰ nach Süden. Der Kalkstein ist dicht, von
dunkel rauchgrauer und bläulichgrauer Farbe, zuweilen auch mit
einem Wechsel dieser mit rothen und braunen Farben und von
schwachen Kalkspathadern durchzogen; die wenigen Versteinerungen, welche bisher darin gefunden wurden, sind jedoch hinreichend, in ihm einen unzweifelhaften Devon-Kalk zu erkennen.
Derselbe wird von einem dunkelgrau, zuweilen roth gefärbten
Schiefer, welcher zahlreiche Knollen eines dunkelgrauen bis schwar-

zen Kalksteins umschliesst, bedeckt; diese Knollen beherbergen
ebenfalls Petrefakten devonischen Alters und sind nur als Roll-
stücke, welche dem darunter befindlichen Lager entstammen, zu
betrachten.

Geognostisch viel wichtiger ist das K a l k l a g e r v o n O b e r -
K u n z e n d o r f bei F r e i b u r g, da seine organischen Einschlüsse
in allen Sammlungen der Provinz angetroffen werden und weil es,
allseitig von Culmschichten umgeben, als ein integrirender Bestandtheil dieser Ablagerung erscheint und daher von wesentlichem
Einfluss auf die Entscheidung über das geologische Alter der um-.
gebenden Grauwacken sein musste. ZOBEL und v. CARNALL erwähnen, dass das nördliche Uebergangsgebirge früher zum Steinkohlengebirge gerechnet worden sei, kommen aber, gestützt auf
petrographische Merkmale und weil »auf der Scheidung beider
Formationen ungeachtet ihrer gleichförmigen Lagerung kein all-
mähliches Verlaufen, sondern stets eine scharfe Grenzlinie und
diese sogar in der äusseren Form zu finden sei«, zu dem Schluss,
dass diese Ansicht eine irrige sei. BEYRICH sprach jedoch schon
1844 in seiner Abhandlung: Ueber die Entwickelung des Flötzgebirges in Schlesien [1] seine Ansicht dahin aus, »dass keine Thatsache der Annahme im Wege steht, die Schichtensysteme des
nördlichen und des Hausdorfer Uebergangsgebirges ganz oder
z. Th. der unteren Abtheilung der Steinkohlen-Formation gleichzustellen«. Die in Rede stehenden Schichten sind auf der geologischen Karte von Niederschlesien mit einem Farbenton bezeichnet,
welcher den devonischen Grauwacken und denen vom Alter des
Kohlenkalkes und flötzleeren Sandsteins. gemeinsam ist, weil man
es damals noch für möglich hielt, dass der liegende Theil des
Schichtensystems ein höheres Alter besitze und daher später von
den Culmschichten werde getrennt werden müssen. Der Ober-
Kunzendorfer Kalkstein ist dicht, wie der Freiburger von vorherrschend dunkelblaugrauer Farbe. Das Streichen und Fallen
der Schichten. ist wechselnd, im nordwestlichen Theil des Bruches
streichen dieselben in h. 3 und fallen mit 50° nach Nordost, weiter

---

[1] Karsten's Archiv Bd. 18.

nördlich geht das Streichen allmählich in h: 1 über, in der Richtung
nach Süden zu ist dasselbe in h. 8½, dann in h. 6 mit steilem
Fallen gegen Nord gerichtet, so dass durch diese Wendung im
Streichen eine Mulde gebildet wird; den Kalk bedecken in concordanter Lagerung hellblaugraue, schiefrige Kalkmergel mit Kalkknollen, welche ebenfalls organische Einschlüsse enthalten, auf
welche erst die grünlichgrauen Culmschiefer folgen. Es musste
demnach den Anschein gewinnen, dass das Kalklager eine den
Culm-Grauwacken angehörige stockförmige, sehr mächtige, aber
geringe Ausdehnung im Streichen zeigende Masse sei, welche man,
da in den darin vorkommenden Petrefacten die Korallen nicht
blos dominiren, sondern einzelne Gesteinsbänke vollständig an-
füllen, als eine Korallenbank zu betrachten habe und dass, da in
demselben *Amplexus lineatus* Qu. massenhaft vorkommt, diese
Gattung aber ihre grösste Verbreitung im Kohlenkalk besitzt,
dieser Kalkstock als Kohlenkalk angesprochen werden müsse.
Später hat DAMES[1] nachgewiesen, dass aus den Versteinerungen
Ober-Kunzendorfs ein verschiedenes Alter für die Kalke und
die Grauwacken hervorgehe, dass erstere dem unteren Ober-
Devon, letztere dem Culm angehören.

Die häufiger vorkommenden organischen Reste sind:

> *Receptaculites Neptuni* Defr.
> *Calamopora reticulata* Blainv. (*Calam. spongites* var.
>   *ramosa* Gldf.)
> *Alveolites suborbicularis.* E. et H. (*Calam. spongitis* var.
>   *tuberosa* Gldf.).
> *Alveolites denticulata* E. et H.
> *Aulopora repens* Gldf.
> *Amplexus lineatus* Qu.
> *Lithostrotion caespitosum* Gldf.
> *Stromatopora polymorpha* Gldf.
> *Spirifer disjunctus (Sp. Verneuili)* Sow.
> *Spirigera concentrica* d'Orb.

---

[1] Ueber die in der Umgebung Freiburgs in Niederschlesien auftretenden
devonischen Ablagerungen. Zeitschr. d. D. geol. Ges. Bd. XX, S. 469.

Atrypa reticularis Dalm.

»   *zonata* Schnur.

Rhynchonella cuboides Sow.

Pentamerus galeatus Dalm.

Orthis striatula Schl.

Leptaena interstrialis Phill.

Productus sericeus v. Buch. [1])

Cardiola retrostriata Keys. (in den den Kalk bedeckenden Schiefern).

Ohne paläontologische und technische Bedeutung sind die
Lager von Bögendorf, Liebichau, Adelsbach, Polsnitz und Reichenau, weil dieselben keine eigentlichen Kalklager, auch keine
Kramenzelkalke, sondern Culmschieferlager mit z. Th. reichlich
eingebetteten Geschieben des vorbeschriebenen devonischen Kalkes
von Freiburg und Ober-Kunzendorf vorstellen. Südöstlich von
Ober-Bögendorf wurde dieser Kalkknollen enthaltende, auch sonst
in der Grundmasse kalkhaltige Thonschiefer am Fuss eines »das
Gütchen« genannten Berges (s. Karte der Umgegend von Salzbrunn
von VOGEL v. FALKENSTEIN, geognostisch colorirt von BEYRICH)
in einer Mächtigkeit von 0,9 — 1,25 m ausgeschürft und weiter
westlich im Dorfe Seifersdorf zufällig beim Ausheben des Bodens
für das Fundament eines Wohnhauses gefunden; der Kalkstein
der Knollen ist von dunkelblaugrauer Farbe.

Dieselbe Bewandtniss hat es mit dem Lager am Fuss des
Linden- und Windmühl-Berges in Ober-Bögendorf und mit dem
auf dem Kalkberge bei Liebichau. Während die Kalkknollen am
Linden- und Windmühlenberge spärlicher vorhanden sind und
eine Conglomeratschicht von etwa 0,6 m Mächtigkeit darstellen,
setzen sie bei Liebichau eine Schicht bis zu 3 m Mächtigkeit zusammen, sodass dieselbe früher durch Grubenbau gewonnen werden
konnte. Im weiteren Fortstreichen nach Westen trifft man nach

---

[1]) Von *Productus sericeus*, von welchem gute Exemplare zu den grössten
Seltenheiten gehören und daher das Königl. Mineralien-Kabinet der Berliner Universität nur zwei vollständig erhaltene besitzt, befinden sich in der Mineralien-
Sammlung der hiesigen Bergschule je 3 Stück Rücken- und Bauchschalen, alle
zur Varietät mit querovalem Umriss gehörig, die Bauchschalen ohne Concavität.

einer längeren Unterbrechung auf das gleiche Vorkommen in
Nieder-Adelsbach, wo ebenfalls wie bei Liebichau die Gewinnung
von Kalk längst eingestellt ist. Die geringste Mächtigkeit zeigen
die kalkigen Ablagerungen bei Polsnitz und Reichenau. Auf allen
genannten Punkten sind Reste von Korallen, am Lindenberge bei
Bögendorf und am Kalkberge bei Liebichau und im Salzgrunde bei
Fürstenstein ausser diesen auch *Atrypa reticularis* gefunden worden.

Als einziges, dem Schichtenverbande wirklich angehöriges
Lager von Kohlenkalk bleibt daher nur dasjenige übrig, welches
am südwestlichen Abhange der Vogelkippe bei Altwasser in
der Form von 2 nahe bei einander liegenden etwa 0,26^m starken
durch grünlich graue Schiefer getrennten und von ihnen eingeschlossenen Bänken eines dichten, bläulich grauen Kalkes auftritt
und durch einen kleinen Stolln angetroffen worden war, welchen
man oberhalb des Hübelschachtes der Seegen-Gottes-Grube unfern
der Grenze des rothen Conglomerats und der gewöhnlichen grauen
Grauwacke angesetzt und ins Liegende getrieben hatte, lediglich
weil man hoffen zu dürfen glaubte, auch hier ähnlich wie in der
Umgebung von Freiburg bauwürdige Lager von Uebergangskalk-
stein anzutreffen. Der Stolln erreichte die Kalkbänke mit 14,6^m
Länge. Die geringe Mächtigkeit gestattete keinen Abbau und die
Zugangsstelle zu den so petrefactenreichen Schichten ist längst
verbrochen, am Ausgehenden Nichts zu finden. Der so unerwartet
gemachte reiche Petrefacten-Fund gab jedoch Veranlassung, im
Interesse der Wissenschaft die Versuche auf Kalkstein fortzusetzen.
Zu diesem Zwecke wurde etwa 6,3^m saiger unter dem 1. ein 2.
Versuchsstolln angesetzt, allein, da der Gebirgsabhang hier eine
starke Einsenkung bildet, so durchschnitt dieser 2., welcher un-
gefähr 21^m lang wurde, die Gesteinsschichten mehr in diagonaler
Richtung und da er auch noch mehr im Liegenden angesetzt war,
so hat man die beiden Kalkbänke hier gar nicht angetroffen.
Dennoch fand sich in den durchfahrenen Schieferschichten, welche
denen im ersten Stolln vollkommen glichen, fast ein gleich grosser
Reichthum an Petrefacten.[1]) Ueberhaupt entstammen fast sämmt-

---

[1]) Bocksch's Manuscript.

liche hier gesammelten Petrefacte nicht den Kalkbänken, sondern
den sie begleitenden sehr milden Thonschiefern; thierische und
pflanzliche Ueberreste liegen in derselben Schicht neben einander,
erstere herrschen bei weitem vor, letztere zeigen sich nur in
kleinen zerrissenen Bruchstücken.

Erzführung.

Die Erzgänge in der Culm-Grauwacke bei Gablau waren zu
verschiedenen Zeiten Gegenstand eines regelrechten Bergbaues;
von der Mitte des sechszehnten Jahrhunderts an (die ersten Nachrichten über denselben stammen aus dem Jahre 1559) bis zum
Anfang dieses Jahrhunderts waren die Gruben, Pochwerke und
Hütten, wenn sie in Folge von Kriegen oder wegen Mangel an
Betriebsgeldern eine Zeit lang zum Stillstande gezwungen waren,
immer wieder von Neuem aufgenommen worden. Die letzte Betriebsperiode begann 1854 und endete 1866. Durch das Abteufen
eines 113^m tiefen Schachtes und die in dessen Sohle unternommenen Vorrichtungs- und Versuchbaue sind folgende Gänge aufgeschlossen worden:

· 1) Der Fridoline-Gang streicht in h. 12 und fällt mit
80° nach Osten ein, hat eine Mächtigkeit von 0,03—2^m, führt als
Gangmasse Schwerspath und Quarz, untergeordnet auch Flussspath, an Erzen: Fahlerz und Bleiglanz, in geringen Mengen noch
Kupferkies, Blende und Strahlkies (Speerkies). Nördlich vom
Schacht zweigt sich von diesem Gange ein hauptsächlich mit Quarz
ausgefülltes Trum ab und wendet sich ins Hangende; auf demselben steht der Fundschacht der Grube Helene, auf welcher
jedoch keine neuen Aufschlüsse gemacht worden sind.

2) Der Bernhards-Zukunfts-Gang streicht in h. 8, 3½
und fällt mit 76° nach Süden, hat eine Mächtigkeit von 0,21^m
und führt dieselben Erze und Gangarten wie der vorgenannte.
Das Fahlerz trat hier meistens am Hangenden des Ganges in sehr
vollkommen ausgebildeten Krystallen (Combination von Tetraëder,
Würfel und Granatoëder) auf, welche z. Th. wie die Clausthaler
einen dünnen Ueberzug von Kupferkies zeigten; am Liegenden

3*

trat Strahlkies, im hangenden Nebengestein Fahlerz und Bleiglanz
eingesprengt auf.

3) Der Franz-Gang streicht in h. 10 und fällt mit 60⁰
gegen Süden; sein Verhalten ist kein so günstiges, wie beim vorigen, auch wurde er mit dem Schacht als taube Kluft durchsunken.

4) Der Carl-Gang streicht in h. 11, 2½· und fällt mit 66⁰
nach Westen. Nach den vorgefundenen verhauenen Räumen
scheint derselbe der wichtigste in den Bauen der Alten gewesen
zu sein; leider wurde derselbe in der Maschinenschachtsohle vollständig zertrümmert angetroffen, indem an derselben Stelle, wo er
nach Maassgabe des in der alten Stollnsohle bei 25ᵐ Teufe abge-
nommenen Streichens und Fallens hätte erreicht werden müssen,
mindestens 16 Trümmer von 0,03—0,18ᵐ Stärke, welche mit
Schwerspath, Quarz, Kalkspath und Flussspath ausgefüllt waren
und an Erzen Bleiglanz und Fahlerz, sowie etwas Bournonit und
Boulangerit führten, angefahren wurden, welche in südöstlicher
Richtung divergirend sich allmählich im Nebengestein verliefen.
Westlich vom Maschinenschacht liegt

5) der Gang der Grube Zur Sicherheit, welcher nicht wie
die vorgenannten durch den alten Gablauer Stolln, sondern durch
einen im Wittgendorfer Thale angesetzten Stolln von den Alten
gelöst worden war; derselbe ist in der letzten Betriebsperiode
nicht näher untersucht worden.

Die Ausfüllungsmasse aller Gänge ist im Allgemeinen übereinstimmend und es dürfte daraus auf eine ziemlich gleichzeitige
Entstehung derselben zu schliessen sein, jedoch mit der Einschränkung, dass der Fridoline-Gang wahrscheinlich etwas jünger ist,
als der Bernhards-Zukunft-, Franz- und Carl-Gang. Die Fahlerze
enthielten in 100 Zollpfund 1,78—2,90 Pfd. Silber und 18—24
Pfd. Kupfer, wogegen der Bleiglanz zur silberarmen Varietät gehört, da in demselben Quantum nur 1½—2 Loth Silber enthalten
waren.[1]

---

[1] Jahrbuch des Schles. Vereins für Berg- und Hüttenwesen. Bd. II, Beilage:
Die Erzbergwerke bei Gablau vom Bergwerks-Director Dannenberg. 1860.

Die grossen Hoffnungen, welche sich an diese silberreichen Fahlerze knüpften, sollten jedoch auch hier, wie an allen übrigen Punkten Niederschlesiens, wo in den fünfziger und sechsziger Jahren unter Aufwendung grosser Geldopfer die alten Baue von Neuem aufgemacht und die vorgefundenen Lagerstätten weiter verfolgt wurden, so z. B. im Orthoklas-Porphyr bei Gottesberg, im Gneuss bei Dittmannsdorf, Breitenhayn, Weistritz, Hoh-Giersdorf, Seifersdorf, im Dioritschiefer bei Jannowitz, Rudelstadt und Kupferberg etc. unerfüllt bleiben. Die Gablauer Erzbaue kamen 1866 zum Erliegen, weil die Gänge sich schliesslich unbauwürdig erwiesen.

Ein anderes, jedoch sehr zweifelhaftes Erzvorkommen fand sich bei Adelsbach, indem am Fuss des westlich vom Dorfe liegenden Engelsberges im Alluvium Bruchstücke eines ausgezeichnet reinen Rotheisensteins mit Glaskopfstructur, welche keine Spur von Abrollung, Verwitterung und Umwandlung in Brauneisenstein zeigten, in ziemlicher Menge gefunden wurden. Ungeachtet der darauf unternommenen eifrigen Schurfarbeiten ist keine in der Nähe anstehende Lagerstätte aufgefunden worden, jedoch der Fall denkbar, dass die gefundenen Stücke von der Rotheisensteinlagerstätte zu Willmannsdorf bei Jauer herstammen und zur Diluvialzeit hierher verschwemmt worden sind.

Eruptivgesteine.

Als solche ist der Orthoklas-Porphyr und ein vielleicht zum Diabas zu zählender, bis jetzt nicht näher untersuchter Grünstein aufzuführen. Der Erstere bildet bei Weissbach südwestlich von Landeshut auf der Grenze zwischen Urschiefern und Culm eine Einlagerung und ferner den zweigipfeligen, von mehreren Vorhöhen umgebenen Sattelwald bei Liebersdorf. Das Vorkommen bei Weissbach ist zuerst von ZOBEL und von CARNALL erwähnt und beschrieben worden. Das Gestein setzt hier den Beerberg und Mühlberg zusammen; dasselbe besteht aus einer gelblichgrauen, röthlichgrauen, zuweilen schmutziggrünen Grundmasse, in welcher deutliche Kryställchen von Feldspath, Quarzkörner und Glimmerblättchen ausgeschieden liegen; der

Menge nach waltet der Glimmer vor. In dem sehr festen und
daher einen unebenen bis splittrigen Bruch zeigenden Gestein vom
Beerberg erscheinen in röthlichgrauer Grundmasse vollkommen
ausgebildete sechsseitige Tafeln von Glimmer von schwärzlich
grüner Farbe oder an deren Stelle kleine, ebenso gefärbte, unbestimmt conturirte Blättchen oder Flecken, eine nicht zu vollständiger Ausbildung gelangte Glimmersubstanz. Der Quarz erscheint
weniger in kleinen Körnern ausgeschieden, als in der Grundmasse
gleichmässig fein vertheilt. Die Haupterstreckung des Porphyrs
ist. dem Streichen der umliegenden Gebirgsschichten parallel gerichtet und da die Culmconglomerate, welche an der Westseite
des Mühlberges sich in schmalem Saum zwischen den Urschiefern
und dem Porphyr abgelagert finden, dem Hauptfallen der ganzen
Ablagerung entsprechend nach Osten, also unter den Porphyr einschiessen und auf der Ostseite des Beerberges eine gleiche Schichtenneigung vorhanden, nirgends aber eine Aufrichtung oder ähnliche
Störung in der gewöhnlichen Schichtenlage bemerkbar ist[1]), so
ist nicht zu zweifeln, dass der Porphyr hier eine Einlagerung bildet,
jedoch unwahrscheinlich, dass er, wie die beiden Autoren meinen,
erst nach Ablagerung der Culmschichten dieselben in der Richtung
ihrer Schichtungsfugen gespalten und durch Zertrümmerung der
leicht zerstörbaren Thonschieferbänke sich einen Weg nach der
Oberfläche gebahnt habe, vielmehr anzunehmen, dass dieser Porphyr
seiner Bildungszeit nach in den Culm gehört und zu Tage trat,
als die liegendsten Schichten desselben zur Ablagerung gelangt
waren und er seinerseits den hangenderen Culmschichten bei ihrem
Niederschlage zur Unterlage diente. Zwischen hier und dem
Sattelwald kommt ein Orthoklas-Porphyr (Porphyrit?) am westlichen Ufer des Bobers bei Merzdorf in der Nähe von Ruhbank
vor, welcher auf der geologischen Karte nicht aufgetragen ist.
Bei dem Sattelwald, dessen Gestein ein hellfleischrother, dem Thonstein sich nähernder Feldspath-Porphyr mit sehr wenig ausgeschiedenen Krystallen von Feldspath und Quarz ist, sind die Lagerungsverhältnisse der benachbarten Schichten gegen den Porphyr nicht

---

[1]) v. Carnall a. a. O., Bd. III, S. 303.

so leicht beobachtbar, wie am Beer- und Mühlberge, jedoch ebenfalls keine Aufrichtungen der Culmschichten durch das herauf-
dringende Eruptivgestein bis jetzt beobachtet worden; es dürfte
daher auch hier als das Wahrscheinlichere gelten, dass der Feld-
spathporphyr während der Ablagerung der mittleren Culmschichten an die Oberfläche getreten ist.

Der am Eingange erwähnte unbestimmte Grünstein kommt
auf dem westlichen Gipfel der Kunzenberge bei Liebichau in geringer Ausdehnung zum Vorschein und tritt dann weiter westlich
in Adelsbach nochmals auf.[1])

2. Die Culm-Ablagerung bei Hausdorf.

Die Culmschichten des nördlichen Gebiets keilen sich südlich
von Neu-Krausendorf aus und als letzte Bildung erscheinen hier
rothgefärbte feinkörnige Sandsteine (Rothe Höhe), so dass von hier
bis jenseits Rudolphswaldau das Ober-Carbon auf Gneuss abgelagert
ist. Die ersten Culmschichten, welche sich zwischen Gneuss und
Ober-Carbon wieder einschieben, treten zwischen Rudolphswaldau
und Glätzisch-Falkenberg am südlichen Abhang der Falkenlehne auf
und von hier streichen sie durch das Thal von Eule und Hausdorf
bis zum Lier- oder Leerberge südlich von Hausdorf fort, wo zwar
die charakteristischen Culmschiefer endigen, jedoch andere zu
dieser Etage gehörige Gesteine sich über Volpersdorf bis zur
Colonie Waldgrund (vulgo Saftquetsche) erstrecken und somit
eine Verbindung der beiden bisher getrennt angenommenen Ablagerungen, der von Hausdorf und des Glatzer Uebergangsgebirges,
herstellen.

Die diese Ablagerung zusammensetzenden Gesteine sind z. Th.
dieselben wie im nördlichen Gebiet: Conglomerate, gross- und
grobkörnige, weniger häufig feinkörnige Sandsteine und dazwischen
untergeordnete grünlichgraue Schiefer, welche bei Hausdorf, ähnlich wie an der Vogelkippe bei Altwasser, mit einigen schwachen

---

[1]) SABARTH: Beschreibung der Grauwacken-Formation bei Waldenburg:
Examenarbeit.

Kalkbänken wechsellagern. Im Sandstein ist der Glimmer in grosser Menge enthalten, weil der unterliegende Gneuss das Material zu seiner Bildung hergegeben hat. Am Fusse des aus Culmschiefern bestehenden Calvarienberges zu Hausdorf ist beim Ausschachten eines Felsenkellers vom Liegenden aus folgendes Profil entblösst worden [1]):

Kalkbank	0,21 m	mächtig
Grauwackenschiefer	1,31 »	»
Kalkbank	0,21 »	»
Grauwackenschiefer	0,13 »	»
grobkörnige Grauwacke . . .	(Zahl fehlt)	
Kalkbank	0,21 m	mächtig
sehr glimmerreiche Grauwacke	0,26 »	»
Kalkbank	0,31 »	»
Grauwackenschiefer, sehr glimmerreich und dünnschiefrig.		

Sämmtliche Schichten enthalten organische Reste, einige in grosser Menge, und da die Grauwacke stellenweise reich an Glimmer ist, so erscheinen die thierischen Reste in einzelnen Gesteinsbänken auf den ersten Blick wie in einem verwitterten Gneuss eingeschlossen. Der Kalkstein ist dicht, von dunkelbläulicher und schwärzlichgrauer Farbe und wie an der Vogelkippe ärmer an organischen Resten, als der Schiefer. Die noch weiter im Hangenden folgenden Schichten bestehen grösstentheils aus dünnschiefrigen Grauwacken und sind je entfernter von den Kalkbänken, um so ärmer an organischen. Einschlüssen. Wie an der Vogelkippe, so kommen auch hier Pflanzen- und Thierreste gemeinschaftlich in derselben Schicht vor. Wegen der paläontologischen Wichtigkeit ist der Calvarienberg zu Hausdorf zuerst genannt worden; eine Kalkablagerung tritt schon vorher bei Glätzisch-Falkenberg in Form einer schwachen Kalkbank und in ihrer Nähe Gabbro auf, auch zeichnen sich die Grauwackenschichten am rechten Ufer des Falkenberger Wassers an dem Wege, welcher von Colonie

---

[1]) Bocksch's Manuscript.

Städtisch Eule längs des Weitengrundes nach Rudolphswaldau führt, durch ein kalkiges Bindemittel aus.

Die hangendsten Culmschichten und die Grenze mit dem Ober-Carbon sind vortrefflich durch eine neue Wegeanlage oberhalb der Wenzeslaus-Grube bei Hausdorf aufgeschlossen, indem sämmtliche Schichten von dem Ausgehenden des liegendsten Flötzes bis zu den normalen grünlichgrauen Culmschiefern an der Böschung der eingeschnittenen Strasse, welche hier zum Theil eine querschlägige Richtung innehält, zu beobachten sind. Im Liegenden des genannten Flötzes tritt eine circa 50^m mächtige Ablagerung von Conglomeraten auf, deren Kiesel weiss oder hellgrau gefärbt und von Tauben- bis Hühnerei-Grösse sind; Zwischenlagen von feinkörnigem Sandstein sind nicht vorhanden. Unter diesem Conglomerate liegen bräunliche, glimmerreiche, sandige Schiefer, und unter diesen die charakteristischen Culmschiefer, welche denen des Calvarienberges vollkommen gleichen. Die weissen Conglomerate, welche hier als Grenzschicht auftreten, da die glimmerreichen, sandigen Schiefer ganz unzweifelhaft zum Culm gehören, sind dieselben, welche an der Eisenkoppe bei Volpersdorf und noch weiter südöstlich auftreten, also als ein in einem grossen Theil des in Rede stehenden Gebietes vorhandenes Formationsglied zu betrachten; sie sind ferner zu vergleichen denjenigen Conglomeraten, welche an der Grenze zwischen Culm und Ober-Carbon in der Nähe von Gablau, Conradsthal und Hartau auftreten, wo sie dem Ober-Carbon angehören.

Eruptivgesteine.

Schon bei Glätzisch-Falkenberg tritt in der Nähe des Kohlenkalks Gabbro auf, ebenso oberhalb Colonie Neu-Mölke an dem westlichen Punkt der grossen Curve, welche die von Hausdorf nach Reichenbach führende Chaussee daselbst bildet. Ein dritter und interessanterer Punkt findet sich unterhalb Glätzisch-Falkenberg bei den obersten Häusern von Eule, also weit im Hangenden des erstgenannten. In der Nähe der Brandt-Mühle treten in geringer Entfernung von dem nach Weitengrund führenden Wege 2 kleine Kuppen auf, von denen die eine (Reichel-Kuppe) mit jungen Tannen bestanden ist; beide bekunden durch ihre Lage das Streichen eines Lagers von quarzigem Dolomitgestein. Letzteres ist ein bläulich-, bräunlich- und gelblichgraue Farben in bunter Mischung tragender späthiger Dolomit, welcher jedoch Kieselerde in so grosser Menge aufgenommen hat, dass das Gestein zum Theil in rothen Eisenkiesel und Jaspis übergeht, auch hier und dort schmale, offene, mit Quarzkrystallen ausgekleidete Trümmer zeigt: Das Streichen dieses Lagers ist dem allgemeinen Streichen der Culmschichten conform. Im Liegenden dieses Dolomits zeigt sich am Rande des Weges anstehend Gabbro und Serpentin mit Diallag. Das Zusammenvorkommen dieser Gesteine ist für die in Rede stehende Ablagerung charakteristisch, indem es sich am Lierberge bei Hausdorf und bei der Oberförsterei zu Volpersdorf unter gleichen oder ähnlichen Lagerungsverhältnissen wiederholt.

Der Leer- oder Lierberg, südöstlich von Hausdorf bei der Oberförsterei »die Tränke« gelegen, besteht, wie man sich trotz der ihn deckenden, sehr üppigen Vegetation wenigstens stellenweise überzeugen kann, nicht nur aus einem Jaspis-artigen Gestein, wie alle Geognosten bisher angenommen haben, sondern aus jenem bereits von Eule aufgeführten Dolomit, in welchem allerdings der Quarzgehalt stellenweise so zunimmt, dass daraus ein Jaspis-artiges Gestein hervorgeht; die im Ueberschuss vorhandene Kieselsäure hat sich in offenen Trümmern in Krystallen abgesetzt und einer Erhöhung am Abhang des Berges den Namen Diamantfelsen verschafft. Die ganze Bildung ist daher nicht so aufzufassen, wie Roth in seinen Erläuterungen zur geologischen Karte vom Niederschlesischen Gebirge[1] gethan, dass Jaspis das Hauptgestein sei, in welchem eine aus Kalkspath und Schwerspath zusammengesetzte, Kupfererze führende Gangmasse auftritt, sondern das Hauptgestein ist ein häufig stark verkieselter Dolomit, welcher bei Köpprich sogar circa 40 pCt. kohlensaure Magnesia enthält, an verschiedenen Punkten zwischen Eule und Volpersdorf auftritt, immer an die Nachbarschaft von Gabbro und Serpentin gebunden ist und am Lierberge Kupfererze, am Johnberg südöstlich von Ober-Volpersdorf diese und Nickelerze eingesprengt führt.

---

[1] Roth's Erläuterungen S. 328.

Die Vergesellschaftung der genannten Gesteine findet gewissermaassen in dem Frankensteiner Serpentin-Gebirge ein Analogon.
Hier wie dort ist Serpentin an Gabbro gebunden; die Umgegend
von Frankenstein, namentlich Kosemütz und Gläsendorf, sind allen
Mineralogen wegen der dort vorkommenden Kieselerde-Ausschei-
dungen: Opal, Chalcedon, Chrysopras, Hornstein und der in
Nestern und Trümmern auftretenden kohlensauren Magnesia, Mag-
nesit, bekannt. · Offenbar steht die Ausscheidung der Kieselsäure
bei der Entstehung der kohlensauren aus kieselsaurer Magnesia
mit· der Serpentinisirung des Gabbros .im innigsten Zusammenhange; hier im Hausdorfer Gebirge finden sich die Kieselerde und
die kohlensaure Magnesia in den verkieselten Dolomiten wieder,
womit jedoch nicht behauptet werden soll, dass die letzteren ursprünglich Kohlenkalk gewesen und später in Folge der Serpentinisirung des Gabbros durch.Aufnahme von kohlensaurer Magnesia
in Dolomit umgewandelt worden seien. Die Annahme dürfte natür-
licher und wahrscheinlicher sein, dass diese Gesteine schon als
Dolomite abgelagert wurden, dass sie diesen oder jenen Stoff von
dem unterliegenden älteren Gabbro oder Serpentin auf irgend eine
Weise bei ihrer Entstehung überkommen und nur die Kieselsäure
nachträglich aufgenommen haben. Beiden Gebirgen, dem Haus-
dorf-Volpersdorfer und dem Frankensteiner, ist ferner der Nickelgehalt gemeinsam, welcher in letzterem als färbende Substanz des
Chrysopras, Opal und Pimelith enthalten, in den Dolomiten sich
ebenfalls nebst Kupfer durch die lebhaft grünen Farbenflecken verräth und noch im Ober-Carbon, im Felde der Neue-Ruben-Grube,
in einem Pimelith-ähnlichen Steinmark, welches Trümmer im
Schieferthon bildet, auftritt. In dessen Analyse[1]) ist zwar kein
Nickelgehalt, aber im Steinmark vom Obersteiger VÖLKEL Haar-
kies in feinen kurzen Nadeln entdeckt worden.

Nordwestlich vom Lierberg in dem Querthal, in welchem die
Oberförsterei »die Tränke« liegt, tritt Gabbro auf, zieht sich im
Liegenden des Lierberggesteins fort, durchsetzt das Köpprich-Thal
und erscheint nach kurzer ·Unterbrechung wieder links von der
von Volpersdorf nach Reichenbach führenden Chaussee. Dieser

---

[1]) Siehe WEISS, Zeitschr. d. D. geol. Ges. 1880, .S. 445.

Gabbro steht an der Richter-Lehne im Liergrunde in schönen
Varietäten an; als Begleiter desselben findet sich im Köhlergrund
bei Hausdorf Schillerfels, welcher in der Vollkommenheit der
Ausbildung des tafelförmig ausgeschiedenen Schillerspaths (Bastit)
dem bekannten Gestein von der Baste im Harz kaum nachsteht.
Der auf der Grenze zwischen Gneuss und Culm abgelagerte
Gabbro zieht sich von hier ins Köpprich-Thal, bildet dort zunächst noch eine grobkörnige Varietät und geht dann an der
Haferlehne in Serpentin mit vielen ausgeschiedenen Blättchen
von Diallag, mit Amianth, Chromeisen und Schwefelkies als
accessorischen Gemengtheilen über. Der Serpentin der Haferlehne
wird sowohl auf der nordöstlichen, als auch auf der südwestlichen
Seite von Dolomit begrenzt, so dass er als ein zwischen diesem
eingeschaltetes Lager erscheint. Am mächtigsten und vollständigsten aufgeschlossen ist der im Hangenden des Serpentins liegende
Dolomit des Köpprich-Thales, welcher eine Zeit lang als Zuschlag
auf der nahen Barbara-Eisenhütte Verwendung fand. Eine demselben untergeordnete Masse ist der ebendort vorkommende, mit
Quarz stark durchwachsene, sonst feinerdige Brauneisenstein. Derselbe ist jedenfalls eine secundäre Bildung, hervorgegangen aus
einem Gehalt des Dolomits an kohlensaurem Eisenoxydul. Das
Kalk- und Magnesia-Carbonat wurden gelöst und fortgeführt, das
Eisencarbonat dagegen als unlösliches Eisenoxydhydrat gefällt und
die innig mit den Carbonaten verwachsene Kieselerde blieb als
Skelet stehen. Die Trümmer von weissem Dolomitspath, welche
in grosser Zahl den Dolomit durchschwärmen, sind ebenfalls von
secundärer Bildung.

Die südöstlich an die Haferlehne sich anschliessende Eisenkoppe besteht dagegen aus Gneuss, und da oberhalb derselben
und seitwärts die von Hausdorf erwähnten weissen Conglomerate
schon von ferne sichtbar auftreten, so bildet die Eisenkoppe eine
zum Theil von der Hauptmasse des Eulengebirgs-Gneusses getrennte und von Culmgesteinen umgebene Gneussinsel[1]). Der

---

[1]). Die Eisenkoppe besteht aus 2 Bergen, die vordere und die hintere Eisenkoppe; an die erstere schliesst sich die Haferlehne als Vorhöhe an. Gneuss

Dolomit im Liegenden der Haferlehne ist, wenn auch auf der Oberfläche in der ganzen Erstreckung nicht überall sichtbar, mit dem Dolomit des Johnberges nördlich von Colonie Waldgrund in Verbindung zu denken, von wo er sich noch bis zum südöstlich anstossenden Pressberg forterstreckt, hier aber seine Endschaft erreicht. Da die Dolomitlager vom Lierberge und vom John- und Pressberge noch in das Gebiet des Gneuss der geologischen Karte fallen, so wird bei den künftigen Karten die Grenze zwischen ihm und Culm weiter ins Liegende zurückverlegt erscheinen.

Auf dem Gneuss der Eisenkoppe ruhen Conglomerate, welche bis zur Colonie Waldgrund verfolgt werden können. Es ist schon weiter oben bemerkt worden, dass entscheidende Gründe für ihre Zutheilung zum Culm nicht beigebracht werden können; will man sie nicht als Culm-Conglomerate gelten lassen, so sind es doch die Dolomite, welche unzweifelhaft zum Culm gehörend, als schwache, zum Theil unterbrochene Glieder, eine Verbindung zwischen dem Hausdorfer und Glätzer Culm herstellen. Der letzte bemerkenswerthe Punkt im Culmgebiet vor der Colonie Waldgrund, von wo ab die Ausbildung dieser Etage sich vollständig ändert, liegt in der Nähe der Volpersdorfer Oberförsterei. Hier tritt nachstehende Gesteinsfolge auf:

a) Gneuss,
b) Serpentin und Gabbro,
c) Ober-Carbon;

zu diesen Gesteinen kommt am Quitzenberge ein schmutzig grünlichgrauer Feldspath-Porphyr hinzu, wogegen Serpentin und Gabbro fehlen, so dass sich folgendes Profil herausstellt:

---

kommt nur an der vorderen, in mangelhafter Entblössung anstehend, an der hinteren das grobkörnige Conglomerat vor. Das Auftreten des Letzteren, scheinbar im Liegenden dieses Gneusses, wird sich bei der Special-Aufnahme wohl als die Folge einer Verwerfung herausstellen, und mit dieser würde dann noch eine andere Erscheinung zu verknüpfen sein, welche auf eine, nach Ablagerung des Culm erfolgte Niveau-Veränderung schliessen lässt, nämlich die Discordanz zwischen Culm und Ober-Carbon bei der Wenzeslaus-Grube zu Hausdorf (s. Profil derselben) und die schon früher von Tietze beobachtete bei der Fortuna-Grube zu Ebersdorf.

a) Gneuss,
b) Dolomit,
c) Feldspath-Porphyr,
d) Ober-Carbon.

Der Porphyr des Quitzenberges wird von Zobel und v. Carnall nicht erwähnt und ist auch auf der geologischen Karte von Niederschlesien nicht eingezeichnet; ebenso muss hier am Schluss in Bezug auf das Vorkommen von Gabbro und Serpentin erwähnt werden, dass diese Gesteine in dem in Rede stehenden Gebiet viel häufiger vorkommen, als es die geologische Karte vermuthen lässt, dass überhaupt das soeben in kurzen Zügen geschilderte, geologisch so überaus interessante Terrain bei einer späteren Darstellung im Maassstab von 1:25000 der neuen grossen geologischen Karte von Preussen und den Thüringischen Staaten ein viel mannigfaltigeres Bild gewähren wird, als die jetzige Karte, für welche der Maassstab von 1:100000 mit Rücksicht auf die hier obwaltenden geologischen Verhältnisse zu klein war, auch nur eine mangelhafte topographische Karte zu Grunde gelegt werden konnte.

Von Colonie Waldgrund ab gewinnen die Culm-Ablagerungen plötzlich in ihrer Forterstreckung nach Osten eine gewaltige Breite an der Oberfläche; jenseits Waldgrund treten weder Gabbro noch Serpentin, noch jene Dolomite mit ihren jaspisartigen Gesteinen mehr auf und damit fehlt auch jede Spur einer weiteren Verbreitung der Nickelverbindungen. An dem südlich von dem zuletzt erwähnten Vorkommen von Gabbro und Serpentin in der Nähe der Volpersdorfer Oberförsterei belegenen Glatzhübel tritt der Gabbro zum letzten Male auf; er ist hier an der Oberfläche zwar nur in zerstreuten Blöcken nachweisbar, aber mit dem Ambrosius-Stolln (siehe später Fortunagrube bei Ebersdorf) durchfahren worden. Weiter östlich ist ein Auftreten dieser Gesteine im Bereich des Culm nicht bekannt. Das Gabbro- und Serpentingebirge zwischen Frankenstein und Wartha, geologisch noch zum Eulengebirge gehörig und wahrscheinlich von gleichzeitiger Bildung mit den bisher besprochenen Gabbro- und Serpentingesteinen, wird von den eben beschriebenen Culmschichten durch Silur und Diluvium geschieden und kommt hier nicht mehr in Betracht.

Erzführung.

In alten Zeiten wurde am Lierberge ein Bergbau auf Kupfer getrieben und nach den zahlreichen Schachtpingen zu urtheilen, welche in dem den Lierberg bedeckenden Walde zu sehen sind, kann derselbe nicht unbedeutend gewesen sein. Als Gegenstand der Gewinnung werden Kupferkies, Malachit und Bleiglanz, als Gangarten Schwerspath, Kalkspath, Braunspath genannt; von einer räumlich abgeschlossenen gangartigen Lagerstätte ist jedoch hier nicht die Rede. Ein in den fünfziger Jahren mit ungenügenden mechanischen Mitteln zur Wasserhaltung erneuerter Versuch war aus diesem Grunde nicht von langer Dauer.

Bergmännische Schürfarbeiten über Tage ergaben, dass der Dolomit des Johnberges Spuren von Kupfererzen, von Nickel-, Kobalt- und Chromverbindungen enthält, weshalb das Vorkommen unter dem Namen Theodor, Nickel-, Kobalt- und Chromerz-Bergwerk gemuthet und verliehen wurde. Ein weiterer Angriff hat noch nicht stattgefunden.

3. Die Culmschichten zwischen Volpersdorf, Silberberg und Glatz.

Dieselben liegen von Colonie Waldgrund bis Silberberg auf Gneuss, von Silberberg über Herzogswalde, Wiltsch, Eichau bis Königshain auf Silur und von hier bis Eckersdorf und Roth-Waltersdorf auf Urthonschiefer. Nur auf der Erstreckung zwischen Volpersdorf und Ebersdorf und von Colonie Leppelt bis Eckersdorf lagert auf dem Culm das Ober-Carbon, sonst das Rothliegende; im mittleren Theile des Culmgebietes war auf der damaligen Oberfläche eine- von Nordwest nach Südost gerichtete Einsenkung durch Erosion entstanden, die Roth-Waltersdorf-Gabersdorfer Bucht, welche ebenfalls durch das Rothliegende ausgefüllt worden ist.

Im Allgemeinen treffen wir auch in diesem Gebiete nur die bisher beschriebenen Culmgesteine; die groben Conglomerate sind indess hier weniger häufig, als im nördlichen Gebiet, die Grau-

wackensandsteine herrschen vor, die Grauwackenschiefer gehören
zu den ungewöhnlichen Erscheinungen und auch der Thonschiefer
bildet nur untergeordnete Lager, indem er erst im Hangenden der
ganzen Ablagerung in der Nähe der Grenze mit dem Rothliegenden bei Roth-Waltersdorf und Gabersdorf, in den Höllengründen
westlich von Morischau und zwischen diesem Ort und Labitsch
nördlich von Glatz, wo die schroffen Wände des Neissethales in
diese Schiefer eingeschnitten sind, einige Bedeutung erlangt. Von
hier ziehen sich dieselben östlich bis Königshain und gehen hier
in schwarze Brandschiefer über, welche schon mehrfach zu Schurfarbeiten nach Steinkohlen verführt haben.

　　Im nördlichen Theile des Gebietes beginnt die Ablagerung mit
einem groben Conglomerat, gebildet aus grossen abgerundeten oder
eckigen Geschieben von Gneuss und Quarz, welche durch ein
glimmerreiches, kalkhaltiges Bindemittel verbunden sind; nach dem
Hangenden zu werden die Geschiebe kleiner, aus dem Conglomerat
wird ein kalkhaltiger Sandstein und aus diesem ein noch ziemlich
viel Glimmer und zerstreute kleine Brocken von Gneuss enthal-
tender Kalkstein, das von Colonie Waldgrund über Neudorf bis Silberberg zu verfolgende, theilweise sehr mächtige
Lager von Kohlenkalk. Der Kalkstein desselben ist dicht,
erlangt aber durch die späthigen Durchschnitte der häufig darin
vorkommenden Stielglieder von Crinoiden und Mollusken ein grob-
krystallinisches Aussehen mit unebenem Bruch, von bläulich- und
schwärzlich grauer Farbe und mit vielen Trümchen von weissem
Kalkspath. Seine Mächtigkeit beträgt bei Neudorf und Silberberg
mindestens 20^m; sein Streichen geht von Waldgrund bis Neudorf
in h. 8—9, von Neudorf bis Silberberg in h. 6, sein nach Süden
gerichtetes Fallen beträgt 40—50^0. Zobel und v. Carnall erwähnen, dass diesem Lager eine wellenförmige Biegung und
Knickung seiner Schichten eigenthümlich ist, welche am ausge-
zeichnetsten in den oberen Bänken hervortritt und stellenweise
noch in die darüber liegenden Grauwackenschichten fortsetzt und
citiren dafür als Quelle L. v. Buch's Versuch einer minera-
logischen Beschreibung von Landeck. Abgesehen davon, dass an
den heutigen Bruchwänden von einer solchen Schichtenbiegung

Nichts zu bemerken ist, findet sich diese Angabe weder in dieser Beschreibung, noch in der Abhandlung: Von der Uebergangsformation mit einer Anwendung auf Schlesien, noch endlich in: Geognostische Beobachtungen auf Reisen, Theil I: Entwurf einer geognostischen Beschreibung von Schlesien. Von Ebersdorf wird in der zuerst genannten Beschreibung eine wellenförmige Ablagerung der Kalkschichten erwähnt und damit ist ganz unzweifelhaft der Nierenkalk oder Clymenienkalk der oberen Abtheilung des dortigen Devonkalkes gemeint. Der Kohlenkalk wendet sich an seinem östlichen Ende am Fuss des Spitzberges, welcher Werke der ehemaligen Festung Silberberg trägt, an dem Communicationswege von Silberberg nach Herzogswalde unter einem spitzen Winkel nach Westen und bildet dadurch einen südlichen Gegenflügel, welcher jedoch schwach entwickelt, auf einem grossen Theile seiner Erstreckung über Herzogswalde, Böhmisch-Waldvorwerk und Nieder-Neudorf das Zechenthal entlang bis Ober-Ebersdorf nicht sichtbar ist und erst zwischen dem Zechenthal und Ober-Ebersdorf als ein 20 m mächtiges Lager wieder zum Vorschein kommt, so dass früher hier eine ausgedehnte Gewinnung stattgefunden hatte. Das Streichen des Kohlenkalkes geht auf dem Südflügel bei Ebersdorf in h. 9—10, das Fallen beträgt 45—70°.

Kehren wir nun noch einmal nach dem Ausgangspunkt Waldgrund zurück, um dort die Schichtenfolge kennen zu lernen. Das Profil vom Kohlenkalk ins Liegende bis in den Gneuss zeigt folgende Gesteine: unter dem Kohlenkalk liegen grobe Conglomerate, zum Theil Gneussbreccien, unter denselben folgt der Dolomit des John- und Pressbergs, darunter ein schwaches Lager von Serpentin, nicht anstehend zu beobachten, aber durch lose herumliegende Stücke verrathen, und zuletzt Gneuss. Die Entfernung vom Kohlenkalk bis zum Dolomit beträgt 100—200 m. Geht man vom Waldgrunder Kohlenkalk ins Hangende, so trifft man ein aus mehreren schwachen und daher unbauwürdigen Bänken eines dichten, blau- bis schwärzlich grauen Kalkes bestehendes hangenderes Kalklager, welches nicht nur petrographisch, sondern auch paläontologisch vollständig mit den Kalkbänken an der Vogelkippe und zu Haus-

4

dorf übereinstimmt[1]). Es sind demnach zwei verschiedenaltrige
Kohlenkalk-Vorkommen zu unterscheiden und als α-Kalk und
β-Kalk zu verzeichnen. Zum α-Kalk gehört der ältere Kohlenkalk von Waldgrund, Neudorf und Silberberg und sein Gegenflügel bei Ebersdorf, zu den β-Kalken die Kalklager an der Vogelkippe, von Hausdorf, Glätzisch-Falkenberg, das hangende Lager
von Waldgrund und das von Roth-Waltersdorf. Die Verschiedenheit der α- und β-Kalke documentirt sich nicht nur in der gänzlich verschiedenen petrographischen Ausbildung, sondern auch in
dem verschiedenen Charakter der Fauna, indem, wie aus der weiter
unten aufgeführten Zusammenstellung der Niederschlesischen Kohlen-
kalk-Fauna nach den einzelnen Lokalitäten hervorgeht, Neudorf-
Silberberg mit Altwasser-Hausdorf von 120 Gesammt-Species nur
12 gemeinsam besitzen. Die bei Waldgrund auftretenden Gebirgsschichten bilden demnach folgendes Profil:

     a) Gneuss.
     b) Serpentin.
     c) Dolomit.
     d) Conglomerat und Breccien.
     e) Kohlenkalk (α).
     f) Grauwacke.
     g) Kohlenkalk (β).
     h) Grauwacke.

Am Ostende des Südflügels der Kohlenkalkmulde treten bei
Herzogswalde im Liegenden des Kohlenkalkes schwarze Kieselschiefer mit Graptolithen auf, welche zuerst 1837 durch Krug
von Nidda bekannt gemacht wurden und später auch noch von
Beyrich in etwa 1 Meile südlicher Entfernung am Pinkeberge
nahe dem Silberhof gefunden wurden[2]). Am Westende des Südflügels trennt ein aus Grauwackensandstein bestehendes Gesteins-
mittel den Kohlenkalk von dem darunter liegenden Lager ober-
devonischen Kalkes am Kalkberge zu Ebersdorf, welches

---

[1]) Nach Mittheilungen des Obersteiger Völkel, da die Lokalität jetzt unzugänglich ist.

[2]) Ztschr. d. d. geol. Gesellsch. Bd. V, pag. 671, u. Bd. VI, pag. 258 u. 650.

hier ebenfalls eine Erwähnung verdient, da es mit dem Culm in so nahe Berührung tritt.

Der Devonkalk von Ebersdorf ist an der Oberfläche nur auf eine Länge von 600—800 ᵐ sichtbar und streicht in h. 10—11; seine Mächtigkeit wird verschieden, nämlich zu 40—140ᵐ angegeben, weil das Liegende desselben nicht sichtbar ist. Derselbe besteht aus zwei verschiedenen Ablagerungen; die untere in der Mächtigkeit überwiegende besteht aus einem ·bläulich- mitunter grünlichgrauen, dickgeschichteten, petrefaktenarmen Kalkstein, die obere etwa 3 ᵐ mächtige Abtheilung aus dünngeschichteten, röthlichgrauen und dunkelrothen Kalkbänken, welche nicht nur durch schwache Lagen dunkelgrauer Schiefer· geschieden werden, sondern durch wellenförmig eingelagerte Schieferlamellen in Nierenkalke übergehen. Die bis jetzt ·von Ebersdorf bekannt gewordenen Petrefacten stammen vorherrschend aus der oberen Abtheilung (Clymenienkalk)[1].

Die häufigeren organischen Reste sind:

Phacops cryptophthalmus Emmr.
Clymenia undulata Münst.
　　》　*striata* Münst.
　　》　*laevigata* Münst.
　　》　*subarmata* Münst.
Orthoceras crassum A. Röm.
　　》　*cinctum* Münst.
Goniatites bümpressus v. Buch.
　　》　*Münsteri* v. Buch.
　　》　*sulcatus* Münst.
　　　　(= *G. retrorsus* v. Buch.)
　　》　cf. *Nehdensis* [2]) Kayser.
Turbo inflatus Münst.
Bellerophon sp.?
Cardiola retrostriata Keyserl.

---

[1] TIETZE: Ueber die devonischen Schichten bei Ebersdorf unweit Neurode in der Grafschaft Glatz. 1870.

[2] Neu, noch nicht von Ebersdorf beschrieben; Bergschul-Sammlung.

Die Kalklager von Oberkunzendorf und Ebersdorf gehören zwar beide dem Ober-Devon an, sind aber petrographisch und paläontologisch von so ungleicher Ausbildung, dass angenommen werden muss, dass ihre Ablagerungsgebiete von einander getrennt waren.[1])

Da in einem meilenweiten Umkreise kein weiteres Vorkommen devonischen Kalkes bekannt, hier mit demselben, allerdings in mangelhafter Entblössung, Gabbro und Feldspath-Porphyr so zum Vorschein kommen, dass es den Anschein gewinnt, als ob der Porphyr den Gabbro durchbräche, so liegt die Vermuthung nahe, dass dem Porphyr die Hebung des Kalklagers zuzuschreiben sei und der Gabbro dabei nur eine passive Rolle gespielt habe.

Die Lagerungsverhältnisse dieser beiden Eruptiv-Gesteine zum Devonkalk sind kurz folgende: Die Kalkschichten sind so abgelagert, dass sie einen Sattel mit steil unter Winkeln von 50—60⁰ einfallenden Flügeln bilden; die Fallrichtung beider Flügel und das Zusammenstossen derselben unter einem spitzen Winkel ist am nordwestlichen Ende des Bruches sehr deutlich sichtbar, auch der nach Nordost einfallende Flügel in ganzer Länge entblösst, während der entgegengesetzte von geringer Höhe zum Theil abgebaut, zum Theil verstürzt ist. Der Gabbro ist nur auf kurze Erstreckung am oberen Theil dieser südwestlichen Wand des Bruches sichtbar, da die tieferen Theile derselben durch hineingestürzten Abraum verdeckt sind. Derselbe erscheint hier in Schollen von mehreren Cubikfuss Grösse zertheilt, welche durch Kalktrümmer von einander getrennt sind; letztere gleichen zum Theil dem dichten, rothen Clymenienkalk, zum Theil bestehen sie aus feingebändertem Faserkalk, bei welchem die Faser normal zur Kluft steht. Alle Kalktrümmer sind Infiltrationen aus dem darüber liegenden Clymenienkalk, welcher hier noch mit mehreren Fuss Mächtigkeit den Gabbro überlagert. Der Feldspath-Porphyr, welcher nach TIETZE mit dem Kalk in unmittelbarer Berührung steht, ist im Bruch nicht sichtbar, aber mit dem tiefer liegenden Stolln zur Abführung der Wasser aus dem Bruch angetroffen

---

[1]) TIETZE a. a. O.

worden; derselbe ist ferner ausserhalb des Bruchs an der südwestlichen Wand, also, wie es scheint, im Hangenden des nach Südwesten einfallenden Sattelflügels am Wegeeinschnitt sichtbar und
man kann seine Forterstreckung von hier nach den Häusern von
Ebersdorf und darüber hinaus bis zum Steinberg, welcher aus
demselben Gestein besteht, verfolgen. Bei näherer Prüfung ist
man jedoch eher geneigt, dasselbe den Porphyr-Tuffen zuzutheilen,
denn es besitzt eine gewisse Aehnlichkeit mit den neuerdings mit
dem Bau der Eisenbahn von Neurode nach Glatz hoch am Gehänge des Walditzthales bei dem Dorfe Walditz eingeschnittenen
Porphyr-Tuffen, wenn auch die dort in der Grundmasse liegenden
kleinen Kugeln, welche aus einem dichten Thonstein bestehen, hier
weniger häufig sind.

Da also an der südwestlichen Bruchwand der Gabbro die
Unterlage des rothen Clymenienkalkes bildet, so muss man daraus
den Schluss ziehen, dass er älter als jener ist und selbst, wenn
man den Porphyr des Kalkberges nur als Tuff gelten lassen will,
so fehlt keineswegs die Ursache für das plötzliche Zutagetreten
des Devonkalkes, da der Porphyr-Tuff auf einen unmittelbar
darunter anstehenden Feldspath-Porphyr schliessen lässt, welchem
man die Hebung des Kalkes und des Gabbro zuschreiben darf.
Auf dem Devonkalk liegen in concordanter Lagerung Culmsand-
steine.

Südlich von dieser vom Kohlenkalk und den ihn im Hangenden und Liegenden begleitenden Sandsteinen gebildeten Mulde,
an welcher auch der Devonkalk mit einem Flügel Theil nimmt,
folgt ein Sattel, denn hier fallen die Schichten des Culm wieder
nach Süden. Tietze bemerkt darüber: »dass an der Grenze
zwischen Grauwacke und Rothliegendem keineswegs überall gleich-
altrige Schichten anzutreffen wären, was sonst der Fall ist, wenn
der Muldenrand der Ablagerungsbasis entspricht, vielmehr bean-
spruchen alle die Culmschichten, welche man der Grauwacken-
grenze von Ebersdorf nach Gabersdorf entlang gehend antrifft, ein
immer etwas jüngeres Alter, je mehr wir uns Gabersdorf nähern.«
Das Vorhandensein eines Sattels wird ausserdem durch das von
mir bereits 1864 in Gabersdorf in einem Hohlwege beobachtete

südliche, also nach dem Rothliegenden hin gerichtete Fallen der
Grauwackenschichten bewiesen; auch steht damit das steil nach
Süden gerichtete Einfallen der Schichten am Wege, welcher nach
dem Porphyrbruch am Sperlingsberge bei Gabersdorf ·führt, im
Einklange. Aus Allem geht hervor, dass auch die Bucht, in
welcher das Rothliegende von Roth-Waltersdorf und Gabersdorf
abgelagert wurde, kein Muldenthal, sondern ein Erosionsthal ist.
Dass in demselben auf den Culmschichten vor dem Rothliegenden
zunächst ächte Kohlensandsteine der productiven Abtheilung zur
Ablagerung gelangten, beweist das später noch zu erwähnende
Auftreten derselben an den Rändern der Bucht auf der Grenze
zwischen Culm und Rothliegendem. Das Erosionsthal hatte jedenfalls nur geringe Tiefe und dieser Umstand mag wohl auch der
Steinkohlenflötzbildung hindernd entgegengestanden haben, denn
es ist bis jetzt kein bauwürdiges Flötz hier erschürft worden. An
dem Südwestrande der Bucht erscheint zwischen Eckersdorf und
Colonie Leppelt von der grösseren vollständig getrennt eine Ablagerung von Culmschichten von sehr geringer Ausdehnung, gegen
Norden dem Südfuss des Gabbro-Zuges, gegen Süden den Urthonschiefern aufgelagert. Ihr Zusammenhang mit der Hauptablagerung
ist in südöstlicher· Richtung nach Neuhof hin zu denken. West-
wärts liegt auf derselben das Ober-Carbon von Eckersdorf, ostwärts
trennt ein gangförmig auftretender, unbestimmter Grünstein dieselbe vom Rothliegenden. ·

    Im südlichsten Theil der Ablagerung, also in den hangendsten
Schichten, befindet sich der seit längerer Zeit bekannte Fundpunkt
von Culmpflanzen und Kohlenkalkfossilien auf dem Wege, welcher
von Roth-Waltersdorf nach Böhmisch Waldvorwerk hinaufführt.
Die organischen Reste liegen in einem milden, feinen, grünlich-
·braunen Schiefer, ähnlich den ·petrefactenreichen Schichten der
Vogelkippe bei Altwasser. Ein zweites Vorkommen findet sich
im Fortstreichen südöstlich von Ober-Gabersdorf, von welchem
jedoch keine Petrefacten bekannt sind.

    Wie auf der Grenze mit dem Gneuss des Eulengebirges Do-
lomite, so treten auf der Grenze mit den Urthonschiefern nördlich

von Glatz Kalklager auf, welche erst hier eine Erwähnung finden,
weil aus ihnen keine organischen Reste bekannt, dieselben also
ohne wissenschaftliche Bedeutung sind. Zu ihnen gehören das
nordwestlich von Neuhof, das zwischen Neuhof und Wiesau, das
nördlich von Hollenau und das zwischen Halbendorf und Glatz
liegende Kalklager; nach ihren Lagerungsverhältnissen zu urtheilen,
sind sie als Kohlenkalke zu betrachten.

Eruptiv-Gesteine.

Als ein solches wäre nur der Feldspath-Porphyr vom Sper-
lingsberge zu Gabersdorf zu erwähnen, weil dieser das einzige
Eruptivgestein ist, welches im Culm zwischen Waldgrund, Silberberg und Glatz vorkommt, während der der Steinkohlenformation
zur Unterlage dienende Gabbro des Hauptzuges nur bei Colonie
Leppelt auf kurze Erstreckung mit dem Culm in Berührung tritt.
Der Gabersdorfer Porphyr ist grünlichgrau mit 2—5^{mm} grossen
Ausscheidungen eines fettglänzenden, schwärzlichen Minerals von
Talkhärte. Dass die Culmschiefer in seinem Hangenden ein
stärkeres Fallen als die im Liegenden befindlichen, stellenweise
sogar eine senkrechte Stellung zeigen, erwähnen auch ZOBEL und
v. CARNALL und scheinen damit andeuten zu wollen, dass die
steile Stellung durch den heraufbrechenden Porphyr hervorgerufen
worden ist; dies dürfte nur zum Theil richtig sein, die steile
Schichtenneigung scheint eine allgemeinere, auf den ganzen südlichen Theil des Schichtensytems sich erstreckende Erscheinung
zu sein.

Der Gabbro-Zug bei Neurode. Der Gabbro bildet vom
Kupferhübel bei Kohlendorf bis Colonie Leppelt einen etwa
$^3/_4$ Meilen langen und $^1/_4$ Meilen breiten, in h. 10 gerichteten
Höhenzug. Was die Petrographie der denselben zusammen-
setzenden Varietäten des Gabbros betrifft, so wird auf die leider
unvollendet gebliebene Abhandlung von G. ROSE[1]), auf die sich

---

[1]) Ueber die Gabbro-Formation bei Neurode in Zeitschr. d. D. geol. Ges.
Bd. XIV.

anschliessende von WEBSKY[1]) und auf ROTH's Erläuterungen zur
geognostischen Karte vom Niederschlesischen Gebirge verwiesen.
Hier soll nur kurz erwähnt werden, dass 4 Varietäten: 1. Brauner
Gabbro, 2. Grüner Gabbro, 3. Anorthit-Gestein (Forellenstein)
nebst Serpentin und 4. das Gestein der Schlegeler Berge unterschieden werden und dass nach den Beobachtungen G. ROSE's
der grüne und braune Gabbro trotz ihrer petrographischen Verwandtschaft nicht in einander übergehen, dass sie, obgleich sie auf
eine grosse Strecke an einander grenzen, auch rücksichtlich ihrer
Lagerung streng geschieden sind und dass auch keine Uebergänge
aus dem Schlegeler Gestein in die übrigen Gabbro-Varietäten beobachtet werden können, sowie, dass nach den Beobachtungen
TIETZE's, welcher an der Strasse von Leppelt nach Ebersdorf
das gangförmige Auftreten und anderwärts das Vorkommen von
Brocken einer Gabbro-Varietät in der anderen entdeckte, wohl unzweifelhaft ist, dass die 4 Varietäten von verschiedenem Alter sind,
jedoch so, dass die Zeitpunkte ihres Hervortretens auf die Oberfläche in der Hauptsache in eine geologische Periode gehören.
Die frühere Ansicht, nach welcher der Gabbro erst nach Ablagerung der Steinkohlen-Formation hervorgetreten und die Schichten
der letzteren auf der Contactfläche verändert habe, welcher auch
G. ROSE beitrat, hat sich als eine irrige erwiesen, und die für
diese Ansicht vorgeführten Gründe sind bereits von TIETZE vollständig widerlegt worden. Von den Grenzschichten zwischen Gabbro
und Ober-Carbon, welche vor etwa 40 Jahren mit einem in
der Sohle des 44,7 m tiefen Versuchschachtes der alten Ruben-
Grube ins Liegende bis in den Gabbro getriebenen Querschlage
durchörtert worden sind und welche für die Einwirkung der Hitze
des plutonischen Gesteins Zeugniss ablegen sollten, besitzt auch
die hiesige Bergschul-Sammlung Proben. Der Holzschnitt auf folgender Seite giebt ein Bild der hierbei erhaltenen Aufschlüsse.

---

[1]) Ueber Anorthit, Hypersthen und Diallag in Gabbro von Neurode in
Zeitschr. d. D. geol. Ges. Bd. XVI.

Profil *c*.

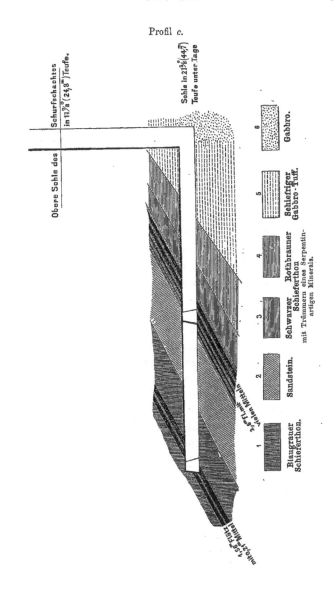

Die Abweichungen in der Beschaffenheit der untersten Schieferthone gegen normale gleichnamige Gesteine bestehen in der Hauptsache, da die Farben nicht entscheiden, nur in dem geringeren
Grade der Schiefrigkeit, in dem Auftreten von schmutzig-zimmt-
braunen Körnchen von Kalkspath in Nadelkopfgrösse und von
einem grünen talkartigen Mineral in Trümmern im schwärzlich-
grauen Schieferthon. Zwischen den untersten Schiefern und Gabbro
liegt ein schiefriges, serpentinartiges Gestein von hellapfelgrüner
Farbe, welches ebenfalls braune Kalkspathkörnchen enthält. Der
zunächst der Grenze erreichte Gabbro macht ganz den Eindruck
eines verwitterten, ausgelaugten Gesteins, ähnlich dem der bald zu
erwähnenden Gabbro-Geschiebe im productiven Steinkohlengebirge.
Der Labrador ist grünlichweiss und matt, der Diallag hellgrün,
glanzlos, mit bedeutend geringerer Härte als beim normalen Gabbro;
an einzelnen Stellen beweist ein schwaches Brausen, dass der kiesel-
saure Kalk des Labradors in kohlensauren Kalk übergegangen ist.
Alles deutet auf eine Umwandlung der Schichten auf der Gesteinsscheide auf nassem Wege. Der Gabbro war bereits als Höhenzug
vorhanden, als die ersten Schichten der Steinkohlen-Formation
abgelagert wurden; der Fuss seiner Höhen wurde vor dieser
Ablagerung mit dem aus seiner Verwitterung hervorgegangenen
Detritus, mit jenem schiefrigen, serpentinartigen Gestein, wie der
Feldspath-Porphyr von seinen Tuffen in der Umgegend Walden-
burgs bedeckt und mantelförmig umlagert; darauf folgten Schieferthone und diese nahmen nach ihrer Ablagerung allmählich aus den
circulirenden Gewässern kohlensauren Kalk auf, welcher aus der
Zersetzung des Labradors herrührt. Einen schlagenden Beweis
für dieses Alter des Gabbros lieferte das beim Stollnbetriebe der
Glückauf-Carl-Grube bei Ebersdorf beobachtete Vorkommen von
0,03—0,26ᵐ grossen Geschieben von Gabbro im Steinkohlensandstein und Schieferthon in der Nähe einer mit demselben Stolln
angefahrenen Gabbromasse. Das Verdienst, auf dieses für das
geologische Alter des Neuroder Gabbros entscheidende Vorkommen
aufmerksam gemacht zu haben, gebührt jedoch nicht HERTER und
PORTH, wie in der Zusammenstellung der Quellen-Literatur bei
Roth S. XII scheint und von TIETZE angenommen worden ist,

sondern dem kürzlich in Fürstenwalde verstorbenen Bergrath
WEISS, damaligem Revierbeamten des Neuroder Reviers[1]). Für
ein gleiches Alter sprechen die schon von ZOBEL und von CAR-
NALL im Steinkohlengebirge an der Nordwestseite des Lierberges
bei Hausdorf beobachteten Gabbro-Geschiebe.

Ferner wird zur Beurtheilung des Alters desselben noch angeführt, dass im Liegenden der Schichten des productiven Steinkohlengebirges, welche von Buchau über Schlegel nach Eckersdorf streichen
und dem Gabbro aufgelagert sind, vom Kupferhübel an mit geringen
Unterbrechungen bis Eckersdorf sich ein schmutzigrothes Gestein
befindet, welches von der Barbara-Hütte zu Köpprich wegen seiner
Aehnlichkeit mit Thoneisenstein bergmännisch untersucht worden
ist. Unter demselben sind nördlich des Dorfes Schlegel einzelne
Knollen von Gabbro mit Körnern von Titaneisen gefunden worden.
Weiter nach Süden stellen sich neben dem rothen Gestein Conglomerate ein und im Liegenden des untersten Flötzes der Frischauf-
Grube bei Eckersdorf treten in denselben einige Lager von Thoneisenstein mit braunem Glaskopf auf. Es muss dahingestellt bleiben,
ob diese Gesteine noch zum Ober-Carbon gehören, oder ob sie
im Zusammenhange mit den unzweifelhaften Culmgesteinen zu
denken sind, welche sich am Südende des Gabbrozuges anlegen.

Im Volpersdorf-Schlegeler Gabbro finden sich nur selten
Spuren von Erzen, und es sind in dieser Beziehung nur Kupferkies, Kupferpecherz nnd Fahlerz zu nennen.

4. Die von der Hauptmasse getrennten Culm-Ablagerungen.

Als insularisch auf dem Gneuss des Eulengebirges liegende,
von der Hauptmasse getrennte Ablagerungen von Culmschichten,
sind schliesslich noch drei zu nennen:

1. die von Wüste-Waltersdorf,
2. die von Stein-Kunzendorf und
3. die von Friedersdorf.

---

[1]) Wochenschrift des Schles. Vereins für Berg- und Hüttenwesen. Jahrg. I.
No. 1. (1859.)

Auffallender Weise stellt sich mit diesen Culmschichten auch
der Gabbro wieder ein, denn die zuerstgenannte, zwischen Wüste-
Waltersdorf und Grund belegene Culm-Insel wird ausser von
Feldspath-Porphyr noch an 3 Stellen von Gabbro durchbrochen[1]).

Ebenso findet sich Serpentin im Culm von Stein-Kunzendorf
und Feldspath-Porphyr im Culm von Friedersdorf. Alle 3 Punkte
liegen auf dem nördlichen und nordöstlichen Abfall des Hohen
Eulenkammes; die erstgenannte Insel, auf dem Stenzel- und Mühl-
Berge in circa 530^m Höhe gelegen, steht ihrer Höhe nach doch
noch gegen die höchste Erhebung der Hauptablagerung des Culm
am Lierberge bei Hausdorf, welcher circa 565^m Höhe besitzt, zurück.
Kalklager sind in diesen vereinzelten Ablagerungen nicht bekannt.
Die wegen mangelnder Aufschlusspunkte nur in geringer Zahl bekannt gewordenen fossilen Pflanzen dieser Ablagerungen zeugen
für ein genau gleiches Alter derselben mit den Hauptablagerungen.

Wenn wir zum Schluss noch einen Rückblick auf den Gabbro
werfen, für welchen die Grafschaft Glatz gewissermaassen ein
klassischer Boden ist, so kann man nach seinem Vorkommen im
Ebersdorfer Kalkbruch, wo er von einem Theil des Devonkalkes
(Clymenienkalk) überlagert wird, wenn man die Vorstellung eines
gewaltsamen Einpressens desselben zwischen die bereits vollständig
abgelagerten Schichten des Kalkes zurückweist und der einfacheren
und natürlicheren Vorstellung, nach welcher der Gabbro nach
Ablagerung der unteren und vor Ablagerung der oberen Abtheilung
des Kalklagers auf die damalige Oberfläche trat, den Vorzug giebt,
für welche auch die Beschaffenheit der den Gabbro überlagernden
Kalkschichten spricht, dem Gabbro nur im Ober-Devon seine
geologische Stellung einräumen. Damit steht das Vorkommen bei
Eckersdorf als Unterlage des Culm, an der Volpersdorfer Oberförsterei und bei Hausdorf zwischen Gneuss und Culm resp. Ober-
Carbon im Einklange, und selbst das Auftreten des Gabbros mitten
im Culm widerspricht dieser Auffassung nicht, wenn man annimmt,

---

[1]) Auf ein Vorkommen von Serpentin bei Dorfbach in der Nähe von
Wüste-Waltersdorf hat schon L. v. Buch in seinem Entwurf einer geognostischen
Beschreibung von Schlesien 1802 aufmerksam gemacht.

dass die Culmschichten den bereits vorhandenen Gabbro ähnlich wie bei Ober-Kunzendorf den Kalkstock umlagerten; so genau sind die gegenseitigen Lagerungs-Verhältnisse zwischen Gabbro und Culm nicht allerorts bekannt, um diese Annahme als eine unbegründete hinstellen zu können. Im anderen Falle wäre ein älterer und jüngerer Gabbro zu unterscheiden, von denen der erstere dem Ober-Devon, der letztere dem Culm angehört.

Die organischen Ueberreste des Culm.

Da die von SEMENOW unternommene Beschreibung der Fauna des schlesischen Kohlenkalkes[1] schon nach dem Erscheinen der ersten, die Brachiopoden behandelnden Abtheilung ihren Abschluss fand, sonst über dieselbe nur noch wenige kurze Notizen sich in der Literatur vorfinden, so erscheint es wünschenswerth, aus einer Zusammenstellung der in den vorstehend beschriebenen Ablagerungen auftretenden organischen Reste, bei welcher hauptsächlich die in dieser Beziehung sehr vollständige Sammlung der hiesigen Bergschule zum Anhalten genommen wurde, den Charakter dieser Fauna kennen zu lernen, und da der Kohlenkalk von Neudorf-Silberberg im Vergleich zu den schwachen Kalkbänken bei Hausdorf, Altwasser etc. gewisse Abweichungen in petrographischer und paläontologischer Beziehung darbietet, so wurde das Vorkommen der organischen Reste nach den Lokalitäten getrennt angegeben. Die Niederschlesische Culmflora finden wir in den so verdienstvollen Arbeiten GÖPPERT's und STUR's beschrieben, ausser welchen noch die Abhandlung O. FEISTMANTEL's: Das Kohlenkalk-Vorkommen bei Roth-Waltersdorf in der Grafschaft Glatz und dessen organische Einschlüsse[2] zu nennen ist.

---

[1] Zeitschr. d. D. geol. Ges. Bd. VI.
[2] Zeitschr. d. D. geol. Ges. Bd. XXV.

Die organischen Reste der I. Stufe.

a. Die Fauna.

No.	Namen	Vogelkippe bei Altwasser	Hausdorf	Glätz.-Falkenberg	Weifengrund bei Rudolphswalde	Neudorf und Silberberg	Roth-Waltersdorf	Stein-Kunzendorf
	Trilobiten:							
1	Phillipsia globiceps Barr.		—					
2	» Derbyensis de Kon.						—	
	Cephalopoden:							
3	Goniatites mixolobus Phill.		—				—	
4	» crenistria »				—		—	
5	» sphaericus de Haan		—					
6	Orthoceras striolatum H. v. M.		—	—			—	
7	Nautilus bilobatus Sow.			—				
	Gastropoden:							
8	Nerita spirata Sow.		—					
9	» rugosa de Kon.		—					
10	Macrocheilus sp.?		—					
11	Euomphalus Dionysii Bronn.	—	—					
12	» pentangulatus Sow.		—					
13	» catillus Sow.							—
14	» fallax de Kon.		—				—	
15	Bellerophon decussatus Flemm.	—						
16	» Urii »		—					
17	» hiulcus Sow.						—	
18	Murchisonia striatula de Kon.	—						
19	Chemnitzia Lefebvrei Lev.		—					
20	» rugifera Phill.		—					
21	Pleurotomaria Yvanii Lev.		—					

No.	Namen	Vogelkippe bei Altwasser	Hausdorf	Glätz.-Falkenberg	Weitengrund bei Rudolphswalde	Neudorf und Silberberg	Roth-Waltersdorf	Stein-Kunzendorf
	Pelecypoden:							
22	Pecten ellipticus Phill.	—	—	.	.	.	.	.
23	» granosus Sow.	—	.	.	.	.	.	.
24	» cf. aurilaevis A. Röm. . .	.	.	.	.	.	—	.
25	Aviculopecten papyraceus M. Coy .	.	—	.	.	.	.	.
26	Posidonomya Becheri Bronn. . .	(Bögendorf)	.	—	.	—	.	.
27	» vetusta Sow. . . .	—	—	.	.	.	.	.
28	Cucullaea sp.?	.	—	.	.	.	.	.
29	Arca sp.?	.	.	.	.	—	.	.
30	Anthracosia sp.?	—	—	.	.	;	—	.
31	Cypricardia sp.?	.	—	.	.	.	.	.
32	Conocardium hibernicum Sow. . .	.	—	.	.	.	.	.
	Brachiopoden:							
33	Terebratula sacculus Mart. . . .	.	—	—	.	—	.	.
34	» elongata Schi. . . .	.	—	—	.	.	.	.
35	» hastaeformis de Kon. .	.	—	—	.	.	.	.
36	» sulci-sinuata Sem. . .	.	—	.	.	.	.	.
37	» cf. serpentina de Kon.	.	—	.	.	.	.	.
38	Spirifer triangularis Mart. . . .	.	—	.	.	.	.	.
39	» costato-concentricus Sem. .	.	—	.	.	.	.	.
40	» crispus L. v. B.	.	—	—	.	.	.	.
41	» insculptus Phill.	.	—	—	.	.	.	.
42	» trisulcosus Phill.	.	—	—	.	.	.	.
43	» mesogonius M. Coy. . . .	.	—	.	.	.	.	.
44	» Beyrichianus Sem. . . .	.	—	—	.	.	.	.
45	» rugulatus v. Kut. . . .	—	.	.	.	.	.	.
46	» trigonalis Sow.	.	—	.	.	.	.	.
47	» semicircularis Phill. . . .	.	—	.	.	.	.	.
48	» bisulcatus Sow.	—	.	.	.	.	.	.
49	» rotundatus Mart.	.	—	—	.	.	.	.
50	» striatus Mart.	.	—	—	.	—	.	.

No.	Namen	Vogelkippe bei Altwasser	Hausdorf	Glätz.-Falkenberg	Weitengrund bei Rudolphswalde	Neudorf und Silberberg	Roth-Waltersdorf	Stein-Kunzendorf
51	Spirifer duplicicosta Phill.	—	·	·	·	·	·	·
52	» glaber Mart.	·	—	—	·	—	·	·
53	» lineatus Mart.	—	—	·	·	·	·	·
54	» pinguis Sow.	—	—	·	·	·	·	·
55	Spirigera Roissyi Lév.	·	—	—	·	·	·	·
56	» planosulcata Phill.	·	·	—	·	—	·	·
57	» squamifera de Kon.	—	·	·	·	·	·	·
58	Rhynchonella pugnus Mart.	·	—	·	·	·	·	·
59	» acuminata Mart.	·	—	·	·	·	·	·
60	» subdentata Sow.	—	·	·	·	·	·	·
61	» pleurodon Phill.	·	·	·	·	·	—	·
62	Atrypa concentrica Conr.	·	—	·	·	·	·	·
63	Orthis resupinata Mart.	·	—	—	·	·	·	·
64	» interlineata Sow.	·	—	—	·	·	·	·
65	» Keyserlingkiana de Kon.	—	·	·	·	·	·	·
66	» Lyelliana de Kon.	—	·	·	·	·	·	·
67	» Michelini Lév.	—	—	—	·	·	·	·
68	Orthisina crenistria Phill.	—	—	·	·	·	·	·
69	» arachnoidea Phill.	·	—	—	·	·	·	·
70	» Portlockiana Sem.	·	—	—	·	·	·	·
71	» quadrata M. Coy	·	—	·	·	·	·	·
72	Strophomena analoga (Lept. depressa) Phill.	·	—	—	·	·	·	·
73	Chonetes concentrica de Kon.	·	—	·	·	·	·	·
74	» papilionacea Phill.	—	—	—	·	—	—	·
75	» Dalmaniana de Kon.	·	—	·	·	·	·	·
76	» hemisphaerica Sem.	·	—	·	·	·	·	·
77	» perlata M. Coy	·	—	·	·	·	·	·
78	» Laguessiana de Kon.	—	·	·	·	—	·	·
79	» variolata d'Orb.	·	—	·	·	·	·	·

No.	Namen	Vogelkippe bei Altwasser	Hausdorf	Glätz.-Falkenberg	Weitengrund bei Rudolphswalde	Neudorf und Silberberg	Roth-Waltersdorf	Stein-Kunzendorf
80	Chonetes tricornis Sem.	—	.	.	.	.	.	.
81	» Ottonis Sem.	.	—	.	.	.	.	.
82	» Mac Coyana Sem.	.	—	—	.	.	.	.
83	» Kutorgana Sem.	—	.	ı	.	.	.	.
84	» Koninckiana Sem.	.	—	—	.	.	.	.
85	Productus giganteus Mart.	—	—	—	.	—	—	.
86	» latissimus Sow.	—	.	.	.	.	—	.
87	» striatus Fisch.	—	ı	.	.	.	.	.
88	» Cora d'Orb.	—	—	.	.	.	.	.
89	» margaritaceus Phill.	.	—	—	.	.	.	.
90	» plicatilis Sow.	.	—	—	.	.	.	.
91	» expansus de Kon.	.	—	.	.	.	.	.
92	» semireticulatus Mart.	—	—	—	.	—	—	.
93	» Flemmingii Sow.	—	—	—	.	.	.	.
94	» Nystianus de Kon.	.	—	.	.	.	.	.
95	» tesselatus de Kon.	.	—	.	.	.	.	.
96	» scabriculus Mart.	.	—	.	.	—	.	.
97	» Humboldtii d'Orb.	.	—	.	.	.	.	.
98	» pustulosus Phill.	.	.	.	.	.	—	.
99	» punctatus Mart.	—	—	—	.	—	.	.
100	» fimbriatus Sow.	—	—	—	.	.	.	.
101	» granulosus Phill.	.	—	—	.	.	.	.
102	» papillatus de Kon.	.	—	.	.	.	.	.
103	» aculeatus Mart.	.	—	.	.	.	.	.
104	» mesolobus Phill.	—	—	.	—	.	.	.
105	Orbicula concentrica de Kon.	—	.	.	.	.	.	.
106	» Ryckholtiana de Kon.	—	—	.	.	.	.	.
107	» quadrata M. Coy	.	—	.	.	.	.	.
108	» excentrica Sem.	.	—	—	.	.	.	.
109	» nitida Phill.	.	—	.	.	.	.	.

No.	Namen	Vogelkippe bei Altwasser	Hausdorf	Glätz.-Falkenberg	Weitengrund bei Rudolphswalde	dörf und Silberberg	Roth-Waltersdorf	Stein-Kunzendorf
	Radiaten:							
110	Palaechinus (Archaeocidaris) sp. ? . .	—	.	.	.	.	.	.
111	Melonites sp. ?	—	.	.	.	.	.	.
112	Poteriocrinus Bockschii Gein.[1) . . .	—	.	.	.	.	.	.
113	» crassus Mill.	.	—	.	.	.	.	.
	Korallen:							
114	Gorgonia retiformis Schl.	—	.	.	:	.	.	.
115	Zaphrentis cornu copiae E. u. H. . .	—	—	.	.	.	—	.
116	Cyathophyllum plicatum Gldf. . . .	—	.	.	.	.	.	.
117	» sp. ?	.	—	.	.	.	.	.
118	Cariophyllia fasciculata Flemm. . .	—	.	.	.	.	.	.
119	Aulopora sp. ?	.	—	.	.	.	.	.
120	Syringopora sp. ?	.	—	.	.	.	.	.

[1) In GEINITZ's Grundriss der Versteinerungskunde abgebildet, aber nicht beschrieben.

b. Die Flora.

No.	Namen	I. Gebiet.				II. und III. Gebiet.				IV. Gebiet.			
		Rudelstadt	Landeshut	Altwasser	Bögendorf Reussendorf Gablau	Glätz.-Falkenberg	Weitengrund	Hausdorf	Roth- /Märsdorf	…rf	…to-	Friedersdorf	Stein-Kunzendorf
	Farne:												
1	? *Sphenopteris (Diplotmema) elegans* Brg. [1] .	.	.	.	.	.	.	.	—	.	.	.	.
2	» *distans* Stbg. .	.	—	.	.	.	.	.	—	.	—	.	.
3	*Sphenopteris lanceolata* Ettgsh. (*Diplotmema Ettingshauseni* Stur) .	.	.	.	.	.	.	.	.	.	.	.	.
4	? *Sphenopteris (Diplotmema) obtusiloba* Brg. . .	.	—	.	.	.	.	.	.	.	.	.	.
5	» *foliolatum* Stur . .	.	.	.	.	.	.	.	—	.	.	.	.
6	*Hymenophyllites (Diplotmema) Gersdorfii* Göpp. . . .	.	—	.	.	.	.	.	.	.	.	.	.
7	*Rhodea (Diplotmema) patentissima* Ettgsh. . .	.	.	.	.	.	.	.	—	.	.	.	.
8	*Sphenopteris refracta* Göpp. . . .	.	.	.	.	—	.	.	—	.	.	.	.
9	» *lanceolata* Gtb. . . .	.	.	.	.	.	.	.	—	.	.	.	.
10	» *crithmifolia* Lindl. . .	.	.	.	.	.	.	.	—	.	.	.	.
11	» *petiolata* Göpp. . . .	.	.	.	.	.	.	.	.	—	.	.	.
12	» *confertifolia* Göpp. . .	.	.	.	.	.	.	.	—	.	.	.	.
13	» *Römeri* O. Feistm. . .	.	.	.	.	.	.	.	—	.	.	.	.
14	? » *Asplenites* Gtb. . . .	.	.	.	.	.	.	.	—	.	.	.	.
15	» *Höninghausi* Brg. (*Calymmotheca Falkenhayni* Stur)	.	.	.	.	.	.	.	—	.	.	.	.
16	? » *Gravenhorstii* Brg. . .	.	.	.	.	.	.	.	—	.	.	.	.

[1] Zweifelhaft, nicht mehr in der Breslauer Universitäts-Sammlung vorhanden.

No.	Namen	Radelstadt	Landeshut	Altwasser	Bögendorf Reussendorf Gablau	Glätz.-Falkenberg	Weitengrund	Hausdorf	Roth-Waltersdorf	Wüste-Waltersdorf	Friedersdorf	Stein-Kunzendorf
		I. Gebiet.				II. und III. Gebiet.				IV. Gebiet.		
17	Hymenophyllites asteroides O. Feistm.	·	·	·	·	·	·	·	—	·	·	·
18	? » stipulatus Göpp. . .	·	·	·	·	·	·	·	—	·	·	·
19	» Schimperi Göpp. .	·	·	—	·	·	·	·	—	·	·	·
20	Rhodea (Trichomanites) Machaneki Ettgsh.	·	·	·	·	·	·	·	—	—	·	·
21	Hymenophyllites (Trichomanites) rigidus O. Feistm. . .	·	·	·	·	·	·	·	—	·	·	·
22	? » furcatus Brg. . . .	·	·	·	·	·	·	·	—	·	·	·
23	Neuropteris antecedens Stur . . .	·	·	·	·	·	·	—	—	·	·	·
24	Cyclopteris (Archaeopteris) dissecta Göpp.	·	·	·	·	·	:	—	—	·	·	·
25	» inaequilatera Göpp. . .	·	·	·	·	·	·	·	—	·	·	·
26	» frondosa Göpp. . . .	·	·	·	·	·	—	·	·	·	·	·
27	» polymorpha Göpp. . .	·	·	·	·	·	·	—	·	·	—	—
28	? Schizopteris lactuca Presl . . .	·	·	·	·	·	·	·	—	·	·	·
29	Adiantides tenuifolius Göpp. . . .	·	—	·	·	·	·	·	·	·	·	·
30	? Cyatheites Condolleanus Brg. . .	·	·	·	·	·	·	·	—	·	·	·
31	? Pecopteris (Asterocarpus) pteroides Brg.	·	·	·	·	·	·	·	·	·	·	·
32	Pecopteris stricta Göpp.	·	—	·	·	·	·	·	·	·	·	·
33	Zygopteris Tubicaulis Göpp. . . .	·	·	·	·	·	—	·	·	·	·	·
34	Gyropteris sinuosa Göpp.	·	·	·	·	·	—	·	·	·	·	·
35	? Megaphytum dubium Göpp. . . .	·	—	·	·	·	·	·	·	·	·	·
36	**Calamarien:** Archaeocalamites radiatus Brg. . .	—	—	—	—	—	·	·	·	·	·	—
37	Calamites Römeri Göpp.	·	·	·	—	·	·	·	·	·	—	·
38	Stigmatocanna Volkmanniana Göpp.	·	—	·	·	·	·	·	·	·	·	·
39	Anarthrocanna tuberculosa Göpp. .	·	—	·	·	·	·	·	·	·	·	·
40	**Selagineen:** Lycopodites pennaeformis Göpp. . .	·	·	—	·	·	·	·	·	·	·	·

No.	Namen	Rudelstadt	Landeshut	Altwasser	Bögendorf Reussendorf Gablau	Glätz.-Falkenberg	Weitangrund	Hausdorf	Roth-Waltersdorf	Wüste-Waltersdorf	Friedersdorf	Stein-Kunzendorf
		I. Gebiet.				**II. und III. Gebiet.**				**IV. Gebiet.**		
41	*Sagenaria aculeata* Presl	•	—	•	•	•	•	•	—	•	•	•
42	» *Veltheimiana* Presl	•	—	•	—	—	•	•	—	•	•	•
43	» *Blödei* Fisch.-v. Waldh.	•	•	•	•	•	•	•	—	•	•	•
44	» *concatenata* Göpp.	•	—	•	•	•	•	•	•	•	•	•
45	*Sagenaria cyclostigma* Göpp.	•	—	•	•	•	•	•	•	•	•	•
46	» *acuminata* Göpp.	•	•	—	•	•	•	•	—	•	•	•
47	*Halonia tetrastycha* Göpp.	•	—	•	•	•	•	•	•	•	•	•
48	*Didymophyllum Schottini* Göpp.	—	—	•	•	•	•	•	•	•	•	•
49	*Ancistrophyllum stigmariaeforme* Gp.	•	—	•	•	•	•	•	•	•	•	•
50	*Dechenia euphorbioides* Göpp.	•	—	•	•	•	•	•	•	•	•	•
	Monocotyledonen:											
51	*Noeggerathia Rückeriana* Göpp.	•	•	•	•	—	•	•	•	•	—	•
52	» *obliqua* Göpp.	•	•	•	•	—	•	•	•	•	•	•
	Sigillarien:											
53	*Sigillaria minutissima* Göpp.	•	•	•	•	—	•	•	•	•	•	•
54	» *undulata* Göpp.	•	—	•	•	•	•	•	•	•	•	•
55	*Stigmaria ficoides inaequalis* Göpp.	•	—	•	•	—	•	•	—	•	•	•
	Coniferen:											
56	*Protopitys Buchiana* Göpp.	•	•	•	•	—	•	•	•	•	•	•
57	*Araucarites Beinertianus* Göpp.	•	•	•	•	—	•	•	•	•	•	•
58	» *carbonaceus* Göpp.	•	•	•	•	— Ebersdorf	•	•	•	•	•	•
	Algen:											
59	*Sphaerococcites silesiacus* O. Feistm.	•	•	•	•	•	•	•	•	•	•	•
	Anhang:											
60	*Cardiocarpum punctulatum* Göpp.	•	•	•	•	•	•	•	—	•	•	•
61	» *rostratum* O. Feistm.	•	•	•	•	•	•	•	—	•	•	•
62	*Rhabdocarpus conchæformis* Göpp.	•		•	•	•	•	•	—	•	•	•
63	*Psilophyton robustius* Dawson	•	•	•	•	•	•	•	—	•	•	•
64	» *elegans* Dawson	•		•	•	•	•	•	—	•	•	•

Bei einem Blick auf diese Flora muss es auffallen, dass derselben in den Schiefern von Roth-Waltersdorf eine Anzahl Species,
welche anderwärts nur aus höheren Stufen des Carbon bekannt
sind, beigemischt ist, wodurch sie einen fremdartigen Charakter
erhält; ich meine damit

> Sphenopteris .Gravenhorstii Brg.
> 　　　　» ·　　　　Asplenites Gutb.
> Hymenophyllites furcatus Brg.
> 　　　　»　　　　　stipulatus Gutb.
> Schizopteris lactuca Presl
> Asterocarpus (Alethopteris) pteroides Brg.
> Cyatheites Candolleanus Brg.
> Megaphytum dubium Göpp.

Es ist durchaus zweifelhaft, was Sphenopteris Gravenhorstii Brg.
ist. Die BRONGNIART'sche Abbildung des aus Schlesien ohne Angabe des Fundortes, aber wahrscheinlich von Waldenburg stammenden Originals (welches nicht mehr vorhanden), erinnert so lebhaft
an Calymmotheca Linkii Göpp., wenn man sie mit den in hiesiger Bergschul-Sammlung aufbewahrten Exemplaren der letzteren,
namentlich mit den Originalen zu Fig. 1 und 3 auf Tafel XII. in
STUR's Culmflora vergleicht, dass man sich des Verdachtes nicht
erwehren kann, BRONGNIART's Sphenopteris Gravenhorstii ist nichts
anderes, als Calymmotheca Linkii gewesen. Die GEINITZ'sche Abbildung der Sphenopteris Gravenhorstii aus dem Chemnitzer und
Zwickauer Revier weicht wieder so sehr von der BRONGNIART'schen
ab, dass diese beiden sicher nicht zusammengehören und da ferner
nach FEISTMANTEL Sphenopteris Gravenhorstii das Haupt- und
Leitfossil im Nürschaner Gasschiefer des Pilsener Beckens ist, so
wird die Zusammengehörigkeit aller dieser Reste zu einer Species
noch zweifelhafter. STUR hält Sphenopteris Gravenhorstii Brg. mit
Calymmotheca Linkii sehr nahe verwandt, ich halte sie für identisch.
Ebenso ist zweifelhaft, ob Sphenopteris Asplenites von Roth-Waltersdorf mit dem gleichnamigen Farn von Nürschan, Hymenophyllites
furcatus Brg. und Hym. stipulatus Gtb. von Roth-Waltersdorf den
gleichnamigen Resten, welche anderwärts in den obersten Stufen

vorkommen, wirklich identisch sind; von *Hym. furcatus* giebt
Göppert, welcher sie beobachtet hat, keine Abbildung und die
Feistmantel'sche Abbildung eines Fiederbruchstücks gleicht nicht
Hym. furcatus des Waldenburger Hangendzuges; *Hym. stipulatus*
von Roth-Waltersdorf ist weder in einer Abbildung, noch in dem
von Göppert gefundenen Exemplar in der Breslauer Universitäts-
Sammlung vorhanden. *Schizopteris lactuca* wird ebenfalls von
Göppert als zu Roth-Waltersdorf vorkommend angeführt; seine
Abbildung in der fossil. Flora der sil., devon. und unteren Kohlen-
formation, Taf. 38 Fig. 7 und 8 gleicht aber sowenig der von
Geinitz und Germar als *Schizopt. lactuca* Presl aus höheren Stufen
abgebildeten Pflanze, welche hier ebenfalls erst in den Schwado-
witzer Schichten vorkommt, dass auch diese Identificirung an-
gefochten werden kann. *Asterocarpus pteroides* Brg. und *Cyatheites
Candolleanus* Brg. sind zu Roth-Waltersdorf nur in je einem kleinen
Fiederchen vorgekommen, sodass auch auf diesen Fund keine allgemein gültigen Schlüsse über die mehreren Stufen gemeinsamen
Farn-Species gebaut werden können. In Bezug auf *Megaphytum
dubium* giebt Göppert selbst zu, dass dieser Rest zu *Sagenaria
Veltheimiana* gehören dürfte. Wären jene Fossilreste wirklich das,
wofür sie gehalten worden sind, so wäre es unerklärlich, dass einige
z. B. *Schizopteris lactuca* und *Asterocarpus pteroides* in der 1. und
4. resp. 5. Flora auftreten, während in der 2. und 3. keine Spur
auch nur derselben Gattungen zu finden ist.

II. Stufe. Der Liegend-Zug.

(Waldenburger Schichten Stur.).

Begrenzung.

Die Gesteine der II. bis V. Stufe zeigen eine so grosse Ueber-einstimmung, dass es nicht möglich ist, durch petrographische Merk-male dieselben zu unterscheiden und kann hier nur allein die Paläontologie aushelfen. Obgleich nun für eine solche Scheidung ein ausreichendes Material aufgesammelt vorliegt, so ist doch die Abgrenzung der II. gegen die III. Stufe nicht ohne Schwierigkeit, während die jüngeren sich leicht trennen lassen. Die Entscheidung darüber, ob die zunächst auf den Culmgrauwacken abgelagerten Schichten der II. oder III. Stufe angehören, hängt in einem bald zu erwähnenden Theil des Muldenrandes von der Auffassung und Interpretirung der Flora ab, welche die dort auftretenden Schichten-einschliessen und da dieselbe an diesen Lokalitäten einer ver-schiedenen Deutung fähig ist, so werden auch die Ansichten über die Grenze dieser beiden Stufen auseinander gehen. Für ihre Abgrenzung muss nothwendig von der nächsten Umgebung Walden-burgs ausgegangen werden, wo der Liegend- und Hangend-Zug in normaler und vollständigster Entwickelung auftreten; beide sind horizontal gemessen, durch ein 900—1000^m starkes aus Sandstein bestehendes Zwischenmittel getrennt. In der Flora des Liegend-Zuges sind die häufigsten Species:

Sphenopteris (Diplotmema) elegans Brg.

      »   *(Calymmotheca) divaricata* Göpp.

Gleichenites (»   *) Linkii* Göpp.

Aspidites (Diplotmema) dicksonioides Göpp.

Sphenopteris (Diplotmema) distans Stbg.

Archaeocalamites radiatus Brgt.

Lepidodendron Veltheimianum Stbg.

Dieselbe zeigt in dieser Zusammensetzung eine auffallende Constanz, indem eine Stellvertretung dieser durch andere Species nicht stattfindet. Dasselbe gilt von der Flora des Hangend-Zuges, welche durch folgende häufig vorkommende Species repräsentirt wird:

Sphenopteris (Diplotmema) latifolia Brgt.

» (») *obtusiloba* Brgt.

(») *furcata* Brgt.

» (») *trifoliolata* Art.

Aspidites silesiacus Göpp.

Neuropteris gigantea Stbg.

Cyatheites Miltoni Art.

Lonchopteris rugosa Brgt.

Sphenophyllum emarginatum Brgt.

Calamites approximatus Schl.

» *Suckowi* Brgt.

» *ramosus* Art.

Es findet keine Annäherung, kein Uebergang zwischen diesen beiden Floren in der Art statt, dass die hangendsten Schichten des Liegend-Zuges mit den liegendsten Schichten des Hangend-Zuges einige gemeinsame Species und nur die liegendsten Schichten des Liegend- und die hangendsten Schichten des Hangend-Zuges eine unvermischte Flora besässen, sondern es muss als festbegründete Thatsache hervorgehoben werden, dass hier fast kein einziger der vom Liegend-Zug aufgeführten Farne im Hangend-Zuge und umgekehrt angetroffen wird; dass *Diplotmema subgeniculatum* Stur des Liegend-Zuges als *D. geniculatum* Germ. in den Hangend-Zug übergeht, kann der Zahl der genannten eigenthümlichen Species gegenüber nicht in Betracht kommen.

Wenn irgendwo 2 Stufen des Carbon in paläontologischer Hinsicht scharf geschieden sind, so sind es die Waldenburger und Schatzlarer Schichten in der nächsten Umgebung von Waldenburg und Altwasser und daher konnten GÖPPERT und BEINERT zur Beantwortung der Preisfrage[1]), betreffend die Unterschiede der Floren

---

[1]) Abhandlung über die Beschaffenheit und Verhältnisse der fossilen Flora in den verschiedenen Steinkohlen-Ablagerungen eines und desselben Revieres von Dr. BEINERT und Dr. GÖPPERT. Leiden 1849.

mehrerer über einander liegenden, durch Mittel getrennten Flötzablagerungen gar kein geeigneteres, als das Waldenburger Revier,
finden. Für den Liegend-Zug ist das Auftreten der 3 zuerst genannten Farne,

Sphenepteris (Diplotmema) elegans
  »   *(Calymmotheca) divaricata*
Gleichenites (»   ) *Linkii,*

von denen die ersten beiden in einzelnen Schieferthonbänken massen-
haft vorkommen, so charakteristisch, dass ihr Fehlen das sicherste
Kennzeichen ist, dass die betreffenden Schichten nicht zum Liegend-
Zug gehören. Ebenso ist das Auftreten von

Sphenopteris (Diplotmema) latifolia Brgt.
Aspidites silesiacus Göpp.
Neuropteris gigantea Stbg.
Cyatheites Miltoni Art.,

welche als Leitpflanzen der Schatzlarer Schichten anzusehen sind,
ein ebenso sicherer Beweis, dass die betreffenden Schichten dem
Hangend-Zug angehören, selbst wenn noch einige sonst auf dem
Liegend-Zug vorkommende, nicht zu den Farnen gehörige Reste
sich ihnen beigesellen. Nirgends liegen in ein und derselben Schicht
die 3 vom Liegend-Zug aufgeführten, häufigsten Farnen Species
mit den 4 genannten des Hangend-Zuges bei einander. Wenn
man nach diesen Erfahrungssätzen die Scheidung zwischen der
II. und III. Stufe vornimmt, so muss der westliche Theil des
Liegend-Zuges (nach der bisherigen Annahme) von Gablau an
über Landeshut und Reichhennersdorf bis Tschöpsdorf der III. Stufe
zugetheilt werden. In diesem Theil ist nämlich bis jetzt noch keine
Spur von jenen die Waldenburger Schichten bezeichnenden Farnen
gefunden worden. Der Schieferthon im Hangenden des Concordia-
flötzes der Concordia-Grube bei Hartau enthält:

Sphenopteris (Diplotmema) latifolia Brgt.
  »   (»   ) *furcata* Brgt.
Neuropteris gigantea Stbg.
Alethopteris lonchitica Brgt.
Artisia approximata Lindl.
Lepidodendron aculeatum Stbg.

also die bezeichnendsten Formen des Hangend-Zuges, und da mit
ihnen zusammen noch *Archaeocalamites radiatus* Brg. mit denselben
und in gleicher Schärfe hervortretenden charakteristischen Merkmalen, wie im Culm vorkommt, so beweist dieses Vorkommen die
weiter oben aufgestellte Behauptung, dass gewisse Pflanzen durch
lange Zeiträume hindurch ihre Form nicht ändern. *Archaeocala-*
mites radiatus reicht demnach nach den bis jetzt gemachten Funden
von der I. bis in die III. Stufe.

Auf der Louise-Grube bei Landeshut enthalten die Schieferthone *Sphenopteris latifolia*, eine *Neuropteris*, von *N. gigantea*
verschieden, die auf dem Hangend-Zug nirgends fehlenden, auf dem
Liegend-Zug zu Altwasser ganz unbekannten Blätter von *Cor-*
daites etc., also auch nur solche Formen, welche dem Hangend-
Zug angehören, bei gänzlicher Abwesenheit derjenigen, welche auf
dem Liegend-Zug zu Altwasser so massenhaft auftreten.

Die bei Reichhennersdorf und Blasdorf in grosser Ausdehnung
ausgeführten Schürf- und Versuchsarbeiten, sowie die zur Tiefbau-
Anlage gehörigen unterirdischen Baue haben ebenfalls kein einziges
Exemplar von *Sphenopteris elegans, Sphenopt. divaricata* und *Gleich.*
Linkii geliefert; im Gegentheil fand sich in den Bauen auf dem
Günstige Blick-Flötz, dem liegendsten, welches dort in Bau ge-
nommen worden ist, *Aspidites silesiacus* Göpp. in ausserordentlich
grosser Menge, mit ihm zusammen *Sphenopteris latifolia*, eine
noch nicht beschriebene *Neuropteris, Oligocarpia crenata* L. u. H.,
Lepidodendron Göpperti Presl, Blätter von *Cordaites* etc. Auch diesen
den Schatzlarer Schichten angehörenden Resten gesellen sich einige
Species, welche den Ostrauer Schichten angehören, nämlich:

> *Calamites ostraviensis* Stur
> *Lepidodendron Veltheimianum* Stbg.
> *Sigillaria Eugenii* Stur[1])

bei. Mit dieser Ansicht, dass sämmtliche Schichten bei Reichhennersdorf den Schatzlarer angehören, befinde ich mich nicht im
Einklange mit STUR, welcher wegen des Vorkommens der 3 zuletzt
genannten Culmpflanzen und einiger zur Bestimmung wohl kaum
ausreichender Reste, welche mit *Sphenopteris divaricata* einige

---

[1]) Dieselbe Sigillaria ist neuerdings auf Carl-Georg-Victor-Grube gefunden worden.

Aehnlichkeit haben, die liegendsten Schichten im Haber- und Georg-Schachtfelde und im Louis-Stolln den Ostrauer Schichten zuzählt. Nach meiner Ansicht können die drei zuletzt genannten Culmpflanzen aus schon weiter oben angegebenen Gründen bei Beurtheilung der geologischen Stellung dieser Schichtenreihe keinen Ausschlag geben; das massenhafte Vorkommen von *Aspidites silesiacus* auf dem Günstige Blick-Flötz, von welchem die mit vielem Fleiss zusammengebrachte Sammlung auf dem Reïchhennersdorfer Werk. Zeugniss giebt, spricht für sich allein schon für das jüngere Alter, und was jene noch nicht näher bekannte *Sphenopteris* oder *Calymmotheca* betrifft, so wird darauf aufmerksam gemacht, dass sowohl auf den Waldenburg zunächst belegenen Gruben, als auch auf der Aurora-Grube zu Tschöpsdorf in den Schatzlarer Schichten noch einige Farne vorkommen, welche wegen der feinen Zertheilung der Fiedern eine gewisse Aehnlichkeit mit *Sphen. divaricata* haben.

Bei Buchwald und Tschöpsdorf endlich finden sich auf den dortigen Halden:

> *Aspidites silesiacus* Göpp.
> *Cyatheites Miltoni* Art.
> *Alethopteris lonchitica* Brg.
> *Neuropteris Loshii* ?
> *Sphenopteris sp.* ?
> *Cordaites*

und ausser diesen keine Spur eines Pflanzenrestes, welcher auf das Vorhandensein des Liegend-Zuges schliessen lassen könnte.

Dass von der Landesgrenze bei Tschöpsdorf ab in ganz Böhmen unser Liegend-Zug fehlt, wurde bereits weiter oben erwähnt.

In Schlesien ist also sein Vorhandensein von Gablau an über Altwasser und Reussendorf bis Tannhausen constatirt; gegen Südosten zu folgt hierauf eine Lücke. Durch die bei Rudolphswaldau und Hausdorf gesammelten Fossil-Reste wird unzweifelhaft bewiesen, dass die liegendsten Flötze, welche hier auf Gneuss und den Culmgrauwacken abgelagert wurden, dem Hangend-Zug ange-

hören, also der Liegend-Zug fehlt [1]). Den Schluss der Ablagerungen der II. Stufe bilden die Kohlenflötze der Rudolph-Grube
bei Volpersdorf und der Fortuna-Grube zu Ebersdorf. Hier finden
wir die von Altwasser zuerst bekannt gewordenen Leitpflanzen:

Sphenopteris (Diplotmema) elegans Brgt.
Aspidites (Diplotmema) dicksonioides Göpp.
Sphenopteris (Diplotmema) distans Stbg.
  » (Calymmotheca) divaricata Göpp.
Gleichenites (. ») Linkii Göpp.
Adiantides oblongifolius Göpp.
Lepidodendron Veltheimianum Stbg.

wieder, zu welchen nur eine, bei Altwasser noch nicht nachge-
wiesene Species, Rhacopteris transitionis Stur hinzutritt.

Für dieses Verhalten der Waldenburger Schichten, dass sie
nicht im Zusammenhange dem Ufersaum folgend, welchen ihnen
die älteren Schichten darboten, zur Ablagerung gelangten, giebt
uns die geognostische Karte von Niederschlesien den Schlüssel.
Dieselbe zeigt uns, dass von Schwarzwaldau bis Tannhausen eine
ins Liegende (Culm und Gneuss) weit zurückspringende halbkreis-
förmige Bucht und bei Volpersdorf und Ebersdorf eine von dem-

---

[1]) Zu Rudolphswaldau wurden gesammelt:
Senftenbergia ophiodermatica Göpp.
Pecopteris polymorpha Brg.
Sigillaria oculata Schl.
 zu Hausdorf:
Sphenopteris (Diplotmema) latifolia Brg.
 » (· ») trifoliolata Art.
Aspidites silesiacus Göpp.
Pecopteris polymorpha Brg.
 » lonchitica Brg.
Neuropteris gigantea Stbg.
Dictyopteris neuropteroides Gtb.
Cyclopteris trichomanoides Brg.
Calamites Suckowi Brg.
 » cf. Germarianus Göpp.
Bruckmannia Aehre zu Cal. Sachsei Stur gehörig.
Sphenophyllum dichotomum Germ. u. Klf.
Lepidostrobus .
Rhabdocarpus Bockschianus Göpp.

selben Grundgebirge begrenzte, schmale Mulde vor ihrer Ablagerung vorhanden war.

Beide Buchten müssen als die allein zu einer üppigen Ent-
faltung der zweiten Flora und zur Ablagerung der Waldenburger
Schichten geeigneten Lokalitäten erachtet werden, denn ausserhalb
derselben finden sich in der sie verbindenden geradlinigen Strecke
von Tannhausen bis Volpersdorf keine, in der Strecke jenseits
Gablau, wie vorhin nachgewiesen, nur äusserst wenige, zur Charakterisirung auch weniger geeignete, nicht zu den Farnen gehörige Fossil-Reste der Waldenburger Schichten. Die halbkreis-
förmige Bucht, in welcher Waldenburg liegt, markirt sich in
Wirklichkeit im Westen noch etwas schärfer, als es die Karte zeigt,
da die Culmgrauwacken zwischen Schwarzwaldau und Gablau
weiter nach Süden reichen und hier eine von grünlichgrauen
Culmschiefern gebildete schmale, scharfzugespitzte Zunge noch über
die von Gottesberg nach Schwarzwaldau führende alte Chaussee
hinüberreicht.

Die Gesteine. Die nun folgende Beschreibung der Gesteine
der zweiten gilt auch für die folgenden höheren Stufen, da keine
Unterschiede von Belang sich bemerkbar machen. Der Haupt-
charakter in der petrographischen Beschaffenheit des Niederschlesischen Steinkohlenbeckens liegt in der grossen Entwickelung der
Conglomerate, welche ebenso wie an der Basis der I., so auch
der II. Stufe, ferner überall in den Mitteln zwischen den Flötzzügen und in den mächtigeren Mitteln zwischen den einzelnen
Flötzen und zuletzt im Hangenden des hangendsten Flötzes bei
Alt-Hayn und Fellhammer auftreten. Dadurch unterscheidet sich
die hiesige wesentlich von den oberschlesischen, westphälischen
und anderen Kohlenablagerungen.

Die Sandsteine bestehen vorherrschend aus Körnern eines
weissen oder hellgrauen Quarzes, zwischen welchen solche aus
schwarzem oder grünlichgrauem Kieselschiefer spärlich eingestreut
sind, und da auch Arkosen noch nicht in dieser, sondern erst in
der III. Stufe auftreten, so sind die Farben vorherrschend hellgrau, weiss und gelblich, so dass diese Sandsteine von den dunklen Culmgrauwacken sich deutlich unterscheiden. Die Sandsteine

gehen in Conglomerate über und wechsellagern vielfach mit ihnen; vom Ziegenrücken zwischen Wittgendorf und Schwarzwaldau bis zur Wilhelmshöhe bei Salzbrunn tritt ein grobes Conglomerat von heller Farbe augenfällig hervor, da die grösseren Terrainerhebungen aus demselben bestehen. Auch die Conglomerate bestehen vorherrschend aus Quarz, Quarzit und Kieselschiefer; Gerölle von Urschiefern, welche in der vorigen Stufe so häufig, sind ihnen zwar nicht ganz fremd, aber doch nicht so häufig, dass sie eine Unterscheidung der Gesteine beider Stufen erschweren. Die Sandsteine besitzen ein thoniges, die Conglomerate ein Sandstein-Bindemittel. Die Ersteren sind stets deutlich geschichtet; auf den Schichtungsflächen stellt sich gewöhnlich mit dem feineren Korn etwas fein zertheilter Glimmer ein, auch fehlen Concretionen von Schwefelkies und Streifen von Pechkohle nicht.

Die Schieferthone sind meist bläulich- bis schwärzlichgrau, selten gelblich- und röthlichgrau, dünn- und geradschieferig, mehr oder weniger glimmerhaltig und stellenweise reich an Nieren von thonigem Sphärosiderit von der Grösse einer Nuss bis zu Knollen von 0,6 m Durchmesser, ohne dass jedoch irgendwo die Anhäufung derselben in einer bestimmten Schicht auf eine grössere Erstreckung regelmässig aushielte und besondere Eisenstein-Abbaue gestattete, wie z. B. in Oberschlesien und Westphalen. Der Eisengehalt derselben beträgt durchschnittlich 33—35 pCt. Im Felde der Morgenstern-Grube findet sich als unmittelbares Liegendes des 2. Flötzes ein ziemlich fester, braunschwarzer bis schwarzer Schieferthon in einer Mächtigkeit von 0,08—0,16 m abgelagert, welcher beim Abbau dieses Flötzes mitgewonnen und als feuerfester Thon verwerthet wird. Ein anderes Vorkommen dieses Materials findet später bei Ruben-Grube Erwähnung. Ganz reine, normale Schieferthone finden sich verhältnissmässig selten, weil sie stets in sandige Schieferthone übergehen. Der Schieferthon ist der stete Begleiter der Flötze, so dass nur wenige derselben auf grosse Erstreckung von Sandstein unmittelbar bedeckt werden; ebenso sind Schieferthonbänke in grösserer Entfernung von Flötzen eine grosse Seltenheit. Von den Culmschiefern unterscheiden sie sich durch die Farbe und dadurch, dass ersteren häufiger feiner

Quarzsand innig beigemengt ist, so dass sie fester und gegen die Verwitterung widerstandsfähiger sind als die Schieferthone.

Der aus dem Schieferthon durch Aufnahme von Kohlensubstanz hervorgehende Brandschiefer bildet meistens das unmittelbare Hangende oder Liegende der Flötze oder auch die Zwischenmittel zwischen den einzelnen Bänken eines Flötzes.

Die Steinkohlenflötze. Dieser und zum Theil auch noch den folgenden Stufen ist im Vergleich mit Oberschlesien eine grössere Anzahl von Flötzen von geringer, höchstens mittlerer Mächtigkeit eigenthümlich; während in Oberschlesien die 5—6 sehr mächtigen Flötze von Zabrze und Königshütte und die mit ihnen identischen von Laurahütte und Rosdzin zu den Waldenburger Schichten gehören [1], finden sich in denselben hier z. B. auf Seegen-Gottes mehr als 20, auf Rudolph-Grube 32 Flötze. In Mächtigkeit und Qualität verändern sie sich oft auf mässige Entfernungen hin in hohem Grade, und da auch die Stärke und sonstige Beschaffenheit der Zwischenmittel in gleicher Weise variiren, so ist es meistens schwer, die Flötze dort, wo deren Zusammenhang durch Grubenbaue nicht erwiesen ist, zu identificiren. Es giebt hier keine Leitflötze, welche durch die ganze Mulde verfolgt werden können, wie in Westphalen. Im Allgemeinen zeigen die schwachen Flötze der II. Stufe häufiger Verdrückungen und unbauwürdige Mittel, als die mächtigeren Flötze der nächstfolgenden Stufe. Die liegendsten Flötze bei Altwasser, Reussendorf und Tannhausen zeigen eine so geringe Mächtigkeit, dass sie zum Theil auf der Grenze der Bauwürdigkeit stehen, zum Theil bei 0,20— 0,30^m unter dieselbe sinken, also zu den den Beginn der Flötzbildung darstellenden Bestegen der I. Stufe keinen grossen Gegensatz bilden und sich auch hierin keine scharfe Grenze zwischen Culm und Ober-Carbon, sondern eine stufenförmig fortschreitende Entwickelung dokumentirt. Ein Blick auf die Karte zeigt, dass nicht wenige Baufelder von den nächsten Grubenbauen durch lange Strecken getrennt sind, in welchen bis jetzt noch keine bauwürdigen Flötze erschlossen worden sind.

---

[1] Stur: Studien über die Steinkohlen-Formation in Oberschlesien und in Russland. Verhandl. d. k. k. geol. Reichs-Anstalt. 1878. 11.

Der Fallwinkel der Flötze und der sie begleitenden Gesteine beträgt bei Blasdorf 60—65⁰, geht bei Landeshut auf einige 30, bei Gablau auf 20—30⁰ herab und bleibt sich von hier bis Altwasser gleich. Hier tritt sogleich auf der südöstlichen Seite des Thales wieder eine steile Aufrichtung bis zu 60 und 70⁰ ein, hält bis Tannhausen nicht nur an, sondern steigt stellenweise bis 80⁰. In der Grafschaft Glatz beträgt der Fallwinkel bei Volpersdorf in oberer Teufe 50—80, stellenweise 90⁰, in grösserer Teufe 30—35⁰, bei Ebersdorf 30—50⁰.

Die Flötze bestehen meistentheils aus einer deutlich geschichteten Kohle, welche von 2 Systemen von Ablösungsklüften durchzogen ist, so dass sie leicht in würfelige Stücke bricht. Von den Varietäten, welche die Mineralogie aufstellt, findet sich die Cannelkohle als liegendstes Flötz der ganzen Ablagerung bei Altwasser, eine derselben ähnliche Kohle auf dem 3. Flötz der Glückhilf-Grube, jedoch nur lokal zwischen 2 Sprüngen auftretend, Anthracit-artige Kohle auf dem Fixstern-Flötz zu Altwasser und auf der Christian-Gottfried-Grube zu Donnerau, Pechkohle und Faserkohle stets nur in dünnen Lagen, oft in Gesellschaft, aber nie so überhand nehmend, dass man wie in Sachsen einzelne Flötze als Pech- oder Russkohlen-Flötze bezeichnen könnte. Die überwiegende Masse gehört daher der Schieferkohle an. Ausser Schwefelkies treten andere Schwefelmetalle z. B. Bleiglanz und Blende nur selten auf; am häufigsten wurden diese beiden beim Abteufen des Ruben-Tiefbau-Schachtes bei Neurode im Kohlensandstein und thonigen Sphärosiderit angetroffen. Bei Schwadowitz und Wernersdorf in Böhmen hat sich stellenweise erdiger Malachit in der Kohle und im Sandstein gezeigt. Eine allgemeine Charakteristik der Flötze in Bezug auf ihre chemische Zusammensetzung und Heizkraft lässt sich wegen der grossen Abweichungen, welche die Flötze zeigen, nicht mit kurzen Worten liefern. Es schütten zwar viele Flötze eine mehr oder weniger backende Kohle, jedoch lässt sich nicht, wie in Westphalen, eine magere und eine fette Flötzpartie unterscheiden, vielmehr treten nicht selten einzelne gute, Koakskohlen liefernde Flötze zwischen mageren Flötzen auf oder die Backfähigkeit der Kohle desselben Flötzes ist

6

6*

auf zwei benachbarten Gruben gänzlich verschieden, wie z. B. bei
den Flötzen der Weisssteiner und Hermsdorfer Gruben; nur ganz
im Allgemeinen kann man behaupten, dass im Hangendzug in
Schlesien eine grössere Anzahl von Flötzen mit Fettkohlen zu
finden ist, als auf dem Liegendzuge. In dieser Beziehung wird
auf die chemische Untersuchung der hiesigen Steinkohlen, welche
Dr. RICHTERS in Saarau, damals Lehrer an der hiesigen Bergschule,
ausführte und in der Ministerial-Zeitschrift für Berg-, Hütten- und
Salinen-Wesen Bd. XIX in ihren Resultaten veröffentlichte, sowie
auf die von der Niederschlesischen Bergbau-Hilfskasse im Selbst-
verlage herausgegebene Abhandlung: Untersuchungen über die
Heizkraft der Steinkohlen des Niederschlesischen Reviers, ausgeführt auf Veranlassung des Vereins für die bergbaulichen Interessen Niederschlesiens von E. NÖGGERATH, Waldenburg i./Schl.
1881, verwiesen.

Specielle Beschreibung der Lagerungsverhältnisse der II. Stufe.

Im Westen beginnend treten östlich von Landeshut im Hangenden der Culmgrauwacken hellgefärbte, sehr feste Conglomerate
auf, aus welchen der Ziegenrücken nördlich von Hartau besteht.
Hier bilden sie das Liegende des Concordia-Flötzes, welches der
III. Stufe angehört, während sie selbst, ebenso wie die petrographisch ganz gleichen Schichten am Steinbruch- und Langenberg bei
Gablau, der II. Stufe angehören. Die ersten Flötzbestege wurden
bei den untersten Häusern von Gablau ausgeschürft, im weiteren
südöstlichen Fortstreichen bei den »Fuchslöchern« ein Flötz,
welches hier noch unbauwürdig und wahrscheinlich identisch mit
dem bald zu erwähnenden Hauptflötze der Emilie-Anna-Grube
zu Gablau ist. Im Felde derselben sind vom Liegenden an
gezählt folgende Flötze aufgeschlossen worden:

1. Das Elisabeth-Flötz, 0,78—1,05^m mächtig, wovon 0,08 bis
0,26^m, stellenweise auch 0,42—0,47^m auf Steinkohle, 0,26
bis 0,73^m auf Blackband in 2 Bänken und 0,08^m auf ein
Schieferthonmittel kommen; unmittelbar über der Sohle des
Flötzes liegt thoniger Sphärosiderit von 0,05—0,26^m Stärke.

Die einzelnen Flötzbänke sind wellenförmig gebogen und gestaucht, daher in ihrer Mächtigkeit höchst unregelmässig. Das nachstehende Profil ersetzt jede weitere Beschreibung dieses interessanten Vorkommens.

Profil *d.*

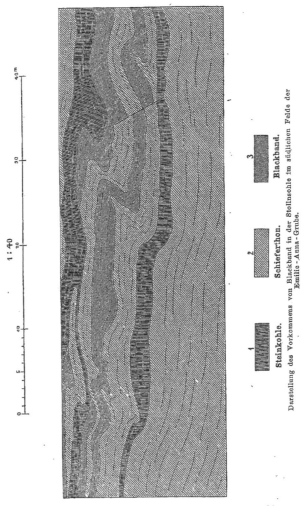

1 **Steinkohle.** 2 **Schieferthon.** 3 **Blackband.**

Darstellung des Vorkommens von Blackband in der Stollnsohle im südlichen Felde der Emilie-Anna-Grube.

Nach einem Mittel, welches horizontal gemessen zu 7,8 ^{m} aus Schieferthon und zu 44,4 ^{m} aus Sandstein und Conglomerat besteht, folgt

2. das Hauptflötz, 0,78 ^{m} mächtig incl. 0,10 — 0,13 ^{m} Bergmittel, dann nach einem 209 ^{m} mächtigen, grösstentheils aus Sandstein bestehenden Mittel, welches ein 0,31 ^{m} starkes Zwischenflötz einschliesst,

3. das Schmiedekohlenflötz, 0,52 — 0,57 ^{m} mächtig.

Das Streichen dieser Flötze geht in h. 3 — 4, das südöstliche Fallen beträgt 20 — 28⁰.

Südöstlich und im Hangenden der vorigen liegt die Erwünschte Zukunft-Grube. In diesem Felde waren durch 2 Röschen 10 Flötze mit einem Streichen in h. 4 und einem Fallen von 35⁰ gegen Südost durchörtert, in Bau aber nur folgende 3 Flötze genommen worden:

1. Das Hauptflötz, 0,92 ^{m} mächtig incl. 0,21 ^{m} Bergmittel (nicht identisch mit dem Emilie-Anna-Gruben-Hauptflötz),

2. ein 0,57 ^{m} mächtiges Flötz, vom vorigen 52,3 ^{m} entfernt,

3. ein 0,31—0,39 mächtiges Flötz, vom vorigen 205 ^{m} entfernt.

Alle 3 Flötze zeigten sich zum Theil verdrückt, zum Theil von geringer Qualität, ein lohnender Abbau hat daher nicht geführt werden können. Es muss jedoch hinzugefügt werden, dass die Röschen nur eine geringe Teufe einbrachten und dass in einer tieferen Sohle möglicherweise die Qualität eine günstigere gewesen wäre.

Im weiteren Fortstreichen gegen Osten lag die Reinhold-Grube bei Liebersdorf mit mehreren schwachen Flötzen, von denen das mächtigste 0,73 ^{m} stark ist, in h. 6 streicht und mit 13⁰ nach Süden einfällt. Einige der im Querschlage dieser Grube überfahrenen Flötze streichen weiter nach Osten und sollen dieselben sein, welche die Gekrönte Sieg- oder spätere Friedens-Krone-Grube in Bau genommen hatte, später aber von der Vermessung der David-Grube überdeckt worden sind. Die beiden Flötze der Friedens-Krone-Grube, welche übrigens von sehr milder Beschaffenheit waren, hatten 0,78 und 0,63 ^{m} Stärke, ein Streichen in h. 6 — 7 und ein südliches Fallen von 20 — 26⁰.

Verfolgt man das Hauptflötz der Emilie-Anna- und die im
Hangenden desselben liegenden Flötze der Erwünschte Zukunft-
und Friedens-Krone-Grube über den Langeberg durch Conradsthal
und Neu-Salzbrunn bis an die von Weissstein nach Adelsbach
führende Chaussee, so sieht man, wie dieselben an Bauwürdigkeit
gewinnen. Das Emilie-Anna-Gruben-Hauptflötz erreicht bei der
Conradsthaler Begräbniss-Kirche die grösste Höhe seines Ausgehenden und streicht von hier über Neu-Salzbrunn nach Hartau.
Dieselbe Richtung nehmen auch die im Hangenden desselben sich
hinziehenden Flötze von der Friedens-Krone-Grube ab durch
Conradsthal bis zum »Finsterbrunn«, wo die Eduard-Grube
liegt, durchsetzen das Weisssteiner Thal und bilden dann die Flötze
der Morgen- und Abendstern-Grube. In der Erstreckung
von der Emilie-Anna- bis zur David-Grube ist das Elisabeth-Flötz
theils nur 0,42—0,52 m stark, theils ganz verdrückt, von Blackband
aber keine Spur vorhanden. Im Liegenden dieses Flötzes sind
zwar noch im westlichen Felde der David-Grube mehrere Lagen
von thonigem Sphärosiderit im Schieferthon von 0,05—0,26 m
aufgefunden worden, jedoch erzielte man mit dem darauf unternommenen Versuchbau keine nennenswerthen Resultate.

Die David- nebst David-Zubehör-Grube
bei Conradsthal.

Das liegendste Flötz dieser Grube, das Hauptflötz (identisch mit dem Emilie-Anna-Gruben Hauptflötz), ist 1,04 m
mächtig, zeigt sich aber in der tiefen Stollnsohle, in welcher es
auf ca. 2000 m streichende Länge aufgeschlossen worden war, schon
im östlichen Felde in der Nähe des Alexander-Schachtes durch
Sprünge gestört, dann zwischen dem Xerxes und Friedrich-Schacht
und östlich vom Ypsilanti-Schacht stellenweise unbauwürdig. Eins
der merkwürdigsten Sprungverhältnisse des hiesigen Reviers fand
sich zwischen dem Friedrich- und Luft-Schacht, wo auf eine Entfernung von 175 m das Hauptflötz durch 7 Sprünge 5 Mal ins
Hangende und 2 Mal ins Liegende verworfen wird. Die grösste
unbauwürdige Flötzpartie liegt in der oberen Stollnsohle westlich
vom Ulysses-Schacht und misst im Streichen 940 m; auch in dem
weiter gegen Westen belegenen Feldestheil, in welchem die alte
Friedens-Krone-Grube in höherer Sohle einen Bau auf dem Haupt-

flötz unternommen hatte, scheint die ungünstige Beschaffenheit desselben keinen Abbau gestattet zu haben. Von den im Hangenden des Hauptflötzes liegenden, schon weiter oben genannten Flötzen sind 4 bei der Colonie Neu-Salzbrunn durch einen kurzen Ober-Stolln aufgeschlossen worden, nämlich:

.1. ein Flötz von 0,86ᵐ Stärke,

2. » » » 0,60—0,63ᵐ Stärke,

3. » » » 0,60ᵐ Stärke, unbauwürdig,

4. » » » 0,84ᵐ »

mit einem Streichen in h. 6 und einem südlichen Fallen von 17—20⁰. Die auf denselben geführten Baue waren zum Theil ohne Belang, zum Theil durch längere Verdrückungen getrennt.

Dieselben hangenden Flötze wurden später in der tiefen David-Stollnsohle durch einen vom Titus-Schacht in 61,4ᵐ Teufe ins Hangende aufgefahrenen Querschlag angetroffen. Derselbe durchörterte sie vom Liegenden an gerechnet in den nachstehend angegebenen Stärken:

das 10. Flötz 0,26ᵐ mächtig,

» 9. » 0,63ᵐ » incl. 0,10ᵐ Lettenmittel,

» 8. » 0,13ᵐ » » 0,03ᵐ »

» 7. » 0,31ᵐ » » 0,05ᵐⁱ »

» 6. » 0,31ᵐ »

» 5. » 0,47ᵐ » » 0,03ᵐ »

» 4. » 0,31ᵐ »

» 3. » 0,34ᵐ »

» 2. » 0,34ᵐ » » 0,05ᵐ »

» 1. » 0,52ᵐ » .

Das Fallen beträgt hier nur 11⁰, so dass die querschlägige Breite vom 1. bis 10. Flötz ca. 210ᵐ beträgt. Die Flötze sind im Hangenden und Liegenden von schwachen Bänken von Schieferthon eingefasst und liegen sonst zwischen grobkörnigen Sandsteinen und Conglomeraten, welche sich wie das Conglomerat im Hangenden des Hauptflötzes durch grosse Festigkeit auszeichnen. Nur auf dem 5. Flötz hat in dieser Sohle ein geringer Abbau stattgefunden. Endlich wurden dieselben Flötze in jüngster Zeit bei den Erdarbeiten für den Bahnhof Conradsthal am Ausgehenden freigelegt.

Hier folgen auf das Conglomerat im Hangenden des Hauptflötzes
8 Flötze, nämlich:

das 1. Flötz 0,35ᵐ mächtig,

» 2. » 0,30ᵐ »

» 3. » 0,50ᵐ »

» 4. » { 0,23ᵐ Oberbank,
0,17ᵐ Mittel,
0,30ᵐ Niederbank,

» 5. » 0,65ᵐ mächtig,

» 6. » 0,31ᵐ »

» 7. » 0,37ᵐ »

» 8. » 0,85ᵐ » .

Die Mittel zwischen denselben bestehen aus einem mannig-
fachen Wechsel von Schieferthon, sandigem Schieferthon und
Sandstein.

Beiläufig mag hier erwähnt werden, dass das als »schwimmendes
Gebirge« auftretende Diluvium im Hartauer Thal so tief niedersetzt,
dass man dasselbe mit einem Stollnflügelort in der Friedrich-
Wilhelm-Stollnsohle, welches aus dem Hartegrubenfelde nach der
David-Grube getrieben werden sollte, in solcher Mächtigkeit antraf,
dass in Folge der grossen Schwierigkeiten, mit welchen der Orts-
betrieb zu kämpfen hatte, und einer Senkung, welche über Tage
in unmittelbarer Nähe von Wohngebäuden eintrat, von der Fortsetzung dieses Betriebes Abstand genommen werden musste.

Diese hangenden Flötze der David-Grube sind auch am »Finsterbrunn« bei Colonie Neu-Salzbrunn von der Eduard-Grube ausgeschürft worden; hier bilden sie folgende Reihe:

das 1. (liegendste) Flötz 0,65ᵐ mächtig, nach einem Mittel
von 115ᵐ Stärke folgt

» 2. Flötz 0,42ᵐ mächtig, nach einem Mittel von 8,4ᵐ Stärke

» 3. » 0,39ᵐ » ⎫ durch Zwischenmittel von 10

» 4. » 0,65ᵐ » ⎪ bis 20ᵐ Stärke getrennt; nach

» 5 » 0,52ᵐ » ⎬ einem Mittel von 418ᵐ Stärke

» 6. » 0,78ᵐ » ⎭

» 7. » 1,05ᵐ » und in 209ᵐ Entfernung

» 8. » 0,91ᵐ » incl. 0,26ᵐ Bergmittel.

Die Muthung auf dieselben wurde 1828 eingelegt und nach damaliger Meinung sollte das 6. Flötz der Eduard- dem 4. Flötz der Morgenstern-Grube, welches damals Hauptflötz genannt wurde, entsprechen; da jedoch die Grube bis jetzt noch nicht in Betrieb gesetzt worden ist, so hat sich noch nicht prüfen lassen, ob jene Meinung mehr als eine unbestimmte Vermuthung zur Grundlage hat.

Auf der Ostseite des Salzbrunner Thales tritt das David-Gruben-Hauptflötz in das Feld der Harte-Grube, welche nur dieses eine Flötz besitzt; dasselbe streicht hier h. 7—9, fällt unter Winkeln von 5—10, auch 20—25⁰ nach Süden und seine Mächtigkeit beträgt 1,04ᵐ. Seine Qualität ist im östlichen Felde eine geringere, als im westlichen, sein Hangendes ein fester Sandstein mit vielen Conglomeratbänken.

Die Fixstern-Grube bei Altwasser.

Der nahe der Eisengiesserei und Maschinenbau-Anstalt Carls-hütte zu Altwasser angesetzte und fast genau querschlägig nach dem Liegend-Zug getriebene Friedrich-Wilhelm-Stolln durchfuhr bis zum 1. Lichtloch, welches 250 Ltr. (523ᵐ) vom Mundloch entfernt ist, Culmgrauwacken und Schiefer und zwar mit grösstentheils nach Nordost gerichtetem steilen Einschiessen der Schichten. In der Nähe des genannten Lichtloches stehen dieselben saiger, wenden weiterhin ihr Fallen nach Südwest und endigen mit einer 3ᵐ starken Bank von rothem Conglomerat, auf welchem das 1. Flötz des Kohlenbeckens liegt. Dasselbe ist 0,47ᵐ mächtig, fällt mit 45⁰ nach Südwest und besteht aus einer Cannelkohle, welche sich in krumm-schalige Stücke theilt. Die Trennungsflächen erscheinen sammt-schwarz und häufig wie polirt und gleichen in diesem Aussehen den Rutschflächen und Harnischen, während die Kohle im Quer-bruch braunschwarz und schimmernd ist. Da sich dieselbe bei der chemischen Untersuchung als eine ausgezeichnete Gaskohle erwies, so hat man es an Versuchbauen, welche seitens der Morgenstern-Grube unternommen worden waren, nicht fehlen lassen, jedoch scheiterten dieselben schliesslich an der Unbauwürdigkeit des Flötzes, da die Mächtigkeit meistens weit weniger, als oben angegeben, betrug.

Auf das Cannelkohlenflötz folgen grauer Schieferthon, dunkel-

rother Schieferthon, rothes Conglomerat, rother und darauf grauer
Schieferthon und zuletzt in einer Entfernung von 88,5ᵐ vom Lichtloch No. 1 ein Flötzchen von 0,29ᵐ Mächtigkeit, 9,13ᵐ weiter im
Hangenden ein Flötz von 0,78ᵐ Mächtigkeit und 7,32ᵐ weiter ein
0,34ʰ starkes Flötz. Diese 3 Flötze streichen in h. 8 und fallen
unter Winkeln von 30—35⁰ nach Südwesten.

Das 2. allein bauwürdige Flötz, das Fixstern-Flötz, zeigte
sich hier mit einer 1,5—1,8ᵐ mächtigen Decke von Felsit-Porphyr
überlagert, auf welche Conglomerat, dann rother Sandstein folgt.
Diese auffallende Erscheinung veranlasste eine nähere Untersuchung
mittelst einer Rösche, deren Sohle 27,72ᵐ über dem Friedrich-
Wilhelm-Stolln liegt. Mit derselben erreichte man in ca. 63ᵐ Entfernung vom Mundloch das hier 1—1,04ᵐ mächtige Flötz wie im
Friedrich-Wilhelm-Stolln unmittelbar von einer etwa 2ᵐ mächtigen
Porphyrmasse überlagert, welche auch auf einer im Flötz streichend
aufgefahrenen Strecke von 262ᵐ Länge ohne Unterbrechung aushielt und zwar der Art, dass da, wo das Flötz um 8,37ᵐ ins
Hangende verworfen, auch der Zusammenhang des Porphyrs unterbrochen wird und da, wo sich nach Ausrichtung des Sprunges
das Flötz wieder anlegt, auch der Porphyr wieder seine vorige
Stelle im Hangenden desselben einnimmt. Nach 52ᵐ Entfernung
vom 1. verwirft ein 2. Sprung das Flötz abermals um etwa 10,5ᵐ
ins Hangende und hinter demselben fand man den Porphyr nicht
mehr als zusammenhängende Flötzdecke, sondern nur als einzelne,
rundliche Massen, bis auch diese, immer kleiner werdend, bei 335ᵐ
Gesammtlänge gänzlich verschwanden[1]).

Ueberall, wo das Flötz unmittelbar vom Porphyr bedeckt wird,
ist es von oben her auf ½ bis ⅔ seiner Mächtigkeit in einen stängeligen Anthracit umgewandelt, selbst da, wo der Porphyr nur in
getrennten Partien im Dach auftritt. Der Felsit-Porphyr ist von
lichtgelblichgrauer bis röthlichbrauner Farbe, porös, nicht fest, dem
Thonstein vergleichbar, stellenweise erdig werdend, schliesst Quarzkörner und Kiesel ein, welche aus den benachbarten Sandsteinen

---

[1]) Ein 3. Sprung ins Hangende, welcher bei 491,7ᵐ Entfernung auftritt, ist
in dieser Sohle nicht ausgerichtet worden.

und Conglomeraten herstammen, und sieht auch in einzelnen Handstücken einem eisenarmen braunen Thoneisenstein ähnlich. Der
Eisengehalt erscheint hie und da als brauner Glaskopf concentrirt,
welcher die Drusenwände in 2—4^{mm} starken Krusten überzieht.
Porphyr und Kohle sind fast stets fest mit einander verwachsen.
Die Kohle ist von eisenschwarzer Farbe, meist bunt angelaufen,
von halbmetallischem Glanze und in gerade Stängel von 4—10^{mm}
Stärke abgesondert. Der untere Theil des Flötzes besteht aus einer
verworren schiefrigen oder erdigen Kohle, welche ebensowenig
brennbar ist, als der obere stängelig abgesonderte Theil[1]). Gleichzeitig mit dem Oberstolln wurde das Flötz am Ausgehenden durch
3 einfallende Strecken untersucht, deren erste in 105^m nordwestlicher
Entfernung vom Mundloch des Oberstollns 14,6^m flach nieder ging
und das Flötz bei 0,52—0,78^m Mächtigkeit, 43^0 Fallen und mit
regelmässiger Bedeckung von Porphyr antraf. Die zweite, 125^m
weiter nach Nordwest aufgehauen, zeigte das Flötz grösstentheils
mit Conglomerat bedeckt, die dritte, in 145—165^m weiterer Entfernung von der vorigen 31^m flach niedergebracht, traf wieder das
Flötz mit einigen Unterbrechungen von Porphyr überlagert, obgleich
die Verlängerung derselben bis in die Friedrich-Wilhelm-Stollnsohle auf einen Punkt trifft, wo dort der Porphyr bereits ver-
schwunden ist. Obgleich sich also die Kohle des Fixstern-Flötzes
überall als für die Technik unbrauchbar erwies, wurde dennoch
das Flötz auch auf der Südostseite des Thales von Altwasser, wo
es im Liegenden der Seegen-Gottes-Gruben-Flötze auftritt, am
»Krötenhübel« aufgesucht und durch eine Rösche näher untersucht.
Das Flötz war hier mit einigen 60 Graden aufgerichtet, 0,47—0,63^m
stark und hatte wie auf der Fixstern-Grube Schieferthon zum
Liegenden, Porphyr zum Hangenden. Auf der Berührungsfläche
mit dem Flötz war der Porphyr auch hier einige Centimeter stark
in Thoneisenstein umgewandelt, das Flötz zeigte jedoch hier seine
normale schieferige Struktur und keine Spur einer stängeligen Absonderung. Zuletzt wurde das Fixstern-Flötz in der I. Tiefbausohle
der Seegen-Gottes-Grube durch den Göpel-Schacht Querschlag bei

---

[1]) v. CARNALL in Karsten's Archiv, Bd. IV, S. 113—118.

126,3ᵐ Teufe dieses Schachtes aufgesucht (s. Profil 12, Blatt III)
und da es auch hier von Porphyr bedeckt gefunden wurde, so
musste die Hoffnung; dieses Flötz, welches sich als Emilie-Anna-
und David-Gruben-Hauptflötz, sowie als Harte-Grubenflötz überall,
wenn auch mit Unterbrechungen bauwürdig gezeigt hatte, südöstlich
vom Thale von Altwasser von seiner schädlichen Decke befreit anzutreffen, aufgegeben werden. Die beträchtliche Ausdehnung dieser
Porphyrdecke verbunden mit dem Umstande, dass das Gestein keine
porphyrartigen Ausscheidungen zeigt und ins Erdige übergeht, erschienen v. CARNALL mit der Vorstellung eines plutonischen Gesteins
unvereinbar und führten ihn zur Ansicht, dass es ein sedimentärer
Niederschlag sei, für welche auch der Einschluss von Quarzkörnern,
grösseren Kieseln und Bruchstückchen von Kohle sprach. Freilich
blieb dabei der anthracitartige Zustand der Kohle und die stängelige
Absonderung unaufgeklärt, in Bezug auf welche von ihm nur die
Vermuthung ausgesprochen wird, dass entweder ein Sediment auf
die unterliegende Kohle auch diesen eigenthümlichen Einfluss hätte
ausüben können oder dass der Anthracit eine primäre Bildung
sei. Wäre der Aufschluss des Fixsternflötzes durch den ins Liegende
verlängerten Göpelschacht-Querschlag schon damals erfolgt, so hätte
jene Vorstellung, nach welcher der in Rede stehende Porphyr ein
sedimentärer Thonstein sei, eine Einschränkung erfahren, denn hier
in tieferer Sohle zeigt sich dieses Gestein als ein äusserst fester
Porphyr von röthlich- bis lilagrauer Farbe und ziemlich vielen Ausscheidungen eines grünlichschwarzen Glimmers in regelmässigen
Tafeln, so dass dasselbe sogar als Muster eines Glimmer-Porphyrs
aufgestellt werden könnte. Als vor Jahren dasselbe in der Nähe
des Göpelschachtes am Ausgehenden, wo es vorzugsweise eisenreich
ist, abgebaut wurde, um es als Zuschlag·für den Hochofen der
Vorwärts-Hütte verwerthen zu können, kam eine so glimmerreiche
Varietät zum Vorschein, dass man einen verwitterten Gneuss zu
sehen glauben konnte und unwillkürlich an eine auf nassem Wege
vor sich gegangene secundäre Bildung dieses Minerals ·denken
musste.

Das hiesige Revier, welches für das Studium der Lagerungs-
verhältnisse· zwischen Felsit-Porphyr und den Gesteinen der Stein-

kohlen-Formation so überaus günstig ist, da der Bergbau nicht selten den Contact zwischen beiden freilegt, lieferte bis jetzt zwar verschiedene Beispiele eines gangartigen Durchbruchs des Porphyrs durch das präexistirende Kohlengebirge, dennoch ist das Fixstern-Flötz das einzige, bei welchem die dem Coak vergleichbare stänglige Absonderung zu beobachten war. Ausser dem bereits angeführten Umstande, dass an der plutonischen Natur des das Fixsternflötz bedeckenden Porphyrs im Bereich des Göpelschachtes füglich nicht gezweifelt werden kann, wird zur genaueren Beurtheilung der hier vorliegenden geologischen Verhältnisse noch Folgendes angeführt.

Nach einer von Dr. RICHTERS ausgeführten Analyse, welche derselbe mit in der Bergschul-Sammlung vorhanden gewesenen alten Proben der Fixstern-Flötzkohle angestellt hatte[1]), besteht dieselbe aus:

	a.	b.	c.
Kohlenstoff	84,03	80,37	82,36
Wasserstoff	0,80	0,73	3,05
Sauerstoff und Stickstoff . .	4,74	3,26	8,26
Asche	10,43	15,64	6,33

wobei die Probe a dem stängeligen Anthracit, welcher unmittelbar unter dem Porphyr liegt, die Probe b einer nicht stängelig abgesonderten, wahrscheinlich zwischen a und c liegenden und Probe c einer schiefrigen Kohle, welche wahrscheinlich der unteren Bank angehört hatte, entnommen worden war. Die Kohle des Harte-Flötzes, welches mit dem Fixstern-Flötz identisch und von ihm durch eine spitzwinkelig die Streichlinie durchschneidende Verwerfung getrennt und nirgends mit Porphyr bedeckt ist, besteht nach einer von demselben ausgeführten Analyse[2]) aus:

79,02 Kohlenstoff,
4,97 Wasserstoff,
11,20 Sauerstoff und Stickstoff,
4,81 Asche.

---

[1]) Die alten Baue auf dem Fixsternflötz sind schon seit längerer Zeit nicht mehr zugänglich.
[2]) Minist. Zeitsch. Bd. XIX.

Dieselbe Zusammensetzung muss auch für das Fixstern-Flötz als früher vorhanden angenommen und die Entgasung der Kohle mit der Existenz des sie überlagernden Gesteins im causalen Zusammenhange stehend gedacht werden. Auffallend ist dabei ferner der hohe Gehalt der Asche an Eisenoxyd; derselbe beträgt

bei Probe a   61,05 pCt.
   »   »   b   43,85 »
   »   »   c   43,71 »

er rührt natürlich aus dem darüber liegenden sogenannten Porphyr her, welchem das seine Kluftwände überziehende Eisenoxyd von den durchsickernden Wässern entführt und in den feinen Absonderungsspalten des Anthracits abgelagert wurde. Der ebenfalls von Dr. RICHTERS analysirte rothbraune, unmittelbar über dem Fixstern-Flötz lagernde sogenannte Porphyr zeigt folgende Zusammensetzung:

Thonerde . . . . 11,04 ⎫
Eisenoxyd . . . . . . 37,41 ⎪
Kalk . . . . 2,24 ⎬ in Salzsäure löslicher
Magnesia . . . . 0,54 ⎪   Theil,
Kieselsäure . . . . . . 15,17 ⎫
chemisch gebundenes Wasser 7,94 ⎭
                        24,09 in Salzsäure unlösliche
                             Rücksstände,
Alkalien und Verluste . . 1,57
                   100,00.

Eine solche Zusammensetzung ist mit der Vorstellung eines zu den Felsit-Porphyren gehörigen Eruptivgesteins unvereinbar und die stängelige Absonderung als Folge der Einwirkung der Wärme eines solchen zu denken, unstatthaft; denn, wo die plutonische Natur des Gesteins so deutlich hervortritt, wie in der Nähe des Göpelschachtes, da fehlt sie, und wo sie vorhanden, ist das Gestein kein Eruptivgestein. Beide Gesteine sind durchaus verschieden und verhalten sich zu einander, wie ein echter Felsitporphyr zu seinem Tuff. Dr. RICHTERS, welcher ebenfalls das das Fixstern-Flötz dort, wo es eine stängelige Absonderung zeigt, überlagernde Gestein für neptunischen Ursprungs hält, erklärt die stängelige Absonderung

als eine Folge der Einwirkung des. Eisenoxydes auf die Kohle,
welche in der Art vor sich gegangen, dass durch eine abwechselnde
Reduction des Eisenoxydes durch den Wasserstoff der Kohle und
nachherige Oxydation desselben durch den atmosphärischen Sauerstoff eine langsame Verbrennung der Kohle herbeigeführt worden
ist, welche schliesslich denselben Totaleffect hervorbrachte, als die
schnelle Erhitzung resp. Verkoakung der Kohle.

Die im Hangenden des David-Gruben-Hauptflötzes liegenden,
schon mehrfach erwähnten Flötze erreichen ihre grösste Bedeutung
erst jenseits des Salzbrunn-Weisssteiner Thales, wenn sie in das
Feld der **Morgen- und Abendstern-Grube** eintreten. Die
16 Flötze, welche in diesem Felde aufsetzen, besitzen in der Friedrich-
Wilhelm-Stollnsohle, in welcher sie ihre erste vollständige Lösung
erfuhren, vom Liegenden nach dem Hangenden gezählt, folgende
Mächtigkeiten:

Das 1. Flötz 0,13—0,39^m mächtig, unbauwürdig,

  »   2. »   0,63^m »   incl. 0,10^m Schiefermittel,

  »   3. »   1,1^m »   »   0,30^m »

  »   4. »   1—1,05^m »

  »   5. »   0,9^m »   »   0,18—0,31^m »

  »   6. »   1^m »   »   0,16—0,26^m »

  »   7. »   0,8^m

  »   8. »   0,47^m

  »   9. »   0,6^m

  »   10. »   0,52^m »

  »   11. »   besteht aus 2 Bänken von 0,37 und 0,47^m Stärke,
                 getrennt durch ein 0,52—0,63^m starkes Berg-
                 mittel, daher unbauwürdig,

  »   12. »   0,91^m mächtig,

  »   13. »   unbauwürdig,

  »   14. »   0,63^m mächtig,

  »   15. »   0,80^m »   incl. 0,13^m Schiefermittel,

  »   16. »   0,84^m »   .

Das Streichen der Flötze geht in h. 6—8, das südwestliche
Fallen beträgt 20—30⁰. Ausser dem bereits als unbauwürdig bezeichneten 1., 11. und 13. Flötz waren im nordwestlichen Felde noch

das 3., 5. und 7. Flötz unbauwürdig, während sie im südöstlichen abgebaut werden konnten. Die Flötze sind in der genannten Stollnsohle in einer streichenden Länge von etwa 1570ᵐ aufgeschlossen worden, in welcher die Stärke der Zwischenmittel variirt. Die querschlägige Entfernung vom Harteflötz bis zum 1. Flötz beträgt 173ᵐ, von diesem bis zum 13. Flötz rund 190ᵐ. Die Mittel zwischen den Flötzen bestehen vorherrschend aus Schieferthon; Sandstein findet sich als unmittelbares Hangendes des 4. Flötzes im Mittel zwischen dem 2. und 3. und zwischen dem 7. und 8. Flötz, thoniger Sphärosiderit im Liegenden des 4., 5. und 7. Flötzes. Vor ihrem Eintritt in das Thal von Altwasser werden die Flötze durch mehrere Sprünge ins Liegende verworfen; bei dem grössten derselben beträgt der Verwurf in horizontaler Richtung ca. 63ᵐ. Dieselbe Dislocation hat auch das Harte-Flötz betroffen und denjenigen Theil desselben, welcher als Fixstern-Flötz bezeichnet worden ist, ins Liegende versetzt. Dies ist nicht das einzige Beispiel aus dem hiesigen Revier, wo das Auftreten von Sprüngen in Beziehung zur Thalbildung steht.

In der I. Tiefbau-Sohle, welche 79,5ᵐ unter dem Friedrich-Wilhelm-Stolln und in 131,7ᵐ Teufe des Tiefbauschachtes liegt, zeigen die Flötze des Liegend-Zuges mit ihren Zwischenmitteln folgende Beschaffenheit[1]:

(s. Profil 11 auf Tafel III.)

Das Harte-Flötz 1,2—1,3ᵐ mächtig, mit 2—3ᵐ Schieferthon im Hangenden; das darauf folgende 138,7ᵐ mächtige Bergmittel besteht bis zum Nullflötz aus Sandstein und sandigem Schieferthon und schliesst 2 Flötzbestege von je 0,1ᵐ Stärke ein. Das Nullflötz ist unbauwürdig, hat Sandstein zum Hangenden und Liegenden und auf dasselbe folgt im Hangenden und Liegenden von Schieferthon eingeschlossen das Zwischenflötz, 0,47ᵐ mächtig, in der Friedrich-Wilhelm-Stollnsohle als Besteg vorhanden und auch hier unbauwürdig. Zwischenmittel 12,5ᵐ Sandstein und sandiger Schieferthon.

---

[1] Bei den häufigen Veränderungen, welchen die Flötze und ihre Zwischenmittel unterworfen sind, ist für jede specielle Aufzählung der Schichtenfolge die Angabe der Profillinie und Teufe, aus welcher dieselbe entnommen ist, nothwendig.

Das 1. Flötz 0,5^m mächtig incl. 0,07 Lettenstreifen, unbauwürdig.

» 2. Flötz 0,6—0,8^m mächtig; im Liegenden desselben befindet sich die bereits in der allgemeinen. Beschreibung der Gesteine erwähnte 0,08—0,10^m starke Bank von schwarzem Schieferthon resp. Brandschiefer, welcher als feuerfester Thon verwerthet wird.

Zwischenmittel 13^m sandiger Schieferthon und Sandstein.

» 3. Flötz 1—1,5^m mächtig, besteht aus einer 0,6^m starken Oberbank, einem 0,2—0,4^m starken Schiefermittel und einer 0,6^m starken Schieferbank.

Zwischenmittel 19,8^m Schieferthon.

» 4. Flötz 1—1,5^m mächtig.

Da der Hauptquerschlag hier die Markscheide zwischen Morgen- und Abendstern- und Goldene Sonne-Grube erreichte, so musste, um die hangenden Flötze vorrichten zu können, an der Markscheide ein saigeres Ueberbrechen hergestellt werden (s. Profil der Grube). Durch dasselbe wurden noch folgende Flötze aufgeschlossen:

» 5. Flötz 1,2—1,5^m mächtig incl. 0,15^m Schiefermittel.

Zwischenmittel 8^m Schieferthon.

» 6. Flötz 1—1,5^m mächtig incl. 0,4^m Schiefermittel.

Zwischenmittel 9^m Schieferthon.

» 7. Flötz 0,6^m mächtig.

Der Fallwinkel der Flötze beträgt durchschnittlich 28^0.

Zum Theil im südöstlichen Fortstreichen, zum Theil im Hangenden der vorigen liegen die Franz-Joseph- und die Goldene Sonne-Grube; erstere baute die liegenden, letztere die hangenden Flötze der Morgen- und Abendstern-Grube in der Friedrich-Wilhelm-Stollnsohle ab.

Die Franz-Joseph-Grube besitzt folgende Flötze:

Das 1. Flötz 0,60^m mächtig incl. 0,03^m Schiefermittel.

» 2. » 0,78^m » .

» 3. » 0,73^m » , unbauwürdig, weil es sich im weiteren Fortstreichen auf 0,39^m verschwächt.

» 4. Flötz 0,84^m mächtig.

» 5. » 1,96^m »

» 6. » 1,44^m »

Das 7. Flötz 0,65 m mächtig,

» Nebenflötz 0,34 m »

» 8. Flötz 0,92 m »

Streichen und Fallen ist dasselbe, wie bei Morgen- und Abendstern-Grube angegeben. Einzelne Flötztheile sind unbauwürdig,
andere konnten nicht abgebaut werden, weil man jede Annäherung
an die Mineralquellen von Altwasser vermeiden musste. Das 1., 2.,
5. und 6. Flötz sind als die besseren noch bis 20,9 m Teufe unterhalb der Stollnsohle verhauen worden. Man nimmt an, dass die
Flötze der Franz-Joseph- denen der Morgenstern-Grube in folgender
Weise entsprechen:

Franz-Joseph-   Morgenstern-
Grube   Grube

Das 1. Flötz = dem 1. Flötz.

» 2. » = » 2. »

» 3. » = 2 Bestegen von 0,16 und 0,24 m Stärke.

» 4. » = dem 3. Flötz.

» 5. » = » 4. »

» 6. » ⎫

» 7. » ⎬ = » 5. »

» 8. » = » 6. »

Die Goldene Sonne-Grube zu Altwasser. Nachdem
der Friedrich-Wilhelm-Stolln vom Liegenden her nach einander
das Cännelkohlen-, das Fixstern-Flötz und darauf die 8 Flötze der
Franz-Joseph-Grube durchfahren hatte, erreichte er in der Nähe
des Stollnschachtes No. 3 (dem heutigen Brade-Schacht) in 56,5 m
Entfernung vom 8. Franz-Joseph-Grubenflötz das 1. der 7 Goldene
Sonne-Grubenflötze, welche die hangendsten der Morgen- und
Abendstern-Grube und des Liegend-Zuges sind und, da die weiter
oben erwähnten östlich des Paulschachtes der Morgen- und Abendstern-Grube aufsetzenden Sprünge sich auch in das Feld der
Goldene Sonne-Grube hineinziehen, so hat in Folge des Verwurfs
der Friedrich-Wilhelm-Stolln das 3. und 4. Flötz 2 Mal durchörtert. Die Schichtenfolge in der Stollnlinie ist daher wie nachstehend:

Das 1. Flötz 0,65 m,

Zwischenmittel 4 m Schieferthon,

Das 2. Flötz 0,44 ^{m},

    Zwischenmittel 2 ^{m} Schieferthon,

» 3. Flötz 0,92 ^{m}. incl. 0,21 ^{m} Lettenmittel,

    Zwischenmittel 14,6 ^{m} Schieferthon,

» 4. Flötz 0,61 ^{m},

    Zwischenmittel 42 ^{m} Schieferthon mit einem 0,13 ^{m} starken

      Flötzbestege, darauf folgt nochmals

» 3. Flötz,

    Zwischenmittel 11,5 Schieferthon, Sandstein und Schiefer-

    thon,

» 4. Flötz,

    Zwischenmittel 13,5 ^{m} Schieferthon,

» 5. Flötz 0,73 ^{m} incl. 0,10 ^{m} Lettenmittel,

    Zwischenmittel 25 ^{m} grösstentheils Sandstein mit einem

    0,47 ^{m} starken Flötzbestege und zuletzt Schieferthon,

» 6. Flötz 0,73 — 0,78 ^{m} mächtig,

    Zwischenmittel 41,8 ^{m} Schieferthon,

» 7. Flötz 1,75 ^{m} mächtig.

Sämmtliche Flötze des Liegend-Zuges nehmen, nachdem sie das Thal von Altwasser überschritten haben, sogleich ein sehr steiles Fallen in oberer Sohle an; sie treten hier in das Feld der Seegen-Gottes-, später in das der mit ihr consolidirten Weissig-Grube ein und sind in beiden zuerst durch den Seegen-Gottes- und Weissig-Stolln gelöst worden. Durch den Betrieb des Ersteren, dessen Sohle 7,20 ^{m} über dem Friedrich-Wilhelm-Stolln liegt und welcher vom Mundloch ab auf ca. 3300 ^{m} in südöstlicher Richtung im Flötzstreichen aufgefahren worden ist und durch die Haupt-querschläge am Göpel- und Schuckmann-Schacht sind in einer querschlägigen Breite von 230 ^{m} 15 Flötze aufgeschlossen worden, welche Zahl durch spätere Aufschlüsse in der 1. Tiefbausohle sich auf 21 erhöhte. Die Beschaffenheit der Flötze und ihrer Zwischen-mittel ist hier eine noch viel wechselvollere, als jenseits des Thales von Altwasser, sodass es, um ein richtiges Bild der Lagerungs-verhältnisse zu geben, zweckmässig erscheint, mehrere Profile neben einander zu stellen, welche von Nordwest nach Südost fortschreiten:

    (s. folgende Tabelle und Profil No. 12, 13, 14, Taf. III.)

Flötz-Lagerungs-Profile der Seegen-Gottes-Grube bei Altwasser.

a. Im Friedrich-Wilhelm-Querschlage der I. Tiefbausohle in 79,21 m Teufe	b. Im Göpel-Schacht-Querschlage in der I. Tiefbausohle in ca. 750 m Entfernung vom Friedrich-Wilhelm-Querschlage	c. Im Schuckmann-Schacht-Querschlage in der Seegen-Gottes-Stollnsohle in ca. 500 m Entfernung vom Göpel-Schacht-Querschlage
hier nicht aufgesucht	das Fixstern-Flötz, mit Porphyr bedeckt und daher unbauwürdig,	das Fixstern-Flötz, unbauwürdig, Zwischenmittel 84 m stark, schliesst mehrere Flötzbestege ein,
das 1. Flötz 0,31 m mächtig, hat Sandstein z. Hangenden u. Liegenden, unbauwürdig,	das 1. Flötz	das 2. Flötz Mittel (Oberbank 0,39 m, unbauwürdig, 6,28 m, Schieferthon u. Sandstein, (Niederbank 1—1,57 m, Zwischenmittel 4,2 m Schieferthon,
» 2. » {fehlen hier, dafür ein Zwischenmittel von 21 m Stärke,	» 2. » {fehlen hier, dafür ein Zwischenmittel von 114 m Stärke,	
» 3. »	» 3. »	» 3. » 0,4 m mächtig, unbauwürdig, Zwischenmittel 2 m Schieferthon,
» 4. » 1,15 m mächtig, hat Sandstein z. Hangend., Schieferthon z. Liegend., unbauwürdig. Zwischenmittel 10,5 m,	» 4. » 0,73 — 0,93 m mächtig · incl. 0,06 m Mittel, Zwischenmittel 3,5 m Schieferthon,	» 4. » 0,63—0,78 m mächtig, Zwischenmittel 12,5 m Schieferthon,
» 5. » 0,55 m mächtig, hat sandigen Schieferthon z. Hangend. und Liegend., unbauwürdig. Zwischenmittel 6,7 m sandiger Schieferthon,	» 5. » 0,5 m mächtig, Zwischenmittel 2 m Schieferthon,	» 5. » 0,63—0,78 m mächtig, Zwischenmittel 3,6 m Schieferthon,

a. Im Friedrich-Wilhelm-Querschlage der I. Tiefbausohle in 79,21m Teufe	b. Im Göpel-Schacht-Querschlage in der I. Tiefbausohle in ca. 750m Entfernung vom Friedrich-Wilhelm-Querschlage	c. Im Schuckmann-Schacht-Querschlage in der Seegen-Gottes-Stollnsohle in ca. 500m Entfernung vom Göpel-Schacht-Querschlage
das 6. Flötz { Oberbank 0,70m mächtig, Mittelbank 0,20m », Niederbank 40m », hat Sandstein z. Hangenden und sandigen Schieferthon z. Liegenden, Zwischenmittel 13,6m Sandstein,	das 6. Flötz { Oberbank, keine Schiefermittel 0,7m mit einem 0,39m starken Schiefermittel bis 1m mächtig, Mittel 2,6m Schieferthon, Niederbank 0,95m mächtig; Zwischenmittel 11,4m Schieferthon und Sandstein.	das 6. Flötz 0,39—0,47m mächtig, unbauwürdig, Zwischenmittel 7,3m Schieferthon,
» 1m mächtig incl. zweier Mittel von 0,10 u. 0,30m Stärke, hat Sandstein zum Hangend. und Liegend., Zwischenmittel 19,7m Sandstein,	» 0,70m mächtig, Zwischenmittel 3,4m Schieferthon,	» 1,05—1,31m mächtig, Zwischenmittel 4,2m Schieferthon,
» 8. 1,57m mächtig, hat Schieferthon oder Sandstein z. Hangenden, Schieferthon zum Liegenden. Zwischenmittel der Ueberschiebung bei einem Mittel von 30° 10,3m, hinter der Ueberschiebung bei 9—12° Fallen 23,2m stark,	» 8. 1,4m mächtig, Zwischenmittel 2,5m,	» 8. 1,31—1,57m mächtig incl. 0,13m Bergmittel, Zwischenmittel 24,8m Sandstein,

9. » 0,65—0,91 m mächtig, Zwischenmittel 10,4 m Schieferthon,

10. » 0,65-0,91 m mächtig incl 0,26 m Lettenmittel, Zwischenmittel 8,4 m Schieferthon,

11. » 0,68 m mächtig incl. 0,39 m Lettenmittel, unbauwürdig,

Zwischenmittel 43,9 m Sandstein und Schieferthon, mit 18 Flötzbestegen von 0,22, 0,12, 0,36, 0,06, 0,22, 0,15, 0,10, 0,08, 0,20, 0,10, 0,27 und 0,23 m Stärke, ein Flötz von 0,53 m Mächtigkeit incl. 0,13 m Mittel und ein Besteg von 0,11 m Stärke,

---

9. » 0,27 m mächtig, Zwischenmittel 24,2 m, vorherrschend Sandstein,

10. » 1,2 m mächtig incl. 0,29 m Mittel oder 0,56-0,82 m mächtig ohné Mittel, Zwischenmittel 19,3 m, vorherrschend Sandstein,

» 11. » 0,42—0,56 m mächtig,

In dem hierauf folgenden 90 m mächtigen, meist aus Sandstein bestehenden Mittel sind die nachstehend aufgeführten Kohlenbänke überfahren worden:

in 4 m Entfernung v. 11. Flötz 2 Bänkchen v. 0,11 u. 0,27 m Kohle,

» 15,5 m » » 0,30 m »

» 17 m » 2 Bänkchen v. 0,39 m Kohle incl. 0 m Mittel und 0,09 m· Kohle,

» 30 m » 3 Bänkchen v. 0,30 m Kohle, 0,04 m

» 36,5 m » und 0 m » 2 » von 0 m » und 0 m »

» 68,5 m » 0 m »

» 87 m » 2 » von 0 m » und 0,14 m »

---

9. » 0,60 m mächtig, hat Schieferthon z. Hangend. u. Liegend. Zwischenmittel 21 m Schieferthon,

10. » 0,65 m mächtig, hat Schieferthon z. Hangend. u. Liegend. Zwischenmittel 36,2 m Sandstein u. Schieferthon,

11. » 1,25 m mächtig incl. 0,30 m Lettenmittel, hat Schieferthon z. Hangend. u. Liegend., unbauwürdig,

Zwischenmittel 18,4 m Schieferthon,

a. Im Friedrich-Wilhelm-Querschlage der I. Tiefbausohle in 79,21m Teufe	b. Im Göpel-Schacht-Querschlage in der I. Tiefbausohle in ca. 750m Entfernung vom Friedrich-Wilhelm-Querschlage	c. Im Schuckmann-Schacht-Querschlage in der Seegen-Gottes-Stollnsohle in ca. 500m Entfernung vom Göpel-Schacht-Querschlage
das 12. Flötz. 0,5m mächtig, hat Schieferthon z. Hangend. u. Liegend. Zwischenmittel 33m Sandstein u. Schieferthon, in demselben ist bei 1,5m Entfernung vom 12. Flötz ein Flötz von 0,97m Mächtigkeit incl. 0,23m Mittel vorhanden,	das 12. Flötz 0,64m mächtig, Zwischenmittel 104m Sandstein,	? das 12. Flötz 0,78m mächtig incl. 0,10m Lettenmittel, Zwischenmittel 27m Sandstein und Schieferthon,
» 13. » 0,45m mächtig, hat Schieferthon z. Hangend. u. Liegend. Zwischenmittel 6–12m Schieferthon u. Sandstein,	» 13. » 0,72m mächtig, Zwischenmittel 29,3m Sandstein und Schieferthon mit 4 Kohlenbänken von 0,34, 0,08, 0,23 und 0,44m Stärke,	? » 13. » 0,52—0,63m mächtig, Zwischenmittel 30,2m Sandstein und Schieferthon mit 7 Flötzbestegen, deren stärkster 0,31m mächtig ist,
» 14. » or der Ueberschiebung 1,2m mächtig incl. 20m Mittel, hinter der Ueberschiebung 1,6m mächtig incl. 0,45m Mittel, hat Sandstein z. Hangend. u. Schieferthon z. Liegend. Zwischenmittel 29,8m. Darauf folgen:	» 14. » 1m mächtig, Zwischenmittel 41,3m Schieferthon und Sandstein,	? » 14. » 0,48—1,57m mächtig, Zwischenmittel 10m Schieferthon,

15.	0,45m Kohle 1,20m sandiger Schieferthon 0,25m Kohle mit einem 0,08m starken Mittel 1,00m Schieferthon 0,70m unreine Kohle 7,00m Schieferthon und Sandstein 0,20m Kohle 5,30m Schieferthon und darauf	» 15.	1,19m mächtig incl. 0,11m Schiefermittel,	? » 15.	0,92—1,05m mächtig, Zwischenmittel 19,5m Sandstein mit einem 0,38m starken Flötzbestege, darauf folgen 3,5m Schieferthon mit 3 Ko dd bestegen von 0,08, 0,05 und 3m Stärke, 6m Schieferthon,
				ein Flötz	0,26m Oberbank 0,17m Mittel 0,40m Niederbank, 14m Schieferthon,
16.	0,57m mächtig incl. 0,5m Mittel hat Sandstein z. Hangend. u. Liegend, Zwischenmittel 20m Schieferthon u. Sandstein,			ein Flötz	0,65m stark 2,50m Schieferthon.
17.	1m mächtig incl. 0,35m Mittel hat Sandstein z. Hangnd. u. Schieferthon z. Liegend, Zwischenmittel 41,3m Sandstein,		hier noch nicht aufgeschlossen,	ein Flötz	0,10m Oberbank 0,02m Mittel 0,08m Kohle 0,04m Mittel 0,20m Niederbank,
18.	0,70m mächtig, Hangendes u. Liegendes wie beim Vorigen. Zwischenmittel 21,3m Sandstein und Schieferthon,				17m Schieferthon 0,10m Kohle 4,3 m Porphyr 1,7 m Schieferthon,

a. Im Friedrich-Wilhelm-Querschlage der I. Tiefbausohle in 79,21m Teufe	b. Im Göpel-Schacht-Querschlage in der I. Tiefbausohle in ca. 750m Entfernung vom Friedrich-Wilhelm-Querschlage	c. Im Schuckmann-Schacht-Querschlage in der Seegen-Gottes-Stollnsohle in ca. 500m Entfernung vom Göpel-Schacht-Querschlage
das 19. Flötz 1,17m mächtig, incl. 0,11m Mittel, hat Schieferthon zum Hangend. u. Liegend., Zwischenmittel 11m Schieferthon, » 20. » 0,75m mächtig incl. 0,14m Mittel, darauf 9,5m Schieferthon, » 21. » 0,52m unreine Kohle, Schieferthon.	hier noch nicht aufgeschlossen.	? das 19. Flötz 0,20m mächtig.

Bemerkung.

Die Identificirung der Flötze im Schuckmann-Schacht-Querschlage mit denen im Friedrich--Querschlage gilt nur für die liegenden Flötze vom bis zum 11. Die im Hangenden des Letzteren folgenden sind vorläufig mit fortlaufenden Zahlen ben worden, um damit die Zusammengehörigkeit mit den gegenüberstehenden im Tiefbau aufgeschlossenen, dieselben Zahlen tragenden Flötzen ausdrücken zu wollen. Jede bis versuchte Orientirung an ungewöhnlich grossen Veränderlichkeit der und rer Zwischenmittel. Es wird vorläufig als wahrscheinlich hingestellt, dass das 21. Flötz im Friedrich-Wilhelm-Querschlage dem 15. im Schuckmann-Schacht-Querschlage entspricht.

Das Streichen der Flötze geht in h. 8 — 9, das südwestliche
Einfallen beträgt über der Stollnsohle 60 — 70⁰, in der I. Tiefbausohle im Friedrich - Wilhelm - Querschlage bei den Flötzen No. 1
bis 7 circa 44, bei No. 8 — 11: 9 — 16, bei No. 12 — 20: 20
bis 27⁰.

Im südöstlichen Fortstreichen im Felde der ehemaligen Joseph-
und Weissig - Grube wurden nur die Flötze No. 8 — 14 in Bau
genommen, ihre Mächtigkeit ist hier eine geringere als im vorigen,
denn sie beträgt

beim 8. Flötz 0,78^m,
» 9. » 0,40^m,
» 10. » 0,50^m,
» 11. » 0,37^m (unbauwürdig),
» 12. » 0,47^m,
» 13. » 0,52^m,
» 14. » 0,63^m.

Das 1. bis 7. und das 15. Flötz sind hier unbauwürdig gewesen.

Der Weissig-Stolln durchörterte im Hangenden der 15 Flötze
auf eine Länge von 52^m Felsit - Porphyr (s. Profil 14, Tafel III),
welcher auch über Tage im weiteren Fortstreichen in einem Bruch
entblösst ist. Es muss angenommen werden, dass derselbe hier
wie auf der Caesar- und Twesten - Grube ein dem regelmässigen
Schichtenverbande eingeschaltetes Lager sei, für welches der
Durchbruchskanal nicht bekannt ist.

Das Verhalten der Weissig - Gruben - Flötze ist noch dadurch
merkwürdig, dass dieselben beim Feldschacht eine sattelförmige
Umbiegung zeigen, sodass sie, statt in gerader Richtung nach der
vorliegenden Bergrecht-Grube zu streichen, sich plötzlich mit
scharfem Winkel zurückwenden und gegen Osten einschiessen,
jedoch ohne sich an dem rothen Conglomerat im Liegenden noch
einmal hervorzuheben; es ist dies dasselbe Verhalten, wie es bei
den Flötzen der Bergrecht-Grube schon vorher durch die daselbst geführten Baue bekannt geworden war. Hiernach scheint
zwischen den Flötzen beider Gruben, ungeachtet der geringen
Entfernung ihrer äussersten Grubenbaue von kaum 200^m, kein

stetiger Zusammenhang stattzufinden, wenigstens ist derselbe damals nicht aufgefunden worden [1]).

Eine Identificirung der einzelnen Flötze der Seegen-Gottes- mit denen der Morgen- und Abendstern- resp. Franz-Joseph- und Goldene-Sonne-Grube ist zur Zeit nicht möglich, jedoch steht wenigstens so viel fest, dass das 4. Flötz von Seegen-Gottes-Tiefbau gleich dem 2. der Morgenstern-Grube ist; beide liessen sich an dem im Liegenden vorkommenden schwarzen Schiefer (feuerfester Thon) als identisch erkennen, obgleich im Felde von Seegen-Gottes-Tiefbau ein gleicher feuerfester Thon noch auf dem 6. Flötz (liegender Theil) und auf dem 8. vorkommt.

Die im Liegenden der früheren Weissig- belegene Gute-Aussicht-Grube hat das Fixstern-Flötz am Ausgehenden durch einen flachen Schacht und Querschlag aufgeschlossen; dasselbe besteht hier aus 2 Bänken von 0,60 und 0,30 m Stärke, wie das mit ihm wahrscheinlich identische, im Felde der Caesar-Grube auftretende Liegende Flötz. Das Fixstern-Flötz streicht h. 8—9, fällt mit 55—60⁰ nach Südwest und ist auch hier noch mit einer 1,5 m starken Decke von Felsit-Porphyr überlagert. Im Liegenden desselben ist in den dortigen Schurfgräben das Ausgehende eines 0,42—0,47 m starken Flötzes gefunden worden, welches das Cannelkohlenflötz sein könnte.

Im Hangenden der Weissig-Grube waren nahe der Waldenburg-Charlottenbrunner Chaussee 4 Flötze von 0,68, 0,76, 0,70 und 0,50 m Stärke von der Laura-Grube durch eine Rösche aufgeschlossen und in nördlicher und südlicher Richtung untersucht worden; dieselben zeigten sich jedoch wegen der häufig dazwischen auftretenden Porphyrmassen unbauwürdig und stellenweise ganz verdrückt. Die 4 Laura-Grubenflötze sind die hangendsten der Seegen-Gottes-Grube.

Die Flötze des Liegendzuges treten jenseits der nach Schweidnitz führenden Chaussee in das Feld der Bergrecht-, Glückauf- und Alte und Neue Gnade-Gottes-Grube, welche jetzt Bestandtheile

[1]) Karsten's Archiv Bd. IV, S. 62.

der consolidirten Caesar-Grube bei Reussendorf bilden.
Wie im südlichen Felde der Weissig-Grube die Flötze dadurch,
dass ihre Streichlinien sich im Halbkreis herumwenden, einen
Sattel bilden, so auch jenseits der genannten Chaussee dadurch
einen ähnlichen Sattel, dass ihre Streichlinien aus Nordwest durch
West und Süd nach Südost gerichtet sind. Auf diesem Sattel
liegt das Feld der Bergrecht-Grube und auf denselben Flötzen
baute im weiteren südöstlichen Fortstreichen die angrenzende
Glückauf-Grube. Der Glückauf-Stolln ist im Gneuss angesetzt,
verquerte die rothen Conglomerate und Sandsteine der »Rothen
Höhe«, welche zum Culm gehören, und erreichte mit 268 m querschlägiger Länge das liegendste Flötz des Liegendzuges; von den
16 Flötzen von 0,17—1,57 m Stärke, welche er aufschloss, sind
nur die nachstehenden von der Bergrecht- und Glückauf-Grube in
Bau genommen worden:

Das Liegende Flötz . . . . 0,63 m mächtig,
» Hauptflötz . . . . 1,57 m »
» 1. hangende Flötz . . . . . 0,52 — 1,05 m »
» 2. » » oder Stollnflötz 0,78 — 1,05 m »
» Jakob-Flötz . . . . 1,00 m »
» 3. hangende Flötz . . . . 0,52 m » .

Das Streichen derselben geht in h. 11—12, das westliche
Fallen beträgt circa 70⁰. Die Lagerungsverhältnisse sind nament-
lich im nördlichen Felde durch Porphyr vielfach gestört und die
Flötze in Folge dessen verdrückt; günstiger waren die Verhält-
nisse im südlichen Felde, in welchem die Flötze bis nahe an den
Zwickerbach abgebaut werden konnten, wo abermals mehrere kleine
Porphyrmassen auftreten, durch deren Erscheinen Mächtigkeit und
Qualität der Kohle beeinträchtigt werden.

An die südliche Markscheide der Glückauf- stösst das Feld
der Alte und Neue Gnade-Gottes-Grube, welche im Allgemeinen dieselben Flötze, und zwar die Alte Gnade-Gottes- die
liegenderen, die Neue Gnade-Gottes-Grube die hangenderen Flötze
besass. Hier wurden, vom Liegenden an gezählt, folgende Flötze
aufgeschlossen:

a. Im Felde der Alte Gnade-Gottes-Grube:

das Hauptflötz 1,57 mächtig incl. 0,31—0,36^m Mittel, in 11,5^m Entfernung

» 1. Flötz 0,47—0,52^m mächtig, in 5,2^m Entfernung

» 2. Flötz 2,09^m mächtig incl. 0,94^m Letten, in 8,37^m Entfernung

b. Im Felde der Neue Gnade-Gottes-Grube:

das 1. Flötz 1^m mächtig incl. 0,21^m Letten, in 20,9^m Entfernung

» 2. Flötz 0,91^m mächtig incl. 0,26^m Letten, in 6,3^m Entfernung

» 3. Flötz 1,57^m mächtig incl. 0,52—0,65^m Letten, in 4,2^m Entfernung

» 4. Flötz 0,39—0,52^m mächtig, in 14,6^m Entfernung

» 5. oder Päsler Flötz 0,52^m mächtig, in 8,4^m. Entfernung

» 6. Flötz ?, in 8,4^m Entfernung

» 7. Flötz 0,39—0,52^m mächtig, in 8,4^m Entfernung

» 8. Flötz 0,52^m mächtig incl. 0,08^m Letten, in 4,2^m Entfernung

» 9. Flötz 0,52^m mächtig, in 6,3^m Entfernung

» 10. Flötz 0,52^m mächtig.

Das Streichen und Fallen derselben gleicht dem der Glückauf-Grubenflötze. Das mehrfache Auftreten tauber Mittel ist dem bald im Hangenden, bald im Liegenden der Flötze sich einfindenden Porphyr zuzuschreiben; ob die im Felde der Gnade-Gottes-Grube auftretende grössere Einlagerung von Porphyr mit derjenigen, welche mit den vom Theresien-Schacht der Caesar-Grube aus aufgefahrenen Querschlägen durchörtert worden ist, unmittelbar zusammenhänge, ist in der Stollnsohle nicht ermittelt worden.

Diese Flötze sind seit 1859 von der letztgenannten Grube in 3 Tiefbausohlen aufgeschlossen worden. In der II. Sohle ist die Reihenfolge der Flötze in der Profillinie des Hauptquerschlages, vom Liegenden an gezählt, folgende:

(s. Profil 20, Blatt IV.)

1. Das Liegende Flötz, bestehend aus einer 0,40 und einer 0,30ᵐ starken Kohlenbank, welche durch ein 1ᵐ starkes Bergmittel getrennt sind,

   Zwischenmittel 17ᵐ Schieferthon mit einigen Flötzbestegen,

2. » Glückauf-Flötz 2,88ᵐ mächtig mit einem Bergmittel von 0,13 — 2,35ᵐ Stärke,

   Zwischenmittel 7,3ᵐ Schieferthon,

3. » Paul-Flötz 0,52 mächtig,

   Zwischenmittel 0,8ᵐ Schieferthon,

4. » Rudolph-Flötz 0,78ᵐ mächtig,

   Zwischenmittel 30,3ᵐ Schieferthon mit mehreren Flötzbestegen,

5. » Jakob-Flötz 1,3 mächtig,

   Zwischenmittel 5,2ᵐ Schieferthon mit 2 Flötzbestegen,

6. » Georg-Flötz 0,47ᵐ mächtig,

   Zwischenmittel 4,7ᵐ Schieferthon,

7. » Friedrich-Flötz 0,94ᵐ mächtig,

   Zwischenmittel 1,57ᵐ Schieferthon,

8. » Wilhelm-Flötz 0,91ᵐ mächtig.

Im Hangenden des Letzteren treten mehrere Kohlenbänke und in 44ᵐ Entfernung vom Wilhelm-Flötz eine dem Kohlengebirge regelmässig eingelagerte Porphyrmasse, welche auch mit dem Tiefbauschacht durchteuft worden ist, auf. Die Stärke derselben beträgt in der Querschlagslinie gemessen 45ᵐ. Die Grenzfläche zwischen ihr und dem unterliegenden Steinkohlengebirge zeigt nicht auf allen Punkten eine der Schichtungsebene des letzteren parallele Lage. Eine ähnliche Gabelung wie am Theresien-Schacht findet im Bereich des dicht am Dorfe Reussendorf in der III. Tiefbausohle vom Jakob- nach dem Glückauf-Flötz getriebenen Querschlages statt, in Folge deren diese Porphyrmasse daselbst auf eine gewisse Erstreckung als unmittelbare Decke des Jakob-Flötzes auftritt. Auf den Porphyr folgt in gleichförmiger Auflagerung wieder Schieferthon und in 21^m Entfernung von der hangenden Porphyrgrenze:

9. Das Hauptflötz, bestehend aus einer 1,3^m starken Niederbank und einer 1,05^m starken Oberbank, welche durch ein 4^m starkes Bergmittel getrennt sind, während in der I. Tiefbausohle beide Bänke zu einem Flötz ohne Mittel vereinigt sind,

> Zwischenmittel 3^m Schieferthon,

10. » Carl-Flötz 0,78^m mächtig,

> Zwischenmittel 10^m Schieferthon,

11. » Robert-Flötz 0,91^m mächtig.

In 12^m Entfernung von diesem Flötz, dessen Hangendes ebenfalls aus Schieferthon besteht, tritt nochmals Porphyr in concordanter Auflagerung auf[1]). Der Fallwinkel beträgt bei den liegenden Flötzen 80, bei den hangenden 70⁰.

In der I. Tiefbausohle ist das Verhalten zwischen Porphyr und Kohlengebirge ein ganz ähnliches, in der III. Tiefbausohle sind, wie das Profil zeigt, bis jetzt nur das Glückauf-, Paul-, Wilhelm- und Friedrich-Flötz aufgeschlossen, also der Porphyr noch nicht erreicht worden. Das unmittelbar vom Porphyr überlagerte Flötz ist taub, zeigt aber keine Spur einer stängeligen Absonderung wie das Fixstern-Flötz.

Nach den bis jetzt gemachten Aufschlüssen sind die Flötze in folgender Weise zu identificiren:

Caesar-Grube:		Alte Gnade-Gottes-Grube:
das Glückauf-Flötz Niederbank	=	Hauptflötz,
» » Oberbank .	=	1. Flötz,
» Paul-Flötz	=	2. »

---

[1]) Auf dem Profil 20 durch den Theresien-Schacht der Caesar-Grube sind beide Porphyrmassen irrthümlicher Weise als Porphyr-Conglomerat bezeichnet worden.

Caesar - Grube:		Neue Gnade-Gottes-Grube
das Rudolph - Flötz	=	1. Flötz,
» Jakob- »	=	2. »
» Friedrich- »	=	3. »
» Wilhelm »	=	4. »

folglich entsprechen das 5. bis 10. Flötz der Neue Gnade-Gottes-Grube den zwischen dem Wilhelm - Flötz und dem Porphyr erwähnten Flötzbestegen auf der Caesar-Grube. Eine Vergleichung der Flötze der Caesar-. mit denen der Seegen - Gottes - Grube ergiebt, dass sehr wahrscheinlich:

Caesar-Grube		Seegen - Gottes - Grube
das liegende Flötz	=	dem Fixstern - Flötz,
» Glückauf- »	=	» 4. Flötz,
» Paul- »		
» Rudolph- »	=	» 6. »
» Jakob- »	=	» 8. »
» Friedrich- »	=	» 10. »
» Wilhelm- »	=	» 11. »

Nach Ueberschreitung des Zwickerthales treten die Flötze in einen zweiten grösseren Grubenkomplex ein, welcher aus den Feldern der Hubert-, Bleibtreu-, Esperanza-, Twesten-, Friedrich- und Curt-Grube gebildet wird und von denen nur Hubert und Friedrich in früheren Jahren im Betriebe gewesen waren.

Die alte Hubert-Grube hatte 4 Flötze in Bau genommen, welche in h. 10 streichen, mit 50.—60⁰ nach Westen fallen und in der Nähe des Porphyrbruches an der Zwickerbrücke zu Tage treten. Der vom 13,6^m tiefen Diana-Schacht ins Hangende und Liegende getriebene Querschlag traf das 4. Flötz als Besteg und mit Porphyr bedeckt in 1,83^m Entfernung im Liegenden des 3., auf welchem der Hubert-Stolln getrieben worden war, das 2. Flötz 0,52—0,57^m mächtig, und in 16,7^m weiterer Entfernung das 1. Flötz 0,86^m mächtig incl. 0,08^m Lettenmittel, welches Porphyr zu seinem unmittelbaren Liegenden hat und wie das 4. Flötz taub ist.

Ein neuer Aufschluss — allerdings wenig tiefer, als durch den alten Hubert-Stolln — erfolgte durch die ebenfalls im Zwicker-thal angesetzte Twesten-Rösche. Dieselbe hat folgende Flötze kennen gelehrt (s. Profil 19, Taf. IV):

Auf den Gneuss folgt lettiger und sandiger Schieferthon mit 2 Flötzbestegen von 0,10 und 0,20^m Stärke, darauf

das 1. Twesten-Flötz 1,3^m mächtig $\left\{\begin{array}{l}\text{Oberbank } \quad 0,40^m, \\ \text{Lettenmittel } 0,10^m, \\ \text{Niederbank } 0,80^m,\end{array}\right.$

Zwischenmittel 0,5^m Schieferthon,

11,6^m Porphyr und Porphyr - Conglomerat,

1,4^m Schieferthon,

» 2. Twesten-Flötz 0,60^m mächtig,

3^m sandiger Schieferthon,

» 3. Twesten-Flötz 0,50^m mächtig,

0,9 — 1,5^m sandiger Schieferthon,

» 4. Twesten-Flötz 0,70^m mächtig $\left\{\begin{array}{l}\text{Oberbank } \quad 0,40^m, \\ \text{Lettenmittel } 0,10^m, \\ \text{Niederbank } 0,20^m,\end{array}\right.$

22,6^m sandiger Schieferthon und Sandstein mit 3 Flötzbestegen von 0,15, 0,20 und 0,10^m Stärke,

» 5. Twesten-Flötz 1,5^m mächtig $\left\{\begin{array}{l}\text{Oberbank 1}^m \text{ stark mit 2} \\ \text{Lettenstreifen von 0,03 und} \\ 0,07^m \text{ Stärke,} \\ \text{Mittel 0,08}^m, \\ \text{Niederbank 0,40}^m \text{ mit einem} \\ \text{Lettenstreifen von } 0,02^m \\ \text{Stärke,}\end{array}\right.$

16,5^m fester Sandstein und sandiger Schieferthon mit einem 0,15 starken Kohlenbestege,

» 6. Twesten-Flötz 0,60^m mächtig,

15,2^m sandiger Schieferthon mit einem 0,20^m starken Kohlenbestege,

Das 7. Twesten-Flötz 0,9^m mächtig $\left\{\begin{array}{l}\text{Oberbank } 0,40^m \text{ stark incl.}\\ 0,04^m \text{ Letten,}\\ \text{Lettenmittel } 0,10^m,\\ \text{Niederbank } 0,40^m,\end{array}\right.$

3,5^m sandiger Schieferthon,
36,5^m Porphyr[1]),
1,5^m Schieferthon.

Die nun folgenden Gebirgsschichten und Flötze sind mit denjenigen Stärken notirt, welche sie im Hauptquerschlage beim Carl-Schacht und im Hilfsquerschlage No. 1 südlich von diesem besitzen, weil der Twesten-Röschen-Querschlag hier endigt.

» Bleibtreu-Flötz 1,1^m mächtig $\left\{\begin{array}{ll}\text{Oberbank} & 0,5^m \\ \text{Zwischenmittel} & 0,4^m \\ \text{Niederbank} & 0,2^m\end{array}\right\}$ unbauwürdig,

7,5^m Sandstein und sandiger Schieferthon,

» liegende Hubert-Flötz 1,1^m mächtig $\left\{\begin{array}{ll}\text{Oberbank} & 0,2^m, \\ \text{Mittel} & 0,1^m, \\ \text{Niederbank} & 0,8^m,\end{array}\right.$

5,5^m sandiger Schieferthon und Sandstein,

» 1. Hubert-Flötz 0,9^m mächtig $\left\{\begin{array}{ll}\text{Oberbank} & 0,45^m, \\ \text{Mittel} & 0,10^m, \\ \text{Niederbank} & 0,35^m;\end{array}\right.$

6^m sandiger Schieferthon,

» Zwischenflötz 0,6^m mächtig, mit 3 Schieferstreifen, welche das Flötz in 4 Bänke von 0,10, 0,18, 0,07 und 1,10^m Stärke theilen und dadurch das Flötz unbauwürdig machen; dasselbe fehlt im Hilfsquerschlage,

12^m Schieferthon,

» 2. Hubert-Flötz 0,7^m mächtig $\left\{\begin{array}{ll}\text{Oberbank} & 0,4^m, \\ \text{Mittel} & 0,1^m, \\ \text{Niederbank} & 0,2^m,\end{array}\right.$

---

[1]) Derselbe ist auf dem Profil 19 ebenfalls irrthümlich als Porphyr-Conglomerat bezeichnet worden.

7^m Schieferthon,

2^m Porphyr,

1^m Schieferthon,

Das 3. Hubert-Flötz $0,7^m$ mächtig $\left\{\begin{array}{ll} \text{Oberbank} & 0,18^m, \\ \text{Mittel} & 0,02^m, \\ \text{Mittelbank} & 0,10^m, \\ \text{Mittel} & 0,10^m, \\ \text{Niederbank} & 0,30^m, \end{array}\right.$

    4^m Schieferthon,

» 4. Hubert-Flötz $2,9^m$ mächtig, nur erst im Hilfsquerschlage No. 1 südlich vom Carl-Schacht in nachstehender Mächtigkeit durchfahren:

    Oberbank $0,30^m$,

    Mittel $0,35^m$,

    Mittelbank $1,10^m$,

    Mittel $0,90^m$,

    Niederbank $0,25^m$,

hat Sandstein zum Hangenden.

Bei den Twesten-Flötzen beträgt der Fallwinkel 60—80, beim Bleibtreu- und den Hubert-Grubenflötzen 40—50°.

An die südliche Markscheide der Hubert- grenzt das Feld der Friedrich-Grube bei Wäldchen. In demselben treten 7 Flötze auf, deren Mächtigkeit und Identificirung mit den Twesten-Gruben-Flötzen aus nachstehender Aufzählung hervorgeht:

Das 1. oder Stollnflötz $0,42^m$ mächtig = dem 2. Twestenflötz,

» 2. Flötz . . . . $0,37^m$ » = ». 3.   »

» 3. oder Hauptflötz $0,84^m$ » = » 4.   »

» 4. Flötz . . . . $0,37^m$ » = der Niederbank,

» 5. » . . . . $0,89^m$ » = » Ober- und Mittelbank
                             des 5. Twestenflötzes,

» 6. » . . . . $0,63^m$ » = dem 6. Twestenflötz,

» 7. » . . . . $0,26^m$ » = » Kohlenbesteg zwischen
                       dem 6. und 7. oder dem 7. Twestenflötz.

Die Curt-Grube gründet sich auf einen an der hangenden Markscheide im nördlichen Felde, wo es an die Friedrich-Grube grenzt, gemachten Fund, wo ein Flötz blossgelegt worden ist, welches angeblich mit dem 5. Twestenflötz identisch sein soll.

Von den 7 Twestenflötzen wurden 4 vom Liegenden an gezählt in nachstehender Reihenfolge:

das liegendste Flötz 0,73 m stark
  Schieferthon 5,2 m,
» 2. Flötz . . . 0,52—0,62 m stark
  Schieferthon 7,30 m,
» 3. » . . . 0,90—1,00 m stark
  Schieferthon 9,40 m,
» 4. » . . . 1,70 m stark
  Sandstein und Conglomerat,

auf dem Mühlberge bei Tannhausen von der Trost-Grube erschürft und durch eine Rösche aufgeschlossen, in deren Sohle sie sich grösstentheils unbauwürdig zeigten. Zuletzt wurde einestheils, um noch etwa im Liegenden befindliche Flötze aufzusuchen, anderntheils, um die Grenze zwischen Gneuss und Steinkohlenformation kennen zu lernen, ein Querschlag ins Liegende getrieben, welcher jedoch nur sattel- und muldenförmig abgelagerte Flötzbestege von 0,16—0,26 m Stärke überfuhr. Weiter im Liegenden traten schwarze, fettig anzufühlende Letten, veränderte Schieferthone und darauf ein etwa 2 m mächtiges Bräun- und Schwerspathlager (Gang?) auf, in dessen liegendem Theile sich Kupfererze eingesprengt zeigten. Das Liegende dieser Lagerstätte war der feste Gneuss.

Zwischen dem Querprofil durch die Flötze der Caesar- und der Twesten-, Bleibtreu- und Hubert-Grube herrscht so wenig Uebereinstimmung, dass es schwer fällt, das Zusammengehörige herauszufinden. Geht man von der Unterlage, dem Gneuss, aus, so entspricht das 1,3 m mächtige 1. Twestenflötz dem 1,7 m mächtigen Liegenden Flötz der Caesar-Grube, dann dürften ferner das 2., 3. und 4. Twestenflötz zusammen dem 2,87 m mächtigen Glückauf-Flötz, das mächtige 5. Twestenflötz dem vereinigten Paul- und Rudolph-Flötz, das 6. Twestenflötz dem Jakob-, das 7. dem Friedrich- oder dem vereinigten Friedrich- und Wilhelm-Flötz gleichzustellen sein. Zur Annahme, dass somit die in der Twesten-Rösche zwischen

8*

den Twesten- und Hubert-Gruben-Flötzen durchfahrene Porphyrmasse und diejenige, welche auf der Caesar-Grube zwischen den
liegenden und hangenden Flötzen so überaus regelmässig eingelagert
ist, genau dieselben Flötze scheidet, so dass die 7 Twestenflötze
dem Liegendflötz bis Wilhelm-Flötz, das Bleibtreu und die Hubert-
Gruben-Flötze der Ober- und Niederbank, dem Carl- und Robert-
Flötz der Caesar-Grube entsprechen, liegen noch keine auf bergmännische Aufschlüsse sich stützende Gründe vor, es ist daher
sehr zweifelhaft, ob im Hangenden der bis jetzt aufgeschlossenen
Hubertflötze noch eins oder einige der hangendsten Caesar-Gruben-
Flötze angetroffen werden können oder nicht. Zwischen dem letzten
Aufschlusspunkt der Flötze des Liegend-Zuges, dem östlich von
Charlottenbrunn liegenden Fundpunkt der Curt-Grube, bis zur
Christian-Gottfried-Grube zu Tannhausen befindet sich
wieder eine Strecke, in welcher bauwürdige Flötze bis jetzt nicht
aufgefunden worden sind. Im Felde dieser Grube treten südlich
der Einmündung des Reimsbaches in die Weistritz im nördlichen
Felde 4, im südlichen 3 Flötze auf.

Die 4 Flötze des nördlichen Feldes:

das 1. Flötz 1,05^m mächtig,

» 2. » 0,52^m »

» 3. » 0,37—0,42^m mächtig, nur ab und zu versuchsweise abgebaut,

« 4. — 0,65—0,78^m »

legen sich im Norden an den aus Felsit-Porphyr bestehenden »Teich-
wald«, gegen Osten an den Gneuss an. Das Streichen und Fallen
derselben ist im nördlichen Felde auf Tannhausener Territorium
abweichend gegen das allgemeine Streichen des Steinkohlengebirges
bei Reussendorf und Charlottenbrunn, nämlich fast genau von West
nach Ost in h. 6 gerichtet und mit einem südlichen Fallen von
10—15^0 verbunden; nach Westen zu auf Donnerauer Territorium
streichen dieselben dagegen in h. 12 und fallen mit 50—60^0 nach
Westen ein. Der Zusammenhang der Flötze in diesem steil stehenden
Flügel, wo sie zuerst ausgeschürft worden waren, mit denen des
flachen Flügels ist anfänglich nicht vollständig ermittelt worden, so

dass die ersteren längere Zeit als vermeintlich besondere Flötze die Bezeichnung »Fundflötze« führten; jetzt ist soviel aus den Aufschlüssen ersichtlich geworden, dass das nach Westen gerichtete Streichen der flachfallenden Flötze sich plötzlich nach Südost herumwendet, wodurch eine spitze Mulde entsteht, bei welcher jedoch dieser letztere nach Nordost einfallende Flügel sehr bald unbauwürdig wird und daher nicht weiter verfolgt worden ist, und da ferner die Flötze im westlichen Felde da, wo sie zuerst ausgeschürft worden waren, bei nördlichem Streichen nach Westen fallen, so müssen sie nothwendiger Weise dazwischen einen Sattel bilden, welcher jedoch nicht aufgeschlossen ist. Auch im östlichen Felde zeigen diese Flötze in Folge einer sattelförmigen Umbiegung ein nördliches Streichen.

Im südlichen Felde, d. h. jenseits des etwa in 500 ^{m} südlicher Entfernung vom Reimsbach, demselben parallel liegenden und in das Weistritzbett einmündenden Thaleinschnitts sind 3 Flötze vorhanden, nämlich:

> das 4. Flötz . . 0,35—0,47 ^{m} mächtig,·
> » 2. » . . 0,65 ^{m} mächtig,
> » Zwischenflötz 0,65 ^{m} » incl. 0,13 ^{m} Mittel,

welche mit dem Querschlage 3 Mal überfahren worden sind, weil hier dadurch, dass die Flötze zunächst nach Osten, dann durch Südost nach Süden streichen, eine Mulde gebildet wird, auf welche ein Sattel folgt. Der Fallwinkel dieser 3 Flötze ist nördlich des Querschlages 15—25⁰, südlich desselben 25—65⁰. Ob das 4. und 2. Flötz im südlichen Felde identisch mit dem 2. und 4. Flötz des nördlichen Feldes, ist bis heut noch nicht festgestellt, weil noch nicht ermittelt werden konnte, ob in dem oben erwähnten Thaleinschnitt ein Verwurf hindurchgeht. Auf dem westlichen Muldenflügel des südlichen Feldes ist mit dem Querschlage eine Porphyr-Masse durchörtert worden. Im nördlichen Felde liefern die Flötze eine Anthracitkohle, im südlichen eine gute Schmiedekohle..

Mit diesen Flötzen endigen im Südosten diejenigen Kohlenablagerungen der Waldenburger Bucht, welche zum Liegend-Zug oder zur II. Stufe gehören; wir sehen sie mit der geringen Zahl

von 3—4 schwachen Flötzen beginnen und endigen, während wir
in der Mitte der Bucht zwischen Hartau und Altwasser, wo die
flötzführende Abtheilung der Formation ihre grösste Mächtigkeit
zeigt, auch beim Liegend-Zug in den 21 Flötzen der Seegen-
Gottes-Grube dem Ganzen entsprechend die vollständigste Entwickelung. erblicken.

Es tritt nun die grosse bis Colonie Köpprich bei Volpersdorf
reichende Lücke auf, in welcher nur zur III. Stufe gehörige, die
Waldenburger Bucht mit der engen Mulde von Volpersdorf-Ebers-
dorf verbindende Schichten zur Ablagerung gelangten. Die der
letzteren angehörigen Flötze treten zuerst im Felde der früheren
Einzelzeche Sophie bei Köpprich, welche jetzt mit Rudolph-
Grube consolidirt ist, aus dem Hangenden ins Liegende gezählt,
in nachstehender Reihenfolge auf:

Das 1. Flötz 0,63ᵐ mächtig (= dem 1. Flötz der Rudolph-Grube)
    hat Schieferthon mit Sphärosiderit zum Hangenden und
    Liegenden, über demselben liegt ein 0,13—0,26ᵐ starkes
    Kohlenbänkchen mit festem Sandstein zum Hangenden,·

» 2. Flötz 0,52—0,78ᵐ mächtig,

» 3. » 0,26—0,30ᵐ » hat sandigen Schieferthon zum
    Hangenden, Schieferthon zum Liegenden,

» 4. Flötz 0,65—0,84ᵐ mächtig, hat Schieferthon zum Hangenden
    und Liegenden,

» 5. Flötz 0,78—1,05ᵐ mächtig, hat Schieferthon zum Hangenden
    und Liegenden,

» 6. Flötz 0,78ᵐ mächtig incl. 0,21ᵐ Lettenmittel,

» 7. » 0,52ᵐ »

» 8. » 0,39ᵐ » .

Im Liegenden des Letzteren befinden sich noch das 1., 2. und
3. liegende Flötz. Das Streichen der Flötze geht in h. 5—7 und·
das südwestliche Fallen beträgt 45—60⁰; sie sind nur zum Theil
bauwürdig. Im weiteren südöstlichen Fortstreichen vermehrt sich
ihre Anzahl auf 34.

In der II. Tiefbausohle der consolidirten Rudolph-Grube zu Volpersdorf wurden dieselben vom Hangenden her gezählt in nachstehender Reihenfolge überfahren:

Das hangende Flötz
{ 0,25 m Oberbank,
0,74 m Schiefermittel,
0,30 m Niederbank;

das Hangende besteht aus Schieferthon,
Zwischenmittel 27 m Schieferthon und Sandstein,

» 1. Flötz 0,67 m mächtig, hat Schieferthon mit Sphärosiderit zum Hangenden und Liegenden,
Zwischenmittel 9 m sandiger Schieferthon,

» 2. Flötz 0,12—0,17 m mächtig,
Zwischenmittel 9 m sandiger Schieferthon,

» 3. Flötz 0,15 m mächtig,
Zwischenmittel 29 m fester Sandstein,

» 4. Flötz 0,13 m mächtig,
Zwischenmittel 2,25 m fester Schieferthon,

» 5. Flötz 0,16 m mächtig mit Sphärosiderit im Liegenden,
Zwischenmittel 2,5 m Schieferthon,

» 6. Flötz 0,20—0,30 m mächtig, mit einem 0,08 m starken Schieferthonmittel,
Zwischenmittel 2,6 m sandiger Schieferthon,

» 7. Flötz 0,66 m mächtig, mit einem 0,05—0,15 m starken Bergmittel; das Hangende und Liegende ist überaus reich an Sphärosiderit,
Zwischenmittel 2 m Schieferthon, im nördlichen Felde bis 16 m fester Sandstein,

» 8. Flötz 0,44 m mächtig, der Blackband, welcher im Hangenden des Flötzes in der I. Tiefbausohle im nördlichen Felde vorhanden war, fehlt in der II. Sohle,
Zwischenmittel 7 m Sandstein,

» 9. Flötz 0,14 m mächtig,
Zwischenmittel 8 m Sandstein,

Das 10. Flötz 0,20^m mächtig,
    Zwischenmittel 7.^{m} Schieferthon, dann 5^m Sandstein,

» 11. Flötz 0,12^m mächtig, mit Sphärosiderit im Hangenden,
    Zwischenmittel 1—5^m sandiger Schieferthon,

» 12. Flötz 0,36^m mächtig,
    Zwischenmittel 5^m Schieferthon, im nördlichen Felde
    Schieferthon und Sandstein,

» 13. Flötz 0,95—1,25^m mächtig, qualitativ das beste Flötz, liefert
    im nördlichen Felde bis 80 pCt. Stück- und Würfelkohle,
    Zwischenmittel 21^m Sandstein und Schieferthon,

» 14. Flötz 0,20—0,35^m mächtig,
    Zwischenmittel 5—9^m Schieferthon,

» 15. Flötz 0,30^m mächtig, mit Sphärosiderit im Hangenden und
    Liegenden,
    Zwischenmittel 5,5^m Sandstein,

» 16. Flötz $\left\{\begin{array}{l} 0,30^m \text{ Oberbank} \\ 0,10^m \text{ Schiefermittel} \\ 0,18^m \text{ Niederbank} \end{array}\right\}$ hat Sphärosiderit im Han-
    genden und Liegenden,

» 17. Flötz fehlt in den Hauptquerschlägen der I. und II. Tief-
    bausohle; im nördlichen Felde tritt in 1^m Entfernung im
    Liegenden des 16. Flötzes ein 0,08^m starkes Kohlenbänkchen
    auf, welches als 17. Flötz zu bezeichnen ist,

» 18. Flötz $\left\{\begin{array}{l} 0,42^m \text{ Oberbank,} \\ 0,40—0,70^m \text{ Schiefermittel mit Sphärosiderit,} \\ 0,20^m \text{ Niederbank;} \end{array}\right.$
    das unmittelbare Hangende des Flötzes bildet eine 0,05
    bis 0,08^m starke Lage von Spatheisenstein,
    Zwischenmittel 4^m Schieferthon.

» 19. Flötz 0,26^m mächtig,
    Zwischenmittel 3^m Schieferthon,

» 20. Flötz $\left\{\begin{array}{l} 0,09^m \text{ Oberbank,} \\ 0,18^m \text{ Schieferthonmittel,} \\ 0,22^m \text{ Niederbank,} \end{array}\right.$
    Zwischenmittel 3^m Schieferthon, im nördlichen Felde
    18^m Sandstein,

Das 21. Flötz $\left\{\begin{array}{l} 0,36^m \text{ Oberbank} \\ 0,30^m \text{ Blackband} \\ 0,10^m \text{ Niederbank} \end{array}\right\}$ Hangendes und Liegendes ist reich an Sphärosiderit,

Zwischenmittel 3^m Schieferthon, im nördlichen Felde 3 — 6^m fester Sandstein,

» 22. Flötz 0,50 — 0,56^m mächtig, hat vereinzelte Sphärosiderite im Hangenden,

Zwischenmittel 8^m Schieferthon, dann 7^m Sandstein,

» 23. Flötz 0,56 — 0,60 mächtig,

Zwischenmittel 6^m Sandstein,

» Nebenflötz 0,28^m mächtig, wurde in der oberen Sohle nicht berücksichtigt; ihm folgt zunächst 3,5^m Schieferthon, dann 0,02^m Brandschiefer, hierauf 1,5^m Schieferthon,

» 24. Flötz $\left\{\begin{array}{l} 0,44^m \text{ Oberbank mit } 0,12^m \text{ Brandschiefer,} \\ 0,10 - 0,30^m \text{ Mittel,} \\ 0,24^m \text{ Niederbank.} \end{array}\right.$

Im südlichen Felde ist die Oberbank frei vom Schiefermittel, das Mittel zwischen Ober- und Niederbank verschmälert sich bis auf 0,03^m, die Niederbank bis auf 0,06^m. Im Hangenden des Flötzes findet sich Sphärosiderit.

Zwischenmittel 0,5^m Schieferthon, 0,5^m Sandstein und darauf 2^m Schieferthon,

» 25. Flötz 0,12^m mächtig,

Zwischenmittel 4^m sandiger Schieferthon,

» 26. Flötz 0,28^m mächtig,

Zwischenmittel 2,2^m sandiger Schieferthon,

» 27. Flötz 0,26^m mächtig,

Zwischenmittel 6,5^m fester Sandstein,

» 28. Flötz 0,70 — 80^m mächtig, mit einem 0,05 — 0,10^m starken Brandschiefermittel über der Sohle, ist nächst dem 13. das beste und giebt im Durchschnitt 75 pCt. Stück- und Würfelkohlen,

Zwischenmittel 11^m Sandstein,

Das 29. Flötz $\begin{cases} 0{,}30^m \text{ Oberbank,} \\ 0{,}25 - 0{,}30^m \text{ Mittel,} \\ 0{,}28^m \text{ Niederbank,} \end{cases}$

Zwischenmitttel 4^m Sandstein

» 30.. Flötz $\begin{cases} 0{,}29^m \text{ Oberbank,} \\ 0{,}60^m \text{ Mittel,} \\ 0{,}30^m \text{ Niederbank,} \end{cases}$

Zwischenmittel 4,5^m Sandstein,

» 31. Flötz .0,28^m mächtig,

Zwischenmittel 9^m Sandstein,

» 32. Flötz $\begin{cases} 0{,}25^m \text{ Oberbank,} \\ 0{,}08^m \text{ Mittel,} \\ 0{,}16^m \text{ Mittelbank,} \\ 0{,}03^m \text{ Brandschiefer,} \\ 0{,}51^m \text{ Niederbank.} \end{cases}$

(s. Profil 17, Taf. IV.)

Die querschlägige Breite, in welcher diese grosse Zahl ·von Flötzen aufsetzt, beträgt nur circa 280^m. Das Streichen derselben geht in h. 10 — 12, das ·gegen Westen gerichtete Einfallen ist vom Köpprichthal bis Volpersdorf sehr steil, namentlich in den oberen Sohlen und bei den liegenderen Flötzen; während keins der Flötze über der Philipp-Stollnsohle unter einem Winkel von weniger als 40^0 einfällt, sogar Aufrichtungen bis zu 90^0 vorkommen, beträgt der Fallwinkel in der I. Tiefbausohle 30 — 35^0 und geht in der II. Sohle bei den hangenden Flötzen bis auf 19^0 herab, während die liegendsten Flötze No. 28 — 32 in derselben Sohle noch einen Fallwinkel von 40^0 besitzen. Ueber den Zusammenhang dieser Flötze mit denen der Sophie-Grube lässt sich nur im Allgemeinen sagen, dass letztere vermuthlich den Flötzen No. 1 — 18 der Rudolph-Grube entsprechen.

Von der Volpersdorf-Ebersdorfer Grenze ziehen die Flötze am östlichen Gehänge des Zechenthales fort, .wenden sich an ·dem aus Gabbro bestehenden Glatzhübel in kurzem Bogen herum und nehmen ihre Richtung nach Ebersdorf zu.

Die dadurch gebildete Mulde von Steinkohlenschichten ist discordant in die ihre Unterlage bildenden Culmschichten eingelagert[1]).

Auf dem nach Südwest fallenden Flügel derselben liegt die Glückauf-August-, an der Muldenspitze die Glückauf-Carl- und auf dem nach Nordost fallenden Flügel die Fortuna-Grube. Auf der Glückauf-August-Grube haben bis jetzt nur wenige Versuchbaue stattgefunden. Die Glückauf-Carl-Grube hatte früher mehrere sehr unregelmässig abgelagerte Flötze in Bau genommen und zur Lösung derselben aus dem Zechenthal den Ambrosius-Stolln herangetrieben. Derselbe durchörterte, ehe er die Flötze erreichte, Culm und den Gabbro des Glatzhübels, von welchem die weiter oben erwähnten Geschiebe im Carbon herstammen.

Die consolidirte Fortuna- und Glückauf-Carl-Grube besitzt 7 Flötze, deren Mächtigkeit und Aufeinanderfolge vom Liegenden zum Hangenden aus umstehender Zusammenstellung ersichtlich wird.

Das Streichen der Flötze geht in h. 8—9; das Fallen beträgt 30—50⁰ gegen Osten.

In einem höheren Horizont waren die Flötze im nordwestlichen Felde durch den Fortuna-, im südöstlichen Felde durch den bereits erwähnten Ambrosius-Stolln gelöst worden. Letzterer traf in etwa 200ᵐ Entfernung vom Fortuna-Flötz ein Flötz von 0,47ᵐ Mächtigkeit incl. 0,24ᵐ Bergmittel, welches das vierte zu sein scheint, und noch mehrere Bestege, deren Zugehörigkeit zu den oben aufgeführten Flötzen noch vollständig unklar ist. Dass im Liegenden des Fortuna-Flötzes noch Flötze resp. Flötzbestege vorhanden sind, hat sich aus dem Betrieb der Grundstrecke des genannten Flötzes in südöstlicher Richtung ergeben, indem hier das Fortuna-Flötz ins Hangende verworfen wird und dabei ein 0,18ᵐ starker Flötzbesteg zum Vorschein kommt.

Verfolgt man den Flötzzug nach Nordwest weiter, so stösst man jenseits der Ebersdorfer Territorialgrenze auf mehrere Pingen,

---

[1]) TIETZE, a. a. O., S. 4.

	In der I. Tiefbau-sohle bei 52,3ᵐ Teufe des Kunst-Schachtes Mächtigkeit	In der II. Tiefbau-sohle bei 105,9ᵐ Teufe des Marianna-Schachtes Mächtigkeit
Das Fortuna-Flötz	1—1,3ᵐ	1—1,3ᵐ
Zwischenmittel . .	61,7ᵐ	71ᵐ
» 6. Flötz (unbauwürdig)	0,16—0,31ᵐ	0,18ᵐ
Zwischenmittel . .	3,0ᵐ	7,3ᵐ
» 5. » (unbauwürdig)	0,16—0,31ᵐ	0,13ᵐ
Zwischenmittel . .	5,2ᵐ	5,2ᵐ
» 4. »	0,36—0,47ᵐ	0,36ᵐ .
Zwischenmittel . .	11,5ᵐ	11,5ᵐ
» 3. »	0,42ᵐ	0,39—0,44ᵐ
Zwischenmittel . .	10,5ᵐ	9,4ᵐ
» 2. »	0,47—0,52ᵐ	0,42—0,52ᵐ
Zwischenmittel . .	8,4ᵐ	12,5ᵐ
» 1. »	0,78—1ᵐ	0,78—1ᵐ
Zwischenmittel . .	—	23ᵐ
» Wasserkohl-Flötz	0,32—0,65ᵐ	0,52—0,65ᵐ
Zwischenmittel . .	—	20,9ᵐ
» hangende Flötz	0,78—0,90ᵐ	verdrückt.

welche von der früheren Giesbert-Grube herrühren. Das Fallen
der Schichten ist hier noch nach Osten gerichtet. Noch weiter
nordwestlich, in der Nähe der Häuser von Volpersdorf, sind mehrere Flötze, deren stärkstes eine Mächtigkeit von 1,05ᵐ besitzt,
am Ausgehenden ausgeschurft worden, welche unter dem Namen
Glückauf-Philipp gemuthet und verliehen wurden, aber nördlich. vom Dorfe verschwindet das Kohlengebirge unter dem Rothliegenden. Auf die Mulde, welche die Flötze der Rudolph- und
Fortuna-Grube bilden, folgt in westlicher Richtung ein Sattel, da .
einige der von der Glückauf-Philipp-Grube ausgeschürften Flötze
steil nach Westen fallen; ihre geringe Mächtigkeit ist die Ursache,
dass die Lagerungsverhältnisse hier nicht näher bekannt wurden.

Eine weitere Verbreitung der Flötzbildungen der II. Stufe
nach Nordwest oder Südost ist mit Sicherheit nicht erwiesen; es

sind zwar noch einige Punkte bekannt, an denen Steinkohlenschichten in geringer Erstreckung auftreten, doch ist es ungewiss,
ob sie dieser oder der folgenden Stufe angehören.

Man findet nämlich Kohlensandsteinschichten noch am Bauern-
graben entlang, wo sie jedoch bis auf eine Mächtigkeit von 1—2^m
herabgegangen sind, steil, fast senkrecht stehen und am Spitz-
und Kleinberge unter dem Rothliegenden vollständig verschwinden.
Sie setzen jedoch unter demselben fort und erscheinen wieder am
nördlichen Fusse des Lerchenberges am unteren Ende von Roth-
Waltersdorf, verschwinden wiederum unter dem Rothliegenden
und treten erst in der Mitte des Dorfes Gabersdorf mit mehreren
Flötzbestegen auf. Von da geht das productive Kohlengebirge
der Grenze mit den älteren Schichten conform bis in die Nähe
der »Höllengründe«, wo es als ein schmaler Streifen bekannt ist,
wendet sich nördlich mit westlichem Fallen und verliert sich unter
dem Rothliegenden. Die weitere Fortsetzung unter letzterem nordwestlich über Ober-Gabersdorf nach Ober-Rothwaltersdorf ist
durch das Auftreten einer Kohlengebirgspartie in Ober-Gabersdorf
gegeben, und von hier ist sie dem westlichen Abhang des Steiner-
waldes entlang über Ebersdorf, westlich vom Kalkberge fortziehend
und an denjenigen Theil des Kohlengebirges anschliessend, welcher
sich südlich von Volpersdorf unter dem Rothliegenden des Bauer-
berges verliert und westliches Einfallen besitzt, zu denken. Zur
Erforschung, ob im Innern dieser von Urschiefern und Culmgrauwacken gebildeten, an der Oberfläche fast nur vom Rothliegenden
ausgefüllten, langgezogenen Mulde, in welcher Rothwaltersdorf
und Gabersdorf liegen und an deren Rande an verschiedenen
Stellen ein deutlich ausgesprochener Kohlensandstein zu Tage tritt,
bauwürdige Flötze abgelagert sind, hat sich bis jetzt noch kein
Unternehmer bereit finden lassen. Ausser einer Rösche, welche
dicht an der durch Volpersdorf führenden Chaussee von Seiten
der Glückauf-Philipp-Grube auf der Nordseite des Dorfes in den
40er Jahren im Streichen eines Flötzes nach Norden aufgefahren
wurde und durch welche die hier vorhandenen Flötze in sehr un-
regelmässiger Ablagerung angetroffen worden waren, sind ander-
weite Grubenbaue zwischen Ebersdorf, Buchau und Kohlendorf
nicht vorhanden.

Die organischen Reste der II. Stufe.

a. Thierische Reste.

1. *Holoptychius Portlocki Ag.* (*Rhyzodus Hibberti* Owen)[1].
2. *Estheria striata* var. *Beinertiana* Jones.
3. *Modiola* sp.?

Dieselben stammen sämmtlich vom 21. Flötz der Rudolph-Grube zu Volpersdorf, die ad 1 genannten fand man ausserdem noch auf dem 8. Flötz ebendaselbst. Vollständige Exemplare dieses Fisches liegen nicht vor, die bis jetzt gemachten Funde bestehen aus einzelnen Schuppen verschiedener Grösse, Zähnen und Kopfschildern, und auch diese sind seit einer Reihe von Jahren nicht mehr zum Vorschein gekommen.

b. Pflanzen-Reste.

Farne:

1. *Sphenopteris* (*Diplotmema*) *elegans* Brg.
2. » » *subgeniculatum* Stur.
3. » *Schützei* Stur.
4. » cf. *Hymenophyllites Gersdorfii* Göpp.
5. » » *distans* Stbg.
6. » » *Schönknechti* Stur.
7. *Aspidites* (*Diplotmema*) *dicksonioides* Göpp.
8. » cf. *Sphenopteris Schillingsii* Andr.
9. *Gleichenites* (*Calymmotheca*) *Linkii* Göpp.
10. *Sphenopteris* » *divaricata* Göpp.
11. » » *subtrifida* Stur.
12. *Rhodea Stachei* Stur.
13. *Hymenophyllum Waldenburgense* Stur.

---

[1] F. Römer: Ueber das Vorkommen von *Rhizodus Hibberti* Owen in den Schieferthonen der Rudolph-Grube zu Volpersdorf in Zeitschr. d. D. geol. Ges. Bd. XVII, S. 272.

14. *Adiantides oblongifolius* Göpp.
15. *Cardiopteris* sp.?
16. *Oligocarpia quercifolia* Göpp.
17. *Aphlebiocarpus Schützei* Stur.
18. *Rhacopteris transitionis* Stur.

Calamarien:

19. *Eleutherophyllum mirabile (Equisetites mirabilis)* Stbg.
20. *Archaeocalamites radiatus* Brgt. *(Cal. transitionis* Göpp.).
21. *Calamites ramifer* Stur.
22. » *ostraviensis* Stur.
23. *Sphenophyllum tenerrimum* Ettgh.

Lepidodendreen:

24. *Lepidodendron Veltheimianum* Stbg.
25. » *Rhodeanum* Stbg.
26. » *Volkmannianum* Stbg.
27. *Stigmaria inaequalis* Göpp.

Sigillarien[1]):

28. *Sigillaria* sp.?

Durch das Vorherrschen der Gattungen *Diplotmema*, *Calymmotheca* und *Rhodea* schliesst sich die II. Flora eng an die I. an, in welcher dieselben Gattungen im Verein mit *Sphenopteris* und *Hymenophyllites* überwiegen; es ist zwar bei denselben von der I. zur II. Flora kein Fortschritt in der Entwickelung der Formen zu constatiren, da die Zahl der Species sogar abnimmt, was sich vielleicht aus einer räumlichen Einschränkung des Vegetationsgebietes erklären lässt, welche die geognostische Karte ergiebt,

---

[1]) Göppert erwähnt in seiner Abhandlung: Ueber die Beschaffenheit und Verhältnisse der fossilen Flora u. s. w. 1850. das Vorkommen von *Sigill. alveolaris* und *elongata* auf der Seegen-Gottes- und Morgenstern-Grube, jedoch findet sich ausser dieser Anführung zweier Namen nirgends eine Notiz über das Auftreten der Sigillarien im Liegendzuge. Ich selbst habe in einem Zeitraum von mehr als 20 Jahren nur ein nicht bestimmbares Exemplar gefunden, in Sammlungen keins gesehen.

dafür zeigt sich eine desto grössere Entwickelung in der Zahl der Individuen, sodass es nicht schwer fällt, diejenigen Pflanzenreste aufzufinden, welche zur Beantwortung der Frage, ob eine Schichtenreihe der II. Stufe angehört oder nicht, nöthig sind. Die I. und II. Flora haben, wenn man nur den Niederschlesischen Culm und die Waldenburger Schichten in Betracht zieht, 5 Species gemeinsam:

1. *Diplotmema patentissimum* Ettgh.
2.   *   *distans* Stbg.
3. *Archaeocalamites radiatus* Brg.
4. *Lepidodendron Veltheimianum* Stbg.
5. *Stigmaria inaequalis* Göpp.;

dehnt man aber den Vergleich auch auf den Dachschiefer Mährens und die Ostrauer Schichten aus, so ergeben sich für den gemeinschaftlichen Besitz beider Floren ausser den genannten 5 noch 5 Species, nämlich:

6. *Calymmotheca divaricata* Göpp.
7.   *   *moravica* Ettgh.
8. *Todea Lipoldi* Stur.
9. *Archaeopteris Dawsoni* Stur.
10. *Rhacopteris transitionis* Stur,

zusammen also 10 Species, gegenüber der Zahl von 128 Species, welche sich aus den von STUR in seiner Culmflora II, S. 312—316 aufgeführten, im Mährischen Dachschiefer, in den Ostrauer und Waldenburger Schichten vorkommenden 90 Species und denjenigen 38 Species ergiebt, welche dem Niederschlesischen Culm eigenthümlich sind. Für den engeren Bezirk betragen daher die beiden Floren gemeinsamen Species 6,6, für den weiteren 7,8 pCt. *Archaeocalamites radiatus* theilt die II. mit der I. und III. Flora, dagegen ist *Sphenophyllum tenerrimum* Ettgh. ihr ausschliesslich eigen. Die Selagineen der II. Flora zeigen im Vergleich zur I. ein gleiches Verhalten wie die Farne, die Zahl der Gattungen und Species ist zurückgegangen, welcher Verlust auch hier einigermaassen durch die grosse Individuenzahl von *Lepidodendron Veltheimianum* ersetzt wird. Das massenhafte Vorkommen der *Stigmaria inaequalis* neben dem überaus seltenen einer *Sigillaria* beweist die Richtigkeit der von GEINITZ schon 1856 in seiner Darstellung der Steinkohlen-Formation Sachsens ausgesprochenen Behauptung, dass *Stigmaria inaequalis* die Wurzel von *Lepidodendron Veltheimianum* sei. Auffallend ist ausser der grossen Seltenheit der Sigillarien noch das Fehlen der Coniferen in der II. Flora, da sie bereits in der ersten mit einigen Species auftreten und in der III. so häufig sind, wo sie zuerst im Sandstein des Gleisberges bei Waldenburg im Liegenden des untersten Flötzes dieser Stufe erscheinen.

III. Stufe. Der Waldenburger Hangendzug.

(Schatzlarer Schichten STUR = Saarbrücker Schichten WEISS [1]).

Die Sedimente dieser Stufe finden sich längs der ganzen
Erstreckung der Mulde sowohl in Schlesien als auch in Böhmen
ohne Unterbrechung abgelagert; in der Waldenburger halbkreisförmigen Bucht, in welcher die Schichten der II. Stufe als ihre
Unterlage auftreten, wurden durch das Auftreten des Felsit-Porphyrs die Uferlinien im Vergleich zur Zeit der Ablagerung der
Schichten der vorigen Stufe vielfach modificirt und mannigfacher
entwickelt, so dass der erweiterten Auflagerungsfläche auch ein
vermehrter Kohlenreichthum entspricht.   Nach Ablagerung der
Schichten der II. Stufe trat nämlich der Felsit-Porphyr des Hochwaldes und der ihn umgebenden Berggruppe einschliesslich des
Hochberges an die Oberfläche und wenn auch vielleicht damals
die jetzige Höhe noch nicht erreichend, bildete er eine Terrain-
erhebung, welche sich soweit nach dem Liegenden zu erhob und
an die zuletzt gebildeten hangendsten Schichten des Liegendzuges
sich so anschloss, dass die Schichten der III. Stufe, welche nunmehr zum Niederschlage gelangten, nicht mehr der II. Stufe conform halbkreisförmig gebogene Streichlinien zeigen, sondern sowohl
auf der Ost- als auch auf der Westseite derselben eine Specialmulde bilden, indem sie sich an diese Erhebung anlehnen.   Auf
jener Seite liegt die Mulde, welche die Hermsdorfer und Weisssteiner Flötze mit einander bilden, auf dieser die Mulde der Abendröthe-Grube zu Kohlau; letztere umfasst ihrerseits noch eine klei-

---

[1] WEISS und LASPEYRES: Begleitworte zur geognostischen Karte des kohlen-
führenden Saar-Rhein-Gebietes. 1868.

nere Mulde, gewissermaassen eine Mulde dritter Ordnung, indem
ein Theil der Flötze sich in die Einsenkung zwischen dem Hochwald und Hochberg hineinzieht.

Dass der Zeitpunkt des Zutagetretens des Hochwald-Porphyrs
zwischen die beiden Flötzablagerungs-Perioden der II. und III. Stufe
fiel, wurde schon vor mehr als 50 Jahren richtig erkannt, indem
1821 der damalige Berg-Amts-Director SCHMIDT in Siegen in
seiner »Darstellung allgemeiner Gangverhältnisse und der Beziehung
derselben zur Formation des Gebirgsgesteins[1]« der Lagerungsverhältnisse zwischen Felsit-Porphyr und Steinkohlengebirge bei
Waldenburg gedenkt und sich darüber folgendermaassen äussert:
»Die beinahe 1 Stunde lange und über 1/2 Stunde breite, im Horizontal-
durchschnitt länglichrund erscheinende Masse des Porphyrs bei
Gottesberg in Schlesien, welche die Berggruppe des Hochwaldes
bildet, ist ganz gleichzeitig mit dem Kohlengebirge entstanden.
Dieser ungeheure Porphyrstock dient den sich auf der West-,
Süd- und Ostseite um solchen herumziehenden Kohlengebirgsschichten zum Liegenden und gegen Norden ruht solcher auf den
gerade fortstreichenden, weiter im Liegenden befindlichen älteren
Schichten des Kohlengebirges, die sowohl östlich als westlich des
Hochwaldes mit den hangenden Schichten, welche den Porphyr
im grossen Halbkreise umziehen, gleiches Streichen und gleiches
nach Süden gerichtetes Einschiessen haben. Mir scheint es nun,
dass dieses höchst sonderbare Lagerungsverhältniss am besten so
erklärt werden könne, dass, als die liegenden Kohlenschichten gebildet waren, jene Porphyrmasse aus der Tiefe empordrang, so
dass bei der zugleich weiter fortschreitenden Bildung des Kohlengebirges die hangenden und neueren Schichten des letzteren sich
um den Porphyr herumlegen mussten.« Wir sehen jetzt allerdings
die an den Porphyr sich anlehnenden Flügel beider Specialmulden
nach dem Ausgehenden zu in steiler Neigung unter Winkeln von
70—80⁰ aufgerichtet und müssen daher annehmen, dass dieselbe
das Resultat einer später erfolgten, allmählichen Hebung dieses
Porphyrstockes oder einer Senkung des mehr nach dem Innern

---

[1] Siehe KARSTEN's Archiv alte Reihe Bd. IV, S. 43.

der Mulde zu liegenden Theils der Schichtenreihe sei, aber anderer‑
seits auch voraussetzen, dass die Unterlage, welche der Porphyr
den sich niederschlagenden Materialien darbot, schon anfangs eine
stärker geneigte gewesen sein müsse, als auf den flachfallenden
Gegenflügeln beider Mulden, weil auf den steilstehenden Flügeln
durchgängig die Mächtigkeit der Flötze und Zwischenmittel eine
weit geringere als auf den Gegenflügeln ist. Durch mehrere berg‑
männische Versuche am südwestlichen, nordöstlichen und östlichen
Fusse des Hochwaldes wurde festgestellt, dass der Porphyr an allen
diesen Punkten den Flötzschichten, auf welche er sich gelagert
hat, conform unter Winkeln von 45 — 50⁰ einschiesst, und der
Umstand, dass an keiner Stelle das Herausheben von Flötzen des
Liegendzuges an seinem Fusse zu beobachten ist, beweist, dass
der Porphyr jünger als dieser und älter als der Hangendzug ist.
Dieses Alter ist jedoch nur seiner Hauptmasse zuzuschreiben, da,
wie wir auf der Glückhilf-Grube zu Hermsdorf sehen, der Por‑
phyr seine Umgebung zum Theil in steilstehenden, gangähnlichen
Massen die Steinkohlenschichten durchbricht.

Im Felsit-Porphyr der südwestlichen Vorhöhen des Hoch‑
waldes setzen bei Gottesberg Erzgänge auf, welche etwa um das
Jahr 1530 ausgeschürft, seitdem mit Unterbrechungen, meist auch
nur mit geringen Geldmitteln, bis in die 20er Jahre dieses Jahr‑
hunderts bauhaft erhalten worden sind. Die Zahl der bebauten
Gänge, die Nebentrümer nicht mitgerechnet, ist aus den alten
Nachrichten nicht genau zu ermitteln; sie scheint 5 betragen zu
haben, nämlich 2 Gänge, welche unter der Stadt Gottesberg auf‑
setzen und von der Wags mit Gott-Zeche in Bau genommen
waren, 2 am Mohren- und Plautzenberge, auf welchen die Zechen:
Segen Gottes, Gnade Gottes, Reich Gottes, Gegentrum, Geisler-
Zeche, Morgenstern nnd Neuer Segen Gottes gelagert, und 1 am
Sonnenwirbel mit der Zeche Löbethal. Der Hauptgang der Wags
mit Gott-Zeche streicht h. 2, die Gänge des Morgenstern, Segen
Gottes u. s. w. h. 9—10, während über den Löbethaler Gang
nichts Genaues bekannt ist. Auf der Wags mit Gott-Zeche be‑
stand die Erzführung aus Fahlerz, Bleiglanz und Blende mit
Schwerspath und Quarz als Gangarten, wobei die Erzschnüre

0,05—0,08, stellenweise sogar 0,50ᵐ mächtig waren, auf den beiden
Gängen am Mohren- und Plautzenberge, welche eine Mächtigkeit
von 0,52—1ᵐ ausschliesslich der Nebentrümer besassen, aus
denselben Erzen, welche hier grösstentheils nur von Schwerspath
begleitet wurden und in Trümmern von 0,02—0,78ᵐ Stärke auf-
setzten. Die alten Baue wurden 1856 unter den Namen: Egmont,
Morgenroth, Gottlob, Prophet, Morgenstern, Neues Reich Gottes,
Gute Hoffnung, Silberblick wieder aufgenommen, die Gänge der
zuerst genannten Gruben in der Teufe von 167ᵐ des Egmont-
schachtes nach allen Richtungen untersucht, jedoch überall in sehr
geringer Mächtigkeit, erzarm und nach der Tiefe zu auskeilend
vorgefunden, so dass der gesammte Betrieb 1865 eingestellt werden
musste, der Gottesberger Erzbergbau demnach das gleiche Schicksal wie der Gablauer erfuhr[1]).

Dass das Heraufdringen des Porphyrs auch noch mitten in
die Zeit der Ablagerung des Hangendzuges trifft, beweisen in
diesem Gebiet besonders die neuesten Aufschlüsse der Abendröthe-
Grube zu Kohlau, wo der Porphyr des Hochberges mit seinen
Tuffen in die ruhige Ablagerung der Kohle bildenden Pflanzen-
stoffe vielfach störend eingriff und bald das Liegende, bald das
Hangende eines Flötzes, an einer Stelle sogar beides zugleich
bildet. Ungefähr von demselben Alter ist der Porphyr, welcher
in Gemeinschaft mit seinen Conglomeraten denjenigen Höhenzug
bildet, welcher mit dem Butterberge bei Ober-Waldenburg beginnt
und mit dem Sandgebirge bei Tannhausen und den Donnerauer
Bergen endigt. Südöstlich dieser die Hochwaldgruppe über-
treffenden Masse tritt das in Rede stehende Eruptivgestein nur
noch einmal in geringer Ausdehnung bei Rudolphswaldau und in
der Erstreckung von Schwarzwaldau über Landeshut und Liebau
ebenfalls nur einmal am Schanzenberge bei Königshain auf, endlich bei Schatzlar wie bei Rothenbach und Schwarzwaldau auf der
Grenze zwischen der Steinkohlenformation und dem Rothliegenden.
Auf dem böhmischen Muldenflügel hat von Gabersdorf und Döberle

---

[1]) H. v. Festenberg-Packisch: Der metallische Bergbau Niederschlesiens.
Wien. Perles 1881.

südlich von Schatzlar bis zum Endpunkt der Formation bei
Straussenei nirgends ein Ausbruch von Porphyr stattgefunden.

Ein Blick auf die geognostische Karte der Umgegend von
Waldenburg zeigt, dass hier .die plutonische Thätigkeit während
der Steinkohlenzeit niemals unterbrochen wurde; von dem liegendsten bauwürdigen Flötz, dem Fixsternflötz an bis zu den hangendsten Flötzen bei Fellhammer und Dittersbach überall Störung und
Unterbrechung in der regelmässigen Lagerung, wobei der Porphyr
bald älter, bald jünger als die betroffenen Flötze ist. Stellenweise
ist das gegenseitige Alter schwer festzustellen, jedenfalls darf aber
aus der steilen Aufrichtung der Flötze nicht auf ein jüngeres Alter
des Eruptivgesteins geschlossen werden. An keiner Stelle, wo .der
Porphyr mit der Flötzmasse in unmittelbare Berührung tritt, wiederholt sich die beim Fixsternflötz beobachtete stängelige Absonderung der Steinkohle, wodurch der schon oben ausgesprochene
Zweifel, dass sie eine Wirkung der Hitze sei, noch vergrössert
wird. Ebenso finden sich nirgends an den Contactstellen gefrittete
Sandsteine oder Schieferthone, kurz, nirgends eine einzige Erscheinung, durch welche die bei Eruptivgesteinen vorausgesetzte
hohe Temperatur erwiesen wird. Damit soll jedoch dem Ultra-
neptunismus kein neues Beweismaterial in die Hände geliefert
werden, sondern es folgt daraus nur, dass das zu Tage getretene
Eruptivgestein in den meisten Fällen schon auf der Oberfläche er-
kaltet war, als es von den Sedimenten umlagert und bedeckt
wurde, was bei der Annahme, dass der Ausbruch unter Wasserbedeckung stattfand, leicht erklärlich ist. Hieraus folgt demnach,
dass in den überwiegend meisten Fällen der eine bestimmte
Schichtenreihe durchbrechende Porphyr älter als die in ihrer Con-
tinuität gestörte Schichtenreihe ist.

Die Schichten der III. Stufe liegen auf dem böhmischen
Flügel bei Schatzlar unmittelbar auf Glimmerschiefer, von Markausch über Bodaschin und Hronow bis Straussenei in Folge der
bereits in der Einleitung erwähnten Dislocation auf dem Rothliegenden und der Kreideformation, in Schlesien von Tschöpsdorf
bis Hartau auf Culm. Diese zuletzt genannte Ablagerung wurde,

weil sie zunächst auf Culm folgt, früher stets als dem Liegendzug angehörig betrachtet, mit welcher Auffassung auch die geringe Mächtigkeit der Flötze, das häufige Auftreten von Störungen, von unbauwürdigen Feldestheilen u. s. w. übereinstimmen würde, jedoch spricht das absolute Fehlen der Leitpflanzen des Liegendzuges, verbunden mit dem Auftreten bezeichnender Farne des Hangendzuges, für ihre Zutheilung zur III. Stufe. Von Gablau bis Sophienau zeigt dieselbe ihren grössten Reichthum an bauwürdigen Flötzen und zugleich die grösste Mächtigkeit, indem der in der halbkreisförmigen Bucht vorhanden gewesene Raum nunmehr vollständig von ihr allein ausgefüllt wurde und die IV. und V. Stufe hier fehlen. Von Wüste-Giersdorf bis Köpprich ruht die III. Stufe, weil die II. fehlt, auf Gneuss und Culm; jenseits Köpprich aber fanden die ihr zugehörigen Sedimente keinen Eingang in die Volpersdorf-Ebersdorfer Mulde, sei es wegen der geringen Breite derselben oder den Eingang versperrender Terrainerhebungen, sondern legten sich vor der Oeffnung derselben in flachem Bogen herum und hoben sich am Nordrande, an der westlichen Flanke und am Südende des Gabbro-Zuges heraus, um bei Eckersdorf unter dem Rothliegenden vollständig zu verschwinden.

Die Gesteine. Der weiter oben der Beschreibung der Lagerungsverhältnisse der II. Stufe vorangeschickten Schilderung der Gesteine ist hier nur dasjenige ergänzend hinzuzufügen, was als der III. Stufe eigenthümlich hervortritt, und in dieser Beziehung muss zunächst hervorgehoben werden, dass erst in dieser Stufe Arkosen auftreten, was aus den häufigen Porphyrdurchbrüchen, welche nun sich überall ohne Unterbrechung ereigneten, leicht erklärlich wird. Auch da, wo Feldspathkörner in den Sandsteinen fehlen, nehmen diese und die Schieferthone in der Nähe der Porphyre häufig eine rothe Farbe an, indem die färbende Substanz durch die circulirenden Gewässer dem Porphyr entzogen und auf die Schichtgesteine übertragen wurde; in den Sandsteinen hat das rothe Eisenoxyd nicht nur das Bindemittel durchdrungen, sondern zum Theil auch die Quarzkörner überzogen. Als besondere Beispiele dafür können die Conglomerate und Sandsteine, welche

der Friedrich-Wilhelm-Stolln zwischen Lichtloch No. 3 und 4
durchfahren hat, die gleichnamigen Gesteine am Dienerberge, am
Gleisberge u. s. w. genannt werden.

Die hangendsten Sandsteine der östlichen Specialmulde, z. B.
die Sandsteine im Hangenden des Frauen-Flötzes der Friedens-
Hoffnung-Grube, mit welchen die Ausfüllung daselbst abschliesst,
die Sandsteine am Bahnhof zu Waldenburg und in der Nähe der
Friedrich-Stolberg-Grube erscheinen häufig dunkelroth gestreift mit
scharfen Farbengrenzen oder vollständig braunroth gefärbt und
erlangen dadurch eine so grosse Aehnlichkeit mit Gesteinen des
Rothliegenden, dass sie früher dafür gehalten worden sind. In
den Sandsteinen und Conglomeraten gesellen sich zu den Brocken
und Körnern von Quarz und Kieselschiefer dort, wo dieselben
beim Fehlen der unteren Stufen direct auf Glimmerschiefer oder
Gneuss liegen, noch Brocken dieser Urfelsarten, so z. B. bei
Schatzlar Brocken von Glimmerschiefer, bei Reichhennersdorf solche
von grünlichen Culmschiefern u. s. w. Ausser dunkelrothen Schieferthonen kommen zu Schatzlar noch rothe Thoneisensteine, jedoch
nicht in der so häufigen Form von brotförmigen Concretionen,
sondern wie die Schieferthone als zwischen Sandsteine eingelagerte,
compacte Bänke vor, sind auch nur als eisenreiche Schieferthone
zu betrachten.

In Bezug auf die Steinkohlenflötze ist ausser den weiter oben
aufgeführten Varietäten der Steinkohle eine dieser Stufe angehörende Erscheinung, die der sogenannten Augenkohle zu erwähnen; bei derselben treten auf den verticalen Querklüften, niemals auf den Schichtungsflächen einer stark glänzenden Kohle
augenähnliche, aus concentrischen Ringflächen zusammengesetzte
Figuren hervor, deren Entstehung auf radialfaserige Niederschläge
von Gyps auf diesen Querklüften zurückgeführt wird. Mitunter
findet man auf einem solchen Auge noch ein papierdünnes, weiss-
liches Blättchen aufsitzend, meistens ist es von der glatten Fläche
der Kohle bereits abgeblättert oder vom Wasser aufgelöst und
fortgeführt; zuweilen bildet auch Schwefelkies einen Antheil am
Ueberzuge. Diese Augenkohle findet sich am schönsten auf dem
15./16. Flötz der Friedrich-Ferdinand-, dann auf dem 7. Flötz der

westlichen Fuchs-Grube, in geringerem Grade noch auf dem einen oder anderen Flötz.

Im Allgemeinen ist der Fallwinkel der Schichten der III. Stufe geringer, als bei den vorigen, wenn von den steilen Aufrichtungen am Hochwald und Hochberg abgesehen wird. Auffallend ist die steile Schichtenneigung im Lässig-Thal, wo die Flötze der Carl-Georg-Victor-Grube unter Winkeln von 30—35°, die der Gustav-Grube unter 53—82° einfallen; hier kann die steile Neigung nicht als Resultat einer Hebung, sondern nur als Folge einer Senkung des Kohlengebirges aufgefasst werden, welche eintrat, als der auf der Grenze zwischen Steinkohlengebirge und Rothliegendem auftretende Porphyr, welcher den Hügelzug des Hirsch-, Wäldchen- und Sommerberges bildet, aus der Tiefe emporstieg.

Specielle Beschreibung der Lagerungsverhältnisse der III. Stufe.

An der österreichisch-schlesischen Grenze beginnend, finden wir den Hangend-Zug zwischen hier und Landeshut aus einer ziemlich grossen Zahl von Flötzen zusammengesetzt, welche zum Theil wegen ihrer geringen Mächtigkeit, zum Theil, wo sie stärker sind, wegen ihrer Unreinheit unbauwürdig sind.

Am Ziegenrücken bei Tschöpsdorf sind 6 Flötze bekannt, von denen das liegendste in 52 m Entfernung von der Grenze mit den Culmconglomeraten auftritt, nämlich:

1. Liegendes Flötz 0,20 m Kohle in 2 Bänkchen, in 4 m Abstand
2. das Schieferflötz, aus einem Wechsel von Kohlenschmitzen und Schiefer bestehend, mit 0,30 m Kohle in 3 Bänkchen, in 25 m Abstand
3. das Niederflötz 1 m mächtig, in 11 m Abstand
4. » Mittelflötz 0,50 m mächtig, Schieferkohle, in 7 m Abstand
5. » Oberflötz 0,30 m » » , in 13 m Abstand
6. » Hangendflötz 0,30 m mächtig, Schieferkohle.

Im Hangenden derselben sind zwischen Reichhennersdorf und Blasdorf noch folgende Flötze ausgeschürft worden und zwar in 82 m Abstand vom Flötz No. 6:

7. ein Flötz mit 0,60ᵐ Kohle, in 25ᵐ Abstand

8. » · » » 0,30ᵐ » , in 70ᵐ Abstand

9. » » » · 0,60ᵐ » .

Mehrere dieser Flötze hat die Aurora-Grube zu Tschöpsdorf am Ausgehenden und durch 2 Röschen, von denen die obere
nahe der Oberfläche lag, die untere im Schwarzwasserthal angesetzt worden war, untersucht, den Grubenbetrieb aber nach kaum
zweijährigem Bestehen 1858 wieder eingestellt.

Im Hangenden dieser aus 9 Flötzen bestehenden treten noch
3 Flötzgruppen westlich und südwestlich von Liebau auf, die
liegende bilden die Buchwälder, die mittlere die Grunauer, die
hangende die Liebauer Flötze. Die 1. Gruppe ist durch den Buch-
walder Stolln westlich von Liebau aufgeschlossen worden. Hier
folgt 1170ᵐ im Hangenden des oben aufgeführten 9. Flötzes

das 1. Buchwälder Stollnflötz 0,3ᵐ mächtig, darauf in 9ᵐ
        Abstand

das 2. Buchwälder Stollnflötz 0,4ᵐ mächtig, darauf in 7,5ᵐ
        Abstand

das 3. Buchwälder Stollnflötz 0,3ᵐ mächtig, darauf in 13ᵐ
        Abstand

das 4. Buchwälder Stollnflötz 0,5ᵐ in 2 Bänken, darauf in
        17,5ᵐ Abstand

das 5. Buchwälder Stollnflötz 0,5ᵐ in 2 Bänken, darauf in
        2ᵐ Abstand

das 6. Buchwälder Stollnflötz 0,7ᵐ in 3 Bänkchen.

Nach einem Zwischenmittel von 190ᵐ Stärke folgen die Grunauer Flötze, nämlich:

das 1. Flötz 0,4ᵐ mächtig, darauf in 10ᵐ Abstand

» 2. » 0,5ᵐ » » » 17ᵐ »

» 3. · » 0,8ᵐ »

welche durch den westlich von Liebau liegenden Grunau-Stolln
gelöst wurden. Nach einem ferneren Zwischenmittel von 183ᵐ
Stärke folgen die sogenannten Liebauer Flötze, welche sowohl südwestlich von Liebau durch den Hermann-Stolln, als auch auf der
Westseite der Stadt durch Grubenbaue im Streichen verfolgt worden
sind, nämlich:

das 1. Flötz 0,6^m mächtig, darauf in 8^m Abstand

» 2. » 0,6^m » » » 12^m »

» 3. » 0,4^m » » » 28^m »

» 4. » 0,2^m » » » 22^m »

» 5. » 0,3^m » » » 56^m »

» 6. » 0,9^m » in 2 Bänken von 0,3 und 0,6^m.

In den Mitteln, welche diese 3 Gruppen trennen und zwischen den einzelnen Flötzen findet sich noch eine ziemlich grosse Anzahl von Flötzbestegen. Die Flötze dieser 3 Gruppen wurden durch Stolln und Schurfschächte bis fast an die Landesgrenze untersucht, zeigten sich jedoch in Folge vielfacher Verwerfungen und Verdrückungen unbauwürdig und über ihren Zusammenhang mit den Schatzlarer Flötzen lässt sich nur die Vermuthung aussprechen, dass die hangendste Gruppe, die des Hermann-Stollns, den liegendsten Flötzen der Schatzlarer Gruben entsprechen möge. Ein Grubenbetrieb findet gegenwärtig hier nicht statt.

Bei Blasdorf nördlich von Liebau treten von den 6 Tschöpsdorfer Flötzen im Felde der ehemaligen Georg-Grube folgende 4 in nachstehender Beschaffenheit auf:

das Niederflötz 0,20—0,50^m Kohle, in 3^m Abstand

» Mittelflötz 0,60—1,00^m » » 10^m »

» Oberflötz 0,10—0,20^m » ». 50^m »

» Hangendflötz 0,30—0,40^m » .

Der Fallwinkel derselben beträgt 65⁰ und das Streichen geht in h. 2. Das Mittelflötz ist nur stellenweise, wo es bauwürdig war, durch Stollnbetrieb in den Jahren 1841—48 aufgeschlossen und abgebaut worden. Die querschlägige Entfernung vom untersten Kohlenflötz bis zur Grenze mit dem Rothliegenden beträgt hier 560^m. Die nördlich an die Georg- angrenzende ehemalige Friedrich-Theodor-Grube bei Reichhennersdorf, 1843 verliehen, aber niemals in Betrieb gesetzt, hatte diejenigen Flötze gemuthet, auf welchen in früheren Zeiten die nachmals aufgelassene Günstige Blick-Grube einen Betrieb eröffnet hatte. Die 3 damals westlich und nahe am Dorfe Reichhennersdorf erschürften Flötze sind die 3 bereits von Georg-Grube aufgeführten:

das Niederflötz 0,20^m Kohle, in 10^m Abstand

» Mittelflötz 0,70^m »   in 3 Bänkchen, in 9^m Abstand·

» Oberflötz· 0,80^m » .

Ihr Streichen geht in h. 3 und ihr Fallen unter einem Winkel.
von 20—25^0 gegen Südost und ihr Aufschluss war ebenfalls durch
einen Stolln erfolgt. Die querschlägige ,Breite der Steinkohlen-
Formation beträgt hier 580^m.

Nordöstlich von Liebau sind im Hangenden des 9. Flötzes,
dem letzten der liegenden Gruppe zwischen Reichhennersdorf und
Blasdorf, in einem Mittel von 260^m querschlägiger Breite eine grosse
Zahl von 0,10—0,20^m starken Flötzbestegen ausgeschürft worden
und in 260^m Abstand von Flötz No. 9 folgt:

Flötz No. 10 0,4^m mächtig, in 15^m Abstand

»   ·» 11 0,2^m ·   »   » 13^m »

»   » 12 (Alexander-Flötz) 0,6^m mächtig, in 3^m Abstand

»   ». 13 0,3^m mächtig, in ·7.^{m} Abstand

»   » 14 0,3^m » . » ·4^m .   »

»   ·» 15 0,3^m »   » 13^m » ·

»   ·» 16 0,2^m »   » 20^m »

»   » 17 0,3^m » .

Auf der Tiefbau-Anlage zu Reichhennersdorf wurde in 207^m
Teufe der Müller-Schächte der Hauptquerschlag aufgefahren,
welcher diese Flötze mit Ausnahme der liegendsten durchweg im
verdrückten Zustande angetroffen hat; auch die 6 Flötze der liegenden Gruppe setzen bei 32^0 Fallwinkel nur bis zu 165^m Teufe
mit unveränderter Mächtigkeit nieder und werden dann durch eine
streichende unter 50^0 nach Osten geneigte Sprungkluft abgeschnitten.
Dasselbe Verhalten zeigt das im Querschlag nordwestlich von den
Müller-Schächten auftretende Flötz No. 7, welches ebenfalls durch
einen streichenden Sprung verworfen wird. Im weiteren Hangenden
und zwar südöstlich der Müller-Schächte wurden mit dem Querschlage schon unter der Bedeckung durch das Rothliegende noch
mehrere Flötze aufgeschlossen und zwar von Flötz No. 5 in 797^m
Entfernung ein Flötz von 0,4^m Mächtigkeit in 2 Bänken, 43^m
davon entfernt ein Flötz von 0,5^m Stärke, 1·2^m von diesem entfernt
ein Flötz von 0,4^m Stärke und in 7—8^m weiterer Entfernung ein

Flötz von 0,7 m Mächtigkeit. Auch diese Flötze sind im Fortstreichen unbauwürdig befunden worden. In 110 m Entfernung von
dem zuletzt genannten tritt in dem Hauptquerschlage noch ein
Kohlenflötz mit 0,6 m unreiner Kohle in 3 Bänken auf, welches
wahrscheinlich das Flötz No. 12 (Alexander-Flötz) ist. Im Hangenden dieses Flötzes wurde die 3. streichende Sprungkluft überfahren; dieselbe ist im Hauptquerschlage 6 m breit und mit zerriebenem Schieferthon, welcher zahlreiche scharfkantige Kohlen-
brocken einschliesst, ausgefüllt. Hinter dieser Sprungkluft treten
unregelmässig flach und wellenförmig abgelagerte Conglomerate
und Thonsteine auf, weshalb im Hangenden derselben von Tage
ein Bohrloch gestossen wurde, welches nach Durchbohrung von
84 m Porphyr-Conglomerat das Kohlengebirge mit unter Winkeln
von 70—80° aufgerichteten Schichten angetroffen hat.

Die Felder der ehemaligen Einzel-Gruben Georg und Friedrich
Theodor bilden nebst den später hinzugekommenen bei Kunzendorf, Tschöpsdorf, Buchwald, Dittersbach, Liebau, Reichhennersdorf
und Zyder belegenen Feldern zusammen den grossen von Kunzendorf bis Landeshut reichenden Complex, welcher sich im Besitz
des Liebauer Kohlen-Vereins befindet. Durch die Resultate des
unterirdischen Betriebes und der zahlreichen Bohrarbeiten scheint
nunmehr festgestellt worden zu sein, dass der bei Gottesberg und
Waldenburg so viele bauwürdige Flötze enthaltende Hangend-Zug
in der Strecke von Tschöpsdorf bis Landeshut nur aus wegen ihrer
geringen Stärke unbauwürdigen Flötzen zusammengesetzt ist und
dass dieselben ausserdem in der Richtung vom Liegenden nach
dem Hangenden zu durch mehrfach wiederholte streichende Sprünge
in solche Tiefen versetzt worden sind, wo ein lohnender Abbau
auf denselben nicht geführt werden kann.

Zwischen den Reichhennersdorfer Bauen und denen der östlich
von Landeshut gelegenen Louise-Grube sind keine Kohlenflötze
bekannt. Letztere schliesst in ihrem Felde die 3 schon bei Reichhennersdorf genannten Flötze ein:

1. Das Niederflötz 0,52—1,05 m mächtig, in 5 m Abstand
2. » Mittelflötz 0,36—0,52 m   »   » 95 m   »
3. » Oberflötz 0,31—0,47 »   »   »   .

Das 0,30—0,40ᵐ starke Hangend-Flötz ist hier niemals in Bau genommen worden.

Das Streichen der Flötze geht in h. 3—5, das südliche Einfallen beträgt 33⁰; mehrfache Verdrückungen machen die Flötze auf längere Erstreckung unbauwürdig, im nordöstlichen Felde, wo das Mittel- und Niederflötz dicht auf einander liegen, tritt eine Hauptverdrückung auf, an welcher sich alle 3 Flötze auskeilen. In der Tiefbausohle, 88,4ᵐ unter Tage, waren die 3 Flötze in der Nähe des Tiefbauschachtes verdrückt, so dass auch vor der Hauptverdrückung nur ein geringer Abbau auf dem Mittel und Niederflötz stattfand, während hinter derselben das Niederflötz 0,91—1,05ᵐ mächtig und das Mittel- und Oberflötz nur stellenweise bauwürdig waren. Die Hauptverdrückung hatte hier .113ᵐ Länge.

Erst nach einer Unterbrechung von etwa 3300ᵐ Länge tritt weiter gegen Osten ein Flötz nördlich vom Dorfe Hartau auf, welches die Concordia-Grube in Bau genommen hat. Dasselbe hat eine Mächtigkeit, welche zwischen 0,5 und 2,2ᵐ schwankt, meistens 1,8ᵐ beträgt, besitzt ein ostwestliches Streichen, südliches Einfallen von 28—30⁰ und ist vollständig frei von Bergmitteln; ein grobes Conglomerat bildet sein Hangendes. Durch Grubenbaue ist es auf eine streichende Länge von etwa 450ᵐ, durch Schurfarbeiten über Tage noch auf weitere 1150ᵐ nach Osten hin bekannt. Auf das Concordia-Flötz folgt ein Sandsteinmittel, welches horizontal gemessen eine Mächtigkeit von 1200ᵐ besitzt und dabei nur wenige Flötze von noch zweifelhafter Bauwürdigkeit einschliesst; dasselbe trennt das Flötz von den in genannter Entfernung im Hangenden auftretenden Flötzen der Gotthelf-Grube bei Hartau.

Im Felde dieser jetzt fristenden Grube waren durch Schurfarbeiten im Ganzen 10 Flötze von 0,26—1ᵐ Mächtigkeit bekannt, jedoch vom Liegenden beginnend nur folgende in Bau genommen worden:

1. Das Fundgrubenflötz 1,05ᵐ mächtig incl. 0,26ᵐ Mittel,
2. » Wilhelmineflötz 0,78ᵐ » » 0,26ᵐ »
3. » Rudolphflötz 0,78ᵐ » » 0,16-0,21ᵐ Mittel,
4. » 1. hangende Flötz 0,47—0,52ᵐ mächtig,
5. » 2. » » 0,47—0,52ᵐ » .

In der Sohle des Gotthelf-Stollns wird das Fundgrubenflötz westlich des Carlschachtes immer schwächer, erleidet Verdrückungen und Verwerfungen, so dass es an der Markscheide mit Bertha-Grube nur noch 0,39 m mächtig ist und dann als Besteg fortsetzt. Das Wilhelmine-Flötz, 83,6 m vom vorigen entfernt, wird an der später zu erwähnenden Wendung unbauwürdig. Das Rudolph-Flötz, vom Fundgrubenflötz an demjenigen Punkt, wo sie am nächsten zusammenliegen, 261 m entfernt, wird nach Westen dadurch, dass sich das Bergmittel bis zu 0,78 m verstärkt, unbauwürdig und ist auch östlich vom Pauline-Schacht wegen einer ausgedehnten Verdrückung nur zum Theil bauwürdig; das 1. und 2. hangende Flötz erleiden schon in 50—60 m westlicher Entfernung vom Bertha-Schacht dasselbe Schicksal. Ein zwischen den beiden zuerstgenannten etwa 15 m weit im Hangenden des Fundgrubenflötzes liegendes 0,47 m mächtiges Flötz keilt sich ebenfalls in etwa 80 m westlicher Entfernung vom Carl-Schacht aus. Im Hangenden des Fundgrubenflötzes befindet sich eine bauwürdige Bank von feinkörnigem Spatheisenstein, welche man mit einem vom 22,5 m tiefen flachen Schacht (nordöstlich vom Georg-Schacht) ins Hangende getriebenen Schurfquerschlag angetroffen hatte.

Das Streichen dieser Flötze geht östlich von dem von Hartau nach Forst führenden Communicationswege in h. 8 mit einem südlichen Fallen von 20—30°; in ca. 600 m westlicher Entfernung von diesem Wege macht das nach dieser Richtung am weitesten verfolgte Fundgrubenflötz und mit ihm wahrscheinlich der ganze Flötzzug eine starke Wendung ins Hangende, indem das Streichen in h. 1—2 übergeht. Die Verlängerung dieser Streichlinie fällt in mässiger Entfernung unter das Rothliegende, indem die Häuser von Forst auf dieser Formation stehen, welche hier übergreifend die hangendsten Schichten der Steinkohlen-Formation überlagert. Vom Stollnlichtloch No. 2 an nehmen die Flötze auf eine Länge von ca. 700 m einen Fallwinkel von 50—55° an, welcher erst bei der eben erwähnten Wendung wieder auf 25° herabgeht.

Durch die 1831 im westlichen Felde vom Carl-Schacht aus ins Hangende bis Nieder-Forst vorgenommenen Schurfarbeiten war bei 60 m Entfernung vom Carl-Schacht ein Flötz von 0,52 m Stärke incl. 0,03 m Lettenmittel, bei 92 m Entfernung von demselben ein

Flötz von 2,6^m Stärke mit mehreren Bergmitteln und in 326^m Entfernung ein Flötzchen von 0,39^m Mächtigkeit incl. 0,18^m Lettenmittel aufgefunden worden, welche nicht näher untersucht worden sind.

Im weiteren Fortstreichen nach Osten treten die Flötze der Gotthelf- in das Feld der consolidírten Gustav-Grube bei Schwarzwaldau, wo sie sämmtlich zuerst durch den Alliance-Stolln aufgeschlossen wurden. Vom Hangenden nach dem Liegenden gezählt wurden sie mit No. 1—18 bezeichnet, jedoch befanden sich zwischen dem 2. und 3. 2 Flötze von 0,97 und 1^m Stärke, zwischen dem 7. und 8. 3 Flötzbestege von 0,13, 0,16 und 0,26^m Stärke; zwischen dem 10. und 11. mehrere ebenso starke Bestege, zwischen dem 15. und 16. ein Flötz von 0,52^m und zwischen dem 16. und 17. ein Flötz von 0,39^m Stärke. Das Streichen derselben geht in h. 8—9, ihr Fallen betrug oberhalb der Stollnsohle 50—70⁰ gegen Südwest. Vom 18. Flötz ist der Stollnquerschlag noch 17,8^m weit ins Liegende aufgefahren worden, wobei noch 8 Flötze durchörtert wurden. In dem 1. Hauptquerschlage vom Wäldchen- nach dem Gerhard-Schacht sind diese Flötze innerhalb einer querschlägigen Breite von 376^m abgelagert, während weiter östlich in der Nähe des alten Veltheim-Schachtes diese Entfernung nur ca. 210^m beträgt.

Dieselben Flötze sind seit 1856 durch einen Tiefbau in 113^m Teufe aufgeschlossen und in Bau genommen worden; im Hauptquerschlage des Pauline-Schachtes, welcher in Rothenbach in der Nähe der östlichen Markscheide liegt, zeigen dieselben vom Liegenden nach dem Hangenden gerechnet nachstehende Beschaffenheit:

ein 0,26^m mächtiges Flötz, darauf ein 43,4^m starkes Zwischenmittel,

» 0,31^m mächtiges Flötz, darauf ein 41,8^m starkes Zwischenmittel,

» 0,97 mächtiges Flötz mit 0,26^m Schiefer in 2 Streifen, darauf ein 22,7^m starkes Zwischenmittel,

» 0,26^m mächtiges Flötz, darauf ein 2,6^m starkes Zwischenmittel,

das 20. Flötz 0,65ᵐ mächtig, darauf ein 2,0ᵐ starkes Zwischenmittel,

» 19. Flötz 0,78ᵐ mächtig incl. 0,10ᵐ Schiefer in 2 Streifen,
darauf ein 16,7ᵐ starkes Zwischenmittel,

» 18. Flötz 0,92ᵐ mächtig incl. 0,18ᵐ Schiefermittel, darauf ein 3,0ᵐ starkes Zwischenmittel,

$$\left.\begin{array}{l} 0{,}86^{\mathrm{m}}\ \text{Oberbank} \\ 1{,}18^{\mathrm{m}}\ \text{Mittel} \\ 0{,}94^{\mathrm{m}}\ \text{Niederbank} \end{array}\right\}$$

» 17. Flötz 0,86ᵐ Oberbank
1,18ᵐ Mittel
0,94ᵐ Niederbank, darauf ein 13,0ᵐ starkes
2,98ᵐ Zwischenmittel,

» 16. Flötz 0,89ᵐ mächtig incl. 0,16ᵐ Schiefermittel in
3 Streifen, darauf ein 3,9ᵐ starkes Zwischenmittel,

ein Flötz 0,55ᵐ mächtig incl. 0,03ᵐ Schiefermittel, darauf
ein 3,6ᵐ starkes Zwischenmittel,

» Flötz 0,65ᵐ mächtig incl. 0,13ᵐ Schiefermittel, darauf
ein 4,9ᵐ starkes Zwischenmittel,

das 15. Flötz 0,38ᵐ mächtig, darauf ein 4,7ᵐ starkes Zwischenmittel,

» 14. Flötz 3ᵐ mächtig, darauf ein 21,2ᵐ starkes Zwischenmittel,

» 1. Flötz 1,18ᵐ mächtig incl. 0,55ᵐ Schiefermittel in
2 Streifen, darauf ein 4,2ᵐ starkes Zwischenmittel,

» 45 zöllige Flötz 1,18ᵐ mächtig incl. 0,39ᵐ Schiefermittel
in 2 Streifen, darauf ein 4,9ᵐ starkes Zwischenmittel,

ein Flötz 0,65ᵐ mächtig incl. 0,13ᵐ Schiefermittel, darauf
ein 7,8ᵐ starkes Zwischenmittel,

» Flötz 1,07ᵐ mächtig incl. 0,16ᵐ Schiefermittel, darauf
ein 10,5ᵐ starkes Zwischenmittel,

» Flötz 0,76ᵐ mächtig incl. 0,13ᵐ Schiefermittel, darauf
ein 50,2ᵐ starkes Zwischenmittel,

» Flötz 1,78ᵐ mächtig incl. 0,68ᵐ Mittel in 2 Streifen,
darauf ein 25,1ᵐ starkes Zwischenmittel,

das 2. Flötz 0,78ᵐ mächtig, darauf ein 4,4ᵐ starkes Zwischenmittel,

» 3. Flötz 1,05ᵐ mächtig incl. 0,26ᵐ Mittel, darauf ein
6,8ᵐ starkes Zwischenmittel,

das   4. Flötz 0,63^m mächtig, darauf ein 5,5^m starkes Zwischenmittel,

»   5. Flötz ·1,1^m mächtig incl. 0,16^m Schiefermittel, darauf
ein 4,2^m starkes Zwischenmittel,

»   6. Flötz 0,84^m mächtig, darauf ein 2,0^m starkes Zwischenmittel, :

»   3. Flötz 1,28^m mächtig incl. 0,26^m Schiefermittel in
2 Streifen, darauf ein 4,2^m starkes Zwischenmittel,

»   4. Flötz 0,78^m mächtig, darauf ein 5,5^m starkes Zwischenmittel,

»   5. Flötz 0,78^m mächtig, darauf ein 2,9^m starkes Zwischenmittel,

»   6. Flötz 0,94^m mächtig incl. 0,18^m Schiefermittel in
2 Streifen, darauf ein 8,4^m starkes Zwischenmittel,

ein Flötz 0,52^m mächtig, darauf ein 35,6^m starkes Zwischenmittel,

das Kaiserflötz 3,27^m mächtig incl. 0,42^m. Schiefermittel in
2 Streifen, darauf ein 9,1^m starkes Zwischenmittel,

»   Annaflötz 1,57^{m} mächtig, darauf ein 4,2^m starkes Zwischenmittel,

—» Josephflötz 2,61^m mächtig incl.· 0,29^m Schiefermittel,
darauf ein 20,4^m starkes Zwischenmittel,

ein Flötz 0,52^m mächtig, darauf ein 15,4^m starkes Zwischenmittel,

das Augustflötz 0,65^m mächtig incl. 0,16^m Schiefermittel in
2 Streifen, darauf ein 16,7^m starkes Zwischenmittel,

»·Wilhelmflötz 2,09^m mächtig incl. 0,18^m Schiefermittel,
darauf

·» Ottoflötz 0,84^m mächtig ohne Schiefermittel, darauf ein
75^m starkes Zwischenmittel,

»   Carlflötz $\begin{cases} 0,71^m \text{ Oberbank} \\ 1,19^m \text{ Mittel} \cdot \\ 0,10^m \text{ Niederbank} \end{cases}$
$\overline{\quad 2,00^m.\quad}$

Im Georg-Schacht-Querschlage befindet sich in 34ᵐ Entfernung im Liegenden des 20. Flötzes das Olgaflötz, welches 0,99ᵐ mächtig und frei von Schiefermitteln ist, und im Hangenden des 6. Flötzes treten 2 Flötze auf, welche die Stelle des Kaiser-, Anna- und Joseph-Flötzes im Pauline-Schacht-Querschlage einnehmen, aber wegen Mangel von Durchschlägen noch nicht mit ihnen identificirt werden können und daher vorläufig A- und B-Flötz bezeichnet worden sind.

Das A-Flötz besteht aus $\left\{\begin{array}{l} 0{,}26^{\mathrm{m}}\ \text{Oberbank} \\ 0{,}10^{\mathrm{m}}\ \text{Mittel} \\ 0{,}24^{\mathrm{m}}\ \text{Niederbank} \end{array}\right.$

$\qquad\qquad\qquad\quad \overline{\ \ 0{,}60^{\mathrm{m}}.}$

Das B-Flötz » » $\left\{\begin{array}{l} 0{,}26^{\mathrm{m}}\ \text{Oberbank} \\ 0{,}05^{\mathrm{m}}\ \text{Mittel} \\ 0{,}21^{\mathrm{m}}\ \text{Niederbank} \end{array}\right.$

$\qquad\qquad\qquad\quad \overline{\ \ 0{,}52^{\mathrm{m}}.}$

Der Fallwinkel der Flötze ist ein sehr verschiedener, er beträgt bei dem zuerst genannten, 0,26ᵐ starken Flötz nur 38⁰, bei den zunächst darauf folgenden 85—90⁰, bei dem 17. bis 14.: 78—70⁰, bei dem 2. bis 4.: 67—70⁰, bei dem Kaiser- bis Wilhelm-Flötz 40—50⁰. Die Flötze bilden meist zu 2 bis 4 einzelne Gruppen, innerhalb welcher fast nur Schieferthon als Nebengestein auftritt, während die die Gruppen trennenden Mittel aus Sandstein bestehen; das mächtigste Sandsteinmittel liegt zwischen dem 14. und 2. Flötz, schliesst aber 2 Schieferthon-Ablagerungen ein; in demselben steht der Pauline-Schacht.

Von den oben aufgeführten Flötzen sind bis jetzt in Bau genommen worden: im Liegenden des Pauline-Schachtes das 18., 17., 16., 15. und 14., im Hangenden desselben das 2. bis 6., das Kaiser-, Anna-, Joseph-, Wilhelm- und Otto-Flötz.

Im Liegenden des liegendsten Flötzes nordöstlich von Chaussee und Eisenbahn war durch eine Schurfarbeit, welche vom Wuthe-Schacht (östlich vom Georg-Schacht) aus unternommen worden war, eine Bank von feinkörnigem Spatheisenstein, welcher dem von Gotthelf-Grube vollkommen gleicht, aufgefunden worden.

Derselbe wurde auf beiden Punkten abgebaut, um auf der Vor-
wärtshütte verschmolzen zu werden.

Die sämmtlichen Flötze der Gustav- finden sich im benachbarten Felde der Abendröthe-Grube zu Kohlau, jedoch
unter sehr veränderten Lagerungsverhältnissen; die liegenderen
trennen sich von den übrigen, indem sie sich immer weiter ins
Liegende zurückwenden, um den nordwestlichen und nördlichen
Fuss des Hochwaldes zu erreichen, während der grössere Theil
derselben sein Streichen aus Südost nach Ost wendet und zum
Theil unter der Decke des Hochberg-Porphyr-Tuffes ungestört
fortsetzt. Die liegende Flötzgruppe bildet also im weiteren nord-
östlichen Fortstreichen den flachen und dann den steilen, an den
Porphyr des Hochwaldes sich anlehnenden Flügel der Kohlauer
Mulde im Adelhaïd-Schachtfelde, die mittleren und hangenden
Flötze treten in das südlich davon liegende Clara-Schachtfeld ein.
Die Mulde hebt sich am Nordfuss des Hochwaldes mit scharfer
Spitze heraus und zeigt auf dem steilen Flügel ein Fallen von
70—90⁰ nach Westen, auf dem flachen ein solches von 20—40⁰
nach Ost, Südost und Süd. Einige Flötze sind auf dem stehenden
Flügel entweder nicht vorhanden oder unbauwürdig öder mindes-
stens in ihrer Mächtigkeit beeinträchtigt, überhaupt ist dieser
Flügel reicher an Verdrückungen und anderen Störungen als der
flache.

Die Beschaffenheit der Flötze und ihrer Zwischenmittel, wie
sich dieselben in der Sohle des Grenzstollns, dessen Mundloch in
der Thalsohle des Rothenbaches und in der Tiefbausohle, welche
31,4ᵐ saiger unter dieser Stollnsohle liegt und im Beust- und
Adelhaid-Schacht 62 resp. 63ᵐ Teufe einbringt, zeigten, ist aus
der beiliegenden Zusammenstellung ersichtlich, welche mit dem
liegendsten Flötze beginnt:

(siehe Profil 5, Tafel I.)

» 6. » 0,8m mächtig

» 5. » 42 m Schieferthon und Sandstein

» 5. » 1 m incl. 0,2m Mittel
        27,2m Schieferthon

» 4. » 0,8m incl. 0,2m Mittel
        10,7m Schieferthon und Sandstein

» 3. » 1,7m incl. 0,6 Mittel
        21,5m Schieferthon und Sandstein

» 2. » 1,9m incl. 0,4m Mittel
        27,3m Schieferthon und Sandstein

» 1. Flötz 1,6m incl. 0,1m Mittel
        62,1m Schieferthon u. Sandstein

Zwischenflötz 1,9m incl. 0,8m Mittel

» 6. ` 1,5m incl. 0,3m Mittel
        37,3m Schieferthon und Sandstein

» 5. » 1 m incl. 0,1m Mittel
        27,3m Schieferthon

» 4. » 1,1m incl. 0,3m Mittel
        3,2m Schieferthon

Nebenflötz 1,9m incl. 0,8m Mittel
        3 m Schieferthon

2. Flötz Niederbank 1,2m incl. 0,2 Mittel
        6,1m Schieferthon

» 2. » Oberbank 0,6m mächtig
        37,2m Schieferth. u. Sandst.

» 1. » 1,6m incl. 0,15m Mittel

Auf dem südlichen Theil des flachfallenden Flügels im Felde der ehemaligen Paul-Peter-Grube treten die nachstehend aufgeführten Gustav-Gruben-Flötze in der Tiefbausohle in nachstehender Beschaffenheit auf:

das 19. und 18. Flötz zusammen 1,8 ^{m} mächtig incl. 0,4 bis
     0,6 ^{m} Mittel, 11 ^{m} Schieferthon,

» 17. Flötz 1 ^{m} mächtig incl. 0,03 ^{m} Mittel, z. Th. unbauwürdig, 6 ^{m} Sandstein,

» 16. Flötz 1,12 ^{m} mächtig incl. 0,25 ^{m} Mittel, z. Th. unbauwürdig, 15,8 ^{m} Sandstein und Schieferthon,

» 15. Flötz 0,75 ^{m} mächtig,

» 14. » 3,6 ^{m} » ,170 ^{m} Sandstein mit mehreren z. Th. bauwürdigen Kohlenbänken,

» 2. hangende Flötz 0,5 ^{m} mächtig, unbauwürdig,

» 3. » » 1 ^{m} » incl. 0,2 ^{m} Mittel,

» 4. » » 0,8 ^{m} »

» 5. » » 0,8 ^{m} »

» 6. » » 1,1 ^{m} »

» Kaiser-Flötz 1,5 ^{m} mächtig,

» Anna-Flötz 1,8 ^{m} » incl. 0,4—0,6 ^{m} Mittel,

» Joseph-Flötz 0,95 ^{m} »

» August-Flötz   ⎫

» Wilhelm-Flötz ⎬ sind hier noch nicht aufgeschlossen.

» Otto-Flötz   ⎭

Dieselben streichen h. 6—8 und fallen mit 30—40 ^{0} nach Süd.

Die ehemalige Paul-Peter-Grube hatte sie schon vor langer Zeit durch eine Rösche, deren Sohle 6,88 ^{m} unter dem Grenz-Stolln liegt, aufgeschlossen, wegen ungünstiger Qualität der Kohlen aber nur einen beschränkten Bau ausgeführt.

Zur Untersuchung des Verhaltens des Steinkohlengebirges gegen den Porphyr des Hochberges war vom 9. Flötz (nach damaliger Zählung) aus an einem Punkte, wo man dem Porphyr am nächsten war, ein Querschlag ins Hangende getrieben worden, welcher mit 61,7 ^{m} Länge den Porphyr erreichte und noch 2 ^{m} in demselben fortgesetzt wurde. Der Porphyr war auf der Grenze grünlichgrau, mit sehr kleinen Krystallen von Schwefelkies in Poren

und Klüften, mit dem Kohlengebirge nicht fest verwachsen, demselben regelmässig concordant aufgelagert und von vielen spiegel-
glatten Rutschflächen durchzogen. Unmittelbar unter dem Porphyr
liegt eine Schicht von 12,5^m Mächtigkeit, welche aus einer schwarzen,
erdigkohligen Masse ohne deutliche Schichtung, mit unregelmässig
zerstreut inneliegenden Trümmern von Anthracit und glänzenden
Rutschflächen besteht. Abweichend davon wurde durch eine oberhalb der Hängebank des auf dem 8. Flötz tonnlägig abgeteuften
Hochberg-Schachtes bis an den Porphyr querschlägig getriebene
Rösche im unmittelbaren Liegenden des Porphyrs ein 0,5^m starkes
aus tauber Kohle bestehendes Flötz überfahren, welches mit dem
Porphyr fest verwachsen war. Nirgends zeigte sich eine Anlage
zur stängligen Absonderung, wie auf dem Fixsternflötz; der Porphyr
war von lichtgelblichgrauer Farbe, stark zerklüftet, im Bruch erdig,
dem Thonstein ähnlich, auf der Grenze auf mehrere Centimeter
Entfernung breccienartig Kohlenbruchstücke einschliessend[1]). Auch
die jetzige Tiefbausohle bietet an mehreren Punkten Gelegenheit
zu interessanten Beobachtungen über das Verhalten des Steinkohlengebirges zum Porphyr und den aus ihm hervorgegangenen Sedi-
mentär-Gesteinen. Vom Clara-Schacht aus sind die Grundstrecken
auf dem 14. und 17. Flötz nach Osten soweit getrieben worden,
dass sie bereits unter dem Gipfel des Hochberges angekommen
sind; die beiden Flötze haben ihr Streichen und anfänglich auch
die normale Beschaffenheit der Kohle beibehalten, später stellte
sich allerdings Verdrückung und Taubheit ein und zuletzt bildet
das unmittelbare Liegende und Hangende des 14. Flötzes im
Grundstreckenort ein aus Porphyr-Material bestehendes Sedimentär-
Gestein. Wenn auch ächter Porphyr in den Grubenbauen nicht
ganz fehlt, so sind doch die meisten Varietäten porphyrischer Gesteine, welche durch die letzteren bekannt wurden, aus zer-
trümmertem Porphyr bestehende Conglomerate und Tuffe. Letztere
zeigen stets eine sehr deutliche Schichtung, sind zum Theil dünnschiefrig bis blättrig, im letzteren Falle etwas fettig anzufühlen,
von weissen, hellgrauen und grünlichgrauen Farben und verschiedenen Härtegraden; nicht selten findet sich Schwefelkies im

---

[1]) Bocksch's Manuscript.

primären Porphyr und in diesen secundären Bildungen eingesprengt. An der Oberfläche besteht der Hochberg auf allen Gehängen ohne Ausnahme nur aus Porphyrtuff mit mehr oder weniger deutlicher Schichtung; der am südlichen Abhange liegende »Plattenbruch«, wo das Gestein gebrochen wird, um es als Deckplatten für bauliche Zwecke zu verwenden, lässt ersehen, dass die Schichten eine steile, nach Aussen gerichtete Neigung besitzen und da in einem verlassenen Steinbruch auf der Nordseite an der alten Strasse von Gottesberg nach Schwarzwaldau ein ähnliches Verhalten der Schichtenneigung zu beobachten ist, so ist daraus auf eine mantelförmige Umlagerung eines Porphyrstockes durch seine Tuffe zu schliessen. Den Tuff hielt man früher für Felsit-Porphyr und die Schichtung sah man als die bei Eruptiv-Gesteinen vorkommende plattenförmige Absonderung an; obgleich es schon längst unzweifelhaft feststeht, dass man es hier mit einem neptunischen Gebilde zu thun hat, sind zum Ueberfluss neuerdings noch Abdrücke von Calamiten in demselben gefunden worden. Dass die Kohle im Contact mit solchen Gesteinen, welcher durch die vorerwähnten älteren Versuchbaue blossgelegt worden war, keine stänglige Absonderung wie auf dem Fixsternflötz zeigen konnte, ist nun klar, da das Gestein ein sedimentäres Product ist.

Eine mittlere Gruppe der Gustav-Grubenflötze legt sich in ihrem östlichen Fortstreichen um den südlichen Abhang des Hochberges, nimmt dann ein mehr nach Nordost und nach einer scharfen Wendung nach Süd gerichtetes Streichen an und bildet dadurch zwischen dem Hochberg und dem südwestlichen Abfall des Hochwaldes nahe an der von Gottesberg nach Landeshut führenden Chaussee eine schmale, spitze Mulde, welche der Kohlauer untergeordnet ist. Diese Flötze sind in früheren Zeiten von der Jenny- und Elise-Grube bei Gottesberg, anfänglich Traugott- und Wilhelmine-Grube genannt, abgebaut worden.

Im Wilhelmine-Grubenfelde waren folgende Flötze:

das 1. oder Schieferflötz	. . . 1,2 m	mächtig incl.	0,16 m	Mittel,	
» 2. »	Reine Kohlenflötz 1,05 m	»			
» 3. »	Muldenflötz . . . 1,20 m	»	»	0,05 m	»
» 4. »	Nässe Flötz . . . 0,84 m	»	»	0,03 m	»
» 5. »	Traugottflötz . . . 1,46 m	»	»	0,05 m	»

das 6. oder Feste Kohlenflötz 0,78 ^{m} mächtig,

» 7. » Verbindungsflötz 0,63 ^{m} »

» 8. » Steinlettenflötz . 1,28 ^{m} » incl. 0,14 ^{m}·Mittel,

» 9. » Neue Flötz . . . 0,70 ^{m} » ,

mit einem Streichen nach Nord- und Nordost durch einen Ober-
stolln aufgeschlossen worden; am Ausgehenden standen die Flötze
auf 10—12 ^{m} Teufe senkrecht und nahmen dann ein dem Porphyrtuff
des Hochberges abgewendetes Fallen von 37 ^{0} nach Südost an.
Die Traugott-Grube lag auf dem steil an den Porphyr des Hochwaldes sich anlehnenden Gegenflügel und führte ihre Baue auf
5 Flötzen, welche vom Liegenden an gezählt eine Mächtigkeit von
0,94, 1,5, 0,78, 1,3 und 0,94 ^{m} besassen, ein Streichen in h. 11—12
und ein nach Südwest und West gerichtetes Fallen von ca. 60 ^{0}
zeigten. Als beide Gruben ihre Flötze bis auf die Stollnsohlen
abgebaut hatten, fielen sie ins Freie zurück und wurden dann,
die Wilhelmine unter dem Namen Elise, die Traugott unter dem
Namen Jenny von Neuem gemuthet und verliehen, weil man
darauf rechnete, dass sie durch Fortsetzung des Alliance-Stollns
gelöst werden würden, was jedoch nicht geschehen ist.

In den letzten Jahren sind im nordwestlichen Felde der Elise-
Grube das Kaiser-, Anna- und Joseph-Flötz der consolidirten
Gustav-Grube in der Nähe der Markscheide mit Abendröthe-Grube,
welche diese Flötze schon früher durch den Querschlag am Clara-
Schacht aufgeschlossen hatte, von jenen Bauen aus weiter verfolgt
worden; dieselben streichen hier in h. 7—9 und fallen mit 60 ^{0}
nach Süden resp. Südwesten. Ebenso sind in den letzten 6 Jahren
im südöstlichen Felde der Jenny-Grube sämmtliche Flötze der
bald zu erwähnenden Carl-Georg-Victor-Grube mit Ausnahme
von No. 31 bis 34 aufgeschlossen worden. Ueber den Zusammenhang der Jenny- und Elise-Grube im Stollnbau mit den Flötzen
der Gustav- resp. Abendröthe- einerseits und denen der Carl-
Georg-Victor-Grube andererseits ist zur Zeit nichts bekannt.

Die Flötze der Jenny-Grube nehmen südlich von Gottesberg
allmählich ein südöstliches Streichen an und bilden hier eine nach
Norden ausgebogene von 2 Sprüngen begrenzte faltenförmige Mulde;
hier liegt die Charlotte-Grube am Breitenhau. Dieselbe
hatte durch einen im Lässig-Thal angesetzten Stolln 9 Flötze aufgeschlossen, nämlich vom Liegenden an gerechnet:

das 9. Flötz 0,57 ^{m} mächtig,

» 8. » 1,20 ^{m} » incl. 0,26 ^{m} Mittel,

» 7. » 0,94 ^{m} » » 0,10—0,30 ^{m} Mittel,

» 6. » 0,89 ^{m} » » 0,21 ^{m} Mittel,

» 5. » 0,94 ^{m} » » 0,03 ^{m} »

» 4. » 0,52 ^{m} »

» 3. » 0,52 ^{m} »

» 2. » 0,39—0,52 ^{m} mächtig,

» 1. » 0,52 ^{m} mächtig incl. 0,06 ^{m} Mittel.

Wegen der oben erwähnten Lagerungsverhältnisse ist das Streichen sehr wechselnd, das Fallen beträgt 22—26°. Von diesen Flötzen sind mehrere auf eine ziemliche Erstreckung abgebaut worden, als sie sich aber im weiteren Fortstreichen verdrückt zeigten, wurde die Grube in Fristen gelegt. Gegenwärtig bildet sie einen Theil des Feldes der consolidirten Carl-Georg-Victor-Grube zu Lässig.

In demselben tritt der grösste Theil der Gustav-Grubenflötze auf; die liegenderen scheinen durch die Charlotte-Grubenflötze repräsentirt zu werden, während die übrigen, wie weiter oben mitgetheilt wurde, zunächst in das Clara-Schachtfeld der Abendröthe hinüberstreichen und dann auf eine kurze Erstreckung das Feld der Elise-Grube an der nordwestlichen Ecke durchschneiden. Der weitere Verlauf ist zur Zeit nicht bekannt; die Flötze der Carl-Georg-Victor-Grube können aber füglich keine anderen als diese sein; ob sie in Folge einer Verwerfung oder aus einer andern Ursache im Vergleich mit ihrem Streichen im Clara-Schachtfelde ziemlich weit ins Hangende verrückt erscheinen, ist ebenfalls nicht bekannt, da zwischen den östlichen Bauen des Clara-Schachtes und den westlichen der Carl-Georg-Victor-Grube ein vollständig unbekanntes Feld von ca. 1600 ^{m} streichender Länge liegt.

Die jetzige Tiefbausohle liegt bei den im südöstlichen Felde stehenden Schächten Mayrau und Bertha in 126,5 ^{m}, bei dem im nordwestlichen Felde stehenden Egmont-Schacht in 121,2 ^{m} Teufe. Nach den mit den Hauptquerschlägen erlangten Aufschlüssen setzen im Grubenfelde vom Liegenden beginnend folgende Flötze auf:

(s. Profil 6 u. 7, Tafel II.)

Das Charlotte-Flötz	0,7^m mächtig, unrein	
Zwischenmittel	146^m	
» 1. Flötz	0,65^m m. incl. 0,13^m Mittel	
Zwischenmittel	12,5^m	hier nicht aufgeschlosse
2. Flötz	0,63^m m.	
Zwischenmittel	2,6^m	
3. Flötz	0,6^m m.	
Zwischenmittel	9,9^m	
» 4. Flötz	1,36^m m. incl. 0,34^m Mittel in 2 Streifen	1,65^m m. incl. 0,29^m Mittel
Zwischenmittel	17^m	33,5^m
» 5. Flötz	0,37^m m., unbauwürdig	0,29^m m., unbauwürdig
Zwischenmittel	2,6^m	10,5^m
6. Flötz	2,46^m m. incl. 0,26^m Mittel in 2 Streifen	1,31^m m. incl. 0,29^m Mittel
Zwischenmittel	2^m	9,9^m
» 7. Flötz	0,37^m m., unbauwürdig	0,37^m m., unbauwürdig
Zwischenmittel	7,6^m	12,8^m
» 8. Flötz	0,7^m m.	0,60^m m. incl. 0,08^m Mittel
Zwischenmittel	4,4^m	7,8^m
» 9. Flötz	0,57^m m.	0,55^m m. incl. 0,03^m Mittel
Zwischenmittel	2^m	4,2^m
» 10. Flötz	0,37^m m., unbauwürdig	0,57^m m.
Zwischenmittel	0,26^m	18,8^m
» 11. Flötz	0,65^m m.	1,07^m m., unrein
Zwischenmittel	21,7^m	12,8^m
» 12. Flötz	0,50^m m. incl. 0,10^m Mittel, unbauwürdig	fehlt hier
Zwischenmittel	23,5^m	
» 13. Flötz	1,05^m m.	1,65^m m. incl. 0,16^m Mittel
Zwischenmittel	6,3^m	14,1^m
» 14. Flötz	1,31^m m. incl. 0,10^m Mittel	0,60^m m.
Zwischenmittel	26,1^m	32,9^m
» 15. Flötz	0,63^m m., fehlt im Querschlage	fehlt im Querschlage
» 16. Flötz	1,1^m m.	2,14^m m. incl. 0,47^m Mittel
Zwischenmittel	4,2^m	2,3^m
» 17. Flötz	1,05^m m. incl. 0,47^m Mittel in 2 Streifen	0,47^m m. incl. 0,26^m Mittel,
Zwischenmittel	7,8^m	2^m

	Im Egmont - Schacht - Q(	
Das 18. Flötz	0,81ᵐ m. incl. 0,29ᵐ Mittel in 2 Streifen	0,65ᵐ m.
Zwischenmittel	11,5ᵐ	16,2ᵐ
» 19. Flötz	0,47ᵐ m., unbauwürdig	0,65ᵐ m. incl. 0,05ᵐ Mittel
Zwischenmittel	8,3ᵐ	22,5ᵐ
» 20. Flötz	1,7ᵐ m.	2,20ᵐ m. incl. 0,05ᵐ Mittel
Zwischenmittel	5,5ᵐ	26,1ᵐ
» 21. Flötz	0,52ᵐ m.	0,70ᵐ m.
Zwischenmittel	4,2ᵐ	2ᵐ
» 22. Flötz	1,31ᵐ m.	1ᵐ m. incl. 0,05ᵐ Mittel
Zwischenmittel	12,5ᵐ	8,4ᵐ
» 23. Flötz	1,52ᵐ m.	0,45ᵐ m.
Zwischenmittel	16,2ᵐ	13ᵐ
» 24. Flötz	{ 0,81ᵐ Oberbank { 0,47ᵐ Mittel { 0,42ᵐ Niederbank 1,70ᵐ	0,81ᵐ m. incl. 0,05ᵐ Mittel
Zwischenmittel	6,3ᵐ	10,5ᵐ
» 25. Flötz	1,49ᵐ m. incl. 0,13ᵐ Mittel in 2 Streifen	1,07ᵐ m. incl. 0,21ᵐ Mittel i
Zwischenmittel	7,6ᵐ	15,7ᵐ
» 26. Flötz	0,26ᵐ m., unbauwürdig	0,36ᵐ m., unbauwürdig
Zwischenmittel	109,3ᵐ	115,6ᵐ
» 27. Flötz	0,84ᵐ m. incl. 0,26ᵐ Mittel, unbauwürdig	1,05ᵐ m. incl. 0,08ᵐ Mittel
Zwischenmittel	8,9ᵐ	30,3ᵐ
» 28. Flötz	1,62ᵐ m. incl. 0,34ᵐ Mittel in 2 Streifen	1,25ᵐ m. incl. 0,23ᵐ Mittel i
Zwischenmittel	6,8ᵐ	
» Zwischenflötz	0,89ᵐ m. incl. 0,08ᵐ Mittel	fehlt hier
Zwischenmittel	3,4ᵐ	
ein Flötz	0,55ᵐ m.	
Zwischenmittel	3,7ᵐ	
das 29. Flötz	1,15ᵐ m. incl. 0,05ᵐ Mittel	{ 0,57ᵐ Oberbank { 0,45ᵐ Mittel { 0,36ᵐ Niederbank 1,38ᵐ
Zwischenmittel	2,2ᵐ	15,7ᵐ
» 30. Flötz	1,39ᵐ m. incl. 0,08ᵐ Mittel,	1,05ᵐ m. incl. 0,18ᵐ Mittel
Zwischenmittel	31,1ᵐ	4,2ᵐ

3 31. Flötz	0,52^m m.	0,65^m m. incl. 0,42^m Mittel in 2 Strei
Zwischenmittel	4,4^m	8,9^m
32. Flötz	0,63^m m. incl. 0,13^m Mittel	1,39^m m. incl. 0,08^m Mittel
Zwischenmittel	30^m	31,4^m
33. Flötz	0,50^m m.	0,52^m m.
Zwischenmittel	13,5^m	4,7^m
		0,73^m Oberbank
	0,90^m Oberbank	0,60^m Mittel
34. Flötz	1,00^m Mittel	1,00^m Mittelbank
	0,53^m Niederbank	0,37^m Mittel
	2,43^m	0,47^m Niederbank
		3,17^m.

Im Egmont-Schacht-Querschlage beträgt der Neigungswinkel der Schichten vom Charlotte-Flötz bis zum 20. 45^0, vom 20. bis 25. 50^0, bei dem 28. 59^0, vom 29. bis 32. Flötz 62—67^0. Ueber die Ablagerungsweise derselben lässt sich im Allgemeinen dasselbe sagen, was oben über die Gustav-Gruben-Flötze gesagt worden ist; die Flötze liegen in einzelnen Gruppen vereinigt in Schiefer-thon-Ablagerungen; während die die letzteren trennenden Sand-steinmittel in der Regel keine Flötze einschliessen, so bilden das 2. bis 4., 5. bis 11., 13. und 14., 15. bis 17., 20. bis 23., das 28. bis 30. solche Gruppen. Das stärkste Sandsteinmittel findet sich zwischen dem Charlotte- und 1. Flötz, ist querschlägig gemessen 146,5^m mächtig und besteht aus 111,2^m Sandstein, 35^m Schiefer-thon und 0,3^m Kohle. Das nächststärkste aus Sandstein mit Con-glomerat-Bänken bestehende Mittel ist das zwischen dem 25. und 27. Flötz liegende, das unbauwürdige 26. Flötz einschliessende Mittel, welches querschlägig 117,2^m misst. Die bei stehenden Flötzen nicht selten vorkommenden, durch sehr flach fallende Klüfte verursachten Verwerfungen, bei welchen nicht der im Hangenden, sondern der im Liegenden der Sprungkluft befindliche Flötztheil

vorgeschoben erscheint (Uebersprünge), finden sich in der vom
28. bis 30. Flötz gebildeten Gruppe. Im Mayrau-Schacht-Quer-
schlage beträgt der Neigungswinkel der Schichten vom 4. bis
13' Flötz 21—25⁰, vom 16. bis 20. 31—42⁰, vom 24. bis 32. 45⁰.
Hier stellt sich schon zwischen dem 20. und 25. Flötz ein starkes
Bergmittel aus Sandstein ein; das aus Sandstein und Conglomerat
bestehende Mittel zwischen dem 25. und 27. Flötz ist querschlägig·
gemessen 140ᵐ stark und die darauf folgenden Flötze No. 27—34
werden durch Mittel getrennt, welche nur schwache Schieferthonbänke als unmittelbares Hangendes und Liegendes der Flötze,
sonst vorherrschend Sandstein enthalten. Die im Egmont-Schacht-
Querschlage auf dem 28. bis 30. Flötz vorkommenden Uebersprünge treten hier bei der vom 30. bis 32. Flötz gebildeten
Gruppe auf.

Im südöstlichen Felde ändern die liegendsten Flötze ihr
Streichen aus Südost durch Ost nach Nordost, nehmen also ihre
Richtung auf die Blitzenberge zu, so dass ihr Streichen zuletzt
mit dem der Glückhilf-Grubenflötze übereinstimmt, während die
hangenderen Flötze ihr südöstliches Streichen, soweit die jetzigen
Aufschlüsse reichen, beibehalten und erst im südöstlich anstossenden
Felde der Ezechiel-Grube in gleichem Sinne sich wenden. Ein
unmittelbarer Zusammenhang der Carl-Georg-Victor-Grubenflötze
mit denen der Hermsdorfer Gruben und der Friedrich-Stolberg-
Grube ist wegen des dazwischen auftretenden Porphyrs der Blitzenberge nur für einzelne derselben wahrscheinlich; es ist auch bekannt, dass mehrere der hangenden Flötze der Carl-Georg-Victor-
Grube den von der Hermsdorfer Chaussee über den tiefen Eisenbahn-Einschnitt und Fellhammer nach Lang-Waltersdorf führenden
Communicationsweg nur in Bestegen durchschneiden, welche ihrer
Lage nach als Verbindungsglieder zwischen den Flötzen der Carl-
Georg-Victor- und Ezechiel-Grube einerseits und denen der Glückhilf-
und Friedrich-Stolberg-Grube andererseits aufzufassen sind. Ferner
ist die Möglichkeit nicht ausgeschlossen, dass die beiden bei
Charlotte-Grube erwähnten Sprünge noch weiter nach Südost
fortstreichen und die Flötze der Carl-Georg-Victor-Grube ebenfalls ins Liegende verwerfen, dass also die Charlotte-Grubenflötze

überhaupt nur durch Verwurf ins Liegende versetzte Theile der liegenden Flötze. der Carl-Georg-Victor-Grube sind.

An die südöstliche Markscheide von Carl-Georg-Victor grenzt das Feld der Ezechiel-Grube, deren Flötze (die hangenden der Carl-Georg-Victor-Grube) ein Streichen in Nordost und Nord, ein nach Osten gerichtetes Fallen besitzen und theils am Abhang der Blitzenberge ihre Endschaft zu erreichen, theils in einzelnen Bestegen nach den Häusern von Schönhut zu ziehen scheinen; ein Grubenbetrieb hat hier noch nicht stattgefunden.

Sämmtliche Flötze des Hangend-Zuges erscheinen nach der Unterbrechung, welche der Porphyr der Blitzenberge verursacht hat, im Hermsdorfer Felde mit einem ausserordentlichen Kohlenreichthum; hier wurden die liegenden Flötze von der consolidirten Neue Heinrich, die mittleren von der Vereinigte Glückhilf-, die hangenden von dieser und von der consolidirten Friedens-Hoffnung-Grube in Bau genommen.

Das Feld der consolidirten Neue Heinrich-Grube schliesst vom Liegenden an gerechnet folgende Flötze ein:

Das Grenzflötz 1,1^m mächtig incl. 0,18^m Mittel, nach 79,5^m
    Sandstein folgt

» 7. Flötz 1,3^m mächtig incl. 0,29—0,39^m Mittel, wird
    nicht abgebaut, nach 4,18^m Schieferthon u. Sandstein

» 6. Flötz 0,39^m mächtig, unbauwürdig, nach 8,4^m Schiefer-
    thon und Sandstein

» 5. Flötz 0,39^m mächtig, unbauwürdig, nach 6,3^m Schiefer-
    thon und Sandstein

» 4. Flötz 0,65—1,18^m mächtig, nach 0,26^m Schieferthon

» 3. » 0,90^m mächtig, wird mit dem vorigen zusammen
    abgebaut, nach 25,1^m Sandstein

          (0,47—0,52^m Oberbank

» 2. Flötz { 0,05^m Mittel

          (0,90—1,05^m Niederbank, nach 23^m Schieferthon

» 1. » 1,05 mächtig incl. 0,23—0,26^{ih} Mittel.

Ausser diesen sind noch 3 Flötze im Liegenden des Grenz-flötzes sehr nahe am Porphyr des Hochwaldes am Ausgehenden ausgeschürft worden, von denen das eine 0,40, das andere 0,52^m

stark ist. Das Streichen der Flötze geht in der Nähe der Herms-
dorf-Fellhammer'schen Territorial-Grenze in h. 2, wendet sich in
der Nähe des Dorfes Hermsdorf in h. 12 und geht im nördlichen
Felde in h. 9 über; das Fallen beträgt 22—24° nach Osten. Die
liegendsten Flötze ziehen sich mit einem Verflächen von 50—55°
an der Grenze des Porphyrs demselben regelmässig aufliegend bis
zur Nordseite des Hochwaldes fort, kommen der Spitze der von
Kohlau her abgelagerten Mulde sehr nahe, wenden sich an dieser
Art von Sattel plötzlich in sehr scharfem Winkel nach Osten
herum und bilden somit die jener symmetrisch gegenüberliegende
Hermsdorf-Weisssteiner Specialmulde. In ihrem Fortstreichen
nach Süden sind einige Flötze bis in die Nähe der Blitzenberge
verfolgt worden, wo sie, wie man in den Eisenbahn-Einschnitten
der Schlesischen Gebirgsbahn und der Sorgau Halbstädter Bahn
sehen kann, an dem weissen Porphyr der Blitzenberge auf kurze
Strecke steil aufgerichtet erscheinen.

Im Hangenden der Neue Heinrich-Grubenflötze folgen die
15 Flötze der Vereinigte Glückhilf-Grube zu Nieder-Hermsdorf, welche im südlichen Felde, in welchem der Hauptbetrieb
stattfindet, nach den Aufschlüssen im von der Heydt-Schacht-Quer-
schlage der I. Tiefbausohle im Liegenden beginnend nachstehende
Reihenfolge bilden (s. Profil 8, Tafel II.):

1. Das 7. Flötz 2,4^m mächtig, von demselben wird nur die 1,20^m
   starke Oberbank abgebaut, da die Niederbank von mehreren
   Schieferstreifen durchzogen ist,
   Zwischenmittel 1,65^m Schieferthon mit einem 0,15^m starken
   Flötzbestege,

2. das 6. Flötz 2,15^m mächtig, die von Schieferstreifen durch-
   zogene Oberbank wird vom Abbau ausgeschlossen, die
   Niederbank ist 1^m stark,
   Zwischenmittel 5,5^m Schieferthon und 27^m Sandstein, in
   welchem ein 0,25^m starkes Kohlenbänkchen liegt,

3. das 5. Flötz 1,83—2,09^m mächtig, von demselben wird die
   0,52^m starke Oberbank wegen ihrer Unreinheit vom Abbau
   ausgeschlossen,
   Zwischenmittel 5,5^m Schieferthon,

4. das 4. Flötz; dasselbe besteht aus 0,94^m Kohle (Niederbank), 0,60^m Mittel, 0,18^m Kohle, 0,50^m Mittel und 0,50^m Kohle (Oberbank),

    Zwischenmittel 50^m Sandstein mit einigen 0,03—0,08^m starken Kohlenschmitzen,

5. das Starke Flötz besteht aus 0,20^m Kohle (Niederbank), 0,25^m Mittel und 1,45^m Kohle (Oberbank),

    Zwischenmittel: auf dem Flötz liegt stellenweise Sandstein, darauf Schieferthon, eine 0,39^m starke Kohlenbank und darauf Sandstein; stellenweise bildet Schieferthon das unmittelbare Hangende des Flötzes; das Zwischenmittel ist 40^m stark,

6. das 3. Flötz 2^m mächtig mit einem Schieferthonmittel, dessen Stärke von 0,03—0,16^m variirt, im Erbstollnschachtfelde 0,80^m beträgt,

    Das Zwischenmittel, im Erbstollnschachtquerschlage 35^m stark, verschwächt sich nach Süden und ist im von der Heydt-Schacht-Querschlage nur 2—4^m stark,

7. das 2. Flötz 2,09—2,20^m mächtig; die liegendste 0,16^m starke Bank wird wegen ihrer Unreinheit vom Abbau ausgeschlossen. In der Mittelbank tritt ein 0,13^m starkes Lettenmittel auf, welches im Felde des Erbstollnschachtes eine Mächtigkeit von 6—10^m querschlägig gemessen erreicht und das Flötz in 2 selbstständige Kohlenbänke trennt. Dieses Mittel enthält viel thonigen Sphärosiderit,

    Zwischenmittel 12—15^m Sandstein und Schieferthon. Im von der Heydt-Schacht-Querschlage der 1. Tiefbausohle liegen 4^m im Hangenden des 2. Flötzes 2 Kohlenbänke von 0,20 und 0,30^m Stärke, getrennt durch ein 0,30^m starkes Schieferthonmittel, welche früher als Schmales Flötz bezeichnet worden sind. In der 2. Tiefbausohle liegt in 1^m Entfernung vom 2. Flötz nur eine Bank von 0,30^m Mächtigkeit,

8. das 1. Flötz 0,50—0,78^m mächtig, wird im südlichen Felde nicht abgebaut,

    Zwischenmittel 15^m Sandstein,

9. das Strassenflötz; die 0,4—0,5ᵐ starke Niederbank, welche
durch ein 1,07ᵐ starkes Schieferthonmittel von der Mittelbank getrennt ist, wird vom Abbau ausgeschlossen; der
verbleibende Theil des Flötzes ist 1,2ᵐ mächtig. Das
Schieferthonmittel wird nach Norden zu schwächer und
besitzt im Erbstollnschachtfelde nur noch 0,08ᵐ Stärke,
das ganze Flötz daselbst eine Mächtigkeit von 1,4ᵐ;

Zwischenmittel 35ᵐ· Schieferthon und sandiger Schieferthon,

10. das 41 zöllige Flötz 0,78ᵐ mächtig, wird wegen seiner unreinen
Beschaffenheit hier nicht abgebaut,

Zwischenmittel: auf das Flötz folgen 12.ᵐ Schieferthon,
0,05ᵐ Kohle, 8ᵐ Schieferthon und 170ᵐ Sandstein, darauf
eine schwache Schieferthonbank mit 2 Kohlenbestegen von
0,26 und 0;23ᵐ Stärke und dann 15ᵐ Sandstein, ·

11. das Freundschaftsflötz 0,80ᵐ stark; dasselbe wurde 1873—74
in Abbau genommen, wegen seiner unreinen Beschaffenheit
jedoch wieder stehen gelassen,

Zwischenmittel: Im Hangenden desselben sind querschlägig gemessen 180ᵐ Sandstein durchfahren worden; in
demselben treten bei 58ᵐ querschlägiger Entfernung vom
Freundschaftsflötz 2 Kohlenbänkchen von 0,13 und 0,15ᵐ
Stärke auf, welche durch ein 0,40ᵐ starkes Schieferthonmittel getrennt sind. Auf diesem Sandsteinmittel lagert 1ᵐ
Schieferthon, dann folgen die Flötze der ehemaligen Beste
Grube, welche jetzt mit Glückhilf consolidirt ist. Durch
die hier auftretenden querschlägigen Sprünge irre geführt,
glaubte man anfänglich 7 Flötze zu besitzen, der Aufschluss
in der Glückhilf-Stollnsohle ergab aber nur das Vorhandensein von 4 Flötzen, welche im von der Heydt-Schacht-
Querschlage die nachstehend angegebene Zusammensetzung
zeigen:

12. das Liegend-Flötz besteht aus einer 0,50—1,20ᵐ starken Oberbank, welche wegen ihrer Unreinheit vom Abbau ausgeschlossen wird, einem 2—3ᵐ starken Mittel von Schiefer-

11

thon und aus einer 1,30^m starken Niederbank, welche ein
0,04—0,08^m starkes Lettenmittel einschliesst,

    Zwischenmittel 6—8^m sandiger Schieferthon,

13. das Stollnflötz 0,31^m mächtig, unbauwürdig,

    Zwischenmittel 60^m Sandstein,

14. das Friederiken-Flötz 1,26^m mächtig incl. 0,26^m Mittel, besteht von oben nach unten aus:

        0,18^m Kohle,

        0,13^m Mittel,

        0,26^m Kohle,

        0,13^m Mittel,

        <u>0,56^m Kohle,</u>

        . 1,26^m,

in den beiden Mitteln finden sich häufig Drusen mit kry-
stallisirtem Kalkspath,

    Zwischenmittel 41^m Sandstein,

15. das Beste Flötz besteht aus:

        0,52^m Oberbank,

        0,18^m Mittel,

        <u>0,50^m Niederbank,</u>

        1,20^m,

seine Mächtigkeit ist jedoch stellenweise auf 0,50^m vermindert; das
unmittelbare Hangende bildet Sandstein.

    Das Streichen der Flötze ist dem der Neue Heinrich-Grubenflötze
parallel, also südlich vom Dorfe Hermsdorf nach Nord und Nordost,
nördlich desselben nach Nordwest gerichtet, so dass die Streichlinien
regelmässige flache Bogen beschreiben. Der Fallwinkel derselben
beträgt im südlichen Felde ziemlich gleichmässig bei allen Flötzen
durchschnittlich 20^0, bei dem Beste Flötz 25^0; im nördlichen Felde
und zwar nördlich des Hauptsprunges vergrössert sich der Fallwinkel
beim 7. bis Starken Flötz bis 60^0, beim 3. bis Strassenflötz bis 45^0.
Der thonige Sphärosiderit findet sich häufig in den Mitteln vom 2. bis
41 zölligen, im Liegenden des Starken Flötzes u. s. w. Die Flötze
werden von einer ziemlich grossen Zahl meist querschlägiger
Sprünge durchsetzt, von denen mehrere sich gegenseitig ver-

werfen; in der Regel sind jedoch dieselben auf die Bauwürdigkeit
der Flötze ohne nachtheiligen Einfluss, indem letztere sich hinter
dem Sprunge in unveränderter Mächtigkeit wieder anlegen; namentlich hat das 2. Flötz bei den vielfachen Sprungausrichtungen seine
2,09ᵐ betragende Mächtigkeit constant beibehalten. Bei dem vorhin
erwähnten, auf den Grubenrissen mit G bezeichneten Hauptsprunge
beträgt die seitliche Verschiebung der beiden getrennten Flötztheile
in horizontaler Richtung bei dem 7. Flötz in der Glückhilf-Stollnsohle 180ᵐ, in der I. Tiefbausohle 230ᵐ, bei dem 3. Flötz in
beiden Sohlen 170ᵐ. Die Mächtigkeit der Flötze und Zwischenmittel ist sehr vielen Veränderungen unterworfen; ausser dem bereits Gesagten wird hier noch bemerkt, dass das 40ᵐ starke
Zwischenmittel zwischen dem Starken und 3. Flötz vom Erbstolln-
schacht an bis zur Markscheide mit Fuchs-Grube sich bis auf
eine so schwache Bank vermindert, dass beide Flötze zusammen
abgebaut werden können.

Im südlichen Felde werden die Kohlenablagerungen an mehreren
Stellen vom Porphyr unterbrochen; zu den grösseren Massen gehört die in ca. 4ᵐ Entfernung vom Wrangel- in der Richtung nach
dem Hedwig-Schacht zu liegende, auf mehreren Flötzen angehauene,
in ihrer Ausdehnung jedoch noch nicht vollständig bekannte Partie,
ferner die gangartig auftretende Porphyrmasse, welche ca. 100ᵐ
weiter südlich im Strassenflötz angehauen und in schwebender
Richtung auf ca. 25ᵐ Länge durchörtert worden ist, worauf das
Flötz mit ziemlich gleichem Fallen sich wieder anlegte (s. Profil 15,
Taf. III). Dieselbe Masse ist im 2. und 3. Flötz, die südliche
Grenze desselben im Starken, 4. und 5. Flötz blossgelegt worden;
ihre streichende Länge ist auf ca. 400ᵐ bekannt und ihre Mächtigkeit beträgt 20—30ᵐ. Das am weitesten nach Südwest vorge-
schobene Vorkommen von Porphyr ist dasjenige, welches 140ᵐ
südlich vom Ernestine-Schacht unter der von Hermsdorf nach
Fellhammer führenden Strasse liegt. Den südlich vom Hedwig-
Schacht auftretenden Porphyr der Blitzenberge haben die Baue der
Glückhilf-Grube zwar noch nicht erreicht, obgleich die Grundstrecken im 2. und Strassenflötz bis in die Nähe der Markscheide
der Carl-Georg-Victor-Grube unterhalb der letzten Häuser von

Schönhut aufgefahren worden : sind; jedoch macht sich die Nahe
desselben in der sehr unregelmässigen Ablagerung der Flötze bemerkbar. Im Ganzen genommen ist jedoch der Einfluss der
Porphyrmassen auf die Beschaffenheit der Flötze kein so ungünstiger, als man früher allgemein annahm.

Als Begleiter des Porphyrs treten häufig Breccien auf, welche
der Bergmann Riegelgesteine nennt, obgleich die die Kohlenflötze durchsetzenden wahren Riegel anderer Entstehung sind und
mit dem Porphyr unmittelbar Nichts zu thun haben. Diese Breccien
bestehen aus scharfkantigen, eckigen Bruchstücken von Porphyr,
welche in einer nicht sehr festen aus zerriebenem Schieferthon und
Kohle bestehenden Grundmasse liegen; sie bilden gewöhnlich die
äussere Hülle der Porphyrmassen, so dass man, wenn man erstere
mit den Grubenbauen erreicht, sicher sein kann, jene bald auftreten
zu sehen. Diese Breccien und Porphyr-Tuffe, letztere von ganz
gleicher Beschaffenheit, wie sie von der Abendröthe-Grube beschrieben worden sind, wurden an zahlreichen Stellen im Strassen-,
2., 3., Starken Flötz etc. um- und durchfahren. Wo der Porphyr
jünger als die Kohlenschichten ist, wie z. B. die gangförmige
Masse im Strassen-Flötz, sind sie als Reibungsbreccien zu betrachten; daneben kommen jedoch auch solche Porphyrmassen vor,
welche als Erhebungen aufzufassen sind, welche die damalige Oberfläche bildend zuerst von den aus ihrer Verwitterung und Ab-
nagung entstandenen Trümmergesteinen und demnächst von den
Ablagerungen des productiven Steinkohlen-Gebirges überlagert
wurden. In beiden Fällen scheidet dasselbe Gestein: Conglomerat
oder Breccie, das Flötz vom Porphyr und da aus dem soeben angegebenen Grunde der Streckenbetrieb oft eingestellt wird, wenn
die Breccie erreicht ist, ohne die Scheidelinie zwischen ihr und
dem Porphyr blosszulegen, so kann nur in dem Fall, wenn dieselbe Porphyrmasse an verschiedenen Stellen angetroffen worden
ist, aus der Zusammenstellung der einzelnen Beobachtungen ein
richtiger Schluss über das gegenseitige Alter gezogen werden.

Die beiden Bausohlen der Glückhilf-Grube, die I. und II. Tiefbausohle, liegen in 101,48 resp. 148,45 m Teufe unter der Hängebank des von der Heydt- und Victoria-Schachtes und da diese

Grube in Folge eines Vertrages berechtigt ist, die 4 hangenden
Flötze der Neue Heinrich-Grube unterhalb der Glückhilf-Stollnsohle
ohne Rücksicht auf die Markscheide abzubauen, so ist in der
I. Tiefbausohle der von der Heydt-Schacht-Querschlag ins Liegende
verlängert worden, wodurch das 1. bis 4. Flötz der Neue Heinrich-
Grube aufgeschlossen wurden, wogegen der Querschlag in der
II. Tiefbausohle beim 2. Flötz endigt, und da ferner das liegendste
Flötz der Glückhilf mit No. 7 bezeichnet ist, so wurde das 1. oder
hangendste Flötz der Neue Heinrich-Grube als 8., das 2. derselben
als 9., das 3. und 4., welche stets zusammen abgebaut worden
sind, als 10. Glückhilf-Grubenflötz bezeichnet (s. Profil 8).

Der Querschlag in der I. Sohle durchörterte unter dem 7. Flötz
zunächst 9^m Schieferthon mit einigen Kohlenbestegen, dann 10^m
Sandstein, ein $0,13^m$ starkes Kohlenbänkchen, darunter $1-2^m$
Schieferthon und darunter folgt

die Oberbank des 8. Flötzes, von oben nach unten bestehend aus:

$0,50^m$ Kohle
$0,70^m$ Sandstein
$0,08^m$ Kohle
$0,15^m$ Schieferthon
$0,20^m$ Kohle
$2,15^m$ Sandstein
$0,40^m$ Kohle

$4,18^m$.

Diese hangende Bank ist nördlich vom von der Heydt-Schacht-
Querschlage auf nur etwa 250^m Länge abgebaut worden; nach
27^m Sandstein folgt mit 1^m Schieferthon bedeckt

das 8. Flötz, von oben nach unten bestehend aus:

$0,75^m$ Kohle
$0,60^m$ Mittel
$0,40^m$ Kohle
$1,30^m$ Mittel
$0,15^m$ Kohle

$3,20^m$,

von welchem die $0,15^m$ starke Kohlenbank stehen bleibt.

Naeh $0,80^m$ Schiefer und 93^m Sandstein folgt

das 9. Flötz, bestehend aus:

> $0,39^m$ Kohle
> $0,47^m$ Mittel
> $0,52^m$ Kohle
> $0,23^m$ Mittel
> $0,84^m$ Kohle mit 2 Lettenstreifen von 0,02 und
> $0,01^m$ Stärke
> $0,15^m$ Mittel
> $0,10^m$ Kohle
> ————
> $2,70^m,$

> Zwischenmittel 8^m Schieferthon
> $0,6^m$ Sandstein
> 1^m Schieferthon,

das 10. Flötz besteht aus:

> $0,62^m$ Kohle
> $0,26^m$ Mittel
> $0,26^m$ Kohle
> $0,34^m$ Mittel
> $0,15^m$ Kohle
> $0,18^m$ Mittel
> $0,18^m$ Kohle
> $0,21^m$ Mittel
> $0,23^m$ Kohle
> $0,78^m$ Mittel
> $0,52^m$ Kohle
> ————
> $3,73^m.$

Ueber dieses Flötz ist der Querschlag nicht hinausgetrieben worden, weil das 5., 6. und 7. Flötz der Neue Heinrich-Grube in oberer Sohle unbauwürdig waren und das Grenzflötz vom 10. Flötz noch $280—300^m$ entfernt liegt.

Im nördlichen Felde der Glückhilf-Grube sind die Flötze bis in die Nähe der Hermsdorf-Weissteiner Territorial-Grenze vom 41 zölligen bis zum 9. vollzählig vorhanden, unter Winkeln von

47—53° aufgerichtet und in der I. Tiefbausohle gelöst. Im nörd_
lichsten Querschlag des Erbstolln-Schachtfeldes (Querschlag No. 5)
sind in Folge eines hier aufsetzenden Sprunges das 10., 9. und
8. Flötz nicht durchörtert worden.

Das 7. Flötz besteht aus:

$$\begin{array}{l} 0,13^{\mathrm{m}}\ \text{Kohle} \\ 0,03^{\mathrm{m}}\ \text{Mittel} \\ \underline{1,05^{\mathrm{m}}\ \text{Kohle}} \\ 1,21^{\mathrm{m}}, \end{array}$$

Zwischenmittel 3,27 m Schieferthon,

» 6. Flötz 0,68 m mächtig incl. 4 Lettenstreifen von je 0,01 m Stärke,
Zwischenmittel 2,8 m Schieferthon,

» 5. Flötz besteht aus:

$$\begin{array}{l} 1,50^{\mathrm{m}}\ \text{Kohle} \\ 0,12^{\mathrm{m}}\ \text{Mittel} \\ 0,45^{\mathrm{m}}\ \text{Kohle} \\ 0,40^{\mathrm{m}}\ \text{Mittel} \\ \underline{0,50^{\mathrm{m}}\ \text{Kohle}} \\ 2,97^{\mathrm{m}}, \end{array}$$

Zwischenmittel 2,6 m Sandstein,

» 4. Flötz $\left\{\begin{array}{l} \text{Oberbank} \quad 1,15^{\mathrm{m}}\ \text{incl. } 0,01^{\mathrm{m}}\ \text{Mittel} \\ \text{Mittel} \qquad 1,60^{\mathrm{m}}\ \text{sandiger Schieferthon} \\ \underline{\text{Niederbank } 0,65^{\mathrm{m}}\ \text{incl. } 0,05^{\mathrm{m}}\ \text{Mittel}} \\ \quad\qquad\qquad 3,40^{\mathrm{m}}, \end{array}\right.$

Zwischenmittel 20,7 m Sandstein und Schieferthon mit
einem 0,60 m starken Flötzchen,

» Starke Flötz 2,2 m mächtig incl. 0,01 m Mittel,
Zwischenmittel 1,2 m sandiger Schieferthon,

» 3. Flötz 3,4 m mächtig, durch 0,01 m starke Lettenstreifen in
4 gleichstarke Bänke getheilt,
Zwischenmittel 29,8 m Sandstein und Schieferthon mit
einem 0,26 m starken Kohlenbestege.

Das 2. Flötz besteht aus:

> 0,78^m Kohle
> 0,58^m Mittel
> 0,08^m Kohle
> 0,10^m Mittel
> 0,21^m Kohle
> 0,16^m Mittel
> 0,68^m Kohle
> 0,08^m Mittel
> 0,63^m Kohle
> —————
> 3,30^m,

Zwischenmittel 1,8^m sandiger Schieferthon und 0,31^m reiner Schieferthon,

> » 1. Flötz 0,55^m mächtig incl. 0,05^m Mittel,
> » Strassen-Flötz 1,17^m mächtig, hat Schieferthon zum Hangenden,
> » 41zöllige Flötz ist in diesem Querschlage nicht aufgeschlossen worden, da es überall nur theilweise bauwürdig ist; in der II. Tiefbausohle ist es im nördlichen Felde zusammengesetzt aus:

> 0,55^m Kohle
> 0,15^m Mittel
> 0,10^m Kohle
> 0,40^m Mittel
> 0,20^m Kohle
> —————
> 1,40^m.

Die 4 hangendsten Flötze des Flötzzuges, auf welchen die Glückhilf-Grube im Felde der ehemaligen Einzelzeche Beste Grube baut, das Liegende Flötz, Stollnflötz, Friederiken- und Beste Flötz treten in ihrem nördlichen Fortstreichen in das Feld der consolidirten Friedens-Hoffnung-Grube.

In demselben setzen im Ganzen vom Hangenden an gerechnet zuerst das Frauen-Flötz und im Liegenden desselben noch 8 Flötze auf, von denen jedoch nur 3 anhaltend bauwürdig sind, nämlich das Frauen-Flötz, das 4. und 5. Flötz. Sämmtliche Flötze sind

zuerst durch den Glückhilf-Stolln gelöst worden, weil derselbe vom
Hangenden herangetrieben waren und daher das Feld der Friedens-
Hoffnung-Grube durchschneiden musste. In dessen Sohle fand sich
als hangendstes Flötz des ganzen Flötzzuges ein Flötzchen von 0,65 ^{m}
Stärke, welches nicht näher untersucht worden ist, darauf in 16,2 ^{m}
Entfernung:

das 1. jetzt Frauen-Flötz genannt 0,78 ^{m} mächtig, in 41,8 ^{m} Entfernung
ein Flötz ⸱ 0,73 ^{m} mächtig,   » 4,2 ^{m} »
das 2. Flötz 0,52 ^{m} ».   ». 57,5 ^{m} »
» 3. ⸱ » 0,57 ^{m} »   » 22 ^{m} »
» 4. » 3,92 ^{m} » ⸱ jetzt 4. Flötz Ober-
           bank genannt,   » 5,2 ^{m} »
» 5. » 1 ^{m} ⸱   » jetzt 4. Flötz Nieder-
           bank genannt,   » 8,4 ^{m} »
» 6. » 0,73 ^{m} ⸱   »   » 34,5 ^{m} »
» 7. » 0,52 ^{m} »   » 64,9 ^{m} »
» 8. » 0,76 ^{m} »   » 16,7 ^{m} »
» 9. » 0,73 ^{m} » ⸱

Die Flötze streichen conform denen der Neue Heinrich- und
Glückhilf-Grube im nördlichen Felde, also in h. 9—12 und fallen
mit 24—26⁰ nach Osten. In der IV. Tiefbausohle bei 209,2 ^{m}
und in der V. bei 284,5 ^{m} Teufe fallen das 41 zöllige, das Strassenflötz, das 1., 2. und 3. Flötz der Glückhilf- ins Feld der Friedens-
Hoffnung-Grube.

Der Hauptsprung im nördlichen Felde der Glückhilf-Grube
setzt bis hierher fort und hat hier einen Verwurf hervorgebracht,
welcher horizontal gemessen 274 ^{m} beträgt; derselbe bildet die
Grenze zwischen dem nördlichen und südlichen Felde. In Letzterem
werden die Ober- und Niederbank des 4. Flötzes zusammen, in
Ersterem in der I., II. und III. Tiefbausohle getrennt, aber in der
IV. zusammen abgebaut, da die Flötzbeschaffenheit in beiden Bau-
Abtheilungen eine verschiedene ist.

Die Zusammensetzung des Flötzes in der IV. Sohle ist
folgende :

Nördliches Feld: Südliches Feld:

Oberbank $\begin{cases} 0,22\,^{\mathrm{m}} \text{ Kohle} \\ 0,96\,^{\mathrm{m}} \quad \text{»} \\ 0,90\,^{\mathrm{m}} \quad \text{»} \end{cases}$ $\left.\begin{array}{l} \text{ohne Schiefermittel,} \\ \text{sondern nur durch} \\ \text{Ablösungen getrennt} \end{array}\right.$

$\qquad\qquad\quad \overline{2,08\,^{\mathrm{m}}}$

Mittel   0,50—0,70^{m} Schieferthon

Niederbank $\begin{cases} 0,80\,^{\mathrm{m}} \text{ Kohle} \\ 0,28\,^{\mathrm{m}} \text{ Mittel} \\ 0,50\,^{\mathrm{m}} \text{ Kohle} \end{cases}$

$\qquad\qquad\quad \overline{1,58\,^{\mathrm{m}}}$

Ober- und Nieder- bank zu- sammen $\begin{cases} 0,78\,^{\mathrm{m}} \text{ Kohle} \\ 0,10\,^{\mathrm{m}} \text{ Mittel} \\ 0,34\,^{\mathrm{m}} \text{ Kohle} \\ 0,50\,^{\mathrm{m}} \text{ Mittel} \\ 0,63\,^{\mathrm{m}} \text{ Kohle} \\ 0,08\,^{\mathrm{m}} \text{ Mittel} \\ 0,89\,^{\mathrm{m}} \text{ Kohle} \end{cases}$

Gesammt-Mächtigkeit   4,16—4,36^{m}.   3,32^{m}.

Das Hangende der Oberbank ist Schieferthon, das Liegende der Niederbank fester
Sandstein.

Hangendes und Lie-
gendes ist Schiefer-
thon.

Von den 3 Zwischenflötzen, welche zwischen der Oberbank
und dem Frauen-Flötz liegen, ist nur das liegendste im südlichen
Felde in der II. Tiefbausohle, wo es eine Mächtigkeit von 0,78^{m}
besass, auf etwa 200^{m} streichende Länge abgebaut worden.

Das Frauen-Flötz besteht im südlichen Felde in der II. bis
IV. Tiefbausohle ziemlich übereinstimmend von oben nach unten aus:

0,21^{m} Kohle
0,16^{m} Mittel
1,44^{m} Kohle
$\overline{1,81^{\mathrm{m}}}$,

hat Sandstein zum Hangenden und sandigen Schieferthon zum
Liegenden; im nördlichen Felde folgt unter dem Sandstein im
Hangenden zunächst eine 0,10^{m} starke Schieferthonbank, dann das
Flötz mit 1,45^{m} Stärke, 0,13^{m} Letten und unter demselben sandiger
Schieferthon als Liegendes.

Das Mittel zwischen dem oben erwähnten mit dem Glückhilf-
Stolln erörterten hangendsten Flötz von 0,65^{m} Mächtigkeit und dem
Frauen-Flötz verschwächt sich nach der Tiefe so, dass sich beide
unter der Fuchs-Stollnsohle vereinigen.

Die zwischen den Friedens-Hoffnung- und eigentlichen Glück-hilf-Grubenflötzen liegenden Freundschafts-Flötze sind in diesem Felde vom Hangenden an gerechnet das 1. 0,42 m, das 2. 0,42 m und das 3. 0,80 m stark; unter letzterem folgen 7 sehr nahe bei einander liegende schwache Bestege, darauf die Glückhilf-Gruben-flötze, welche in der IV. Tiefbausohle nachstehende, von der bei Glückhilf-Grube angegebenen sehr abweichende Beschaffenheit zeigen:

Im nördlichen Felde:

Das 41 zöllige Flötz
$$\begin{cases} 0,15^m \text{ Kohle} \\ 0,31^m \text{ Mittel} \\ 0,96^m \text{ Kohle} \\ 0,08^m \text{ Mittel} \\ 0,08^m \text{ Kohle} \\ \overline{1,58^m.} \end{cases}$$

Das Strassenflötz
$$\begin{cases} 1,10^m \text{ Kohle} \\ 0,01^m \text{ Mittel} \\ 0,35^m \text{ Kohle} \\ 0,08^m \text{ Mittel} \\ 0,15^m \text{ Kohle} \\ \overline{1,69^m.} \end{cases}$$

Das 1. Flötz
$$\begin{cases} 0,51^m \text{ Kohle} \\ 0,12^m \text{ Mittel} \\ 0,14^m \text{ Kohle} \\ 0,03^m \text{ Mittel} \\ 0,33^m \text{ Kohle} \\ 0,05^m \text{ Mittel} \\ 0,13^m \text{ Kohle} \\ \overline{1,31^m.} \end{cases}$$
Mittel 0,52 m.

Im südlichen Felde:

Das 41 zöllige Flötz ist hier unbauwürdig, denn es besteht von oben nach unten aus 0,70 m verschieferte Kohle, 0,15 m Mittel und 0,20 m Kohle.

$$= \begin{cases} 0,80^m \text{ Schieferthon} \\ 1,40^m \text{ Kohle} \\ 1,00^m \text{ Mittel} \\ 0,50^m \text{ Kohle} \\ 0,28^m \text{ Mittel} \\ 0,17^m \text{ Kohle} \\ 0,20^m \text{ Mittel} \\ 0,20^m \text{ Kohle} \\ \overline{3,75^m.} \end{cases}$$

Das 1. und Schmale Flötz zusammen
$$\begin{cases} 0,50^m \text{ Kohle} \\ 0,20^m \text{ Mittel} \\ 0,20^m \text{ Kohle} \end{cases}$$

Mittel
$$\begin{cases} 0,01^m \text{ Mittel} \\ 0,35^m \text{ Kohle} \\ 0,02^m \text{ Mittel} \\ 0,20^m \text{ Kohle} \\ 0,01^m \text{ Mittel} \end{cases}$$

Im nördlichen Felde: Im südlichen Felde:

Das
2. Flötz
{
die hangendste Bank 0,14ᵐ Kohle
Mittel 0,17ᵐ
die Oberbank . . 0,81ᵐ Kohle
0,13ᵐ schwarzer
Schiefer
0,10ᵐ grauer
Schiefer
_____
1,35ᵐ
die Niederbank ist noch nicht aufgeschlossen.
}

Das
2. Flötz
{
0,15ᵐ Kohle
0,03ᵐ Mittel
0,90ᵐ Kohle
0,10ᵐ Mittel
1,10ᵐ Kohle
_____
2,28ᵐ.
}

Mittel noch unbekannt.   Mittel {
1ᵐ sandiger Schieferthon
0,03ᵐ Kohlenbesteg
0,20ᵐ Schieferthon.

Das 3. Flötz dgl.   Das 3. Flötz 2,10ᵐ reine Kohle.

. Sämmtliche Flötze der Neue Heinrich-, Glückhilf- und Friedens-Hoffnung-Grube behalten beim Ueberschreiten der Hermsdorf-Weissteiner Territorial-Grenze die liegenden auf eine längere, die hangenden auf eine kurze Entfernung das Streichen in h. 10—11 bei, wenden sich, wie bereits erwähnt, in h. 9 bis an den nördlichen Fuss des Hochwaldes und nehmen dann ein östliches Streichen, westlich von Weisstein in h. 5—6, östlich davon in h. 8 an, wodurch die östlich vom Hochwald gelegene Special-Mulde entsteht. Eine Identificirung der Flötze beider Muldenflügel ist zur Zeit nur für die hangenden Flötze möglich und wird später nach Aufführung der Fuchs-Grubenflötze gegeben werden.

Die Muldenspitze der liegenden Flötze befindet sich im Felde der Frohe Ansicht- und Anna-Grube am Hochwald.

Durch den Grubenbetrieb sind hier folgende Flötze vom Liegenden an gerechnet bekannt geworden:

1. ein 0,63ᵐ starkes Flötz,
2. » 0,78ᵐ   »   »
3. das 28zöllige Flötz 0,73ᵐ mächtig,
4. » Nullflötz 2,09ᵐ mächtig incl. 0,10ᵐ Mittel,
5. » 1. Flötz 0,36ᵐ mächtig,

6. ein 0,65^m mächtiges, unbauwürdiges Flötz,

7. das 2. Flötz
$\begin{cases} \text{Oberbank} \dots \dots \ 0,73^m \\ \text{Mittel im stehenden Flügel} \ 0,65-0,78^m \\ \text{» » flachen Flügel} \ . \ 1,5-5^m \\ \text{Niederbank} \dots \dots \ 0,52-0,57^m, \end{cases}$

8. ein 0,65^m starkes, unbauwürdiges Flötz,

9. das 3. Flötz 1,28^m mächtig incl. 0,24^m Mittel,

10. » 4. » 1,73^m » mit 3 Mitteln von zusammen
0,81^m Stärke,

11. » 5. » 1,73^m » » 2 » von zusammen
0,52^m Stärke,

12. » 6. » 4,10^m » incl. 0,10^m Mittel,

13. » 7. » 1,39^m » , rein,

14. » 8. » 2,09^m » incl. 0,08^m Mittel,
2 Bestege von 0,10 und 0,16^m Stärke,

15. » 9. » 0,94^m mächtig incl. 0,08^m Mittel,
3 Bestege von 0,39, 0,44 und 0,31^m Stärke,

16. » 10. » 1,31^m mächtig incl. 0,18^m Mittel,

17. » 11. » 1,31^m » » 0,10^m ».

Mit Ausnahme des 1. Flötzes, welches von Sandstein bedeckt wird, haben die übrigen Flötze Schieferthon zum Hangenden und Liegenden. Die Flötze treten hier auf beiden Flügeln in sehr verschiedener Beschaffenheit auf; auf dem stehenden, an den Porphyr des Hochwaldes sich anlehnenden Flügel, welcher aus den Flötzen der Neue Heinrich- und denen der Glückhilf-Grube bis zum 41zölligen gebildet wird, beträgt der Fallwinkel 75—80⁰, auf dem flachfallenden 18—20⁰.

Auf dem stehenden Flügel sind zwischen dem zuerst genannten 0,63^m starken Flötz und dem Ottilie-Flötz, dem Fundflötz der sich nördlich an die Frohe Ansicht- und Anna- unmittelbar anschliessenden Ottilie-Grube, noch 6 Flötzbestege vorhanden; das Ottilie-Flötz ist aber durch den in der Anna-Stollnsohle vom Zeisig-Schacht aus getriebenen Querschlag in verdrücktem Zustande angetroffen worden. Im stehenden Flügel ist überhaupt der ganze Flötzzug auf einen 4 Mal schmäleren Raum zusammen-

gedrängt als auf dem flachen; viele Flötze erleiden an der Mulden-
wendung mehr oder weniger eine Verminderung ihrer Mächtigkeit
oder sind durch Schieferthon verunreinigt; die hangendsten Flötze
No. 10 und 11 fehlen hier ganz, da sie sich schon am Wende-
punkt verdrücken.

Die Flötze wurden durch den Anna-Stolln gelöst, welcher
auf den Schächten 35—40^m Teufe einbrachte, aber erst durch den
späteren Aufschluss derselben in der Fuchs-Stollnsohle erlangte
man über ihren Zusammenhang mit den Flötzen der östlich vorliegenden Fuchs-Grube vollständige Klarheit.

In der nachstehenden Parallelisirung der Flötze beider Gruben
sind sie mit derjenigen Mächtigkeit angegeben, welche sie im
Anna-Stolln-Querschlage besitzen:

Frohe Ansicht- und Anna-Grube:　　　　Fuchs-Grube:

Das 30zöllige Flötz 0,78^m mächtig　=　dem 1. Flötz Niederbank,

» 28 » » 0,80^m » = » 1. » Oberbank,

$$
\text{» Nullflötz}
\begin{cases}
\text{Oberbank}\quad 1,48^m \text{ Kohle} \\
\text{Mittel}\qquad 0,12^m \\
\text{Niederbank}\begin{cases} 0,23^m \text{ Kohle} \\ 0,06^m \text{ Mittel} \\ 0,10^m \text{ Kohle} \\ 0,02^m \text{ Mittel} \\ 0,28^m \text{ Kohle} \end{cases} \\
\overline{\qquad 2,29^m}
\end{cases}
= \text{dem 2. Flötz,}
$$

» 1. Flötz 0,82^m mächtig.　　　= dem 3. Flötz (hier unbau-
　　　　　　　　　　　　　　　　　　　würdig),

$$
\text{» 2. »}
\begin{cases}
\text{Niederbank } 0,63^m \text{ m.} = \text{Liegd. Bank} \\
\text{Oberbank } 0,68^m \text{ m.} = \begin{cases} \text{Mittel- »} \\ \text{Hangd. »} \end{cases}
\end{cases}
\begin{matrix} \text{4. Flötz} \\ \text{Niederbank} \end{matrix}
$$

$$
\text{» 3. »}
\begin{cases}
\text{Oberbank}\quad 0,68^m \text{ m.} \\
\text{Mittel}\qquad 0,10^m \text{ m.} \\
\text{Niederbank } 0,57^m \text{ m.} \\
\overline{\qquad 1,35^m}
\end{cases}
= \text{dem 4. Flötz Mittelbank,}
$$

$$
\text{Das 4. Flötz}
\begin{cases}
0{,}52^{\mathrm{m}} \text{ Kohle . .} = \text{dem 4. Flötz Oberbank,} \\
8{,}50^{\mathrm{m}} \text{ Mittel} \\
0{,}80^{\mathrm{m}} \text{ Kohle . .} \\
0{,}18^{\mathrm{m}} \text{ Mittel . .} \\
0{,}18^{\mathrm{m}} \text{ Kohle . .}
\end{cases}
$$

Das 4. Flötz	0,52ᵐ Kohle . .	= dem 4. Flötz Oberbank,
	8,50ᵐ Mittel	
	0,80ᵐ Kohle . .	
	0,18ᵐ Mittel . .	= » 5. »
	0,18ᵐ Kohle . .	
	$\overline{10{,}18^{\mathrm{m}}}$	
	. . . . = » 6. » (unbauwürdig),
» 5. »	. . . . = » 7. »
» 6. »	{ Niederbank . . = » Zwischenflötz,
	(Oberbank . . = » 8. Flötz Niederbank,
» 7. »	. . . . = » 8. » Oberbank,
	. . . . = » 9. » (unbauwürdig),
» 8. »	. . . . = » 10. » Niederbank,
» 9. »	. . . . = » 10. » Oberbank,
» 10. »	. . . . = » 11. »
» 11. »	. . . . = » 12. » .

Oestlich schliesst sich an das Feld der Frohe Ansicht- und Anna- dasjenige der consolidirten Fuchs-Grube bei Weissstein, in welchem der Hangendzug aus 19 Flötzen besteht. Das 900—1000ᵐ starke Sandsteinmittel, welches denselben vom Liegendzug trennt, ist nicht ganz flötzleer, da, wie die Flötzkarte ersehen lässt, 8 Flötzchen von 0,3—0,9ᵐ Mächtigkit in demselben auftreten, welche jedoch nur am Ausgehenden bekannt sind. Auch hatte der Friedrich-Wilhelm-Stolln im Liegenden des 1. Fuchs-Grubenflötzes in 261,5ᵐ Entfernung vom Stollnschacht No. 5 und in 95ᵐ Entfernung vom 1. Fuchs-Grubenflötz 3 schwache Flötze, die Maximilian-Fötze, überfahren, von denen das liegendste 0,31ᵐ, die beiden folgenden 0,84ᵐ incl. 0,23ᵐ Mittel und 0,84 incl. 0,16ᵐ Mittel stark waren, dieselben streichen in h. 9 und fallen mit 23⁰ nach Süden, sind aber noch nicht in Angriff genommen worden; sie können den hangendsten jener 8 Flötzchen entsprechen.

Die Beschaffenheit der 19 Fuchs-Grubenflötze in der Fuchs-Stollnsohle ist folgende (die Zählung beginnt im Liegenden):

Das 1. Flötz 2,6 — 4,2^m mächtig, im östlichen Felde wurde meist
nur die Mittel- und Niederbank von zusammen 1,05 — 1,44^m
Stärke abgebaut und bestand aus:

> 0,44^m Mittelbank
> 0,20^m Mittel
> 0,46^m Niederbank
> —————
> 1,10^m.

Das Mittel zwischen Ober- und Mittelbank ist einige
Centimeter bis 1,8^m und darüber stark, so dass im letzteren Fall die 0,52^m starke Oberbank besonders abgebaut
worden ist.

» 2. Flötz besteht aus:

> 0,12^m Kohle
> 0,13^m Mittel
> 1,36^m Kohle
> 0,23^m Mittel
> 0,47^m Kohle
> —————
> 2,31^m.

Im östlichen Felde wird das obere Mittel 0,52 — 1,05^m
stark, so dass nur die 1 — 1,3^m starke Niederbank abgebaut
wurde; im westlichen Felde ist das Flötz 1,05^m stark und
ohne Bergmittel.

» 3. Flötz ist im östlichen Felde 0,47 — 0,52^m mächtig und so
mit Lettenstreifen durchzogen, dass es unbauwürdig ist,
im westlichen Felde im Querschlag No. 7 nur als Besteg
vorhanden.

» 4. Flötz ist im östlichen Felde 2,5^m mächtig incl. 0,27^m
Bergmittel in 4 Streifen, im westlichen Felde zusammengesetzt aus:

> 1,25^m Kohle
> 0,23^m Mittel
> 0,73^m Kohle
> 0,10^m Mittel
> 0,71^m Kohle
> 0,05^m Mittel
> 0,63^m Kohle
> —————
> 3,70^m.

Das 5. Flötz ist im östlichen Felde 0,78—1,05ᵐ stark, im westlichen 1,18, hinter dem 1. Hauptsprunge auf 0,94—0,65ᵐ verschmälert.

» 6. Flötz besteht aus:

$$0,13^m \text{ Kohle}$$
$$0,13-0,65^m \text{ Mittel}$$
$$\underline{0,63-0,94^m \text{ Kohle}}$$
$$0,89-1,72^m.$$

Dasselbe wird nach Westen zu unbauwürdig.

» 7. Flötz ist im östlichen Felde zusammengesetzt aus:

$$2,05^m \text{ Kohle}$$
$$0,09^m \text{ Mittel}$$
$$0,46^m \text{ Kohle}$$
$$0,05^m \text{ Mittel}$$
$$\underline{0,46^m \text{ Kohle}}$$
$$3,11^m.$$

Gegen Westen trennt sich ein Theil der Oberbank durch Einlagerung eines Bergmittels und bildet das 1,05—1,15ᵐ starke Zwischenflötz, wobei das 7. Flötz besteht aus:

$$0,52^m \text{ Oberbank}$$
$$0,18-0,31^m \text{ Mittel}$$
$$\underline{1,59-1,67^m \text{ Niederbank incl. } 0,02-0,05^m \text{ Letten-}}$$
$$\text{mittel}$$
$$2,29-2,50^m.$$

» 8. Flötz ist zusammengesetzt aus:

im östlichen Felde:	im westlichen Felde:
1,49ᵐ Oberbank	1,70ᵐ Oberbank
0,02ᵐ Mittel	0,03ᵐ Mittel
1,30ᵐ Mittelbank	0,78ᵐ Mittelbank
0,08ᵐ Mittel	0,01ᵐ Mittel
0,18ᵐ Niederbank	0,27ᵐ Niederbank
3,07ᵐ	2,79ᵐ,

im östlichen Felde verstärken sich die Mittel auf 0,52 bis 0,78ᵐ; so dass das Flötz stellenweise 4ᵐ mächtig wird.

» 9. Flötz ist zwar 1ᵐ mächtig, aber wegen Unreinheit unbauwürdig.

Das 10. Flötz ist zusammengesetzt aus:

im östlichen Felde:	im westlichen Felde:
1,05^m Kohle	1,83^m Oberbank incl. 0,39^m Mittel
0,03^m Letten	3,30^m Mittel mit 2 Bestegen von
0,26^m Kohle	0,31 und 0,10^m Stärke
0,10^m Letten	
1,02^m Kohle	1,05 — 1,31^m Niederbank
2,46^m	6,18 — 6,44^m.

» 11. Flötz besteht im östlichen Felde aus:

$$\begin{array}{l}
0,52^m \text{ Kohle} \\
0,16^m \text{ Mittel} \\
1,78^m \text{ Kohle} \\
0,08^m \text{ Mittel} \\
\underline{0,52^m \text{ Kohle}} \\
3,06^m,
\end{array}$$

im westlichen Felde ist es nur 2,09^m mächtig und ver-schmälert sich bis 1,7^m incl. 0,16 — 0,26^m Mittel.

» 12. Flötz ist 1,12^m mächtig und rein.

» 13. oder Emilien-Flötz besteht im östlichen Felde aus:

$$\begin{array}{l}
0,26^m \text{ Kohle} \\
0,03^m \text{ Mittel} \\
0,23^m \text{ Kohle} \\
0,08^m \text{ Mittel} \\
\underline{0,78^m \text{ Kohle}} \\
1,38^m.
\end{array}$$

» 14. Flötz ist im Fuchs-Stolln 0,26—0,39^m, beim Dorfe Weiss-stein 0,63 — 0,70^m mächtig und unbauwürdig.

» 15. Flötz ist im östlichen Felde 1,62^m, im westlichen 1,05^m mächtig und rein.

» 16. Flötz ist im westlichen Felde 1,96^m mächtig und rein.

» 17. Flötz ist 0,52 — 0,78^m mächtig, aber wegen Unreinheit un-bauwürdig, gegen Westen verdrückt.

Das 18. Flötz ist zusammengesetzt aus:

0,42^m Kohle
0,78^m Mittel
0,31^m Kohle
0,52^m Mittel
0,52^m Kohle
————————
2,55^m.

Gegen Westen wird die Kohle unrein und die Berg-mittel verstärken sich, so dass das Flötz zum Theil un-bauwürdig wird; beim Stolberg-Schacht ist die Oberbank 1,05—1,18^m stark und bauwürdig.

» 19. Flötz besteht im Stolberg-Schachtfelde aus:

0,16^m Kohle
0,08^m Mittel
1,07^m Kohle
————————
1,31^m.

Die Flötze fallen mit 18-20⁰ nach Süden, erscheinen in 3 Gruppen vertheilt, von denen die liegende aus den ersten 8, die mittlere aus dem 10. bis 12., die hangende aus dem 15. bis 19. Flötz besteht; das 13. Flötz liegt ganz isolirt, 272^m vom 12. und 242—284^m vom 15. entfernt. Die querschlägige Entfernung vom 1. bis 19. Flötz beträgt im östlichen Felde 1130, im west-lichen Felde ca. 1000^m. Die Regelmässigkeit ihrer Ablagerung wird nur von wenigen Verwerfungen unterbrochen; im östlichen Felde tritt ein streichender, sich nach dem Ausgehenden hin gabelnder Sprung auf, welcher die Flötze No. 10—12, tonnlägig an der Sprungkluft gemessen, um 25^m ins Liegende verwirft, so dass der Fuchs-Stolln nur das 10. Flötz durchörterte (s. Profil 9, Taf. II). Derselbe Sprung durchsetzt im westlichen Felde als 1. Hauptsprung alle Flötze von 1—12 in mehr spiesseckiger Rich-tung, weil sowohl das Streichen des Sprunges bis dahin sich ändert, als auch das der Flötze hier gegen das östliche Feld um etwa 2 Stunden abweicht. Die Ausrichtung desselben war jedoch eine sehr einfache, weil die Grösse des Verwurfs eine derartige,

12*

dass das 5. vor das 4., das 10. vor das 8., das 12. vor das 11. Flötz
zu liegen kommt. Der weiter westlich auftretende 2. Hauptsprung
ist einer der bedeutendsten des Reviers, denn er verwirft in horizontaler Richtung an der Sprungkluft gemessen in der Fuchs-Stollnsohle das 2. Flötz um 324, das 11. um 193^m.

Der 20,14^m unter dem Fuchs-Stolln liegende Friedrich-Wilhelm-Stolln, welcher den ganzen Liegendzug und dann die Flötze
der Fuchs-Grube bis No. 16 durchörtert hat, fuhr in 301,8^m südwestlicher Entfernung vom Stollnschacht No. 3 im Hangenden des
Liegendzuges Porphyr an, welcher mit gleicher Neigung wie das
Kohlengebirge auf Schieferthon lagert; die anfänglich mit den
Schichtungsklüften des Schieferthons parallel geneigten Kluftflächen
des Porphyrs nahmen nach und nach ein steileres Fallen an und
fielen zuletzt in entgegengesetzter Richtung ein. Diese Porphyrmasse hat im Stolln eine Länge von 46^m. Auf dieselbe folgt ein
in den feinkörnigen Varietäten sehr feldspathreicher, durch Eisenoxyd roth gefärbter, conglomeratartiger, grob- bis feinkörniger
Sandstein auf ebenfalls 46^m Länge und darauf nochmals Porphyr,
welcher sich jedoch nur in der Form einer kleinen Kuppe von
2^m Durchmesser über die Stollnsohle erhob, dann 11,5^m Sandstein,
17,8^m Porphyr und darauf bis zum Stollnschacht No. 4 Sandstein.
Beim Abteufen des Letzteren in 73,2^m Entfernung von der letztgenannten Porphyrmasse stiess man wiederum auf Porphyr, welcher
in Folge seiner eigenthümlichen Umrisse 2 Mal durchteuft und in
6,3^m Entfernung jenseits des Schachtes mit dem Stolln nochmals
auf 6,3^m Länge durchörtert wurde; Sandstein und Conglomerat
sind in seiner Nähe röthlichgrau gefärbt. Von allen diesen Porphyrmassen ist auf der Oberfläche nichts zu bemerken. Nach
denselben ist bis zum 1. Fuchs-Grubenflötz nur Sandstein durchfahren worden, welcher allmählich wieder die graulich- oder
gelblichweisse Farbe annimmt.

In den beiden Schächten der Tiefbau-Anlage, Julius- und
Ida-Schacht, liegt der Friedrich-Wilhelm-Stolln in 51,9^m, die 1.
und 2. Tiefbausohle in 103,83^m resp. in 156,07^m Teufe. In der
2. Tiefbausohle Querschlag No. 1 ist die Mächtigkeit der Flötze
und Zwischenmittel wie folgt:

Das 1. Flötz ist hier noch nicht aufgeschlossen.

» 2. Flötz besteht von unten nach oben aus:

$$0,30^m \text{ Kohle}$$
$$0,40^m \text{ Schieferthon}$$
$$0,14^m \text{ Kohle}$$
$$0,62^m \text{ Schieferthon}$$
$$1,22^m \text{ Kohle}$$
$$0,14^m \text{ Schieferthon}$$
$$0,60^m \text{ Kohle}$$
$$0,52^m \text{ Schieferthon}$$
$$\underline{0,46^m \text{ Kohle}}$$
$$4,40^m.$$

Zwischenmittel 19^m sandiger Schieferthon
$2,5^m$ Schieferthon.

» 4. Flötz besteht aus:

$$1,10^m \text{ Kohle}$$
$$0,45^m \text{ Schieferthon}$$
$$0,26^m \text{ Kohle}$$
$$0,03^m \text{ Schieferthon}$$
$$\underline{0,20^m \text{ Kohle}}$$
$$2,04^m.$$

Zwischenmittel $9,8^m$ Schieferthon
12^m Sandstein
$2,5^m$ Schieferthon

Das 7. Flötz besteht aus:

> 0,60^m Kohle
> 0,03^m Letten
> 0,11^m Kohle
> 0,10^m Schieferthon
> 1,43^m Kohle
> 0,30^m Schieferthon
> —————
> 2,57^m.

Zwischenmittel 12,8^m Sandstein
0,28^m Schieferthon.

» 8. Flötz besteht aus:

> 0,09^m Kohle
> 0,09^m Schieferthon
> 2,45^m Kohle
> —————
> 2,63^m.

Zwischenmittel 12^m Schieferthon
0,08^m Kohlenbesteg
10,50^m Schieferthon
0,18^m Kohlenbesteg
2,00^m Sandstein und Schieferthon.

» 9. Flötz besteht aus:

> 0,68^m Kohle
> 0,54^m Schieferthon
> 0,15^m Kohle
> 0,11^m Schieferthon
> 0,16^m Kohle
> —————
> 1,54^m.

Zwischenmittel 3,8^m Sandstein
0,60^m Schieferthon
9,40^m Sandstein
1,00^m Schieferthon
13,00^m Sandstein
12,00^m Schieferthon.

Das 10. Flötz besteht aus:

0,95^m Kohle
0,10^m Schieferthon
0,26^m Kohle
0,50^m Schieferthon
1,17^m Kohle
_____
2,98^m.

Zwischenmittel 0,06^m Schieferthon
0,40^m Sandstein
12,20^m Schieferthon.

» 11. Flötz besteht aus:

0,90^m Kohle
0,03^m Letten
1,13^m Kohle
_____
2,06^m.

Zwischenmittel 0,31^m Schieferthon.

» 12. Flötz besteht aus:

0,71^m Kohle
0,04^m Letten
0,15^m Kohle
0,03^m Letten
0,10^m Kohle
0,03^m Letten
0,14^m Kohle
_____
1,20^m.

Die folgenden Flötze schneiden das Niveau der 2. Tiefbausohle jenseits der Markscheide mit den Fürstensteiner Gruben.

Durch die Grubenbaue ist schon längst festgestellt, dass die
hangenderen Flötze der Hermsdorfer und Weisssteiner Gruben in
folgender Weise zu identificiren sind:

Glückhilf-Grube:	Friedens-Hoffnung-Grube:	Fuchs-Grube:
Das Beste Flötz.	= dem Frauen-Flötz	= dem 19. Flötz,
» Friederiken-Flötz	= den 3 Zwischenflötzen	= » 18. »
» Stolln-Flötz	—	= » 17. »
		(unbauwürdig),

» Liegende Flötz $\begin{cases} = \text{der Oberbank} \\ = \text{der Niederbank} \end{cases}$ des 4.Flötzes $=\begin{cases} \text{dem 16. Flötz,} \\ \text{» 15. »} \end{cases}$

		= » 14. »
— —		(unbauwürdig),
die 3 Freundschafts-Flötze		= dem 13. Flötz.

Für die Identificirung der weiter im Liegenden folgenden Flötze fehlen noch die nothwendigen Durchschläge. Die auf die Freundschaftsflötze folgenden 10 Glückhilf-Grubenflötze und die in deren Liegendem befindlichen 7 Flötze der Neue Heinrich-Grube entsprechen demnach den Fuchs-Grubenflötzen No. 12—1. Letztere haben sich aber bereits zum Theil im Felde der Frohe Ansicht- und Anna-, zum Theil im westlichen Felde der Fuchs-Grube der Zahl nach auf 15 vermehrt, da das 10. und 8. Fuchs-Grubenflötz sich theilt und das Zwischenflötz zwischen dem 7. und 8. hinzukommt; es ist sehr wahrscheinlich, dass

Glückhilf-Grube:		Fuchs-Grube:
das 41 zöllige Flötz . .	=	dem 12. Flötz,
» Strassenflötz . . .	=	» 11. »
» 1. Flötz		
» 2. » Oberbank	=	» 10. »
» 2. » Niederbank	=	» 9. »
» 3. »		
» Starke Flötz	. . =	» 8. »
» 4. Flötz	=	» 7. »
» 5. »	=	» 6. »
» 6. »	=	» 5. »
» 7. »	=	» 4. »
» 8. »	=	» 3. »
» 9. »	=	» 2. »
» 10. »	=	» 1. » .

Der Hangendzug mit seinen 19 Flötzen tritt in seinem südöstlichen Fortstreichen in den Complex der consolidirten Fürstensteiner Gruben, welche die Stadt Waldenburg allseitig in nächster Nähe umgeben. Der ältere Theil des Grubenfeldes wird durch die combinirte Graf-Hochberg-Grube gebildet, in deren Felde 9 Flötze auftreten, welche den Flötzen No. 2—11 der Fuchs-Grube entsprechen; die später hinzugetretenen Felder der Christian-Friedrich und Juliens-Glück, Friedrich-Ferdinand, Ida und Adelhaid decken die Flötze No. 15—19 der Fuchs-Grube, und die Anhalt-Segen-Grube ein Flötz, welches noch im Hangenden des letzteren liegt.

Die Flötze der combinirten Graf-Hochberg-Grube (entstanden aus Johannes-, Louise-Auguste- und alte Graf-Hochberg-Grube) waren zuerst durch den Johannes-Stolln, später in 31,38^m Teufe des Conrad-Schachtes durch eine Tiefbau-Anlage aufgeschlossen worden. Schon in dieser Stollnsohle zeigte sich, dass dieselben in ihrem Fortstreichen zwischen Johannes- und Louise-Auguste-Grube auf eine gewisse Länge durch den Porphyr des Gleis- und Galgenberges unterbrochen sind; auch musste die Stollngrundstrecke auf dem 3. und 4. Flötz, um in das Hermann-Schachtfeld der Louise-Auguste-Grube zu gelangen, diesen Porphyr durchbörtern, wogegen später in der tieferen Conradschachtsohle in der Grundstrecke des 4. Flötzes kein Porphyr angetroffen wurde. Die weiteren Aufschlüsse beim Abbau in der Stollnsohle ergaben, dass die Unterbrechung auf allen Flötzen vorhanden, auf den liegenden bedeutend, auf den 3 hangendsten gering ist.

Eine kleinere Porphyrmasse durchfuhr die Grundstrecke des 9. Flötzes im Hermannschachtfelde auf 10,5^m Länge; ausserdem wurde Porphyr auf dem 2. Flötz mit einigen oberen Abbaustrecken in der Nähe des Pulverhauses, mit der Grundstrecke des 5. Flötzes an der Markscheide zwischen Louise-Auguste- und Alte Graf-Hochberg-, an der Markscheide der ersteren mit Daniel-Grube, von wo sich derselbe in das Feld der letzteren hineinzieht, u. s. w. angetroffen.

Die consolidirte Christian-Friedrich- und Juliens-Glück-Grube hatte das 3. und 2. Christian-Friedrich- = dem

15. und 16. Fuchs-Grubenflötz, und das 2. und 1. Juliens-Glüek-flötz, welche dem 18. und 19. Fuchs-Grubenflötz entsprechen, im Niveau des Fuchs-Stollns abgebaut, in derselben Sohle die-selben Flötze die Friedrich-Ferdinand-Grube zu Ober-Waldenburg. Im Felde derselben setzen das 13. bis 19. Fuchs-Grubenflötz auf, welche hier h. 9 streichen; das Fallen beträgt im nordwestlichen Felde 18⁰, im südöstlichen nehmen die Flötze in Folge der Einwirkung des Porphyrs der Butterberge, namentlich das 15./16. Flötz und zum Theil auch das 18., ein Fallen von 9⁰ und darunter an. Das 14. und 17. Flötz sind auch hier un-bauwürdig, das 13. ist noch wenig bekannt, das 15. und 16. liegen unmittelbar auf einander. Der südöstliche Theil des Grubenfeldes ist reich an Verwerfungen; ausser einer grösseren Zahl von kleinen Sprüngen machen sich 2 ziemlich paralle Hauptsprünge bemerk-bar, in Folge deren das 15./16. Flötz in 2 gehobenen Theilen noch 2 Mal in geringer Teufe unter Tage auftritt und mit ihm jeden-falls auch das 18. und 19., letztere beiden sind jedoch bis jetzt noch nicht jenseits des 2. Sprunges ausgerichtet worden. Der 1. dieser beiden Sprünge tritt in seiner westlichen Fortsetzung beim Anhalt-Segen-Flötz in dessen in der Fuchs-Stollnsohle lie-genden Grundstrecke als streichender Sprung auf und wird für die Fortsetzung des Hauptsprunges im Felde der Glückhilf- und Friedens-Hoffnung-Grube gehalten. Im südöstlichen Fortstreichen gelangt er in das Feld der Melchior-Grube, ist hier mit den Bauen der Rösche-No. III erreicht, aber nicht ausgerichtet worden, weil er in zu grosser Nähe der südöstlichen Markscheide des damaligen kleineren Grubenfeldes auftritt.

Stellt man das Profil des Hauptquerschlages am Ida-Schacht der Friedrich-Ferdinand-Grube in der Fuchs-Stollnsohle mit dem in derselben Sohle im Liegenden desselben befindlichen Profil des Querschlages No. 4 der Louise-Auguste-Grube zu einem einzigen Profil zusammen, so liegen in demselben alle Flötze der Fürsten-steiner Gruben, mit Ausnahme des Anhalt-Segen-Flötzes; in dem-selben ist nur das 308ᵐ starke Sandsteinmittel zwischen dem 1. Graf-Hochberg-Gruben- und dem 13. Fuchs-Grubenflötz un-bekannt, da es weder in dieser Linie noch in einem anderen

Feldestheil der Fürstensteiner Gruben östlich, sondern nur 1 Mal westlich von Waldenburg durchörtert worden ist.

In dieser Linie treten die Flötze der Louise-Auguste- und Friedrich-Ferdinand-Grube und ihre Zwischenmittel in nachstehender Mächtigkeit auf, wobei mit dem liegendsten begonnen wird:

Das 9. Graf-Hochberg-Grubenflötz 2,4^m mächtig,
16^m Schieferthon,
38^m Sandstein,
6^m Schieferthon,
» 8. » » » 1,8^m mächtig incl. 0,5^m Mittel,
18^m Schieferthon,
» 7. » » » 0,7^m mächtig,
7^m Schieferthon,
» 6. » » » 0,60^m mächtig,
12^m Schieferthon,
» 5. » » 1,8 — 2^m m. incl. 0,6^m Mittel in 5 Streifen,
160^m Sandstein,
» 4. » » 0,70^m mächtig,
23^m Sandstein,
» 3. und 2. » » 2,5^m mächtig,
58^m Sandstein,
» 1. » » 1^m mächtig,
308^m Sandstein,

» 13. Fuchs-Grubenflötz . . . 0,5^m mächtig incl. 0,1^m Mittel,
175^m Sandstein,
» 14. » » . . . 0,4^m mächtig,
50^m Sandstein,
» 15./16. » » . . . 1,6 — 2^m mächtig,
14^m Sandstein,
» 17. » » . . . 0,4^m mächtig,
116^m Sandstein,

Das 18. Fuchs-Grubenflötz -. . . .   .1;5ᵐ mächtig incl. 0,1 bis
                                            0,2ᵐ Mittel,
                                          60ᵐ Sandstein,
» 19.   »   . . .   0,8 — 1ᵐ mächtig.

Das im Hangenden des Letzteren liegende Anhalt-Segenflötz
ist 0,6 — 0,8ᵐ mächtig incl. 0,1—0,2ᵐ Mittel, streicht h. 6—7 und
fällt mit 14⁰ nach Süden; dasselbe wurde in der Fuchs-Stollnsohle
im Streichen bis an die Hermsdorfer Territorialgrenze verfolgt,
wo es bei 1,5ᵐ Mächtigkeit 2 Mittel von zusammen 0,18ᵐ Stärke
besitzt. In der Profillinie des Ida-Schachtquerschlages ist es nicht
bekannt, denn hier folgt, durch den 1. Hauptsprung verworfen,
nach 200ᵐ Sandstein, also 390ᵐ vom 15./16. Flötz entfernt,
wiederum

das 15./16. Flötz   1,8 — 2ᵐ mächtig,
                     194ᵐ Sandstein,
» 18.   »   1,5ᵐ mächtig incl. 0,1 —0,2ᵐ Mittel,
                     40ᵐ Sandstein,
» 19.   » ·   1ᵐ mächtig, das früher sogenannte Ida-Flötz,
                     80ᵐ Sandstein;

darauf in Folge des Auftretens des 2. Hauptsprunges nochmals
das 15./16. Flötz. Der Querschlag, welcher das 18. und 19. Flötz
hinter dem 2. Hauptsprunge lösen soll, hat sein Ziel noch nicht
erreicht, jedoch ist dieser verworfene Theil des 18. Flötzes am
Ausgehenden aufgesucht worden. Hier zeigte sich derselbe bis auf
die bis jetzt erreichte flache Teufe von 30ᵐ vom Porphyr des Mühlberges überlagert und in Folge davon vollständig taub. Im weiteren Fortstreichen nach Südosten an der Markscheide mit Melchior-Grube werden die Mittel zwischen dem 15./16., 17. und
18. Flötz bedeutend stärker, auch tritt hier der Felsit-Porphyr
gangförmig und als Verwerfer auf, so dass die Reihenfolge der
Flötztheile im Querschlage vom gehobenen Theil des 15./16. Flötzes
ins Hangende sich, wie nachstehend angegeben, darstellt:

Das 15./16. Flötz   1,8ᵐ mächtig,
                     74ᵐ Sandstein,

Das 17. Flötz 0,2 — 0,3^m mächtig, nach 9^m Sandstein und 21^m Porphyr.

» 17. Flötz, gehobener Theil, darauf nochmals 70^m Sandstein. ·Nach 123^m Entfernung tritt ein Sprung ins Hangende auf, so dass diesseits der naheliegenden Markscheide mit Melchior-Grube das 18. Flötz nicht bis in die Fuchs-Stollnsohle herabkommt (s. nachstehendes Profil).

Profil *e.*

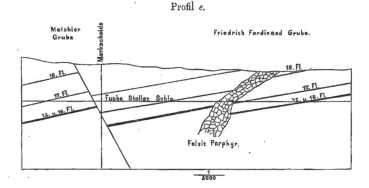

Der Fallwinkel der Flötze variirt zwischen 22 und 12^0, und zwar beträgt derselbe:

bei dem 9. bis 5. Flötz 22 — 20^0
»   »   4. »   1.   »   15 — 13^0
»   »   13. · · »   19.   »   15 — 12^0.

Die hangenden Flötze werden mit Ausnahme des 19. im Hangenden und Liegenden von schwachen Schieferthonbänken eingefasst.

In der jetzigen Tiefbausohle in 124,6^m Tiefe des Hans-Heinrich- und Marie-Schachtes hat der Hauptquerschlag sämmtliche Flötze vom 9. bis 19. durchfahren; dieselben bilden mit ihren Zwischenmitteln, vom Liegenden beginnend, folgende Schichtenreihe:

·(s. Profil 10, Taf. II.)

Das 9. Graf-Hochberg-Grubenflötz ist hier in 4 Bänke gespalten,
besteht nämlich von unten
nach oben aus:

                      0,2^m Kohle
                      3,5^m Schieferthon
                      1,2^m Kohle
                      13,2^m Schieferthon
                      1,4^m Kohle
                      4,7^m Schieferthon
                      0,5^m Kohle
                      5,7^m Schieferthon,

» 8. »   »   »   2,1^m mächtig,
                      2,5^m Schieferthon
                      29,0^m Sandstein
                      1,6^m Schieferthon,

» 7. »   · »   0,85^m mächtig,
                      2,50^m Schieferthon
                      17,5^m Sandstein
                      2,5^m Schieferthon,

» 6. »   »   -   0,75^m mächtig,
                      1,8^m Schieferthon
                      35,5^m Sandstein
                      1,0^m Schieferthon,
                      0,40^m Kohle
                      0,40^m Mittel

» 5. »   »   »   1,50^m Kohle incl. 3 Schiefer-
                          streifen von zusammen
                          0,5^m Stärke,
                      0,6^m Schieferthon
                      15,5^m Sandstein
                      0,8^m Schieferthon,

» 4. »   »   · »   1,5—2^m mächtig,
                      52^m Sandstein,

» 3. »   »   1,1^m mächtig,
                      1,4^m Schieferthon
                      15,2^m Sandstein
                      0,8^m Schieferthon,

Das 2. Graf-Hochberg-Grubenflötz 2,1^m mächtig incl. 0,35^m
. Mittel,
0,3^m Schieferthon,
» 1. » » · » 2^m mächtig,
1,3^m Schieferthon
400^m Sandstein,
» 13. Fuchs-Grubenflötz . . . 1,8^m mächtig incl. 0,4^m
Mittel und vielen
schwachen Schiefer-
schmitzen,
115^m Sandstein,
» 14. » » . . . 0,5^m mächtig,
173^m Sandstein,
» 15. » · . . . 0,75^m mächtig,
1,0^m Schieferthon,
» 16. » . . . 1,5^m mächtig,
15^m Sandstein,
» 17. » . . . 0,4^m mächtig,
75,0^m Sandstein,
. . . ». 18. » · . . . . 0,8^m mächtig incl. 3 Mittel
von zusammen 0,4
bis 0,5^m Stärke,
107^m Sandstein,
» 19. » » . . . 0,8 — 1^m mächtig.

Nach etwa 600^m Sandstein folgt das Anhalt-Segen-Flötz,
welches in der Tiefbausohle noch nicht aufgeschlossen ist.

Die Flötze fallen unter einem Winkel von durchschnittlich
18⁰ nach Südwest. In der Conrad-Schachtsohle bilden die 4 Bänke
des 9. Flötzes ein ungetheiltes Flötz von 2—2,5^m Stärke; ferner
ist das Mittel zwischen dem 1. und 2. Flötz in dieser Sohle etwa
3^m stark, während es gegen Osten bis zu 60^m anwächst, und umgekehrt verschwächt sich das Mittel zwischen dem 2. und 3. Flötz
nach Osten so, dass beide Flötze unmittelbar auf einander liegen.
Endlich wächst das Mittel zwischen dem 15. und 16. Flötz gegen
Westen bis auf 3^m Stärke, während es sich gegen Osten auskeilt
und beide Flötze im Felde der Friedrich-Ferdinand- und Melchior-
Grube ein Flötz bilden.

Wie bereits weiter-oben bei Besprechung der Gliederung der Formation erwähnt wurde, tritt im äussersten Hangenden des Hangendzuges bei Feldhammer und Alt- und Neu-Hayn eine Gruppe von 2—3 Flötzen auf, welche durch ein ca. 2000ᵐ starkes Sandsteinmittel vom Anhalt-Segen-Flötz getrennt ist. In diesem mächtigen Mittel treten noch einige vereinzelte Flötze auf, welche wegen ihrer vollständigen Verschieferung unbauwürdig sind.

Die im Hangenden der Anhalt-Segen- liegende Louis-Grube gründet sich auf den Fund dreier Flötze. Das liegendste derselben streicht in etwa 418ᵐ Abstand von der hangenden Markscheide der Adelhaid-Grube zu Tage aus und besteht aus:

$$0,08 - 0,10^m \text{ Oberbank}$$
$$0,05^m \text{ Mittel}$$
$$0,16^m \text{ Mittelbank}$$
$$0,26^m \text{ Mittel}$$
$$\underline{0,31^m \text{ Niederbank}}$$
$$0,88^m.$$

Sein Hangendes besteht aus Sandstein, das Liegende aus Schieferthon; 188ᵗʰ weiter im Hangenden tritt ein 2. Flötz von 0,78ᵐ und in 42—52ᵐ weiterer Entfernung im Hangenden ein 3. Flötz auf, welches von oben nach unten zusammengesetzt ist aus:

$$0,10^m \text{ Kohle}$$
$$0,21^m \text{ Mittel}$$
$$0,18^m \text{ Kohle}$$
$$0,05^m \text{ Mittel}$$
$$0,03^m \text{ Kohle}$$
$$0,05^m \text{ Mittel}$$
$$0,37^m \text{ Kohle}$$
$$0,05^m \text{ Mittel}$$
$$\underline{0,05^m \text{ Kohle}}$$
$$1,09^m.$$

Alle 3 Flötze streichen h. 8—9 und fallen mit 15⁰ nach Südwest.

Im Felde der Emanuel-Grube liegt mindestens 400ᵐ weit
im Hangenden des 3. Louis-Grubenflötzes ein solches von gleich
ungünstiger Beschaffenheit, denn es besteht von oben nach unten aus:

$$\begin{array}{ll}
0,08^m & \text{Kohle} \\
0,08^m & \text{Letten mit Kohlenstreifen} \quad \cdot \\
0,05^m & \text{Kohle} \\
0,08^m & \text{Letten} \quad » \\
0,31^m & \text{Kohle} \\
0,10^m & \text{Letten} \\
\underline{0,21^m} & \text{Kohle} \\
0,91^m & \text{incl. } 0,26^m \text{ Schiefermittel.}
\end{array}$$

Das Hangende ist fester Sandstein, das Liegende ein sehr
milder, 0,39ᵐ starker mit Kohlenschmitzen durchzogener Schieferthon, unter welchem fester Schieferthon liegt; das Streichen geht
in h. 10, das Fallen mit 15⁰ nach Südwest. Das Flötz ist in
jenem weiteren Fortstreichen nach Südost noch durch mehrere
Bohrlöcher nachgewiesen worden.

Die Daniel-Grube bei Altwasser. Das Feld derselben,
welches jetzt zur consolidirten Seegen-Gottes-Grube zugeschlagen
ist, liegt im Liegenden der Louise-Auguste-Grube und schliesst
4 Flötze ein, nämlich vom Liegenden an gezählt:

Das Daniel-Flötz, bestehend aus 2 Kohlenbänkchen von 0,30 und
    0,10ᵐ Mächtigkeit, welche durch ein Schiefermittel von 2,6ᵐ
    Stärke getrennt sind,
  » 9. Flötz der Louise-Auguste-Grube 2,3ᵐ mächtig,
  » 8. » » » » » 1,05ᵐ »
  » 7. » » » » » 0,91ᵐ » .

Das Daniel-Flötz ist mit dem ins Liegende verlängerten Hauptquerschlag No. 3 der Graf-Hochberg-Grube in der Conrad-Schachtsohle überfahren worden, die 3 darauf folgenden Flötze greifen erst
nach dem Ausgehenden hin in das Feld der Daniel-Grube hinüber.
Die Lagerungsverhältnisse sind durch mehrfach auftretende Verwerfungen sehr gestört.

Die Flötze der Fürstensteiner und Weisssteiner Gruben werden
in folgender Weise identificirt:

Das Daniel-Flötz . . . . = dem . 1. Flötz,
» 9. Flötz . . . . = » 2. »
» 8. » Niederbank . . . . = » 3. »
» 8. » Oberbank . . . . = » 4. »
» 7. » . . . . = » 5. »
» 6. » . . . . = » 6. »
» 5. » . . . . = » 7. »
» 4. » . . . . = » 8. »
» 3. » . . . . = » 9. »
» 2. » . . . . = » 10. »
» 1. » . . . . = » 11. »

ein 0,7ᵐ mächtiges unreines Flötz, welches vom
  vorigen durch ein 0,5ᵐ starkes Schiefermittel getrennt wird, dürfte entsprechen   » 12. » .

Diese Ansicht wird durch den Umstand unterstützt, dass im
Hauptquerschlage des Tiefbaues, wie weiter oben zu ersehen, das
12. Fuchs-Grubenflötz zwischen dem 13. und dem 1. Graf-Hochberg-Grubenflötz nicht angetroffen und dass auch auf Fuchs-Grube
die Entfernung zwischen dem 11. und 12. Flötz sehr gering ist.
Das 13. bis 19. Fuchs-Grubenflötz werden auf den Fürstensteiner
Gruben mit den gleichen Nummern bezeichnet.

Im weiteren südöstlichen Fortstreichen wurden die liegenden
Flötze der Fürstensteiner Gruben von der Theresie- und Caspar-
Grube, die hangenderen von der Melchior-Grube in Bau genommen;
beide Gruppen werden durch den aus Porphyr- und Porphyr-
Conglomerat bestehenden Zug der Butterberge getrennt.

Was die im Felde der Graf-Hochberg-Grube in den unterirdischen Bauen angetroffenen Porphyr-Massen betrifft, welche in
grösserer Tiefe sämmtlich mit dem über Tage anstehenden Porphyr
des Gleis- und Galgenberges zusammenhängen mögen, so ist es
wohl unzweifelhaft, dass sie an den meisten oder an allen Stellen
nach Ablagerung der Kohlenflötze hervorgetreten sind und diese
daher in ihrer regelmässigen Ablagerung gestört haben und es
könnte höchstens bei den 2 bis 3 hangendsten Flötzen zweifelhaft
sein, ob sie nicht jünger, als jene seien, da die Unterbrechung,

welche sie zeigen, viel geringer und auch anderen Ursachen zugeschrieben werden kann.

Die südöstlich vom Gleis- und Galgenberge in der Streichrichtung der benachbarten Kohlengebirgsschichten liegenden Butterberge bestehen wie die in gleicher Richtung weiter folgenden, zwischen Heinrichsgrund, Bärengrund, Steingrund und Lehmwasser sich steil erhebenden Höhen in der Hauptmasse aus Porphyr-Conglomerat, welches einzelne aus Felsit-Porphyr bestehende Kerne umgiebt. Diese Conglomerate hat neuerdings der Eisenbahn-Tunnel am Ochsenkopf bei Neuhaus durchbrochen, wo man sie wider alles Erwarten als ein schwerer als den Porphyr zu bearbeitendes Gestein kennen lernte (siehe Profil 10, Taf. IV). Das Material derselben bilden ausser kleinen, rundlichen Körnern auch grössere, abgerundete und scharfkantige Bruchstücke von Felsit-Porphyr, gegen welche die Quarzkörner der Menge nach sehr zurücktreten; das Bindemittel ist eine dichte, felsitische Masse, in welcher die kleineren Porphyrkörner stellenweise gleichsam verfliessen, sodass das Bindemittel der Quantität nach über die grösseren Porphyr-brocken vorwaltet und nur bei diesen die Begrenzung gegen das Bindemittel scharf hervortritt. Die Grenze zwischen Felsit-Porphyr und Porphyr-Conglomerat einerseits und zwischen letzterem und Steinkohlensandstein andererseits ist über Tage nirgends blossgelegt; im Tunnel erscheint die Gesteinsscheide zwischen den ersten beiden als steil aufsteigende Linie, welche der Ansicht, dass der Porphyr zuerst dagewesen, zunächst von seinen Conglomeraten umhüllt wurde und dann erst der Steinkohlensandstein sich anlagerte, nicht gerade günstig ist und doch ist an derselben als an der natürlichsten festzuhalten.

Wie die Butterberge der Lage nach zwischen die liegende und hangende Gruppe der Graf-Hochberg-Grubenflötze eingeschaltet sind, so gehören sie auch bezüglich der Zeit ihrer Entstehung zwischen beide. Anders stellt sich das Altersverhältniss bei den weiter südlich zwischen Lehmwasser und Reimsbach auftretenden Porphyren heraus, welche etwas jünger zu sein scheinen und gewissermaassen das Verbindungsglied zwischen den Felsit-

Porphyren der Steinkohlenzeit und den weit bedeutenderen des
Rothliegenden darstellen.

Die Theresie- und Caspar-Grube zu Bärengrund.
Ihr Feld liegt südöstlich von der alten Graf-Hochberg-Grube und
schliesst folgende Flötze ein:

1. Das Stollnflötz 0,63^m mächtig,
   Zwischenmittel 16—80^m Schieferthon und sandiger
   Schieferthon,

2. » Niederflötz, im nördlichen Felde 0,52^m stark und unbauwürdig, im südlichen Felde 2,35^m incl. 0,16^m Bergmittel,
   Zwischenmittel 13—60^m Schieferthon und Sandstein,

3. » Mittelflötz 1,57^m mächtig incl. 0,16^m Mittel,
   Zwischenmittel durchschnittlich 25^m Schieferthon und
   Sandstein,

4. » Oberflötz 2^m mächtig incl. 0,52^m Mittel. Dieses Flötz ist
   im nördlichen Theil des Theresie-Grubenfeldes 56,5^m querschlägig vom Mittelflötz entfernt, im südlichen Felde verschwächt sich das Mittel nach und nach so sehr, dass beide
   Flötze zusammen abgebaut werden können; sie sind dann
   beide 1,83^m mächtig. In diesem südlichen Felde tritt dann
   im Hangenden des vereinigten Ober- und Mittelflötzes

5. » Zwischenflötz 1,05^m mächtig incl. 0,16^m Mittel auf,
   Zwischenmittel 98^m Sandstein und Schieferthon; wo das
   Zwischenflötz fehlt, beträgt die Entfernung vom Ober- bis
   Röschenflötz 230^m,

6. » · Röschenflötz 3,14^m mächtig incl. 0,08^m Mittel.

Diese Flötze streichen im Theresien-Grubenfelde aus Nordwest
nach Südost, wenden sich im ehemaligen Caspar-Grubenfelde durch
Ost nach Nordost und bilden dadurch einen flachen Sattel von
10—16° Neigung, dessen beide Flügel östlich vom Porphyr des
Kohlberges bei Reussendorf, westlich von dem der Butterberge bei
Dittersbach eingeschlossen werden. Die Nähe dieses Eruptiv-
Gesteins ist auch die Ursache, dass dieses Grubenfeld so vielfach
durch Verwerfungen und Riegel gestört ist. Riegel sind von
oben her ausgefüllte Spalten, welche sich in der Flötzmasse durch

Aufreissen in Folge von Austrocknung von der Oberfläche aus bildeten, che das Hangende sich darüber breitete. Das Ausfüllungsmaterial besteht aus zerkleinertem Schieferthon, Sandstein und Steinkohle, in welchem gröbere Kiesel und, da sie in der Regel in der Nähe von Porphyrbergen vorkommen, auch Porphyrbrocken vorkommen. Die Riegel stehen stets sehr steil, sind niemals mächtig und durchsetzen nur das Kohlenflötz, ohne ins Liegende fortzusetzen; dass sie auch am Hangenden abschneiden, beweist, dass sie älter, als jenes sind; aus Allem folgt, dass sie auch keine Verschiebung der getrennten Flötztheile hervorrufen konnten.

Die 6 Flötze der Theresie- und Caspar-Grube entsprechen den 9 Graf-Hochberg-Grubenflötzen, indem das Niederflötz dem 9. und das Röschenflötz dem vereinigten 1. und 2. oder 1. bis 3. Flötz gleichzustellen ist. Da das 2. und 1. Graf-Hochberg- gleich dem 10. und 11. Fuchs-Grubenflötz, die im Hangenden des 1. auftretende 0,7^m starke Bank jedenfalls gleich dem 12., im Hangenden der Theresie- und Caspar- im Felde der Melchior-Grube das 15./16. Flötz als das liegendste bekannt ist, so folgt, dass das 13. Fuchs-Grubenflötz, welches schon im Felde der Friedrich-Ferdinand-Grube in so ungünstiger Beschaffenheit mit dem Hauptquerschlage angetroffen wurde, dass es bis jetzt noch nicht zum Abbau vorgerichtet worden ist, im weiteren südöstlichen Fortstreichen unbekannt geblieben ist. Das 14. Fuchs-Grubenflötz ist auch hier unbauwürdig.

Die consolidirte Melchior-Grube bei Dittersbach. Dieselbe hat zu verschiedenen Zeiten in verschiedenen Feldestheilen auf dem 15./16. und 18., in beschränkter Ausdehnung auf dem 17. und 19. Fuchs-Grubenflötz Abbau geführt. Die ältesten Baue bewegten sich auf dem 1,57^m mächtigen, damals sogenannten Hauptflötz im nördlichen Felde, welches sich später als das 15./16. Flötz der Friedrich-Ferdinand-Grube herausstellte, und auf dem in 6—20^m Entfernung im Hangenden desselben liegenden Oberflötz (das 17. Fuchs-Grubenflötz), welches hier 0,97^m mächtig ist und theilweise abgebaut werden konnte, was auf der ganzen Erstreckung von Weissstein bis hierher nicht möglich war. Beide

Flötze werden an der südöstlichen $Ma_r k_s ch_{ei} d_e$ der damaligen Vermessung durch einen Verwurf abgeschnitten (siehe Friedrich-Ferdinand-Grube). Das Fallen beider Flötze beträgt 12⁰. Später wurde auf dem 18. Fuchs-Grubenflötz im Anschluss an die Baue der benachbarten Friedrich-Ferdinand-Grube im Felde des Grenz-schachtes und auf einem Separatbau im Felde des Reiche-Schachtes ein Abbau vorgenommen. Das 19. Fuchs-Grubenflötz war zwar ebenfalls durch eine besondere Rösche im nordwestlichen Theil des Grubenfeldes untersucht und zum Theil abgebaut worden, jedoch zeigte es sich vielfach von Sprüngen durchzogen und im weiteren Fortstreichen unbauwürdig. Die jetzige Tiefbau-Anlage befindet sich in einem Feldestheil, in welchem bis dahin noch kein Betrieb stattgefunden hatte; ihre beiden Sohlen liegen in 111 und 148ᵐ Teufe des Schachtes. In diesem südlichen Felde treten die Flötze in folgender Beschaffenheit auf:

Das 15./16. Flötz 1,3ᵐ mächtig; das Mittel, welches beide Flötze scheidet, ist 0,01—0,20ᵐ stark, das Flötz hat zum Theil Schieferthon, zum Theil Sandstein zum Hangenden,

Zwischenmittel im östlichen Felde 0—2ᵐ,
»   » westlichen »   8—10ᵐ,

» 17. Flötz in maximum 0,6—0,7ᵐ mächtig und dann bauwürdig, hat Sandstein zum Hangenden,

Zwischenmittel im östlichen Felde 30ᵐ,
»   » westlichen »   22—24ᵐ,

» 18. Flötz ist von oben nach unten zusammengesetzt aus:

0,74ᵐ Kohle
0,26ᵐ Schiefer
0,14ᵐ Kohle
0,06ᵐ Schiefer
0,59ᵐ Kohle
─────────
1,79ᵐ.

Auf dem Flötz liegt eine 0,23ᵐ starke Schieferbank, worauf Sandstein folgt, das Liegende ist ebenfalls Sandstein.

» 19. Flötz ist bis jetzt noch nicht aufgeschlossen worden.

In der 1. Tiefbausohle reicht das 15./16. Flötz nach Osten bis an den 1. Hauptsprung der Friedrich-Ferdinand-Grube, gegen

Westen zeigte sich dasselbe in der Grundstrecke auf eine Länge von 150^m vom Porphyr überlagert, möglicher Weise dieselbe Masse, welche im Schacht in 8^m Stärke auftrat.

Das 17. Flötz liegt im östlichen Felde östlich vom Dorfe Dittersbach unmittelbar auf dem 15./16. und kann daher gemeinschaftlich mit diesem abgebaut werden. Das 18. Flötz, welches in einer höheren Sohle nordöstlich vom Tiefbauschacht abgebaut worden ist, wird hier, ehe es die 1. Tiefbausohle erreicht, unbauwürdig.

Die Flötze der Glückhilf- und Friedens-Hoffnung-Grube und die der Melchior-Grube stellen beide in den betreffenden südlichen Grubenfeldern die äussersten Flügelenden der Specialmulde dar, welche der Hangend-Zug östlich des Hochwaldes bildet und in welcher östlich der Muldenlinie das Anhalt-Segenflötz das hangendste der im Bau befindlichen Flötze ist.

Weiter im Hangenden folgen dann die oben erwähnten Flötze von Louis- und Emanuel-Grube und endlich im äussersten Hangenden eine aus 1—3 schwachen Flötzen bestehende Gruppe, welche wahrscheinlich aus den hangendsten Flötzen der Carl-Georg-Victor-Grube besteht. Diese Flötzgruppe beschreibt in ihrer Streichrichtung einen flachen Bogen und ist als letzte Kohlenablagerung der nördlich vom Hochwald mit schmaler Rinne beginnenden und hier mit einer Breite von mehr als 3000^m geöffneten Mulde zu betrachten; ihre Flötze waren von der Friedrich-Stolberg-, Friederike-, Ernestine- und Amalie-Grube in geringer Tiefe in Bau genommen worden, von denen die letztere ihr Dasein am längsten gefristet und ihren Betrieb erst vor kurzer Zeit eingestellt hat.

Die Friedrich-Stolberg-Grube bei Fellhammer, die westlichste der genannten, besitzt in ihrem Felde 3 Flötze:

Das Röschenflötz 0,5^m mächtig, im Hangenden davon
ein Flötz 0,52^m mächtig und noch weiter im Hangenden
» » von 0,31^m Stärke.

Dieselben streichen in h. 3—4 und fallen mit 16—20⁰ nach Südost; nur das zuerst genannte war Gegenstand des Bergbaues, dasselbe liegt querschlägig gemessen etwa 500^m vom Beste-Flötz der Glückhilf-Grube entfernt.

Das Feld der weiter östlich liegenden Friederike-Grube
schliesst nur ein Flötz ein, welches 1—1,3^m mächtig, in h. 9—10
streicht und mit 20—25⁰ nach Südwesten fällt. Das Mundloch
ihrer Rösche liegt auf dem westlichen Ufer des Hainflüsschens
und ihm gegenüber auf der Ostseite dasjenige der Rösche der
Ernestine-Grube; dieselbe besitzt zwar. 2 Flötze, von denen
jedoch nur das obere, welches 1,05^m mächtig, bauwürdig ist. Weiter
südöstlich folgt endlich das Feld der Amalie-Grube zu Neuhaus, deren Flötz 1,05^m mächtig ist, in h. 10—12 streicht und
mit 10—12⁰ nach Südwest fällt. Das Friederike-, Ernestine- und
Amalie-Grubenflötz sind jedenfalls identisch unter sich und mit
einem der beiden mächtigeren Flötze der Friedrich-Stolberg.-Grube

Im südöstlichen Baufelde der Amalie-Grube wurde an zwei
Stellen das Vorhandensein von Porphyr constatirt, so dass hier die
nördliche Grenze des zwischen Steinkohlen-Formation und Rothliegendem eingelagerten Porphyrs des Hahnberges zu suchen ist.
Oestlich davon, aber von ihm noch durch Steinkohlensandstein
getrennt, liegt der Neuhäuser Schlossberg, welcher einen aus Culmgrauwacken bestehenden Hügel mitten in der productiven Abtheilung darstellt, an dessen Fuss Porphyr zum Vorschein kommt.

Im Hangenden des Amalie-Flötzes ist im Felde der Neue
Franz-Joseph-Grube zu Neu-Hayn das Vorhandensein der
letzten Kohlenbildungen, welche hier den Schluss der Formation
bilden, nachgewiesen worden, nämlich eines 1^m mächtigen Flötzes,
auf welchem eine 1^m starke Schieferthonbank und auf dieser ein
hangendes Flötzchen von 0,4^m Mächtigkeit liegt; beide Flötze sind
wegen vielfacher Verdrückungen unbauwürdig.

Die Flötze der Theresie- und Caspar-Grube nehmen von dem
Punkt an, wo sich das Bärengrunder Thal nach Reussendorf hin
öffnet, eine südliche Richtung an, indem sie sich um den aus
Porphyr bestehenden Kohlberg herumlegen. Aus den dort vor
längerer Zeit unternommenen Schurfarbeiten hat sich ergeben, dass
die Theresie-Grubenflötze sich nach und nach so zusammendrängen,
dass der Flötzzug nur aus einem Wechsel von Kohlenbestegen
mit Schieferthonbänken besteht. Im Hangenden des Anton-
Schachtes der Caesar-Grube erscheinen die Flötzbestege bis auf

einen einzigen reducirt, welcher sich nach Ober-Reussendorf hinzieht; zu diesem gesellen sich noch mehrere andere, welche sich
allmählich im Fortstreichen zu Flötzen ausbilden, auf welchen die
Bernhard-Grube einen Bau geführt hatte, jedoch ist Zahl und
Mächtigkeit der bebauten Flötze nicht zuverlässig bekannt.

Südlich des Zwickerthales liegt die Dorothea-Grube zu
Steingrund mit 3 Flötzen:

Das 3. oder liegende Flötz 1,3^m mächtig,
    Zwischenmittel 108,8^m stark,
» 2. oder Niederflötz 1,3^m mächtig,
    Zwischenmittel 10^m stark,
» 1. oder Oberflötz 0,92^m mächtig.

Dieselben streichen h. 11—12 und fallen unter einem Winkel
von 18—20^0 gegen West; sie waren auf bedeutende Längen taub
und unbauwürdig.

Der Flötzzug, welcher von hier in südlicher Richtung am östlichen Gehänge des Langenberges entlang nach Sophienau streicht,
zeigt hier wieder eine grössere Bauwürdigkeit, so dass früher hier
mehrere Gruben ihre Baue auf 2 Dorothea-Grubenflötzen etabliren
konnten, deren Felder später in demjenigen der consolidirten Sophie-
Grube aufgegangen sind.

Das Feld der jetzigen consolidirten Sophie-Grube bei
Charlottenbrunn ist aus den Feldern von Sophie, August-
Glück und Carl hervorgegangen. Jede dieser Einzelzechen hatte
ihre Baue auf den beiden nachgenannten Flötzen:

Das Niederflötz 0,84^m mächtig incl. zweier Mittel von zusammen
    0,18^m Stärke,
» Oberflötz 1,57—1,86^m mächtig incl. zweier Mittel von 0,24^m
    Stärke geführt.

Das beide Flötze trennende Zwischenmittel ist in einem
Theil des nördlichen Feldes so schwach, dass beide zusammen
ein Flötz von 3,4^m Stärke incl. eines Schieferthonmittels von
0,52^m Mächtigkeit bilden, während dasselbe in der Nähe des
Henriette-Schachtes so stark ist, dass beide Flötze querschlägig

37,6^m weit von einander liegen. Sie streichen h. 9—11 und fallen
mit 7—15^0 gegen Westen. Das Oberflötz hat da, wo es sich
vom Niederflötz weiter entfernt, Sandstein, sonst Schieferthon zum
Hangenden und Schieferthon zum Liegenden, das Niederflötz hat
Schieferthon zum Hangenden und grösstentheils Sandstein zum
Liegenden. . Da, wo das Oberflötz die normale Mächtigkeit überschreitet, geht das Niederflötz in der Mächtigkeit zurück und wird
dann für sich allein unbauwürdig und umgekehrt; in Folge dessen
ist in den Feldern der Sophie- und Carl-Grube vorherrschend das
Ober-, auf der August-Glück-Grube dagegen das Niederflötz in
Bau genommen worden. Im nördlichen Felde fallen beide Flötze
nach dem Ausgehenden hin auf ca. 250^m streichende Länge in
das Feld der Friedrich-Grube, wurden daher von dieser abgebaut;
dieselben zeigen hier folgende Zusammensetzung:

Das Oberflötz $\left\{\begin{array}{l} 1,50^m \text{ Oberbank} \\ 0,20^m \text{ Mittel} \\ 0,55^m \text{ Niederbank} \end{array}\right.$

$\overline{2,25^m,}$

0,75—1,1^m Zwischenmittel,

» Niederflötz 1,12^m mächtig.

Der gegenwärtige Bau bewegt sich im südlichen Felde, welches vom nördlichen durch mehrere Sprünge getrennt ist, deren
grösster, von Süden her betrachtet, die Flötze um 582,7^m söhlig
gemessen, ins Liegende verwirft. Das Oberflötz ist hier bis 2,5^m
mächtig, das Niederflötz zwar nur 0,5—0,6^m stark, aber reiner als
das vorige; der Fallwinkel derselben beträgt nur 5.^{0}, weshalb bei
dem vorgenannten Hauptsprunge die seitliche Verschiebung der
beiden getrennten Flötztheile so ungewöhnlich gross ist. Die Ausrichtung desselben war nur in der 1. Tiefbausohle auf horizontalem
Wege, in der 2. dagegen in der Falllinie der Sprungkluft erfolgt.
Letztere ergab, dass das vereinigte Ober- und Niederflötz mit
2,5^m Gesammtmächtigkeit und guter Qualität sich wieder anlegt.
Eine ausserordentlich reiche Entwickelung von Kohlensäure im
gesunkenen Flötztheil liess jedoch weitere Aufschlüsse noch nicht
zu und demzufolge musste diese wichtige Untersuchungsarbeit vorläufig unterbleiben.

Die Carl-Gustav-Grube, im Hangenden von Sophie-Grube belegen, besitzt ein 0,94^m starkes Ober- und ein 0,73^m starkes Niederflötz, welche, horizontal gemessen, durch ein 10,5^m starkes Schiefermittel von einander getrennt sind, ein Streichen in NS. und ein westliches Fallen von 20^0 zeigen; das Oberflötz hat Sandstein zum Hangenden. Beide Flötze sind identisch mit den Sophie-Grubenflötzen, zeigten sich aber durch die Sprünge, welche aus dem Sophie-Grubenfelde bis hierher fortsetzen, vielfach gestört und zertrümmert. Die beiden Flötze der Carl-Gustav-Grube werden in etwa 840^m Entfernung von der Fundgrube ins Hangende verworfen und wurden hier vor langer Zeit unterhalb Garve's Ruh von der ehemaligen Erdmann-Grube, deren Feld später dem von Carl-Gustav zugeschlagen wurde, in Bau genommen; hier hat das Oberflötz nur noch 0,39–0,52^m Mächtigkeit.

Da in dem Steingrunder Thal im Hangenden der Dorothea-Grube einige Flötze von 0,39—0,52^m Mächtigkeit und mit einem Fallen von 12—19^0 nach West bekannt waren, so wurde am westlichen Abhang des Langenberges eine Schurfarbeit unternommen und dabei ein Flötz von 0,78 — 1,30^m Stärke incl. 0,26 — 0,39^m Mittel aufgefunden, auf welches die Carl-Christian-Grube ihre Verleihung erhielt. Das Flötz zeigte sich indessen bei der näheren Untersuchung bald unbauwürdig. Im Hangenden der Carl-Christian-Grube befinden sich zwar noch 4 Flötze, welche jedoch wegen geringer Mächtigkeit und Qualität nicht bauwürdig sind.

Südlich von Carl-Gustav- und Carl-Christian- und westlich von Sophie- liegt die Lehmwasser-Grube bei Lehmwasser; in ihrem Felde tritt ein Flötz von 1,07 — 1,25^m Mächtigkeit incl. 0,47^m Mittel, dessen Hangendes aus Sandstein und dessen Liegendes aus Schieferthon besteht, mit einem Streichen in h. 10—4 und einem südwestlichen Fallen von 15^0 auf, welches jedoch vielfache Störungen erlitten hat, so dass der Grubenbetrieb nur kurze Zeit gedauert hat.

Nach einer Unterbrechung von etwa 5500^m treffen wir im Felde der Mariahilf-Grube zu Nieder-Wüste-Giersdorf auf ein Flötz von 0,52 — 0,65^m Stärke, welches h. 7 — 8 streicht,

mit 30—35⁰ nach Süden einfällt und durch 15—20^m tiefe Bohrlöcher und einen älteren Schacht, durch welchen 2 Flötze setzen,
auf ca. 1500^m streichende Länge nachgewiesen wurde. Da jedoch
der im Dorfe angesetzte kleine Stolln mit 276^m Länge nur einen
Flötzbesteg von 0,07—0,10^m Stärke überfahren und eine auf dem
Flötz einfallend getriebene Strecke in 31,3^m Tiefe einen Sprung
ins Liegende erreicht hatte, auch Wasserzuflüsse die Fortsetzung
derselben erschwerten, wurde der Grubenbetrieb wieder eingestellt.

Im weiteren südöstlichen Fortstreichen folgen die Neu-
Glückauf- und Gersons Glück-Grube bei Rudolphswaldau. Im Felde der erstgenannten Grube war ein Flötz von
1 bis 1,3^m Mächtigkeit, welches h. 2—9 streicht und ein Fallen von
25—30⁰ besitzt, auf eine kurze Erstreckung abgebaut worden;
die Mächtigkeit desselben stieg bis 2^m und mehr; da jedoch das
Flötz nur auf kurze Erstreckung aushielt und sich nach allen Richtungen hin auskeilte, so versuchte man einen Aufschluss desselben
in tieferer Sohle. Der im Rudolphswaldauer Thale angesetzte
Stolln überfuhr bei 544^m Länge einen Kohlenbesteg, das sogenannte
Carl-Flötz, einen zweiten Besteg bei 594^m Länge und einen dritten
0,26^m starken Besteg, das sogenannte Wilhelm-Flötz, bei 617^m Länge.
Dieselben haben sich bei weiterer Untersuchung im Streichen und
in schwebender Richtung als durchaus unbauwürdig erwiesen.

Die Gersons Glück-Grube, südöstlich von der vorigen gelegen,
besitzt 2 Flötze von 1,2^m Mächtigkeit incl. 0,18^m Bergmittel und
0,7^m incl. 0,05^m Bergmittel; das Streichen derselben ist unregelmässig, wechselt zwischen h. 5 und 9' das Fallen beträgt 24—25⁰
nach Südwest resp. Nordwest. Zur Lösung derselben war vom
Rudolphswaldauer Thal, also vom Liegenden her, ein Stolln getrieben worden, welcher mit 113^m Länge ein verschiefertes Flötz
überfuhr; da dasselbe sich bei weiterer Untersuchung nicht reiner
zeigte, so kam der Grubenbetrieb nach kurzer Dauer zum Erliegen.
Oestlich von diesem Versuchbau, etwa 400^m vom Dorfe entfernt,
tritt eine Porphyrmasse von etwa 400^m Länge und 250^m Breite
in Gebiet des Steinkohlengebirges auf, ohne sich auf der Oberfläche sehr bemerkbar zu machen.

Nach einer abermaligen Unterbrechung treten erst jenseits der schlesisch-glätzischen Grenze bei der Colonie Städtisch Eule einige unregelmässig abgelagerte Flötzchen auf, welche von der Gute-Hoffnung-Grube·in Bau genommen worden waren, über deren Verhalten jedoch nichts Näheres bekannt ist. Später wurden dieselben. Flötze von der Anna-Grube gemuthet. Südlich von beiden liegt die Jacob-Grube, mit welcher die Felder der beiden vorgenannten consolidirt worden sind. In ihrem östlichen Felde liegen ferner die Wilhelm-Flötze der Wenzeslaus-Grube, welche vom Adolph-Schacht aus bis hierher verfolgt aber unbauwürdig befunden worden sind; jedenfalls sind sie mit den Gute-Hoffnung-Grubenflötzen identisch. Im Felde der südöstlich angrenzenden consolidirten Wenzeslaus-Grube zu Hausdorf treten in einer querschlägigen Breite von 360^m 12 Flötze auf; die Schichtenfolge, vom Hangenden nach dem Liegenden fortschreitend, stellt sich in der jetzigen Tiefbausohle bei 133^m Teufe wie folgt dar (siehe Profil 18, Taf. IV):

1. Das 2. hangende Flötz 1,5^m mächtig, unrein,
   3,2^m Schieferthon
   5^m sandiger Schieferthon
   1,3^m Schieferthon,
2. » 1. hangende Flötz 0,5—1^m mächtig,
   2,5^m Schieferthon
   45^m sehr fester Sandstein,
3. » Felsenkohlenflötz 0,45—0,55^m mächtig,
   5^m Schieferthon,
4. » Wenzeslaus-Flötz 1,4—1,6^m mächtig, im mittleren Grubenfelde mit einem 0,2^m starken Schiefermittel in·der Nähe des Hangenden; im nordwestlichen und südöstlichen Theile des Tiefbaufeldes fehlt diese Mittel, dafür tritt über einem 0,2^m starken Kohlenbänkchen, vom Liegenden her gerechnet, ein 0,2^m starkes Lettenmittel auf,
   2,5—5,2^m Schieferthon
   220^m Sandstein mit 2 Kohlenbestegen und mehreren Conglomeratbänken,

5. Das 1. Wilhelm-Flötz 0,5—0,6^m mächtig mit 2 Schiefermitteln von 0,2^m Mächtigkeit,
     3^m Schieferthon,

6. » 2. Wilhelm-Flötz 1^m mächtig incl. 0,25^m Mittel,
     4^m Schieferthon,

7. » 3. Wilhelm-Flötz 2,5—3^m mächtig incl. zweier nur lokal auftretenden Schiefermittel von 0,60—0,80^m Stärke,
     3—4^m Schieferthon,

8. » 4. Wilhelm-Flötz 1,8^m mächtig incl. 0,45—0,50^m Mittel in 3 Bänken,
     3,25^m Schieferthon,

9. » 5. Wilhelm-Flötz 1,1^m mächtig incl. 0,10^m Mittel,
     1^m Schieferthon
     3^m sandiger Schieferthon, 0,5^m Schieferthon,

10. » 6. Wilhelm-Flötz 0,25^m mächtig,
     1,5^m Schieferthon
     6,5^m sandiger Schieferthon
     1,3^m Schieferthon,

11. » 7. Wilhelm-Fötz 0,6^m mächtig incl. 0,15^m Mittel,
     10^m Schieferthon,

12. » 8. Wilhelm-Flötz 0.8^m mächtig incl. 0,15^m Mittel.

Man hält es für wahrscheinlich, dass im Hangenden des 2. hangenden Flötzes noch Flötze vorhanden sind und ebenso soll im Liegenden des 8. Wilhelm-Flötzes noch ein 9. von 0,8—1^m Mächtigkeit früher abgebaut worden sein. Das 4.—8. Wilhelm-Flötz sind in der Tiefbausohle noch nicht vorgerichtet, daher nach den Aufschlüssen in der Wenzeslaus-Stollnsohle notirt. Das Streichen der Flötze geht in h. 7—9, das südwestliche Fallen beträgt bei den hangenden Flötzen durchschnittlich 32^0, bei den Wilhelm-Flötzen 25—26^0. Die Hauptstörung der Lagerungs-Verhältnisse bildet ein fast genau im Streichen der Flötze verlaufender, unter einem Winkel von 60—65^0 einfallender Sprung, welcher sich mit den im südöstlichen Felde auftretenden Sprüngen zu kreuzen scheint; letztere treten in der Nähe des Hausdorfer Thaleinschnitts in grosser Zahl auf, was sich aus dem Betrieb des Wenzeslaus-Stollns ergeben hat.

Dass die Wilhelm-Flötze im westlichen Felde nur als Bestege vorhanden sind, hat der vor 3 Jahren unternommene Betrieb eines Querschlages vom Adolph-Schacht ins Liegende in der Sohle des Friedrich-Gegentrum-Stollns erwiesen. An der südöstlichen Markscheide schliessen sich die Felder von Balthasar, Ferdinand- und Agnes-Grube an, in welchen gegenwärtig kein Betrieb stattfindet. Die Ferdinand-Grube im Leergrunde stand noch Mitte der 60er Jahre im Betriebe und es wurde hier durch das Auffahren einer schwebenden Strecke auf dem 1,05ᵐ starken Ferdinand-Flötz ein Sattel nachgewiesen, dessen Gegenflügel jedoch nicht verfolgt worden war.

Die Agnes-Grube hatte in den letzten Jahren das Abteufen eines Schachtes begonnen, um die durch Schurfarbeiten aufgefundenen 4 Flötze, welche man für Wilhelm-Flötze hält, weiter zu untersuchen, dasselbe wegen der ungünstigen Zeitverhältnisse aber nicht zu Ende geführt.

Der Hangendzug· dringt in seinem weiteren Fortstreichen nicht in das Innere der Bucht ein, in welcher die Flötze des Liegendzuges auf der Rudolph- und Fortuna-Grube abgelagert wurden, sondern wendet sich in kürzerem Bogen, das nördliche Ende des Gabbro-Zuges sattelförmig umlagernd, nach Kohlendorf und Buchau,. wo die alte Ruben-Grube lag. .

Das jetzige Feld der consolidirten Ruben-Grube zu Kohlendorf erstreckt sich von Colonie Hein bei Ludwigsdorf bis zur Schlegeler und Ebersdorfer Territorialgrenze. Die ältesten Baue fanden zwischen Kohlendorf und Buchau auf dem Buchenberge statt, welcher durch die damals zahlreich vorgekommenen versteinerten Stämme von *Araucarites Rhodeanus* bekannt geworden ist. Im Felde der früheren combinirten Ruben-Grube erscheinen die Flötze durch ein ca. 300ᵐ starkes Sandsteinmittel in 2 Gruppen getheilt. · Die hangende Gruppe enthält 4 Flötze, nämlich vom hangendsten angefangen:

1. Das Joseph-Flötz 1,05ᵐ mächtig,
2. » Ruben-Flötz 1,05ᵐ » . incl. 0,52ᵐ Mittel,
3. ein 0,39ᵐ starkes Flötz,
·4. das liegende Flötz 0,66—2,61ᵐ mächtig.

Die liegende Gruppe besteht ebenfalls vom hangendsten angefangen aus folgenden Flötzen:

5. Das 2. hangende Flötz 1ᵐ,
    Zwischenmittel 131ᵐ stark,
6. » 1. hangende Flötz 0,52—1,05ᵐ m. incl. 0,26—0,52ᵐ Mittel,
    Zwischenmittel 32ᵐ,
7. » Röschen-Flötz 1,05ᵐ mächtig,
    Zwischenmittel 31ᵐ,
8. » 1. liegende Flötz, unbauwürdig,
    Zwischenmittel 15,6ᵐ,
9. » 2. liegende Flötz bis 2,8ᵐ mächtig,
    Zwischenmittel 9,9ᵐ,
10. » 3. liegende Flötz 0,68ᵐ mächtig.

Das durchschnittliche Streichen der Flötze geht in h. 11, das westliche Fallen beträgt 20—26⁰.

Für die jetzige Tiefbau-Anlage liegt der Hauptquerschlag in 66ᵐ (bei dem Eisenbahn-Förderschacht in 106ᵐ) Tiefe. In dieser Sohle sind die vorstehenden Flötze in folgender Beschaffenheit aufgeschlossen worden:

1. Das Joseph- oder 2. Flötz $\left\{\begin{array}{l}\text{0,10—0,20ᵐ Oberbank}\\ \text{1—1,5ᵐ Mittel}\\ \text{1,0ᵐ Niederbank}\end{array}\right.$
    $\overline{\text{2,10—2,70ᵐ}}$,
    27ᵐ fester Sandstein,
2. » Ruben-Flötz 0,50ᵐ mächtig,
    3ᵐ Schieferthon und Brandschiefer, letzterer mit thierischen Resten,
3. » 4. Flötz 0,10ᵐ mächtig,
    5ᵐ Schieferthon und Brandschiefer mit thierischen Resten,
4. » 5. Flötz 0,30ᵐ mächtig,
    35ᵐ Sandstein,
5. » 6. Flötz 0,80ᵐ mächtig,
    5ᵐ Schieferthon mit vielen Pflanzenresten,
6. » 7. Flötz 1ᵐ mächtig.

Jenseits dieses Flötzes tritt ein Sprung auf, welcher die Schichten 25ᵐ saiger ins Hangende verwirft. Zwischen

·dem 7. und dem nächstfolgenden Flötz liegt ein Sandsteinmittel mit Conglomeratbänken von 120ᵐ Stärke querschlägig
gemessen, darauf folgt 0,50ᵐ Schieferthon und dann:

7. Das 2. hangende Flötz 1ᵐ mächtig,
      42ᵐ Schieferthon,

8. » 1. hangende Flötz 1,50ᵐ mächtig incl. 0,10ᵐ Mittel,
      10ᵐ Schieferthon,

9. » Röschen-Flötz 1,5—3ᵐ mächtig,
      5ᵐ Schieferthon,
      0,40ᵐ Nebenflötz,
      19,0ᵐ Schieferthon,

10. » 1. liegende Flötz 1,5—2ᵐ mächtig incl. 0,10—0,20ᵐ Mittel,
      welches aus feuerfestem Schieferthon besteht,
      10ᵐ Schieferthon,

11. » 2. liegende Flötz 1,5—3ᵐ mächtig incl. 0,20—0,30ᵐ Mittel,
      welches ebenfalls aus feuerfestem Schieferthon besteht,

12. » 3. liegende Flötz 0,80ᵐ mächtig incl..0,05ᵐ Mittel,
      4ᵐ Schieferthon,

13. » 4. liegende Flötz 0,30ᵐ mächtig,
      20ᵐ Sandstein,

14. » 5. liegende Flötz 0,15ᵐ mächtig,
      15ᵐ Sandstein,

15. » 6. liegende Flötz 0,15ᵐ mächtig.

Im Liegenden des Letzteren tritt wiederum feuerfester
Schieferthon mit 3ᵐ Mächtigkeit auf. Im nördlichen Querschlag
No. 3, welcher vom 6. liegenden Flötz noch 20ᵐ weit ins Liegende
fortgesetzt wurde, traf man ein zweites Lager von feuerfestem
Schieferthon; da aber dasselbe unrein ist, so wurde der Querschlags-
betrieb eingestellt, obgleich man das Liegende desselben noch nicht
erreicht hatte. Unter diesem hofft man nach den Aufschlüssen,
welche der Eisenbahn-Einschnitt ergeben hat, noch 4 Lager dieses
Minerals von 2,5ᵐ, 2ᵐ, 3,4 und·1,7ᵐ Mächtigkeit in der Tiefbausohle
anzutreffen. Diese feuerfesten Schieferthone sind dieselben Schieferthone, welche weiter oben bei Beschreibung der Contactgesteine
zwischen Gabbro und Carbon im Versuchsschacht der alten Ruben-

14

Grube erwähnt wurden und welche nach früherer Meinung durch ihre abweichende Beschaffenheit beweisen sollten, dass sie durch Contact mit Gabbro metamorphosirte Schieferthone seien.·

Das Fallen der Flötze beträgt im nördlichen Felde 20 — 22⁰ nach Westen, in der Nähe des Porphyrs am Schlosse zu Kunzendorf 30—40⁰, im südlichen Felde 20—30⁰; bei der sattelförmigen Umlagerung des Nordendes des Gabbro-Zuges fällt der östliche Flügel mit 80—90⁰ ein.·

Der Kohlensandstein enthält nicht nur Stammbruchstücke von *Araucarites Rhodeanus*, sondern auch Bleiglanz, Kupferkies, Schwefelkies und Blende ungewöhnlich häufig eingesprengt; diese Schwefelmetalle finden sich auch in den Drusen des Sphärosiderits und als zarter Anflug auf der Steinkohle; sie sind Gegenstand einer besonderen Verleihung. Im nördlichen Felde sind die Kohlenflötze und feuerfesten Schieferthone mächtiger und wegen der sattelförmigen Lagerung zweimal vorhanden, im südlichen Felde beide stark zusammengedrängt. Im südöstlichen Fortstreichen treten die Flötze in das Feld der consolidirten Johann-Baptista-Grube zu Schlegel über, wo indess deren bis jetzt nur 7 bekannt geworden sind, nämlich vom Liegenden angefangen:

Das 7. Flötz 0,5—0,6ᵐ mächtig incl. 0,03ᵐ Mittel,
       10,2ᵐ Schieferthon,

» 6. Flötz 0,6—0,8ᵐ mächtig incl. 0,1ᵐ Mittel,
       30,6ᵐ Schieferthon,

» 5. Flötz 1,3—1,5ᵐ mächtig incl. 0,3ᵐ Mittel,
       15,8ᵐ sandiger Schieferthon,

» 4. Flötz 0,5—0,6ᵐ mächtig incl. 0,1ᵐ Mittel,
       28ᵐ Sandstein,

» 3. Flötz 1,5ᵐ mächtig,
       28ᵐ Sandstein und Conglomerat,

» 2. Flötz 0,9—1,3ᵐ mächtig mit viel thonigem Sphärosiderit im Hangenden,
       12ᵐ Schieferthon,

» 1. Flötz 0,9—1ᵐ mächtig.

Diese Flötze streichen durchschnittlich in h. 10, fallen mit 20—25⁰ nach Westen, treten in einer querschlägigen Breite von 160ᵐ auf und sind hinsichtlich ihrer Mächtigkeit einem vielfachen Wechsel unterworfen. Zwischen den äussersten Aufschlüssen der Ruben- und Johann-Baptista-Grube liegt ein vollständig unbekanntes Feld von ca. 2500ᵐ streichender Länge; dieser Umstand in Verbindung mit der Veränderlichkeit der Flötze ist die Ursache, dass bis jetzt an eine Parallelisirung der Flötze beider Gruben nicht gedacht werden konnte.

Im nördlichen Grubenfelde, dem der früheren Einzelzeche Seegen Gottes, wurde auf einigen der vorgenannten Flötze in geringer Teufe ein Bau geführt, die Beschaffenheit der Flötze ist hier jedoch eine ungünstige; im Felde der Helene-Grube, welches, wie das vorige, jetzt zu Johann-Baptista-Grube gehört, waren das 1. und 6. Flötz Gegenstand des Abbaues gewesen, beide zeigten sich vielfach gestört. Die Concordia-Grube baut das 5., 6. und 7. Flötz, die Magdalena-Grube bei Colonie Leppelt das 5. Flötz am Ausgehenden ab.

An die Johann-Baptista- schliesst sich die consolidirte Frischauf-Grube zu Eckersdorf an. Im nördlichen Felde treten folgende Flötze auf, welche vom Hangenden her gezählt werden:

Das 1. Flötz 1,40ᵐ mächtig incl. 0,40ᵐ Mittel, nach 18ᵐ Abstand

» 2. » 0,34ᵐ » » 0,10ᵐ » (unbauwürdig), nach 16ᵐ Abstand

» 3. Flötz 0,32ᵐ mächtig, incl. 0,12ᵐ Mittel (unbauwürdig), nach 3ᵐ Abstand

» 4. Flötz 0,50—0,55ᵐ mächtig incl. 0,26ᵐ Mittel, nach 7ᵐ Abstand

» 5. Flötz 1,90ᵐ mächtig incl. 0,40ᵐ Mittel, nach 8ᵐ Abstand

» Nebenflötz 0,92ᵐ mächtig incl. 0,08ᵐ Mittel, nach 6ᵐ Abstand

» 6. Flötz 2,48—2,60ᵐ mächtig incl. 0,50—0,90ᵐ Mittel, nach 6ᵐ Abstand

» 7. Flötz 0,85ᵐ mächtig incl. 0,20ᵐ Mittel, nach 14ᵐ Abstand

» 8. » 0,42ᵐ » » 0,18ᵐ » » 12ᵐ »

» 9. » 0,67—0,75ᵐ mächtig incl. 0,20ᵐ Mittel.

Das noch weiter im Liegenden auftretende Sumpfflötz ist hier
noch nicht aufgeschlossen.

Das Streichen der Flötze geht in h. 4, das westliche Fallen
beträgt 25⁰. Die Zusammengehörigkeit derselben mit denen der
Johann-Baptista ist noch nicht festgestellt worden; es wird vermuthet, dass

Johann-Baptista-Grube		Frischauf-Grube
1. Flötz	=	3. Flötz
2. »	=	4. »
3.	=	5. »
4. »	=	6. » u. s. w.

Im südlichen Felde, welches durch mehrere Sprünge vom
nördlichen geschieden wird, ist die Beschaffenheit der Flötze
folgende:

Das 1. Flötz	1,43ᵐ	mächtig	incl.	0,35ᵐ	Mittel,	nach	22ᵐ	Abstand
» 2. »	0,50ᵐ	»	»	0,12ᵐ	»	»	15ᵐ	»
» 3. »	0,50ᵐ	»	»	0,18ᵐ	»	»	6ᵐ	»
» 4. »	0,55ᵐ	»	rein			»	18ᵐ	»
» 5. »	1,96ᵐ	»	incl.	0,40ᵐ	»	»	8ᵐ	»
» 6. »	2,45ᵐ	»	»	0,75ᵐ	»	»	11ᵐ	»
» 7. »	1,16ᵐ	»	»	0,20ᵐ	»	»	16ᵐ	»
» 8. »	0,60ᵐ	»	»	0,12ᵐ	»	»	9ᵐ	»
» 9. »	1,03ᵐ	»	»	0,20ᵐ	»	»	127ᵐ	»
» Sumpfflötz	1,11ᵐ	mächtig	incl.	0,25ᵐ	Mittel.			

Zwischen dem 9.-und Sumpfflötz liegen im Richtorts-Quer-
schlage noch mehrere Flötzbestege. Das im nördlichen Felde vorhandene Nebenflötz fehlt hier und hat sich jedenfalls mit dem
6. Flötz vereinigt; im Uebrigen sind die Flötze beider Felder,
welche gleiche Nummern tragen, identisch; auch stimmt die Beschaffenheit der Zwischenmittel in beiden ziemlich gut überein.
Das Streichen geht hier in h. 6 und das Fallen mit 20—25⁰ nach
Nordwest. Vom 1. bis 4. Flötz bestehen die Zwischenmittel aus
Schieferthon, vom 4. ab stellt sich sandiger Schieferthon und Sandstein ein.

Gegen Südwest werden sämmtliche Flötze durch einen Sprung ins Liegende abgeschnitten, hinter welchem das Rothliegende ansteht. Das jenseits des Sprunges in einer Entfernung von 850^m vom Maschinenschacht zur Aufsuchung der Flötze 219,3^m tief gestossene Bohrloch No. 1 hatte 4 Flötze von nachstehender Mächtigkeit:

Das 1. Flötz 1,42^m stark,
» 2. » 1,31^m »
» 3. » 1,52^m »
» 4. » 1,06^m »

durchteuft. Die Grenze zwischen Rothliegendem und Steinkohlen-Formation lag bei 173,47^m, das 1. Flötz bei 188^m Teufe des Bohrlochs. Das Bohrloch No. II, ca. 280^m östlich vom vorigen gelegen, wurde bei 129,8^m Teufe wegen zu starken Nachfalls verlassen.

Bei Aufsuchung dieses verworfenen Theils von Kohlengebirge in der II. Tiefbausohle sind zunächst nur abgerissene Flötztheile aufgefunden und deshalb die betreffenden Arbeiten vorläufig eingestellt worden. ·

Hiermit endigen in der Hauptsache die Ablagerungen der III. Stufe auf schlesischer Seite, denn was sich von Steinkohlengebirgsschichten am Nordostrande und am Südende des Gabbro-Zuges noch vorfindet, ist unbedeutend. Am Nordostrande desselben sind durch Schurfarbeiten über Tage, zu beiden Seiten des Thales von Nieder-Volpersdorf liegend, 5 Flötze mit nördlichem Streichen und östlichem Einfallen bekannt geworden, die Adelhaids-Glück-Grubenflötze. Die Mächtigkeit derselben variirt am Ausgehenden zwischen 0,15 und 1^m und ebenso der Fallwinkel zwischen 28 und 80^0. · Ob die Flötze im Adelhaids-Glückstolln regelmässiger abgelagert angetroffen worden sind, darüber ist nichts bekannt, auch lässt sich nachträglich nicht mehr feststellen, ob dieselben der II. oder III. Stufe angehören.

Schliesslich ist noch das Auftreten von Steinkohlenschichten am Südende des Gabbro-Zuges zu erwähnen, welches ebenfalls nur eine sehr beschränkte Ausdehnung besitzt. Hier wurden von der Neue Frischauf-Grube bei Roth-Waltersdorf 2 Flötze durch

einen kleinen Stolln aufgeschlossen. Das 1. (hangende) Flötz besteht
von oben nach unten aus:

$$0,05^m \text{ Kohle}$$
$$0,13^m \text{ Mittel}$$
$$0,24^m \text{ Kohle}$$
$$0,18^m \text{ Mittel}$$
$$\underline{0,73^m \text{ Kohle}}$$
$$1,33^m$$

und hat Sandstein zum Liegenden und Hangenden. Das darauf
folgende Flötzchen von 0,44^m Stärke, 2 Bestege von 0,10 und 0,26^m
Stärke und endlich das darauf folgende 2. Flötz von 0,57^m Mächtigkeit sind sämmtlich durch Zwischenmittel von Schieferthon geschieden. Das Fallen der Schichten beträgt 40 — 45⁰. Dieses
Vorkommen gehört zweifellos der III. Stufe an.

———

Betrachten wir nun, wie sich der Hangend-Zug in Böhmen
gestaltet. Sobald man von Tschöpsdorf, südwestlich von Liebau,
wo nur unbauwürdige Flötzchen auftreten, ausgehend die Grenze
überschreitet und österreichisches Gebiet betritt, so stellt sich schon
bei Schwarzwasser eine ganze Gruppe bauwürdiger Flötze ein,
welche im Hangenden der vorigen liegt und von der Johann-
Anton-Grube in Bau genommen worden ist. Die Schichten
bilden vom Liegenden beginnend nachstehend aufgeführte Reihenfolge, in welcher das zuerst genannte Anna-Flötz etwa 1750^m vom
hangendsten Flötz bei Tschöpsdorf entfernt liegt.

Das Anna-Flötz 0,63^m mächtig incl. 0,3^m Schiefermittel,
　　　　Zwischenmittel 6^m,
　» 　Clara-Flötz 1^m mächtig incl. 0,5^m Schiefermittel,
　　　　Zwischenmittel 12^m,
　» 　Friedrich-Flötz 0,84^m mächtig incl. 0,2^m Schiefermittel,
　　　　Zwischenmittel 24^m,
　» 　Wilhelm-Flötz 1,2^m mächtig incl. 0,5^m Schiefermittel,
　　　　Zwischenmittel 95^m mit einer grösseren Anzahl von Flötz-
　　　bestegen,

Das Barbara-Flötz 1^m mächtig incl. 0,5^m Schieferthonmittel,
    Zwischenmittel 10^m,
» Stephan-Flötz 1^m mächtig incl. 0,4^m Schiefermittel,
    Zwischenmittel 218^m mit 7 Flötzbestegen von 0,1—0,2^m
    Stärke,
» Fanny-Flötz 1^m mächtig incl. 0,5^m Schiefermittel.

Das Hauptstreichen der Flötze geht in h. 5, das südliche
Einfallen beträgt 25^0. Im Hangenden des Fanny-Flötzes sind in
720^m Abstand von demselben noch einige nahe bei einander liegende, schwache Flötze ausgeschürft worden, von denen das
unterste 0,5^m Kohle in 2 Bänken, das nächstfolgende 0,3^m Kohle
in einer Bank besitzt; dieselben zeigen gleiches Streichen wie die
vorhergehenden und sind bei Königshayn mit dem Agnes-Stolln
aufgeschlossen und abgebaut worden. Endlich· wurden früher im
Hangenden dieses Stollns noch mehrere in Schatzlar gänzlich
unbekannte Flötze ausgeschürft, welche aber bis jetzt nicht näher
untersucht worden sind, da keins über 0,5^m mächtig ist.

Das Fanny-Flötz wird durch eine Sprungkluft verworfen,
deren Richtung mit dem Lampersdorfer Thal zusammenfällt; dieselbe wurde auch auf dem Stephan- und Wilhelm-Flötz mit verschiedenen Strecken angefahren und durch Schurfarbeiten über
Tage nachgewiesen, jedoch ist es bis jetzt nicht gelungen, die
Flötze im jenseitigen Theil aufzufinden.

An die vorige grenzen die beiden bei Schatzlar gelegenen
Procopi- und Mariahilf-Grube; beide besitzen dieselben
Flötze, beide haben sie zunächst vom Hangenden her vom Lampersdorfer Thal aus durch 3 Stolln gelöst, die erstere durch den
Procopi- und Josephi-, die letztere durch den Egidi-Stolln, so
dass letztere dieselben Schichten in querschlägiger Richtung durchörtert haben. Da weniger die Flötze als ihre Zwischenmittel in
ihrer Mächtigkeit variiren, so sind nur von letzteren die ab-
weichenden Zahlen angegeben worden:

(Siehe Profil 3 und 4, Taf. I.)

	Procopi-Grube, Georg-Schacht. Stollnsohle	Mariahilf-Grube. Tiefbausohle
Das 1. Flötz, Friedrich-Flötz . .	im Procopi-Stolln 0,24^m, im Elisabeth-Schacht beim Abteufen 1,8^m mächtig angetroffen, mit einem Mittel von 0,52—0,57^m Stärke, wird nicht in Bau genommen,	
» 2. » , das Haselbach-Flötz .	1^m mächtig incl. 0,3^m Mittel,	hier Egidi-Flötz genannt
	Zwischenmittel 13^m,	30^m
» 3. » , I. Wilhelmine-Flötz	0,8^m mächtig incl. 0,2 Mittel,	
	Zwischenmittel ?	10^m
» 4. » , II. »	0,3^m mächtig, nicht bauwürdig,	
	Zwischenmittel ?	10^m
» 5. » , III. »	0,9^m mächtig incl. 0,3^m Mittel, nicht bauwürdig,	
	Zwischenmittel ?	40^m
» 6. » , das 40zöllige Flötz .	1^m mächtig incl. 0,2^m Mittel,	
	Zwischenmittel 10^m,	12^m
» 7. » , »- 15 » » .	0,4^m mächtig,	
	Zwischenmittel 8^m,	11^m
» 8. » , » 50 » » .	1,2^m mächtig incl. 0,4^m Mittel,	
	Zwischenmittel 24^m,	25^m
» 9. » , » 20 » » .	0,5^m mächtig incl. 0,1^m Mittel,	
	Zwischenmittel 9^m,	26^m
» 10. » , Hauptflötz	3^m mächtig incl. 1^m Mittel, die unteren Bänke werden meistens als besonderes Flötz (Quarkflötz) abgebaut,	
	Zwischenmittel 31^m,	20^m
» 11. »	2,7^m mächtig incl. 1,6^m Mittel,	
	Zwischenmittel 62^m,	80^m
» 12. » , das I. Mathilde-Flötz	hier unbauwürdig,	1,3^m mächtig incl. 0,5^m Mittel
	Zwischenmittel 9^m,	2^m

	Procopi-Grube, Georg-Schacht. Stollnsohle.	Mariahilf-Grube. Tiefbausohle
Das 13. Flötz, das II. Mathilde-Flötz	1,7—2,7^m mächtig incl. 0,7^m Mittel, Zwischenmittel 10^m,	12^m
» 14. » , » III. »	0,7^m mächtig incl. 0,2 Mittel, Zwischenmittel 12^m,	16^m
» 15. » , » IV. »	0,5^m mächtig, unbauwürdig, Zwischenmittel 13^m,	2^m
» 16. »	0,5^m mächtig, Zwischenmittel ?	2^m
» 17. »	0,8^m mächtig, (das 16. und 17. Flötz werden zusammen abgebaut) Zwischenmittel 37^m,	28^m
» 18. »	noch nicht in Bau genommen, Zwischenmittel 2^m,	10^m
» 19. »	wie bei No. 18. Zwischenmittel 8^m,	27^m
» 20. »	hier nicht bauwürdig, Zwischenmittel 8^m,	desgl. 16^m
» 21. » , Dreieinigkeit-Flötz .	1,2^m mächtig incl. 0,5^m Mittel, Zwischenmittel 8^m,	19^m
» 22. »	hier nicht bauwürdig, Zwischenmittel 22^m,	20^m
» 23. » Procopi-Flötz . . .	1,3^m mächtig incl. 0,6^m Mittel, nur in der Josephi-Stollnsohle im Georg-Revier gebaut, Zwischenmittel 5^m,	15^m
» 24. »	0,4^m mächtig, Zwischenmittel 5^m,	15^m
» 25, » , Franziska-Flötz . .	0,8^m mächtig incl. 0,2^m Mittel, wie bei Procopi-Flötz.	

Das 21. bis 25. Flötz werden auf Mariahilf-Grube nicht in Bau genommen.

Ob im Liegenden vom 25. Flötz noch bauwürdige Flötze vorhanden, ist nicht bekannt. Der Neigungswinkel dieser Flötze ist im Procopi-Grubenfelde über der Stollnsohle grösser als im Tiefbau, in der Mariahilf-Grube dagegen im Tiefbau grösser als über der Stollnsohle. Ueber den Stollnsohlen beträgt das Verflächen nordwestlich vom Procopi-Stolln 45⁰, in der Stollnsohle 25⁰, im Tiefbau 32⁰, gegen den Josephi-Stolln hin 40—45⁰. Im Allgemeinen sind, abweichend von der Regel, die liegenden Flötze flacher als die hangenden gelagert. Es ist anzunehmen, dass die Flötze der Johann-Anton-Grube zu Schwarzwasser die hangenden und mittleren der Procopi- und Mariahilf-Grube sind, jedoch liegt zwischen beiden ein Feld, in welchem die Lagerung so gestört ist, dass bei dem Mangel charakteristischer Merkmale einzelner Flötze über die Zusammengehörigkeit derselben noch vollständige Unklarheit herrscht.

Die Flötze der Johann-Anton-Grube treten mit östlichem Streichen an dieses gestörte Feld heran, jenseits desselben wenden sich dieselben im Bogen nach Süden und darauf durch West in Nordwest, so dass im Felde der Mariahilf-Grube ein Sattel entsteht. In der Nähe der westlichen Markscheide der letzteren werden sämmtliche Flötze durch eine h. 11 streichende Verwerfung 105ᵐ weit ins Liegende versetzt und nehmen hinter derselben, einen kurzen Bogen beschreibend, ein südwestliches Streichen an. Oestlich dieser Hauptverwerfung liegt der Procopi- und Egidi-Stolln und der Elisabeth-Schacht, westlich derselben der Josephi-Stolln und der Georg-Schacht. Im letzteren Felde tritt in etwa 450ᵐ westlichem Abstand von dieser eine zweite Verwerfung mit gleichem Streichen auf, welche nur die liegenden Flötze, vom 11. angefangen, abschneidet; ihr Vorhandensein jenseits derselben ist bis jetzt noch nicht constatirt.

Dem hiesigen Steinkohlengebirge sind eisenreiche, dunkelrothe Schieferthone eigenthümlich, welche als 0,1—0,2ᵐ mächtige Bänke in röthlich grauem Schieferthon eingelagert auftreten, sogenannte

Rotheisensteinflötze. Das 1. derselben wurde mit dem Procopi-Stolln im Hangenden des Friedrich-Flötzes, das 2. hinter dem 1. Wilhelmine-Flötz, das 3. vor dem 40 zölligen Flötz angetroffen und auf 30—80^m verfolgt.

Unterhalb der Spinnerei und zwischen dieser und der Stadt Schatzlar wurden mit einem über 400^m langen und mehreren kurzen Stolln noch einige Flötzbestege aufgeschlossen, welche jedoch nicht mit den weiter oben genannten Schatzlarer Flötzen in Zusammenhang zu bringen sind.

Südöstlich von Schatzlar tritt eine insularisch den Steinkohlenschichten aufgelagerte Masse von Rothliegendem auf, welche bis Goldenöls einen grossen Theil der ersteren bedeckt und erst jenseits dieses Ortes in der Richtung über Döberle nach Pösig sich allmählich auskeilt. Aus diesem Grunde sind die Schatzlarer Flötze südöstlich dieser Stadt für jede bergmännische Untersuchung unzugänglich und von der Steinkohlen-Formation zwischen Schatzlar und Pösig an der Oberfläche überhaupt nur die liegendsten und hangendsten Schichten bekannt. Was den liegenden Theil der Ablagerung zwischen Schatzlar und Welhota betrifft, so besteht die Steinkohlen-Formation hier vorherrschend aus grauen Conglomeraten, welche im Liegenden und Hangenden von röthlichen, arkoseartigen Sandsteinen eingeschlossen werden. In den Conglomeraten ist sowohl im Haidelwald (unterhalb der Schatzlarer Kirche auf der Ostseite des Brettgrunder Thales) und hinter der Papierfabrik in Brettgrund, als auch weiter südlich bei der Brettmühle vor Krinsdorf und im Gabersdorfer Thal ein schwaches Kohlenflötz ausgeschürft worden, die Lagerung ist jedoch durch Porphyr und Melaphyr vielfach gestört. Ueberhaupt treten in der Umgegend von Schatzlar diese beiden Eruptivgesteine vielfach, aber zum letzten Male auf, da südöstlich von Gabersdorf und Döberle nur noch einmal, westlich von Wodolow ein noch nicht näher definirtes, plutonisches Gestein auftritt, welches in südlicher Richtung nach Ober-Hertin zu in den Quader hinein sich erstreckt und letzteren gehoben zu haben scheint. Felsit-Porphyr findet sich am Schanzenberge bei Königshayn zwischen Schatzlar und

Liebau, ferner zwischen Kohlengebirge und Rothliegendem von Gross- und Klein-Krinsdorf über Goldenöls bis in die Nähe von Gabersdorf, im Brettgrund, im Haidelwald und auf der Kippe genannten nördlichen Fortsetzung des Schlossberges zu Schatzlar, bei Trautenbach und Döberle, Melaphyr ebenfalls am Schlossberge, zwischen Schatzlar und Krinsdorf, bei Trautenbach und Gabersdorf.

Zwischen Gabersdorf und Döberle ist kein Kohlenvorkommen in den grauen Conglomeraten bekannt geworden, dagegen erscheinen weiter im Hangenden, im tief eingeschnittenen Thale von Petersdorf und im südöstlichen Fortstreichen bei Pösig, Ausgehende von Steinkohlenflötzen. Ob die weit im Hangenden der in Rede stehenden Schichten bei Bernsdorf unweit der Ueberlagerung durch das Rothliegende mit einem 450^m langen Stolln aufgeschlossenen Steinkohlenschichten, welche in der Nähe des Stollnmundloches 2 nahe bei einander liegende Flötzchen von 0,4 bis 0,5^m Stärke einschliessen, noch zu dieser Stufe gehören, ist zweifelhaft.

Zwischen Welhota, Pösig und Markausch wurde ab und zu ein schwacher Versuchbau unternommen, und der Umstand, dass auch ZOBEL und v. CARNALL über dieselben nichts berichten können, sowie dass dieselben seitdem nicht erneuert worden sind, beweist wohl genügend, dass hier bauwürdige Flötze nicht vorhanden sind. Das interessante Factum, dass hier im Steinkohlengebirge ein Sattel sich befindet, indem ein schmaler Streifen desselben südwestliches, der ungleich grössere Theil nordöstliches Einfallen besitzt, wurde bereits in der Einleitung erwähnt.

Schon ehe man Markausch erreicht, legen sich wieder Flötze an, und ihre Zahl wächst schnell auf 12; dieselben wurden früher durch den oberen und tiefen Xaveri-Stolln und gegenwärtig durch 2 bei Sedlowitz liegende Tiefbauschächte in 241 resp. 261^m Teufe gelöst.

Von diesen 12 Flötzen sind 8 bauwürdig und im Tiefbau von nachstehender Beschaffenheit:

Das 2. Flötz, das liegendste, ist 2—5^m mächtig, hat 0,30—0,60^m lettigen Schiefer zum Hangenden, darauf folgen bis zum 4. Flötz, welches im tiefen Xaveri-Erbstolln nur als Besteg vorhanden war und erst in der 94^m unter diesem liegenden II. Tiefbausohle bauwürdig wird,
38,7^m Sandstein und 0,8^m Schieferthon,

» 4. Flötz 1—1,5^m mächtig incl. 0,13—0,16^m Schiefermittel,
5,2^m Sandstein,

» 5. Flötz 1—2^m mächtig incl. 0,10—0,13^m Schiefermittel,
3^m Schieferthon,

» 6. Flötz 0,46—0,52^m mächtig und rein, aber erst in der I. Tiefbausohle 46^m unter dem tiefen Xaveri-Erbstolln in dieser Mächtigkeit vorhanden und bauwürdig,
20,5^m Sandstein und Conglomerat,
0,6^m Letten,

» 7. Flötz 0,8—1^m mächtig,
4,7^m Sandstein und Conglomerat,

» 8. Flötz 0,6—1^m mächtig mit 2 Lettenmitteln von 0,08 bis 0,10^m Stärke,
0,3—0,4^m Schieferthon,
12,6^m Sandstein,

» 9. Flötz 1—1,5^m mächtig mit 2 Lettenmitteln von 0,13 bis 0,16^m Stärke,
22^m Sandstein,

» 11. Flötz 0,78 mächtig und nur zum Theil bauwürdig.

Das durchschnittliche Streichen geht in h. 10, der Fallwinkel beträgt 65—70^0 und die querschlägige Entfernung vom 2. bis 11. Flötz 116—122^m. Das Liegende und Hangende dieser Flötzgruppe besteht aus Arkosen mit zwischengelagerten Bänken von dunkelgrauem und dunkelrothem Schieferthon (siehe Profil 1, Taf. I).

Im weiteren südöstlichen Fortstreichen über Schwadowitz nach Petrowitz verschwächen sich sämmtliche Flötze dieses Zuges nach und nach so, dass sie der Ida-Stolln bei Petrowitz in vollständig verdrücktem und daher unbauwürdigem Zustande antraf.

Dass jenes oben erwähnte, noch nicht sicher zu benennende
Eruptivgestein, welches an der von Hertin nach Jibka führenden
Bezirksstrasse auftritt und die Markauscher Flötzgruppe diagonal
zu durchschneiden scheint, die Ursache ist, dass einige der liegenden Flötze von Klein-Schwadowitz bis über den Ida-Stolln
hinaus vollständig fehlen, ist nicht glaubhaft, denn es steht fest,
dass diese Flötzgruppe noch jenseits Petrowitz in der Erstreckung
bis Bohdaschin und Wüst-Kosteletz nur in verdrücktem Zustande
vorhanden, ausserdem meist von der Kreide-Formation überlagert
und nur an einzelnen Punkten von geringer Ausdehnung, wo diese
Bedeckung fehlt, bemerkbar ist. Bei Wüst-Kosteletz sind ausser
den später zu erwähnenden der IV. Stufe angehörenden 4 Flötzen
der Josephi-Grube im Liegenden derselben befindliche Flötze,
welche der III. zugehören könnten, nicht bekannt, nur bei
Zbeznik findet gegenwärtig ein schwacher Versuchbau auf einem
Flötze statt.

Als letzte Ablagerungen der III. Stufe sind die von Zdiarek
und Straussenei zu erwähnen. Die Wilhelmina-Grube bei
Zdiarek besitzt 4 Flötze, welche, vom Liegenden angefangen,
mit ihren Zwischenmitteln folgende Schichtenreihe bilden:

Das 1. Flötz 0,39—0,52^m mächtig mit einem Schiefermittel von
0,05—0,10^m Stärke; darauf folgt ein aus Sandstein und
Schiefer bestehendes 130^m starkes Mittel, in welchem in
8—12^m querschlägiger Entfernung vom 1. Flötz ein 0,26^m
starkes, unreines Flötz, welches wegen der bandartigen
Zusammensetzung aus Kohlen- und Schieferstreifen
»Bändelflötz« genannt wird, auftritt,

» 2. Flötz 0,52^m mächtig, ebenfalls mit Schieferschmitzen verunreinigt; darauf folgt Schieferthon, Sandstein und abermals Schieferthon von 14^m Gesammtstärke,

» 3. Flötz bis 1^m mächtig mit 2 Schiefermitteln von zusammen
0,16^m Stärke; das darauf folgende Bergmittel, aus Schieferthon, Sandstein und abermals Schieferthon bestehend, ist
16^m stark.

Das 4. Flötz besteht von oben nach unten aus:

0,26^m Kohle
0,26^m Schiefer
0,16^m Kohle
0,47^m Schiefer
0,10^m Kohle
—————
1,25^m;

sein Hangendes besteht aus Schieferthon. Die Schichten streichen in h. 4 und fallen mit 30—36^0 nach Nordost.

Die Flötze wurden zuerst durch den Wilhelmina-Stolln gelöst, welcher im Wilhelmina-Schacht in 37^m Teufe liegt, während die jetzige Tiefbausohle diesen Stolln um 47^m unterteuft. Die Baue des Wilhelmina-Grubenfeldes, auf österreichischem Gebiet liegend, wurden über die Landesgrenze hinaus auf preussischem Boden im Grubenfelde der consolidirten Clemens-Grube bei Straussenei, welche aus den Einzelzechen Barbara, Clemens und Emil entstanden ist, fortgesetzt, jedoch hat sich bis jetzt hier nur das 1. Flötz bauwürdig gestaltet. Im Liegenden der Clemens liegt die Eleonore-Grube. In der Umgegend von Straussenei findet man aus früheren Zeiten herrührende alte Baue, welche nicht nur ausser Zusammenhang mit den jetzt im Betriebe befindlichen Gruben stehen, sondern über deren Resultate auch nichts Zuverlässiges bekannt ist. Die hier im Bau gewesenen Flötze erleiden durch Sprünge und Verdrückungen vielfache Unterbrechungen, so dass ihre Zahl in Folge der Verwerfungen viel grösser erscheint, als sie in der That ist[1]. Die gegenwärtig noch im Betriebe befindliche Eleonore-Grube hat nur ein Flötz in Bau genommen, welches das 1. Flötz der consolidirten Clemens- und Wilhelmina-Grube ist, und diese Baue wurden später in tieferer Sohle von der consolidirten Clemens-Grube ausgelöst, indem diese auf dem 1. Flötz einen kleinen Stolln (die untere Rösche) getrieben hatte, welcher 60^m über dem Wilhelmina-Stolln liegt.

———————

[1] Zobel u. v. Carnall a. a. O. Bd. 4, S. 39.

Hier endigen plötzlich nicht nur die Ablagerungen der
III. Stufe, sondern die der ganzen Formation, indem Schichten
der Kreide-Formation dieselben übergreifend bedecken.

In der nun folgenden Zusammenstellung der Flora der
III. Stufe sind 2 Abtheilungen gemacht worden; die erste ent-
hält alle Species, deren Zugehörigkeit zu dieser Stufe ausser
allem Zweifel steht, die letzte zweifelhafte Species, letzteres in
doppeltem Sinne genommen, sowohl in Bezug auf die richtige
Bestimmung der Species, als auch der Stufe, indem die in dieser
Abtheilung aufgeführten organischen Reste solche sind, welche
GÖPPERT in seinem Werke: »Die fossilen Farnkräuter« ohne Bezeichnung der Grube oder des Flötzzuges nur allgemein als zu
Waldenburg oder Charlottenbrunn vorkommend beschrieben hat.
Es darf jedoch mit Recht angenommen werden, dass sie mit sehr
wenigen Ausnahmen dem Hangendzuge angehören. Es wird von
späteren Funden abhängen, welche Species der III. Stufe für die
Folgezeit verbleiben; einige derselben sind schon von STUR ausgeschieden worden, andere lassen sich ohne Zwang mit bekannten,
in der I. Abtheilung aufgeführten Species vereinigen; auch kann
erwartet werden, dass durch die »Flora der Schatzlarer Schichten«,
welche STUR gegenwärtig bearbeitet und für welche ihm ein reich-
haltiges Material zu Gebote steht, noch einige Zweifel gelöst werden.

Für die Farne der I. Abtheilung bedarf es keiner Scheidung
nach Localitäten, weil der Charakter der Flora in der Umgegend
von Waldenburg genau derselbe ist, wie in der Grafschaft Glatz,
und es wäre höchstens nur noch zu erwähnen, dass das Hinein-
reichen von *Archaeocalamites radiatus, Calamites ostraviensis, Lepidodendron Veltheimianum* aus der II. in die III. Stufe nur auf der
kurzen Strecke von Reichhennersdorf südlich bis Hartau, östlich
von Landeshut, stattfindet, und dass die zu Reichhennersdorf vorkommende Sigillaria, welche STUR mit seiner *Sigillaria Eugenii* der
Culmflora von Peterswald identificirt, in jüngster Zeit auch auf
der Carl-Georg-Victor-Grube zu Neu-Lässig bei Gottesberg aufgefunden worden ist.

Die organischen Reste der III. Stufe.

a. Thierische Reste.

1. *Arthropleura armata* Jordan, Ruben-Grube bei Neurode und Gustav-Grube bei Schwarzwaldau.
2. *Eurypterus Scouleri* Woodward[1]), Ruben-Grube.
3. Reste einer Spinne, Ruben-Grube.
4. *Blattina* (Flügel), Graf-Hochberg-Grube, Herrmann-Schacht.

b. Pflanzen-Reste.

Farne:

1. *Sphenopteris latifolia.* Brg. (*Diplotmema muricatum* Schl.).
2. » (*Diplotmema*) *furcata* Brg.
3. » » *alata* Brg.
4. » » *obtusiloba* Brg.
5. » *Schlotheimii* Brg.
6. » » *trifoliolata* Artis.
7. » (*Calymmotheca*) *Coemansi* Andr.
8. » (*Diplotmema*) *geniculata* Germ. u. Klf.
9. » » *Stachei* Stur.
10. » cf. *Conwayi* Lindl. et H.
11. *Hymenophyllites* (*Diplotmema*) *Zobelii* Göpp.
12. » » *flexuosissimum* Stur.
13. *Oligocarpia crenata* Lindl. et H.
14. » *Karwinensis* Stur.
15. » *Essinghii* Andr.
16. » *rotundifolia* Andr.
17. » *Brongniarti* Stur.
18. » *pulcherrima* Stur.
19. » *grypophylla* Göpp.
20. » *grypophylloides* Göpp.
21. » *tenerrima* Stur.
22. » sp.?

---

[1]) Ferd. Römer in Zeitschr. d. D. geol. Ges. Bd. XXV, S. 562.

23. *Senftenbergia ophiodermatica* Göpp.
24. *Trichomanites Beinerti* Göpp.
25. *Cyatheites Miltoni* Artis.
26.   »   cf. *oreopteridius* Brg.
27.   »   sp.?
28.   »   sp.?
29. *Balantites Martii* Göpp.
30. *Aspidites silesiacus* Göpp.
31. *Odontopteris Coemansi* Andr.
32. *Pecopteris lonchitica* Brg.
33.   »   *Mantelli* Lindl. et H.
34.   »   sp.?
35. *Lonchopteris rugosa* Brg.
36.   »   *Baurii* Andr.
37.   »   sp.?
38. *Adiantides giganteus* Göpp.
39. *Neuropteris gigantea* Stbg.
40.   »   cf. *microphylla* Brg.
41.   cf. *odontopteroides*
42.   »   sp.?
43.   »   sp.?
44. *Dictyopteris neuropteroides* Gutb.
45. *Cyclopteris orbicularis* Brg.
46. *Megaphytum frondosum* Artis.

Calamarien:

1. *Archaeocalamites radiatus* Brg.
2. *Calamites Schatzlarensis* Stur.
3.   »   *Suckowi* Brg.
4.   »   *approximatus* Schl.
5.   »   *ramosus* Artis.
6.   *Cisti* Brg.
7.   »   *varians* Stbg.
8.   »   *Sachsei* Stur.
9.   »   *Schultzi* Stur.
10.   »   *Schützei* Stur.

11. *Calamites* cf. *Germarianus* Göpp.
12. *Sphenophyllum dichotomum* Germ. u. Klf.
13. » *saxifragaefolium* Stbg.
14. » *Sachsei* Stur.
15. *Asterophyllites longifolius* Stbg.
16. » *grandis* Stbg.
17. *rigidus* Stbg.
18. » *polystachius (Bruckmannia polystachia* Stbg.).
19. *Annularia rimosa* Stur (zu *Cal. ramosus* gehörig).
20. » *longifolia* Brg.
21. *Volkmannia costulata* Stur (zu *Cal. Schultzi* gehörig).
22. *Bruckmannia?* (zu *Cal. Sachsei* gehörig).

Lycopodiaceen:

1. *Lepidodendron Veltheimianum* Stbg.
2. » *aculeatum* Stbg. *(Lep. dichotomum* Stbg.).
3. *Göpperti* Presl *(Lep. crenatum* Stbg.).
4. *rimosum* Stbg.
5. » sp.?
6. *Lepidophloios laricinus* Stbg.
7. *Lepidostrobus variabilis* Lindl. et H.
8. *Lepidophyllum.*
9. *Ulodendron.*
10. *Lycopodites selaginoides* Stbg.

Mono- et Dycotyledones:

1. *Cordaïtes.*
2. *Noeggerathianthus.*
3. *Artisia transversa* Artis.
4. » *approximata* Lindl. et H.
5. *Rhabdocarpus Bockschianus* Göpp.
6. » *amygdalaeformis* Göpp.
7. » *Beinertianus* Göpp.
8. *Araucarites Rhodeanus* Göpp.
9. » *Brandlingi* Lindl. et H.

Sigillarien:

1. *Sigillaria oculata* Schl.
2. » *tesselata* Brg.
3. » *Cortei* Brg., incl. *S. Sillimani* Brg.
4. » *intermedia* Brg.
5. » *alternans* Stbg.
6. » *Eugenii* Stur.
7. » sp. ?
8. *Stigmaria ficoides* Brg.

---

1. *Glockeria marattioides* Göpp.
2. *Danaeites asplenioides* Göpp.
3. *Neuropteris cordata* Brg.
4. » *auriculata* Brg.
5. » *angustifolia* Brg.
6. » *acutifolia* Brg.
7. » *flexuosa* Brg.
8. » *tenuifolia* Stbg.
9. » *Loshii* Brg.
10. » *plicata* Stbg.
11. » *heterophylla* Brg.
12. *Adiantides obliquus* Göpp.
13. *Odontopteris Lindleyana* Stbg.
14. *Cheilanthites tridactylites* Göpp. (nach STUR wahrscheinlich = *Cal. Linkii*).
15. *Cheilanthites meifolius* Göpp. (nach STUR wahrscheinlich = *C. subtrifida* Stur.).
16. *Cheilanthites rigidus* Göpp.
17. » *Gravenhorstii* Brg. (identisch *C. Linkii* Göpp.).
18. *Hymenophyllites Humboldtii* Göpp.
19. » *dissectus* Göpp.
20. *Steffensia davallioides* Göpp.
21. *Pecopteris aquilina* Brg.
22. » *nervosa* Brg.
23. » *muricata* Göpp.

24. *Pecopteris sinuata* Brg.
25. *Beinertia gymnogrammoides* Göpp.
26. *Cyatheites oreopteridis* Göpp.
27. *Aspidites Güntheri* Göpp. (wahrscheinlich = *Senftenbergia ophiodermatica* Göpp.).
28. *Aspidites caudatus* Göpp.
29.   »   *microcarpus* Göpp.
30.   »   *Jaegeri* Göpp.
31.   »   *decussatus* Göpp.
32.   »   *elongatus* Göpp.
33.   »   *Erdmengeri* Göpp.
34.   »   *nodosus* Göpp.
35.   »   *leptorrhachis* Göpp.
36.   »   *oxyphyllus* Göpp.

Vergleicht man die Flora dieser mit der der II. Stufe, so findet man, dass die Anzahl der Species sowohl der Farne, als auch der Calamarien und Lycopodiaceen bedeutend gestiegen ist, dass aber, wie schon in der Einleitung zur II. Stufe bemerkt wurde, beiden, wenn man *Diplotmema subgeniculatum* Stur von *Sphenopteris geniculata* Germ. u. Klf. trennt, keiner, wenn nicht, nur ein einziger Farn gemeinsam ist. Auffallend ist, dass in der III. Stufe die Gattung *Neuropteris* eine so starke Entwickelung zeigt, während in der II. hier bis jetzt keine Spur davon gefunden wurde; selbst wenn auch die in der 2. Abtheilung der vorstehenden Tabelle verzeichnete Anzahl von Species bei genauer Sichtung sich sehr vermindern wird, so bleibt immer noch die sehr grosse Anzahl der Individuen merkwürdig, denn *Neuropteris gigantea* ist eine der allerhäufigsten Species. Ganz ähnlich verhalten sich die Gattungen *Lonchopteris*, *Pecopteris*, *Cyatheites* und *Odontopteris*, indem sich auch von diesen in der II. Stufe noch keine Spur findet. Sieht man von den noch nicht genügend festgestellten Species der 2. Abtheilung der vorstehenden Tabelle ab und fasst nur die Leitpflanzen: *Sphenopteris latifolia*, *Aspidites silesiacus*, *Neuropteris gigantea* und *Cyatheites Miltoni* ins Auge,

welche mit der II. Stufe nur ·durch die erstgenannte generisch
verbunden sind, so muss man zugeben, dass dieselben der III. Flora
im Vergleich zur II. ein durchaus abweichendes Gepräge verleihen.
Die Zeit der grössten Umwandlung des Floren-Charakters fällt demnach nicht in die Periode der Waldenburger Schichten, wie Weiss
meint, sondern. in den darauf folgenden Zeitraum, in welchem die
mächtigen, die Schatzlarer von den Waldenburger Schichten trennenden Sandsteinschichten abgelagert wurden. Dieselben beweisen
eine langdauernde Senkung, in Folge deren. eine Unterbrechung in
der Entwickelung der Vegetation und damit in der Bildung der
Kohlenflötze eintrat (s. Schluss-Capitel).

Der II. und III. Stufe sind nach dem gegenwärtigen Stande
der Kenntniss ihrer Floren die Farn-Gattungen: *Sphenopteris, Oligocarpia, Adiantides* und vielleicht noch *Senftenbergia* gemeinsam;
Sphenopteris und *Adiantides* theilt anderseits die II. mit der I. Flora,
und da der Floren-Charakter wesentlich von den Farnen abhängt,
so kann von einer grösseren Verwandtschaft zwischen der II. und
III., als zwischen der I. und II. Flora wohl nicht die Rede sein.
Dass die Waldenburger Schichten bei Altwasser und Volpersdorf
den Culmschichten auch räumlich näher liegen als den Schatzlarer,
mag hier nur beiläufig erwähnt werden, weil kein allzugrosses
Gewicht darauf zu legen ist.

Dass ein grosser Theil der Species der III. Flora sich im
Saar- und Ruhr-Kohlenbecken wiederfindet, ist aus der Zusammenstellung der fossilen Pflanzen in Weiss' Begründung von 5 geognostischen Abtheilungen in den Steinkohlen-führenden Schichten
des Saar-Rheingebietes, in Geinitz's' Steinkohlen Deutschlands
und anderer Länder Europas und aus Stur's Reisebericht vom
31. Juli 1876 zu ersehen.

IV. Stufe. Der Ida-Stollner Flötzzug bei Schwadowitz.

(Schwadowitzer Schichten Stur = Untere Ottweiler Schichten Weiss.)

Die Flötze dieses Zuges fangen erst dort an bauwürdig zu werden, wo die durch den tiefen Xaveri-Stolln aufgeschlossenen des der vorigen Stufe angehörigen liegenden oder stehenden Flötzzuges verdrückt werden, und diese Verdrückung, dort »schwarze Rachel« genannt, liegt in südöstlicher Richtung 12—1300^m vom tiefen Xaveri-Erbstolln entfernt. Die Flötze sind durch den Ida- und Benigne-Stolln gelöst worden; ihre Zahl beträgt 3—5, jedoch sind meistens nur 2 derselben bauwürdig. Die ausgedehntesten Aufschlüsse ergab der Ida-Stolln bei Petrowitz; durch denselben wurden folgende Flötze vom Liegenden beginnend aufgeschlossen:

1. Das Putzen-Flötz, durchschnittlich 0,40—0,45^m mächtig,

 5—6^m Sandstein,

2. » Hauptflötz $\left\{\begin{array}{l} 0,30^m \text{ Firstenkohle,} \\ 0,8—1^m \text{ Schiefer,} \\ 0,30^m \text{ Oberbank,} \\ 0,20^m \text{ Schiefer,} \\ 0,45^m \text{ Niederbank,} \\ \overline{2,05—2,25^m,} \end{array}\right.$

 15^m Sandstein,

3. » Lettenflötz, durchschnittlich 0,53 mächtig und rein.

Das Streichen der Schichten ist dasselbe, wie bei dem stehenden Flötzzuge bei Markausch, also durchschnittlich in h. 10 gerichtet, der Fallwinkel beträgt 28—30^0.

In nordöstlicher Richtung werden in demselben Maasse, wie die Flötze allmählich unbauwürdig werden, auch die Zwischen-

mittel schwächer. Durch den südöstlich vom Ida-Stolln bei
Wodolow, ca. 45 Klafter über dem ersteren liegenden Benigne-
Stolln waren früher 2 Flötze aufgeschlossen und in Bau genommen
worden:

1. Das Dorothea-Flötz (das liegende) 0,8 — 1,2ᵐ mächtig,
   Mittel 0,6 — 20ᵐ,
2. » Benigne-Flötz (das hangende) 0,26 — 0,52ᵐ mächtig.

Der Fallwinkel beträgt hier nur 10 — 12⁰. Die Flötze zeigen
sich in der Ida-Stollnsohle, in welcher sich der gegenwärtige Bau
bewegt, noch günstiger, denn das Dorothea-Flötz ist auf mehr als
700ᵐ streichende Länge in einer constanten Mächtigkeit von 1,5ᵐ,
das Benigne-Flötz zwar veränderlich, aber doch bei 0,76 — 1ᵐ
Mächtigkeit angetroffen worden.

Diese beiden Flötze des Benigne-Stollns befinden sich im
Liegenden des Hauptflötzes des Ida-Stollns, eins derselben, das
Benigne-Flötz, dürfte das Putzenflötz sein.

Im Ida- und Benigne-Stolln ist Porphyr von sehr geringer
Ausdehnung angefahren worden, welcher auch kaum über die
Stollnsohle heraufsteigt.

In dieser Stufe zeigt sich zum ersten Male ein Kupfergehalt in
einer Sandsteinschicht in einer Ausbildungsweise, wie er später im
Rothliegenden an vielen Stellen in Böhmen, Schlesien und in der
Grafschaft Glatz auftritt, nämlich als erdiger Malachit. Die
Malachit-haltige Sandsteinschicht ist vom Ida-Stolln aus auf eine
gewisse Erstreckung im Streichen verfolgt worden, jedoch überzeugte man sich bald, dass weitere Versuche nicht zur Auffindung
eines bauwürdigen Erzmittels führen würden.

Im weiteren Fortstreichen zwischen Wodolow und Bohdaschin,
wo sich der Flötzzug etwas ins Liegende wendet, scheinen sich
die beiden hangenden Flötze, das Haupt- und Lettenflötz, aus-
zukeilen. Auf der Josephi-Grube zu Bohdaschin, nördlich
von Wüst-Kosteletz, sind dagegen wieder 5 Flötze bekannt,
nämlich:

Das Josephi-Flötz 0,9 — 3,7ᵐ mächtig,
    Zwischenmittel 57ᵐ,

Das Adolph-Flötz 1,4 — 1,5^m mächtig,

     Zwischenmittel 70^m,

» Barbara-Flötz 1,5^m mächtig,

     Zwischenmittel 83^m,

» Friedrich-Flötz 0,78^m mächtig.

· Dieselben wurden früher durch den Josephi-Stolln gelöst; in der jetzigen Tiefbausohle, in 82,3^m Teufe des Josephi-Schachtes, wurde 60^m im Liegenden vom Josephi-Flötz entfernt das Franziska-Flötz, welches in oberer Sohle nicht bauwürdig war, 1—4^m mächtig aufgeschlossen. Das Josephi-Flötz ist das beste, die übrigen Flötze sind häufig verdrückt. Das Streichen derselben geht in h. 11—12, das Fallen beträgt 38⁰.

Ueber den Zusammenhang der Flötze der Josephi-Grube mit denen des Benigne- und Ida-Stollns sind feststehende Thatsachen nicht bekannt, da die Entfernung von der gegenwärtigen Baugrenze im Ida-Stolln bis zum gegenwärtigen Ort der nordwestlichen Grundstrecke auf dem Franziska-Flötz 600^m beträgt; man vermuthet, dass das Josephi- und Barbara-Flötz dem Dorothea- und Benigne-Flötz identisch sind.

Diese beiden Flötze des Benigne-Stollns nebst den in ihrem Fortstreichen liegenden 5 Flötzen der Josephi-Grube wurden früher als eine selbstständige »mittlere Flötzgruppe« betrachtet, welche zwischen der stehenden Flötzgruppe des tiefen Xaveri-Erbstollns und der flachfallenden des Ida-Stollns einzuschalten sei, obgleich sie in keiner der beiden Stolln-Profillinien mit einem der beiden Flötzzüge vereint auftritt[1]). Im Felde des Benigne-Stollns trennt ein 75—95^m starkes, aus grobkörnigem Sandstein und Conglomerat bestehendes Mittel die beiden Benigne-Stollnflötze vom Hauptflötz des Ida-Stollner-Flötzzuges. Aus dem über die vermuthliche Identität der Flötze Gesagten folgt also, dass diese früher sogenannte mittlere Flötzgruppe in keiner Beziehung eine selbstständige Stellung einnimmt, sondern nach folgendem Schema der hangenden Flötzgruppe angehört:

---

[1]) Siehe GEINITZ: Die Steinkohlen Europas. Cap. VIII, S. 235 und Taf. XX.

Ida - Stolln	Benigne - Stolln	Josephi - Grube
—	—	Franziska - Flötz
—	Dorothea - Flötz =	Josephi- »
—	—	Adolph- »
Putzen - Flötz =	Benigne- » =	Barbara- »
Haupt- » =	Haupt- » =	Friedrich- »
Letten- »	—	—

Die organischen Reste der IV. Stufe.

Die dieser Stufe eigenthümlichen Fossilreste sind bis jetzt noch niemals Gegenstand eingehender Studien gewesen, und daher ist die 4. Flora die am wenigsten bekannte des beschriebenen Gebietes. Ich muss mich daher darauf beschränken, ein Verzeichniss der in der hiesigen Bergschul-Sammlung vorhandenen und der von Weiss gesammelten und in der Zeitschr. d. D. geol. Ges. 1879, S. 633 u. 34, aufgeführten fossilen Pflanzen zu liefern:

1. *Pecopteris Pluckeneti* Schl. *(Germari* Weiss).
2.   »   *Miltoni* Artis.
3.   »   *polymorpha* Brg.
4.   »   *Serli* var. *irregularis* v. Röhl.
5.   »   *arborescens* Schloth.
6.   »   cf. *Bredovi* Germ.
7.   »   *unita* Brg.
8. *Odontopteris Schlotheimi* Brg.
9. *Callipteridium* cf. *plebejum* Weiss.
10.   »   cf. *gigas* Weiss.
11. *Schizopteris lactuca* Prsl.
12. *Calamites approximatus* Schloth.
13.   »   sp. ?
14. *Macrostachia Geinitzi* Stur.

15. *Stachannularia tuberculata* Weiss.
16. *Annularia longifolia* Brg.
17. *Sphenophyllum emarginàtum* Brg.
18. *Lepidodendron* sp.?
19. *Lepidostrobus variablis* Lindl.
20. *Cordaites* und *Carpolithen.*
21. *Sigillaria* sp.?

V. Stufe. Der Radowenzer Flötzzug.

(Radowenzer Schichten STUR = Obere Ottweiler Schichten WEISS.)

Die V. Stufe wird von der vorhergehenden durch ein flötz-
leeres Mittel getrennt, welches horizontal gemessen eine Stärke
von 13—1500^m besitzt, aus gross- und mittelkörnigen, röthlichen
Feldspath-Sandsteinen (Arkosen) besteht und in denen aus Schieferthon bestehende Zwischenlager sehr seltene Erscheinungen sind.
Nur bei Slatin und Petersdorf sind Ausgehende von schwachen
Flötzbestegen aufgefunden worden. Diese Schichten sind seit
längerer Zeit durch das häufige Vorkommen der in ihnen eingeschlossenen verkieselten Stämme bekannt, über welche GÖPPERT
1857 die erste Notiz veröffentlicht hatte. Die von ihm als *Araucarites Schrollianus* bestimmten fossilen Stämme erscheinen gewöhnlich in rötblichgrauen und bräunlichgrauen Hornstein umgewandelt, mit Quarzkrystallen in spalten- und röhrenförmigen
Hohlräumen, in einzelne 1—6 Fuss lange Stücke getrennt und
grösstentheils entrindet. Offenbar befinden sie sich nicht mehr am
Orte ihres Wachsthums, sondern sind als herangeschwemmtes Treib-
holz zu betrachten; in aufrechter Stellung ist kein einziger Stamm
bis jetzt beobachtet worden. Sie finden sich in zahlreichen Exemplaren auf dem Radowenz zugekehrten Gehänge desjenigen Höhen-
zuges, welcher die Schwadowitzer und Radowenzer Kohlenablagerungen trennt und auf dessen entgegengesetztem Gehänge der
stehende Flötzzug am Fuss, der flachfallende nahe der Kammhöhe
zu Tage ausstreicht (s. Profil 1, Taf. I.). Rechnet man mit GÖPPERT
noch die dem Rothliegenden angehörigen Fundpunkte der derselben
Species angehörigen Stämme hinzu, so erhält man ein Gebiet,

welches von Rhonow bis Semil eine ungefähre Länge von 10 Meilen bei einer durchschnittlichen Breite von $1/2$—3 Meilen besitzt[1]).

Der V. Stufe gehören 5—7 Flötze an. Im Nordwesten beginnend ist zunächst zu bemerken, dass bei Beschreibung der bei Schwarzwasser auftretenden Flötze von 2 bauwürdigen Flötzen die Rede war, welche bei Königshayn durch den Agnes-Stolln aufgeschlossen worden waren; es lässt sich jetzt nachträglich schwer ermitteln, ob sie dieser oder der III. Stufe angehören. Weiter südlich treten bei Berggraben und Bernsdorf auch nur schwache und daher unbauwürdige Flötzchen auf und erst bei Teichwasser finden wir eine noch im Betriebe befindliche Grube, welche auf dem 1. oder hangendsten Flötz der Neue Gabe-Gottes-Grube einen schwachen Abbau führt.

Die nordwestlich von Albendorf liegende Neue Gabe-Gottes-Grube besitzt 4 Flötze, von denen nur das hangendste, welches eine Mächtigkeit von 0,58—0,68^m besitzt und durch die tiefe Carls-Rösche auf eine Länge von ca. 750^m aufgeschlossen worden ist, das allein bauwürdige ist. Das Streichen desselben geht in h. 10 und das Fallen beträgt anfänglich 15, später 24—29^0 nach Nordost. Dasselbe Flötz ist noch durch eine zweite nordwestlich von der vorigen liegende Rösche auf etwa 250^m Länge verfolgt worden, wird aber in der angegebenen Entfernung vom Mundloch stellenweise durch eine zu reichliche Beimengung von Schwefelkies verunreinigt, im weiteren Fortstreichen nach Südost aber wieder bauwürdig. Der in der Carls-Rösche angesetzte Querschlag ins Liegende erreichte mit 7^m Länge einen Flötzbesteg von 0,21^m Stärke, mit 35^m Länge das 2. Flötz 0,29^m mächtig und mit 85^m Länge das 3. Flötz, welches zwar 1,5^m mächtig, aber durch Bergmittel stark verunreinigt ist; letzteres soll dem Radowenzer weissmitteligen Flötz entsprechen.

Die Bergmanns Hoffnung-Grube, südöstlich von Albendorf und der vorigen gelegen, besitzt 5 Flötze:

---

[1] Ueber die versteinerten Wälder im nördlichen Böhmen und in Schlesien von Dr. H. R. Göppert (Verhandlungen der schlesischen Gesellschaft 1858—59).

Das 5. Flötz (das hangendste Flötz) 0,31^m mächtig,

» 4.   »   ˙0ˑ47—0,52^m mächtig und rein,

» 1.   » $\begin{cases} 0,78^m \text{ Kohle} \\ 0,47^m \text{ Schiefer} \\ 0,10^m \text{ Kohle} \end{cases}$

                1,35^m,

» 2.   »   bestehend aus 3 schwachen Bänken von je 0,15 bis 0,21^m Stärke,

» 3.   »   0,94^m mächtig, aber wegen vieler Schiefermittel unbauwürdig.

Das Streichen geht wie bei der vorigen Grube in h. 10 bei 25 — 30^0 nordöstlichem Fallen. Die Flötze entsprechen in ihrer Gesammtheit denen der vorgenannten Grube.

Ihr südöstliches Fortstreichen in der Richtung nach Qualisch zu wurde durch Schurfarbeiten ermittelt, wobei das 1. Flötz in einer Mächtigkeit von 1,56—1,62^m, durch ein 0,47^m starkes Schiefermittel in 2 Bänke getheilt, im Liegenden desselben die 3 das 2. Flötz bildenden Kohlenbänke, weiter im Liegenden ein 0,94^m mächtiges Flötz, jedenfalls das 3., und endlich im Hangenden des zuerst genannten 1,56—1,62^m starken Flötzes ein solches von 0,47—0,52^m Mächtigkeit ohne Bergmittel, dem 4. Flötz entsprechend, nachgewiesen wurde. Der Grubenbetrieb, welcher sich auf den Abbau des 4. Flötzes beschränkte, ist schon seit 1864 eingestellt.

Bei Qualisch liegt die VÖLKEL'sche Grube mit folgenden Flötzen vom Hangenden angefangen:

1. ein Flötz 1,3^m mächtig, jedoch nur mit 0,42^m Kohle,
        Zwischenmittel 65 — 75^m,

2. » Flötz 2—2,3^m mächtig, aber stark mit Schiefer verunreinigt,
        Zwischenmittel 2,4^m,

3. das weissmittelige Flötz 0,78—1,30^m mächtig incl. 0,39—0,52^m Mittel,

4. ein Flötz von 0,78^m Stärke, von welcher 0,39^m auf reine und 0,39^m auf verschieferte Kohle kommen,
        Zwischenmittel 6,3^m,

5. ein Flötz von 0,37ᵐ Stärke,
   Zwischenmittel 47,4ᵐ,
6. das liegendste Flötz 1,3 mächtig.

Die erst seit kurzer Zeit eröffnete Pfeifer'sche Grube, nordwestlich von der vorigen belegen, hat durch einen Stolln einen
Versuchbau auf dem weissmitteligen Flötz begonnen.
Weiter südöstlich bei Radowenz tritt der Flötzzug in der
vollständigsten Entwickelung auf, da er hier aus 7 Flötzen besteht,
welche, vom Liegenden angefangen, nachstehende Reihenfolge
bilden:

1. das durch den Balthasar-Stolln aufgeschlossene und in früheren
   Jahren abgebaute Balthasar-Flötz, 0,94ᵐ mächtig mit 0,26
   bis 0,31ᵐ Kohle in mehreren Bänkchen vertheilt,
2. ein 0,78 — 1,18ᵐ mächtiges, aber wegen Unreinheit unbauwürdiges Flötz,
   Zwischenmittel 9,5ᵐ,
3. » 0,78 — 0,94ᵐ mächtiges Flötz mit nur 0,31 — 0,39ᵐ Kohle,
   Zwischenmittel 15,8ᵐ,
4. » 0,31ᵐ mächtiges Flötz,
5. das Radowenzer weissmittelige Flötz, bestehend aus:
   0,13 — 0,23ᵐ Oberbank,
   0,08 — 0,16ᵐ Sphärosiderit,
   0,31 — 0,47ᵐ Schiefer,
   0,31 — 0,47ᵐ Niederbank,
   Zwischenmittel 7ᵐ,
6. » grosse Flötz 1,25 — 1,44ᵐ mächtig,
   Zwischenmittel 29 — 30ᵐ mit 2 Flötzbestegen,
7. » muldige Flötz 0,31 — 0,78ᵐ mächtig.

Das Streichen der Flötze geht in h. 10, ihr Fallwinkel beträgt
28 — 32⁰. Die Flötze No. 3 — 7 sind durch den Catharina-Stolln
der Pfeifer'schen Grube aufgeschlossen, an dessen Mundloch das
Flötz No. 2 zu Tage ausstreicht. In der Linie dieses Stollns beträgt die querschlägige Entfernung vom Balthasar- bis zum mul-
digen Flötz 142ᵐ. Die Mittel zwischen den Flötzen bestehen aus
Sandstein und sandigem Schieferthon mit Ausnahme der schwachen

Schieferthonbänke, welche die Flötze unmittelbar einschliessen.
Das 4. und das weissmittelige Flötz sind die besten; das das
letztere charakterisirende Mittel von hellgelblich und graulich-
weisser Farbe besteht nur aus Thon und enthält keinen Kalk,
wie man aus der Farbe, aus dem Umstande, · dass es bei der
Verwitterung in Knollen von Wallnussgrösse zerfällt, und aus
der Nähe der Formationsgrenze mit dem Rothliegenden schliessen
könnte..

Dagegen ändert sich bei Nieder-Radowenz das muldige Flötz
in seiner Beschaffenheit, indem das in demselben befindliche Mittel
allmählich in Stinkkalk übergeht; die Kohlenbänke keilen sich allmählich vollständig aus und der Kalk erreicht eine Stärke von
0,16 bis 0,26ᵐ.

Bei Jibka, südöstlich von Radowenz, versuchten die Besitzer
des dort in den 50er Jahren angelegten St. Johannes-Kupferwerkes
ein daselbst ausgeschürftes 0,31ᵐ mächtiges Flötz in Bau zu nehmen, mussten jedoch den Versuch wieder aufgeben. Von hier bis
zum Wüstreyer Thal scheint der Flötzzug vollständig unbauwürdig
zu sein; erst hier ist zu beiden Seiten des Thales durch kurze
Stolln ein Flötz von 1,25ᵐ Mächtigkeit incl. 0,47ᵐ Mittel von
2 Gruben, der dem Baron Kaiserstein und der Pfeifer und
Rzehak gehörigen, aufgeschlossen worden, und bei Drewitz, wo
der Flötzzug unter den übergreifend abgelagerten Schichten der
Kreide-Formation verschwindet, sind keine bauwürdigen Flötze
bekannt.

Die organischen Reste der V. Stufe.

a. Thierische Reste.

1. Acanthodes-Stachel von Neue Gabe-Gottes-Grube bei
   Albendorf.
2. Schuppen eines Ganoiden von Radowenz.

b. Pflanzen-Reste.

1. *Pecopteris arborescens* Schl.
2. » *oreopteridia* Schl.
3. » *pteroides* Brg.
4. » *elegans* Göpp.
5. » cf. *muricata* Schl.
6. *Odontopteris Reichiana* Gutb.
7. *Schizopteris* cf. *adnascens* Lindl. et H.
8. *Sphenophyllum erosum* Lindl. et H.
9. » *saxifragaefolium* Stbg.
10. *Asterophyllites equisetiformis* Schl.
11. *Annularia longifolia* Brg.
12. *Stachannularia tuberculata* Weiss.
13. *Calamites Suckowi* Brg.
14. *Sigillaria* vom Typus der *S. rimosa* Goldbg.
15. *Stigmaria.*
16. *Cordaites* und *Carpolithen.*
17. *Araucarites Schrollianus* Göpp.

Auch dieses Verzeichniss ist nach den von WEISS und mir gesammelten Fossilresten zusammengestellt worden.

Es wurde bereits weiter oben im einleitenden Theile, welcher der speciellen Beschreibung der Lagerungsverhältnisse der III. Stufe vorangeht, erwähnt, dass in der halbkreisförmigen, von Culm und Gneuss umrandeten Bucht von Waldenburg nur Schichten der II. und III. Stufe abgelagert wurden, die IV. und V. hier fehlen. Die Grenze zwischen der Steinkohlen-Formation und dem Rothliegenden ist in der Umgegend von Waldenburg nirgends durch natürliche oder künstliche Entblössung klar gelegt worden, dagegen nahe bei Neurode in dem bei Ruben-Grube bei Beschreibung des Vorkommens feuerfester Thone erwähnten Eisenbahneinschnitte in einer seltenen Schärfe vorhanden, da die Schichten mit schwachen Kohlenflötzchen und feuerfesten Schieferthonen als zur ersteren, die unmittelbar darauf folgenden Schichten rothen Sandsteins durch

16

die gleichzeitig sich einstellenden Kalkbänke ganz unzweifelhaft
als zum letzteren gehörig sich documentiren. Da die Flötze der
Ruben-Grube den Schatzlarer Schichten angehören, so schliesst .
hier die Steinkohlen-Formation mit diesen ab; ein ganz ähnliches
Verhalten zeigen beide Formationen bei Eckersdorf, Hausdorf und
Rudolphswaldau, so dass hieraus geschlossen werden muss, dass
die IV. und V. Stufe in der Grafschaft Glatz fehlen. Fast ebenso
unzweifelhaft ist ihr Fehlen in der Umgegend von Waldenburg.
Wenn auch die hangendsten Flötze der Formation, die der Amalie-
und Neue Franz-Joseph-Grube bei Alt- und Neu-Hayn nicht von
den Schatzlarer Schichten zu trennen sind, obgleich sie stellenweise durch ein mächtiges Mittel von dem Hauptcomplex derselben
geschieden werden, so kann doch die Frage aufgeworfen werden,
ob nicht die zunächst darauf folgenden Schichten, welche aus
einem Wechsel von gelblichweissen und röthlichen Sandsteinen
mit zwischengelagerten, schwachen Bänken eines dunkelrothen
Schieferthons bestehen, flötzleer sind und auch noch keine Kalkbänke enthalten, als ein Aequivalent der IV. und V. Stufe aufzufassen sind. Die dunkelblutrothen Schieferthone sind in einem
alten, verlassenen Steinbruche unterhalb des Zollhauses zu Neu-
Hayn, sodann im weiteren Fortstreichen nach Südost auf einem
von Neuhaus nach dem Cettritzbusch führenden Fusswege aufgeschlossen. Der erste Punkt lieferte Bruchstücke eines fein-
gerieften Calamiten, der zweite solche eines Farns, welcher vielleicht mit *Cyatheites arborescens* identificirt werden darf. Obgleich
diese Sandsteine durch ihre Farbe und in einzelnen Bänken durch
ihre grosse Festigkeit sich vom Kohlensandstein unterscheiden, so
genügen doch weder diese petrographischen Unterschiede, noch
die organischen Einschlüsse, um daraus einen untrüglichen Schluss
auf das Alter der fraglichen Schichtenreihe zu ziehen, und es
kann nur auf dem Wege des Vergleichs mit den nächstgelegenen
glätzischen Ablagerungen ein die Wahrscheinlichkeit für sich
habendes Resultat erlangt werden. Die Neuroder und Waldenburger Ablagerungen liegen immerhin soweit von einander entfernt,
dass eine Differenz in der Vollständigkeit der Schichtenreihe beider
Orte denkbar wäre; wollte man nun in diesen, zwischen Neu-Hayn

und Steinau auftretenden, vorherrschend röthlich gefärbten, grobkörnigen Sandsteinen Aequivalente der IV. und V. Stufe erblicken,
so müsste man für Waldenburg eine längere Dauer der Ablage-
rungszeit, als für die Grafschaft Glatz, wo die Formation mit der
III. Stufe (Schatzlarer Schichten) abschliesst, annehmen, also zwischen beiden Gebieten eine Scheidelinie, einen Damm, welcher die
Ablagerung der Schwadowitzer und Radowenzer Schichten in der
Grafschaf Glatz verhinderte oder eine nur die Neuröder Ablagerung
betroffenhabende Hebung voraussetzen. Nun zeigt aber die geolog.
Karte von Niederschlesien durchaus nichts, was auf das Vorhandensein einer, diesem Resultat entsprechenden Hebung schliessen
liesse, vielmehr sind in der ganzen Erstreckung zwischen beiden
genannten Städten die hangendsten Schichten der Steinkohlen-
Formation und das Rothliegende in einer Regelmässigkeit, die
nichts zu wünschen übrig lässt, abgelagert. Es darf daher mit
hoher Wahrscheinlichkeit angenommen werden, dass die Steinkohlen-Formation südlich von Waldenburg ebenfalls mit den Schatzlarer Schichten abschliesst und daher die in Rede stehenden
Schichten bereits dem Rothliegenden angehören. Diese Annahme
findet eine wesentliche Stütze in der bei Beschreibung der Lagerungsverhältnisse der Gotthelf-Grube bei Hartau angeführten Thatsache,
dass das am weitesten nach Westen verfolgte Fundgrubenflötz und
mit ihm wahrscheinlich der ganze Flötzzug (Schatzlarer Schichten)
eine starke Wendung ins Hangende macht, indem das westliche
Streichen in ein südöstliches übergeht, so dass die Verlängerung
dieser letzteren Streichlinie in mässiger Entfernung in das Rothliegende fällt, welches hier offenbar übergreifend die hangendsten
Schichten der Steinkohlen-Formation überlagert. Eine gleiche Discordanz darf nach den zahlreichen Aufschlüssen über und unter
Tage mit grosser Wahrscheinlichkeit auch für die Flötzablagerungen
in den Feldern des Liebauer Kohlenvereins angenommen werden.
Ein solches Lagerungsverhältniss lässt aber immer auf eine Unterbrechung in der Aufeinanderfolge der Niederschläge schliessen,
hier also auf eine Lücke zwischen den Schatzlarer Schichten und
dem Rothliegenden, welche durch die Schichten der IV. und

16*

V. Stufe ausgefüllt worden wäre, · wenn hier dieselben Verhältnisse, wie auf dem böhmischen Gegenflügel, obgewaltet hätten.

Der auf der Grenze zwischen Carbon und Rothliegendem auftretende Felsit-Porphyr, aus welchem der Hügelzug vom Alt-Lässiger Schlosse bis zum Hirschberg bei Schwarzwaldau besteht, weicht hinlänglich von den gleichnamigen Gesteinen der Steinkohlen-Formation ab, um ihn dem Rothliegenden zuzutheilen.

Rückblick und Resultate.

Das in diesen Blättern geschilderte Niederschlesisch-böhmische Steinkohlenbecken repräsentirt in seinen 5 Stufen die gesammte Steinkohlenformation und gewährt somit im Vergleich mit den übrigen Kohlenablagerungen Deutschlands, weil es in eine einzige Mulde eingeschlossen ist, zwar nur ein kleines, aber vollständiges und leicht übersichtliches Bild der Carbonzeit. In Westphalen ist zwar die Scheidung der I. Stufe in Kohlenkalk, Culm und flötz- leeren Sandstein eine schärfere als bei uns, wo nur an einer Lo- kalität eine solche in einen eigentlichen Kohlenkalk (α-Kalk) und einen Culmkalk (β-Kalk) vorgenommen werden kann, sonst beide Formationsglieder in einander verfliessen und diejenige Reihe von Sandsteinschichten im Liegenden des 1. Kohlenflötzes, welche dort als besonderes Formationsglied, als flötzleerer Sandstein, ausge- schieden wird, hier nicht vorhanden ist. Auch gewinnt dort die untere Abtheilung der Formation durch die grosse horizontale Ausbreitung eine grössere Bedeutung, als in Niederschlesien, da- gegen fehlt in Westphalen die II. Stufe, da die flötzführende obere Abtheilung mit den Schatzlarer Schichten beginnt und, soweit bis jetzt bekannt, auch mit ihnen abschliesst, so dass von unseren 5 Stufen dort nur 2 vorhanden sind. Das von STUR in seinem Reisebericht vom 31. Juli 1876 [1]) erwähnte Vorkommen von Schuppen von *Rhizodus Hibberti* Owen auf Zeche Bismark, welche in Nieder- schlesien in der II. Stufe auftreten, deutet kaum auf das Vor- handensein derselben auch in Westphalen, da marine Reste dort nicht an ein bestimmtes Niveau gebunden sind, sondern sowohl in der magern, als auch in der Gaskohlenflötzpartie vorkommen, über-

---

[1]) Verhandlungen der K. K. geologischen Reichs-Anstalt 1876, No. 11.

dies auch die fossilen Pflanzenreste nicht dafür sprechen. Im
Aachener Revier und bei Saarbrücken fehlt ebenfalls unsere
II. Stufe, in Sachsen der Kohlenkalk, sonst finden sich in unserem
Nachbarlande für sämmtliche Stufen Vertreter. Die kleinen Kohlenbecken von Hainichen und Ebersdorf sind den Waldenburger
Schichten gleichalterig, das Kohlenbecken von Flöha-Gückelsberg,
die Zwickauer und Lugau-Nieder-Würschnitzer Kohlenablagerungen,
sowie die von Wettin und Löbejün entsprechen unseren Stufen III
bis V, während diejenige des Plauenschen Grundes nach STERZEL
noch etwas jünger ist, also bereits dem Kohlen-Rothliegenden
(Unter-Rothliegendes) angehört[1]). Die kleineren Kohlenbecken
bei Pilsen etc. in Böhmen und bei Rossitz in Mähren entsprechen
sämmtlich dem oberen Ober-Carbon, etwa den Radowenzer Schichten;
endlich haben die Steinkohlen-Schichten in Oberschlesien und
Oesterreich-Schlesien mit ihren Fortsetzungen nach Galizien und
Russland mit denen in Niederschlesien nur die 3 unteren Stufen
gemeinschaftlich.

Wenn sonach auch das niederschlesisch-böhmische Becken
in Folge seiner Niveauverhältnisse während der ganzen Steinkohlen-
periode einer Wasserbedeckung zugänglich war, so gestalteten
sich in keinem der 5 Zeitabschnitte die Verhältnisse derartig günstig,
dass aus derselben sehr mächtige und kohlenreiche Ablagerungen
hervorgegangen wären, denn die I. Stufe ist in Westphalen, die II.
bei Mährisch-Ostrau, die III. in Westphalen, bei Aachen und Saarbrücken, und die V. in Böhmen und Sachsen weit vollständiger
entwickelt, als in Niederschlesien. Niemals ist das niederschlesische
Becken nach der Culmzeit durch einen offenen Canal mit dem
Meere in Verbindung getreten, weil eine marine Fauna in seinen
Schichten vollständig fehlt. Wie bereits bei der Beschreibung der
Gesteine erwähnt wurde, bildet das in allen Horizonten der Formation so häufige Auftreten von Conglomeraten, in denen Kiesel-

---

[1]) LASPEYRES: Geognostische Darstellung des Steinkohlengebirges und Rothliegenden bei Halle. — STERZEL: Erläuterungen zur geologischen Specialkarte des
Königreich Sachsen, Sect. Stollberg, Lugau und Schellenberg-Flöha. — STERZEL:
Palaeontologischer Charakter der oberen Steinkohlenformation und des Rothliegenden
im erzgebirgischen Becken.

gerölle bis zu Faustgrösse und darüber durchaus nicht selten sind, ein das niederschlesische vor allen andern deutschen Kohlenbecken auszeichnendes Merkmal und da diejenigen lokalen Verhältnisse, welche für die Bildung solcher Trümmergesteine vorausgesetzt werden müssen, zugleich auch solche sind, welche einer gedeihlichen Entwickelung der Sumpf- und Ufervegetation hinderlich sind, so kann es nicht auffallen, dass in dem in Rede stehenden Kohlenbecken auch die Flötzbildung im Vergleich zu andern deutschen Kohlenablagerungen zurückgeblieben ist.

Die Gesammtflora des Beckens zeigt von der I. bis V. Stufe eine allmählich fortschreitende und zuletzt vollständige Umgestaltung. In der 1. Flora spielen die Sagenarien die Hauptrolle, ihnen gesellen sich Farne zu, welche kaum Baumgrösse erreichten; die Coniferen sind noch sehr seltene Erscheinungen. Unter den Farnen walten die Sphenopteriden mit den beiden alten Gattungen *Sphenopteris* und *Hymenophyllites* vor, welche von Stur fast vollständig in seine beiden neuen Gattungen *Diplotmema* und *Calymmotheca* aufgenommen worden sind. Die Neuropteriden erlangen keine Bedeutung. Einen ähnlichen Charakter zeigt noch die 2. Flora, da auch hier unter den Farnen die beiden Gattungen *Sphenopteris* und *Gleichenites* durch Species- und Individuenzahl alle übrigen bedeutend überwiegen und von den Neuropteriden nur eine specifisch nicht näher bestimmbare *Cardiopteris* aus den Waldenburger Schichten bekannt geworden ist; die Lepidodendreen, Sigillarien und Calamarien zeigen keine merkliche Weiterentwickelung und von den Coniferen ist bis jetzt kein Rest aufgefunden worden. In der 3. Flora haben die Sphenopteriden den Höhepunkt ihrer Entwickelung erreicht, jedoch machen ihnen die Neuropteriden und Marattiaceen durch ihr plötzliches Auftreten in grosser Individuenzahl fast den Rang streitig und geben dieser im Vergleich zur vorigen Flora ein sehr abweichendes Gepräge. Dazu kommt die reiche Entwickelung der Calamarien, Sigillarien und Coniferen. In der 4. und 5. Flora sind die Sphenopteriden vom Schauplatz abgetreten und haben denselben den Pecopteriden überlassen; die Calamarien, welche in der 4. Flora noch ungeschwächt fortvegetiren, nehmen in der 5. schon merklich ab, während die Coniferen von

der 3. bis 5. Flora keine Einbusse erleiden. Weiter ins Detail
wird die Charakterisirung der einzelnen Floren erst dann ausgeführt
werden können, wenn die späteren Floren ähnlich wie STUR's
Culmflora in monographischen Bearbeitungen vorliegen werden.

Denkt·man an eine stratographische Verbindung des niederschlesisch-böhmischen mit einem anderen Kohlenbecken, so kann
nur das oberschlesisch-polnische in Betracht kommen, da nur mit
diesem eine frühere Verbindung bestanden haben kann. Die ganze
Configuration der Mulde und. die vorzugsweise nach Südost und
Süd gerichtete Ausdehnung der postcarbonischen Bildungen lässt
eine Ausfüllung derselben auch während der Steinkohlenzeit von
Südosten her vermuthen. Die. Verbindung mit dem oberschlesischen
Becken ist jedoch sehr schwer zu construiren, weil letzteres selbst
in seiner muthmaasslichen Ausdehnung. sich nicht leicht begrenzen
lässt. Paläozoische Bildungen, welche älter als der oberschlesische
Culm sind, treten in nördlicher Richtung überhaupt nicht mehr in
Deutschland, in östlicher Richtung nur an wenigen vereinzelten
Punkten von geringer Ausdehnung bei Siewierz in Russisch-Polen
und Krzeszowice bei. Krakau[1]), in südlicher Richtung im obern
Waag- und·Neutra-Gebiet in Ungarn auf, so dass hier die ganze
Kette der westlichen Karpathen, die aus Schichten der Jura-, Kreide-
und Eocänformation bestehenden kleinen Karpathen dazwischen
liegt. Nur auf der Strecke von Brünn über Ölmütz nach Neustadt,
wo die Culmschichten auf Devon lagern, tritt die Begrenzung des
oberschlesischen Steinkohlenbeckens zusammenhängender zu Tage.
Westlich dieser Linie findet sich eine ausgedehnte Ablagerung von
Gneuss, Glimmerschiefer, Silur und Devon, welche das Eulen-,
Reichensteiner-, das böhmisch- und mährisch-schlesische Grenz-
gebirge und das Altvatergebirge zusammensetzen und jetzt das
oberschlesische vom niederschlesischen Kohlenbecken scheiden. Eine
ehemalige Verbindung beider ist weder auf der Nordost- noch auf
der Südwestseite dieser ältesten Ablagerung auch nur im Ent-
ferntesten angedeutet; soll sie gesucht werden, so ist die erstere

---

[1]) F. RÖMER: LEONHARD und BRONN's Jahrbuch 1862· Derselbe: Geologie
von Oberschlesien, S. 32 — 38.

die wahrscheinlichere. Für die Annahme, dass eine solche Communication überhaupt bestanden, später durch Hebung der·altkrystallinischen Massen und Fortwaschung zwischenliegender Theile des Flötzgebirges aufgehoben worden ist, lassen sich zunächst 3 geologische Thatsachen anführen:

1. Die insularisch auf dem Gneuss des Eulengebirges bei Wüste-Waltersdorf, Steinkunzendorf und Friedersdorf·auftretenden Culmschichten, welche jetzt von der Hauptablagerung in der Grafschaft Glatz getrennt sind, früher aber sicher mit ihr in Verbindung gestanden haben.

2. Die bei Hausdorf zu beobachtende Discordanz zwischen der ebengenannten Hauptablagerung des Culm. und den darauf folgenden Ober-Carbonschichten. Die Einschnitte des vom Tiefbauschacht der Wenzeslaus-Grube daselbst nach Colonie Weitengrund und Glätz.-Falkenberg führenden Communicationsweges geben Gelegenheit, die Lagerungsverhältnisse des Culm kennen zu lernen. Die zunächst unter dem Grenzconglomerat des Ober-Carbon folgenden Culmschiefer zeigen·ein Fallen von 30—32°, dasselbe steigt bald auf 70° und bei weiterer Verfolgung des Weges, an welchem der Wechsel von Conglomerat und grobkörnigem Sandstein mit Schiefer zu .bemerken ist und nur letzterer Streichen und Fallen der Schichten in genügender Genauigkeit abnehmen lässt, stösst man auf Culmschiefer, welche in h. 4—5 und 5—6 streichen und mit 35—40° nach Nord einfallen, also entgegengesetzt, wie die darüberliegenden im allgemeinen Durchschnitt in h. 6 streichenden, aber nach Süd fallenden·Flötze des Nanny-Schachtes und an einer weiteren Stelle ein in h. 11—12 gerichtetes Streichen mit einem unter 30° nach West gerichteten Fallen verbunden. Es tritt uns also hier keine bei gleichem Streichen nur auf die Fallwinkel bezügliche Discordanz, sondern eine den hangendsten Schichten des Culm angehörige Bruchzone entgegen, in welcher bei der Erhebung des Gneusses einzelne Schollen· gegeneinander verschoben wurden. Der liegende Theil der Culmschichten ist in den Einschnitten der von Ober-Hausdorf nach Stein-Kunzendorf führenden Chaussee aufgeschlossen; hier findet man bis zur Grenze mit dem Gneuss ein durchaus constant bleibendes Streichen in h. 9—10, also parallel

mit der ·Hauptrichtung des Eulengebirges und ein südwestliches
Fallen von 30⁰. Die Wirkungen dieser im Gneuss des Eulengebirges nach Ablagerung des Culm vor sich gegangenen Hebung
erstrecken sich bis nach Altwasser, wo durch den Betrieb des
Friedrich-Wilhelm-Stollns die hangenden Culmschichten fast querschlägig durchschnitten worden sind. Das durch den Markscheider
LÄNGE aufgenommene Profil zeigt die Culmschichten zuerst dem
allgemeinen Streichen verbunden mit einem südwestlichen Fallen
entsprechend, später tritt ein unter 70⁰ widersinnig, also nach
Nordost gerichtetes Fallen auf und erst in der Nähe des Lichtloches No. 1 ist wieder ein südwestliches Fallen verzeichnet, welches
allmählich auf 45⁰ herabgeht, unter welchem Neigungswinkel auch
weiterhin das 1. Flötz der ganzen Kohlenablagerung, das Cannelkohlenflötz im Profil erscheint. Endlich finden sich in den Verdrückungen, welche die unmittelbar auf Gneuss abgelagerten Flötze
der Christian-Gottfried-Grube bei Tannhausen gegen das Liegende
hin erleiden, und in der steilen Aufrichtung der Flötze der Seegen-
Gottes-, Cäsar-, Hubert-, Friedrich- und Rudolph-Grube Beweise,
dass die letzten Hebungen des Gneuss erst nach Ablagerung des
Ober-Carbon stattgefunden haben.

3. Die von BEYRICH beobachtete und beschriebene Aufrichtung
und theilweise Ueberstürzung der Kreideschichten am östlichen
und westlichen Randgebirge der Grafschaft Glatz auf ihrer Grenz-
scheide gegen Gneuss und Glimmerschiefer[1]), welche beweisen,
dass die Hebungen sich in dem dem Eulengebirge gleichalterigen
Randgebirge der Grafschaft Glatz nach Ablagerung der Kreide-
formation wiederholt haben.

Auch in den dazwischen liegenden geologischen Perioden über-
wogen die Hebungen die Senkungen, da alle Formationen zwischen
dem Rothliegenden und der Kreideformation im niederschlesischen
Kohlenbecken fehlen. Bei dieser Auffassung der die schlesischen Kohlenschichten betroffenhabenden Niveau-Veränderungen
erscheint das niederschlesisch-böhmische Becken zu einer gewissen

---

[1]) BEYRICH: Ueber die Lagerung der Kreideformation im schlesischen Gebirge. Abhandl. der Kgl. Akademie der Wissenschaften, Berlin 1854.

Zeit nur als eine untergeordnete nach Nordwest hin sich erstreckende
Erweiterung eines grossen Hauptbeckens, welches den grössten
Theil von Oberschlesien und benachbarte Gebiete in Oesterreich-
Schlesien, Mähren, Galizien und Russland bedeckte.

Es ist nunmehr zu .prüfen, ob in der petrographischen Aus-
bildung der Gesteine und in den paläontologischen Einschlüssen
Stützpunkte für diese Hypothese zu finden sind. Die liegendste
Zone der mährischen Culmschichten gleicht nach STUR in der
Gesteinsbeschaffenheit und in der Art und Weise des Vorkommens
des *Archaeocalamites radiatus* vollständig den Grauwacken bei
Landeshut in Niederschlesien[1]); beide Lokalitäten haben von den
4 von STUR aus dieser Zone aufgeführten organischen Resten:

> *Archaeocalamites radiatus,*
> *Stigmaria inaequalis,*
> *Lepidodendron Veltheimianum,*
> *Rhabdocarpos conchaeformis,*

die 3 zuerst genannten gemeinsam. Die mittlere Stufe, die fossil-
reichste, hat 11 Species fossiler Pflanzen mit Roth-Waltersdorf
gemeinsam, nämlich:

> *Sphenopteris foliolata,*
> » *Ettingshauseni,*
> » *distans,*
> *Rhodea patentissima,*
> » *Machaneki,*
> *Neuropteris antecedens,*
> *Cyclopteris dissecta,*
> *Archaeocal. radiatus,*
> *Lepid. Veltheimianum,*
> *Stigmaria inaequalis,*
> *Rhabdocarpos conchaeformis;*

ausserdem aber zeigen beide Gebiete darin eine höchst bedeutsame
Aehnlichkeit, dass in beiden marine Thierreste auftreten, unter
denen sich 4 gemeinschaftliche Species befinden. Aus der hangenden Zone des mährischen ·Culms werden 12 Pflanzenspecies,

---

[1]) STUR: Culmflora I, Geolog. Theil, S. 104.

von denen 5 ihr eigenthümlich sind, von STUR aufgeführt; da sich
unter denselben *Sphenopteris Falkenhayni* befindet, diese aber auch
zu Roth - Waltersdorf vorkommt, so bleiben nur 4 der hangenden
Zone eigenthümliche Species übrig. Die ganze Schichtenreihe der
mährischen Culmschiefer wird für eine Meeresbildung erklärt und
in Bezug auf die Landpflanzenreste ein Wassertransport von der
Küste in das Meeresbecken angenommen. Einen gleichen Ursprung
müssen wir aber auch dem niederschlesischen Culm zuschreiben;
die Suiten von Conchylien von der Vogelkippe bei Altwasser,
Glätzisch-Falkenberg, Hausdorf, Roth-Waltersdorf und Neudorf
bei Silberberg, namentlich die grossen und dickschaligen Exemplare
von *Productus giganteus*, welche der Stollnbetrieb an der Vogelkippe geliefert hatte, nebst den übrigen Brachiopoden, den Crinoiden etc., verlangen ein reines Meeresbecken. Nur auf die
Landeshuter Grauwacke allein kann man die Bezeichnung einer
Süsswasserbildung anwenden. Für die I. Stufe der Formation
dürften die aufgeführten Gründe vollständig genügen, um die
Wahrscheinlichkeit einer Verbindung beider schlesischen
Kohlenbecken mindestens für den mittleren Zeit-
abschnitt ihrer Ablagerungsperiode darzuthun, wenn man
obwaltende Verschiedenheiten dem Einfluss lokaler Verhältnisse
zuschreibt. Anders gestaltet sich das Resultat der Vergleichung
der II. Stufe, der Ostrauer mit den Waldenburger Schichten.
Die sehr grosse Anzahl von Flötzen geringer und mittlerer Mächtigkeit, welche in dem Profil von Mährisch-Ostrau bis Peterswald
bekannt geworden sind, wird von STUR in 5 Gruppen getheilt. In
der 1. bis 3. Gruppe tritt eine marine Conchylien-Fauna auf, von
welcher einzelne Exemplare auch in der 2. gefunden worden sind;
sie bildet die zweite marine Culm-Fauna in Oesterreich, welche
unmittelbar auf die erste, in den mährischen Dachschiefern eingeschlossene folgt, mit ihr aber nur eine einzige Species gemein
hat. Die in der 5. oder hangendsten Flötzgruppe aufgefundene,
dritte marine Culmfauna enthält schon Reste, welchen der ächt
marine Charakter abgeht [1]). Der oberen Hälfte dieser 5 Flötz-

---

[1]) STUR: Culmflora II, Geologischer Theil, S. 345.

gruppen der Ostrauer Schichten wurden von STUR die Sattelflötze von Zabrze bis Rosdzin im Alter gleichgestellt[1]). In der dieselben einschliessenden Schichtenreihe hat sich ein hangendster, Muschel-führender Horizont mit *Modiola Carlotae* Ferd. Röm. und *Anthra-comya elongata* Salt. zwischen dem Gerhard- und Sattelflötz, der 1. marine Horizont in der Firste des oberen Begleiters des Sattel-flötzes, ein 0,30^m starkes Flötzchen, der 2. von der Firste des unteren Begleiters desselben,, ein 0,62^m starkes Flötz, bis zu dem 22 bis 30^m unter demselben liegenden Muschelflötz vorgefunden; letzteres ist die von FERD. RÖMER beschriebene marine Conchylien-schicht[2]). Endlich ist neuerdings 46^m unter dem Sattelflötz der tiefste Muschelhorizont durchfahren worden, welcher jedoch nur solche marine Reste enthält, welche schon aus dem darüberliegenden Horizont bekannt waren[3]). Die Uebereinstimmung der Faunen in beiden Schichtenreihen, welche als Nord- und Südflügel der grossen oberschlesischen Kohlenmulde zu betrachten sind, wird durch eine verhältnissmässig grosse Anzahl von Species, nämlich durch 23 von 48 Species, welche STUR als 2. marine Culmfauna der Ostrauer Schichten aufzählt, erwiesen. Diesen oberschlesischen marinen Resten hat Niederschlesien nichts Aehnliches entgegen-

---

[1]) Zur Orientirung wird ein Verzeichniss der Flötze der Königs-Grube gegeben; hier folgen von oben nach unten:

    das Hoffnungsflötz 1—1,5^m mächtig,
        Mittel 12—14^m,
   » Blücherflötz 1,5—2^m mächtig,
        Mittel 9—10^m,
   » Gerhardflötz 5—6^m mächtig,
        Mittel 20—24^m,
   » Heintzmannflötz 2—3^m mächtig,
        Mittel 50—55^m mit dem 1,4^m mächtigen Pelagieflötz, welches nicht abgebaut wird,
   » Sattelflötz 7—8^m mächtig,
        Mittel 30^m,
   » Muschelflötz.

[2]) F. RÖMER: Zeitschr. d. D. geol. Ges. Bd. XV, 1863, S. 567, und XVIII, 1866, S. 663. — Derselbe: Geologie von Oberschlesien, S. 76.

[3]) KOSMANN: Die neueren geognost. und paläont. Aufschlüsse auf der Königs-Grube. Zeitschr. f. Bergbau, Hütten- und Sal.-Wesen, 1880.

zustellen; in das Waldenburger Becken hatte zu dieser Zeit das Meer weder von Oberschlesien, noch von sonst einer Richtung her Zutritt gehabt; die Verbindung war aufgehoben. Betrachten wir ferner die Flora der Waldenburger und Ostrauer Schichten, so finden wir auch in der Pflanzenwelt genügende Abweichungen, um aus ihnen fernere Beweise für die während dieser Periode vorhanden gewesene Trennung beider Ablagerungsgebiete, welche sich aus dem Vorkommen mariner Réste in Ober- und ihrem Fehlen in Nieder-Schlesien ergiebt, zu entnehmen. Von den 43 Species, welche STUR aus den Ostrauer Schichten aufzählt, kommen nur 13 auch in den Waldenburger vor, 9 sind den Waldenburger, 13 den Ostrauer eigenthümlich. Die Physiognomie der Flora der Waldenburger Schichten, welche in der Vergesellschaftung der häufigeren Species zum Ausdruck gelangt, ist entschieden eine ganz andere, als in den Ostrauer Schichten.

Die Königshütter Sattelflötzschichten bieten ferner im Vergleich mit den Waldenburger Schichten die Eigenthümlichkeit dar, dass sie einige Farne einschliessen, unter welchen einer, *Sphenopteris latifolia*, eine Hauptleitpflanze der Schatzlarer Schichten Niederschlesiens ist. Von demselben ist in den letzten Jahren auf der Königs- und Gräfin Laura-Grube eine reichliche Anzahl von Exemplaren gesammelt worden, und zwar: 1. oberhalb des Gerhard-Flötzes, 2. in dem Mittel zwischen diesem und dem Sattelflötz, 3. zwischen diesem und der marinen Conchylienschicht RÖMER's und 4. zuletzt noch im Bereich des tiefsten Muschelhorizontes 46^{m} unter dem Sattelflötz, also in einem Niveau, in welchem an anderen Aufschlusspunkten derselben Grube

> *Lepidodendron Veltheimianum,*
> *Stigmaria inaequalis,*
> *Sphenophyllum tenerrimum,*
> *Archaeocalamites radiatus,*
> *Calamites ramifer,*
> 　　　*»　　　approximatiformis,*
> *Neuropteris Schlehani*[1])

---

[1]) KOSMANN a. a. O.

auftreten. Zwischen Gerhard- und Sattelflötz kommen ausser
Sphenopteris latifolia auch noch

> *Sphenopteris spinosa* Göpp.,
> »   *obtusiloba* Brg.,
> *Aspidites (Cyatheites) silesiacus* Göpp.

mit den Leitpflanzen der Ostrauer Schichten gemeinsam in ein und
derselben Schicht vor. Acceptirt man die Ansicht Stub's, dass
die Sattelflötzschichten den Ostrauer und Waldenburger Schichten
gleichalterig sind, so erscheinen *Sphenopteris latifolia* und *obtusiloba*
nebst *Cyatheites silesiacus* etc. als Verbindungsglieder zwischen den
Ostrauer und Schatzlarer Schichten. Für die Parallelisirung der
Sattelflötzschichten mit den Ostrauer Schichten spricht in erster
Linie das Auftreten der in ihnen eingeschlossenen, marinen Con-
chylienfauna, welche die Nähe der Grenze zwischen Culm und
Ober-Carbon anzeigt, was Ferd. Römer[1]) bei der Beschreibung
derselben an den zum Vergleich angezogenen Beispielen aus Eng-
land und Schottland nachweist und die Uebereinstimmung der
Fossilreste. An dieser Altersbestimmung kann auch das Auf-
treten von *Sphenopteris latifolia* nichts ändern, obgleich dieser
Farn überall, wo er sonst auftritt, in Niederschlesien, Sachsen,
Westphalen und im Saarbecken einer späteren Zeit angehört.
Wie *Sphenopteris latifolia* bis in die tiefsten Aufschlusspunkte,
so reichen

> *Archaeocalamites radiatus* Brg.,
> *Calamites ramifer* Stur,
> »   *ostraviensis* Stur,
> *Lepidodendron Veltheimianum* Stbg.,
> »   *Rhodeanum* Stbg.,
> *Sigillaria antecedens* Stur,
> »   *Eugenii* Stur,
> *Stigmaria inaequalis* Göpp.,
> *Calymmotheca Schlehani* Stur,
> *Neuropteris Schlehani* Stur,

---

[1]) F. Römer: Geologie von Oberschlesien, S. 92—100.

die Hauptbestandtheile der Ostrauer Flora, bis in die Schichtenreihe oberhalb des Gerhard-Flötzes hinauf. Das hier in den
Ostrauer Schichten beobachtete, sehr zeitige Auftreten von Formen,
welche in Niederschlesien den Schatzlarer, im Saarbecken den
unteren Saarbrücker Schichten angehören, deutet für Oberschlesien
einen gewissen Zusammenhang zweier Floren an, welcher in
Niederschlesien fehlt. Hier ist die scharfe Trennung beider Floren
eine natürliche Folge der Niveau-Veränderungen; denn während
in Oberschlesien jene eigenthümlichen Lagerungsverhältnisse, unter
welchen jetzt die »Flötzberge« zu Zabrze, Königs- und Laura-
Hütte erscheinen, sich herausbildeten, trat in Niederschlesien zu
derselben Zeit eine langdauernde Senkung ein, deren Resultat die
mächtige Sandsteinablagerung ist, welche die Schatzlarer von den
Waldenburger Schichten trennt. Dieses Sandsteinmittel rückt hier
die beiden Floren nicht nur räumlich, sondern auch generisch weit
auseinander; in den Sattelflötzschichten fehlt jede Scheidelinie.
STUR rechnet sie daher sämmtlich zu den Ostrauer Schichten und
nimmt, bis genauere Daten vorliegen werden, das ca. 94^m senkrecht über dem obersten Sattelflötz (Einsiedelflötz zu Zabrze
= Blücher- und Hoffnungsflötz zu Königshütte) liegende Veronika-
Flötz als ungefähre Grenze zwischen den Ostrauer und Schatzlarer Schichten an. KOSMANN legt dieselbe in eine Sandsteinschicht
oberhalb des Gerhard-Flötzes so, dass Schichten mit

> *Neuropteris gigantea* Stbg.,
> *Sphenopteris spinosa* Göpp.,
> » *latifolia* Brg.

welche der Thomas-Schacht in 10^m Teufe erreichte, den Schatzlarer Schichten zufallen[1]). Nach dieser Fixirung der Grenze steigt
nur der erstgenannte dieser 3 Farne nicht in die Ostrauer Schichten
hinab. Ob aber damit, dass *Neuropteris gigantea* allein von dem
gemeinschaftlichen Besitz ausgeschlossen wird, während

> *Sphenopteris latifolia,*
> » *obtusiloba,*
> » *spinosa,*
> *Aspidites silesiacus,*

---

[1]) KOSMANN a. a. O., S. 311.

welche sonst genau dasselbe Niveau bezeichnen, beiden Stufen verbleiben, viel gewonnen ist, erscheint sehr fraglich. Unzweifelhaft findet hier eine stetige Weiterentwickelung statt, bei welcher jede Scheidelinie vom paläontologischen Standpunkt aus unstatthaft ist; auch lassen die geognostischen Verhältnisse der Schichtenreihe im Thomas-Schacht eine solche Grenze nicht vermuthen. Wenn nun schliesslich auch daran nicht zu zweifeln ist, dass die in den Sattelflötzschichten gefundenen Farne denjenigen Farnen der Schatzlarer Schichten, deren Namen sie provisorisch erhielten, wirklich identisch sind, so steht die Thatsache fest, dass *Sphenopteris latifolia* und *obtusiloba* nebst *Aspidites silesiacus* in Oberschlesien zuerst mit den Leitpflanzen der Ostrauer Schichten gemeinschaftlich auftreten, und das bei Peterswald aufgefundene kleine Bruchstück, welches STUR auf den erstgenannten Farn bezogen und in seiner Culmflora II, Taf. XVI, Fig. 6, abgebildet hat, lässt das Auffinden noch fernerer Exemplare dieses Farns auf österreichischem Gebiet hoffen. Die zuletztgenannten Farne gehören in Oberschlesien zur 2. Flora; Niederschlesien erhielt sie erst zur Zeit der Ablagerung der Schatzlarer Schichten von Oberschlesien her, wo sie schon lange vorher vegetirten; bei uns könnten sie erst dann festen Fuss fassen und sich ausbreiten, nachdem die oben erwähnte Senkung vorüber, ein günstiger Boden für sie geschaffen und die Schranke gefallen war, welche ihrer Ausbreitung nach Westen zur Zeit der Ablagerung der Waldenburger Schichten durch die Trennung der beiden Becken gesetzt war. Die zuletztgenannten Farne gelten daher für Schlesien ebenso wenig als ausschliessliche Leitpflanzen der Schatzlarer Schichten, für welche sie bisher galten, wie *Archaeocalamites radiatus* und *Lepidodendron Veltheimianum* für Culm.

Während der nun folgenden Periode der Ablagerung der Schatzlarer Schichten in Niederschlesien setzten sich der Verbreitung der Kohlenpflanzen aus einem Becken ins andere keine Hindernisse mehr entgegen, und da diese Stufe zugleich die mächtigsten Flötze aufweist, so wird damit auch ein gewisser genetischer Zusammenhang zwischen Flächenausdehnung und Kohlenreichthum bewiesen. Ober- und Nieder-Schlesien be-

17

sitzen alle die Schatzlarer Schichten charakterisirenden Formen
gemeinsam; ganz besonders spricht aber für ihren Zusammenhang
in damaliger Zeit die bemerkenswerthe Thatsache, dass beide
Ablagerungsgebiete unserer Provinz 3 Farnspecies besitzen, welche
in allen übrigen deutschen Kohlenbecken zu fehlen scheinen,
nämlich:

> *Senftenbergia ophiodermatica* Göpp.,
> *Oligocarpia grypophylla* Göpp.,
> » *Karwinensis* Stur,

an welche sich nach den vorläufigen Namensverzeichnissen, welche
STUR in seinen Studien über die Steinkohlen-Formation in Oberschlesien und Russland (Verhandl. der K. K. Geol. R.-Anst.,
1878, 11) publicirt, wahrscheinlich noch mehrere werden anreihen
lassen.

Erkennt man das Resultat, welches sich aus dem Studium
der Lagerungsverhältnisse und der paläontologischen Einschlüsse
des ober- und niederschlesichen Steinkohlenbeckens ergiebt, dass
nämlich das letztere nur als ein Theil des ersteren aufzufassen ist,
als richtig an, so folgt von selbst daraus, dass die Flora des kleineren nach der des grösseren Beckens beurtheilt werden muss
und daher zur richtigen Deutung der hiesigen die Kenntniss der
oberschlesischen Flora unentbehrlich ist. Die scharf ausgesprochenen
Unterschiede zwischen der 2. und 3. Flora, welche uns in den
Fossilresten des Liegend- und Hangendzuges bei Wáldenburg
entgegentreten und ein so willkommenes Mittel zu ihrer Trennung darbieten, gehen, wenn man die Grenzen Niederschlesiens
überschreitet, verloren und haben für Oberschlesien nicht mehr
den gleichen Werth, wie für jenes Gebiet. Ein Ueberblick über
die Gesammtflora beider Gebiete bestätigt die längst feststehende
Erfahrung, dass der Gang der Entwickelung der organischen Welt
stetig fortschreitet, weder durch längere oder kürzere Stillstände,
noch durch Sprünge unterbrochen wird, dass es daher schwierig,
ja unmöglich ist, Scheidelinien zu ziehen, wo die Natur selbst
keine solchen geschaffen, und dass für 2 unvermittelt aufeinander
folgende Floren oder Faunen einer Localität die nöthigen Ver-

bindungsglieder sich in der Schichtenreihe irgend einer anderen vorfinden oder noch vorfinden werden.

Nach Ablagerung der Schatzlarer Schichten traten jedoch wieder solche Niveau-Veränderungen ein, welche die Verbindung zwischen Ober- und Nieder-Schlesien für alle folgende Zeiten aufhoben. Zunächst kamen die beiden jüngsten Stufen der Formation, die Schwadowitzer und Radowenzer Schichten in Oberschlesien nicht mehr zur Ablagerung, denn die Formation schliesst hier mit den Schatzlarer Schichten ab. Am östlichen Beckenrande bei Krzeszowice in der Umgegend von Krakau wurden nur Sedimente, welche zum Rothliegenden gerechnet werden, abgelagert und später von Felsit-Porphyr und Melaphyr durchbrochen. FERD. RÖMER macht einzelne Aufschlusspunkte namhaft, wo die Auflagerung des Felsit-Porphyrs oder Porphyrtuffes auf den steil aufgerichteten Schichten der Steinkohlen-Formation von ihm beobachtet worden ist[1]). Die also vor Ablagerung des Rothliegenden eingetretene Hebung des Carbon setzt sich noch einige Zeit fort und unterbricht dadurch die regelmässige Aufeinanderfolge der Flötzformationen; dann folgen auf gering mächtige Ablagerungen von losen Sanden, mürben Sandsteinen und Thonen, welche die Buntsandstein-Formation repräsentiren, die Niederschläge des Muschelkalkmeeres. In Niederschlesien betheiligte sich an der weiteren Ausfüllung des Beckens ebenfalls das Rothliegende, jedoch während einer weit längeren Zeitdauer als in Oberschlesien und Galizien; die bei Waldenburg und Neurode beobachtete Discordanz und Concordanz zwischen demselben und dem Carbon gilt nur für einzelne Theile des Beckens. Von den späteren Bildungen fehlt die ganze Trias- und Jura-Formation, so dass auf das Rothliegende unmittelbar die Kreide-Formation folgt, und auch diese tritt hier in durchaus verschiedener Ausbildung als in Oberschlesien und Galizien auf. Das Rothliegende des Waldenburger Beckens darf

---

[1]) FFRD RÖMER:. Geologie von Oberschlesien.

nur in Verbindung mit den gleichnamigen Ablagerungen im nordöstlichen Böhmen, die Kreide-Formation nur mit den böhmischen
und sächsischen Kreideschichten zusammen aufgefasst werden, so
dass wir für die beiden obersten Stufen des Carbon und
alle postcarbonische Bildungen Niederschlesiens nicht
mehr im Osten, sondern im Westen und Südwesten die
nothwendige Verbindung zu suchen haben.

Anhang.

Um den bergmännischen Fachgenossen, welche den hiesigen Bezirk bereisen und dem Aufenthalt in demselben meistens nicht viel Zeit widmen können, auch in bergtechnischer Beziehung die Orientirung zu erleichtern, wird denselben in dem nun folgenden Nachtrag eine Zusammenstellung der wichtigsten Notizen geboten, welche sich hauptsächlich auf die Besitzverhältnisse, Zeit und Art der Entstehung der heutigen Grubenfelder auf preussischem Gebiet, auf deren Lösung durch Stolln, die Tiefenabstände der Tiefbausohlen untereinander und von den Stolln u. s. w. beziehen und zum Verständniss der Flötzkarte nothwendig sind.

II. Stufe.

1. Die Emilie-Anna-Grube bei Gablau.

Der Grubenbetrieb beschränkte sich auf das Elisabeth- und Hauptflötz; das letztere zeigte sich in der Sohle der Rösche im westlichen Felde bei durchschnittlich 29^m Saigerteufe meist unbauwürdig und auch im östlichen Felde in der Sohle des Wilhelm-Stollns, welcher jene mit 21^m unterteufte, durch längere Verdrückungen unterbrochen. Der Abbau des Elisabeth-Flötzes erfolgte nur zum Zweck der Gewinnung des Blackband, da die Kohle desselben sich nicht zum Brennmaterial eignet. Im Durchschnitt schüttete dieses Flötz pro □-Ltr. 15 Tonnen (à 7^1/$_9$ Cub.-Fuss = 2,2 Hectol.) Blackband und thonigen Sphärosiderit und 8 Tonnen Kohlen. Das Verhältniss zwischen beiden Gattungen von Eisenerzen geht aus nachstehenden Zahlen hervor:

Die Production betrug in 1857 und 58 zusammen:

Blackband . . . . 191,329 Ctr.
Thonigen Sphärosiderit . . . . 10,527 »
                                201,856 Ctr.

Dieser Blackband enthält durchschnittlich 33 pCt. Eisen. Die Grube liegt zur Zeit in Fristen.

2. Die Wigand-Grube bei Salzbrunn.

Die Wigand-Grube, nördlich von David-Grube belegen, betreibt ihre Baue zum Theil auf dem David-Gruben-Hauptflötz, zum Theil versuchsweise auf einigen der schon mehrfach erwähnten hangenden Flötze. Der Abbau des Hauptflötzes bewegt sich im westlichen Felde vor dem Sprunge, welcher westlich vom Ulysses-Schacht das Flötz ins Hangende verwirft, im eigenen Grubenfelde, sodann noch weiter westlich hinter dem genannten Sprunge im Felde des Herrmann-Schachtes innerhalb der Grenzen des David-Grubenfeldes, indem auf Grund eines Vertrages die David- der Wigand-Grube den Abbau aller auf dem Hauptflötz oberhalb der Zeno-Schachtsohle (22 Ltr. = 46,03ᵐ) und auf den hangenden Flötzen oberhalb der tiefen Titus-Schachtsohle noch anstehenden Kohlen gegen einen Pachtzins überlässt und weil die David-Grube ihren Betrieb eingestellt hat. Die Mächtigkeit des Hauptflötzes wechselt in diesem äussersten westlichen Felde zwischen 0,78 und 2ᵐ, jedoch kommen auch häufig Verdrückungen vor. Im Bereich des Titus-Schachtes hat die Wigand-Grube auf einem 0,47ᵐ, im Bereich eines westlich davon liegenden Schurfschachtes auf einem 0,63—0,92ᵐ starken Flötz einen Abbau unternommen. Endlich versuchte dieselbe, das im Friedrich-Wilhelm-Stolln aufgeschlossene Cannelkohlenflötz (s. Fixstern-Grube) abzubauen und fuhr zu diesem Zweck auf demselben einen Stolln auf, dessen Mundloch im Hartauer Thal gegenüber dem der ehemaligen Harten-Rösche liegt. Das Flötz liegt im Förderschacht No. 1 (unmittelbar neben der oberen Wigand-Rösche) 18ᵐ saiger unter dem David-Grubenhauptflötz, erwies sich hier jedoch ebenso unbauwürdig, wie bei den vom Friedrich-Wilhelm-Stolln aus unternommenen Versuchen.

3. Die consolidirte Morgen- und Abendstern-Grube zu Altwasser.

Dieselbe gehört zu den ältesten des Reviers, da die 1. Muthung der Morgenstern-, auf 1 Fundgrube und 20 Maassen nebst tiefer Stollngerechtigkeit gerichtet, in das Jahr 1772, die erste der Abendstern-Grube in das Jahr 1780 fällt; ihre Consolidation erfolgte 1826. Die älteren Baue lagen im nordwestlichen Felde bei Hartau, wo einige Flötze durch 2 Stölln gelöst wurden, deren oberer 50,38ᵐ und deren tieferer 27,28ᵐ über dem Friedrich-Wilhelm-Stolln lag; beide waren im Streichen des

damals sogenannten Hauptflötzes, dem 4. der jetzigen Zählung, aufgefahren worden. Die 3. Lösung bewirkte der Friedrich-Wilhelm-Stolln
durch die Grundstrecke auf dem 4. Flötz der Franz-Joseph-, welches das
3. der Morgenstern-Grube ist. Was die technische Verwendbarkeit der
Flötze betrifft, so lieferten in der Stollnsohle das 7., 9. und 10. Flötz
zur Coakfabrikation geeignete Kohlen, und ausserdem gehören das 4., 5.
und 6. und 12. noch zu den besseren, indem sie zum Theil Schmiede-
oder Coakskohlen liefern. Gegenwärtig bieten das 5., 6. und 7. Flötz
aus dem Tiefbau allein das Material für die Coaksdarstellung dar.

4. Die Goldene Sonne-Grube zu Altwasser.

Da sämmtliche Flötze zum Theil von geringer Mächtigkeit, zum Theil
unrein und durch Sprünge verworfen angetroffen wurden, so sind dieselben meist nur bis zu einem Abstand von 60—120^m vom Friedrich-
Wilhelm-Stolln abgebaut worden. Später traf die Gewerkschaft mit dem
Alleinbesitzer der Franz-Joseph-Grube ein Abkommen, nach welchem
der letztgenannten Grube der Abbau des 5., 6. und 7. Flötzes im Felde
der Goldene Sonne-, dieser aber der Abbau des 8. Flötzes der Franz-
Joseph-Grube, welches 56,5^m weit im Liegenden des 1. Goldene Sonne-
Grubenflötzes liegt, gestattet wurde. Da somit die weitere Lebensfähig-
keit der Grube sich nur auf ihr eigenes 1. und das 8. Franz-Joseph-
Flötz stützte, so kam es, dass der Betrieb, welcher 1822 eröffnet worden
war, 1830 wieder eingestellt wurde. Vier ihrer Flötze wurden seit Anfang der 70er Jahre auf Grund eines Pachtvertrages von der Morgen-
und Abendstern-Grube im westlichen Fortstreichen in Bau genommen,
nachdem sie in der Friedrich-Wilhelm-Stollnsohle durch die ins Hangende
verlängerten Hauptquerschläge am Paul-Richard- und Oswald-Schacht
überfahren worden waren. Ihre Bezeichnung erfolgte im Sinne der Zählung der Morgenstern-Grubenflötze, welche hier mit Flötz No. 13 abschliesst. Diese 4 Flötze sind:

Das Zwischenflötz 0,7^m mächtig, 34^m querschlägig vom 13. Flötz entfernt,

Zwischenmittel 6,27^m Schieferthon,

» 14. Flötz 0,7—1^m mächtig,

Zwischenmittel 25,62^m Sandstein und Schieferthon,

» 15. Flötz 0,5^m mächtig,

Zwischenmittel 9,4^m Schieferthon,

» 16. Flötz 1—1,5^m mächtig.

Hier im westlichen Felde sind das Zwischen- und 15. Flötz zum Theil verdrückt, wogegen das 14.. in nordwestlicher Richtung bis in die Nähe der Häuser von Weissstein verfolgt worden ist. Mit welchen der ·am äussersten südöstlichen Ende des Grubenfeldes mit dem Friedrich-Wilhelm-Stolln· überfahrenen 7 Flötze diese 4 identisch sind, konnte bei dem Mangel· an offenen Durchschlägen und dem Wechsel in· ihrer Beschaffenheit bis jetzt nicht festgestellt werden.

5. Die consolidirte. Seegen-Gottes-Grube zu Altwasser.

Dieselbe ist aus der 1857 vollzogenen Consolidation der nachstehenden Einzelzechen:

Seegen-Gottes-Grube Tempel-Grube	nebst Erbstolln bei Altwasser,
Weissig- » Joseph- »	bei Neu-Krausendorf,
Theresie- »	nebst Erbstolln zu Ober-Altwasser,
Casper- »	zu Bärengrund,
Daniel- » Franz-Joseph-Grube	zu Altwasser

hervorgegangen. Die ursprüngliche Seegen-Gottes-Grube ist eine der ältesten des hiesigen Reviers, da die erste Muthung 1770 eingelegt worden war,· 1776 folgte die Muthung der von ihr im Hangenden liegenden Tempelgrube und 1832 die Consolidation beider. Für den Betrieb des Seegen-Gottes-Stollns lässt sich der Beginn nicht mehr feststellen; soviel steht aber fest, dass er im Jahre 1770 schon vorhanden; nachdem er die Tempel-Grube gelöst, wurden ihm 1826 die Erbstollnrechte verliehen. Die Weissig-Grube wurde 1776, Joseph- 1778 gemuthet. Die Einzelzechen Theresie und Caspar, deren älteste Muthungen in das Jahr 1797 resp. 1772 fallen, wurden mit dem 1787 verliehenen Theresien-Erbstolln 1854 unter dem Namen consolidirte Theresie-Grube consolidirt. Die Daniel- und Franz-Joseph-Grube kamen erst in den Jahren 1806 resp. 1820 hinzu. Der Weissig-Stolln liegt $69,26^m$ über dem Seegen-Gottes-Stolln. Ueber der Sohle des letzteren findet noch ein beschränkter Abbau im südlichen Felde der alten Seegen-Gottes-Grube statt, für welches der Schuckmann-Schacht mit $99,6^m$ Teufe und der Steiner-Schacht mit $38,6^m$ Teufe die Förderpunkte sind. Für das nordwestliche Feld ist seit dem Jahre 1854 ein Tiefbau etablirt, dessen I. Sohle die Seegen-Gottes-Stöllnsohle um $62,7^m$ unterteuft. Die beiden Tiefbauschächte sind

164^m tief, die I. Sohle liegt in 79,21^m, die II. in 124,7^m, die III. in 163,7^m Teufe. In der II. Sohle ist 11^m weit vom 20. Flötz entfernt noch ein Flötz von 0,79^m Mächtigkeit incl. 0,19^m Mittel mit dem Hauptquerschlage durchörtert worden, welches Schieferthon zum Hangenden und Liegenden hat.

6. Die consolidirte Cäsar - Grube bei Reussendorf

ist durch Consolidation der consolidirten Cäsar, Alte- und Neue Gnade-Gottes - und Krister - Grube und die alte consolidirte Cäsar - Grube war ihrerseits wieder durch die 1833 vollzogene Consolidation der Einzelzechen Cäsar, Bergrecht und Glückauf-Grube entstanden; die Bergrecht-Grube wurde 1772, Glückauf 1773 und Cäsar 1797, zum Theil nach gestreckter Vermessung verliehen. Das Mundloch des 1773 begonnenen Glückauf - Stollns, welcher zuerst die Bergrecht - und Glückauf - Grube löste, liegt in der Nähe des Reussendorfer Hofes und seine Sohle 46,47^m über dem Friedrich-Wilhelm-Stolln. Die Bergrecht- und Glückauf-Grube haben auf ihren 6 Flötzen zum Theil einen recht ansehnlichen Bau geführt, die Einzelzeche Cäsar auf dem Hauptflötz, dem 1., 2. und 3. hangenden Flötz. Bei 32^m Entfernung vom 2. hangenden oder Stollnflötz gelangte der Querschlag in Porphyr und wurde in demselben 53^m aufgefahren; bei 104^m Länge erreichte er das Hauptflötz der Cäsar-Grube, 1,54^m mächtig incl. 0,13^m Letten und darauf das 1., 2. und 3. hangende und einige Zwischenflötze. Der im nördlichen Felde geführte Abbau ist im Ganzen gering gewesen, da man beim Aufschluss der Flötze vom Anton - Schacht aus sehr bald wahrnahm, dass sie durch den Porphyr, welcher sich von der Waldenburg - Charlottenbrunner Chaussee herüberzieht, zum Theil abgeschnitten werden. Günstiger waren die Verhältnisse im südlichen Felde, wo sie durch den Neue Gnade-Gottes-Stolln, dessen Sohle 98^m und den Alte Gnade-Gottes-Stolln, dessen Sohle 88,5^m über dem Friedrich - Wilhelm - Stolln liegt, aufgeschlossen worden waren.

7. Die consolidirte Rudolph - Grube zu Volpersdorf

ist durch Consolidation der Einzelzechen: Sophie, Adelhaid, Rudolph, Schlosshof, Maria, Unverhofft, Glückauf - Philipp und Glückauf - August entstanden. Die in diesem Felde aufsetzenden Flötze erfuhren ihre 1. Lösung durch die Anton - Rösche, welche die Flötze No. 13 — 32 aufschloss und auf dem liegendsten derselben ca. 20^m Saigerteufe einbrachte; abgebaut wurden in dieser Sohle die Flötze No. 13, 16, 18, 21 — 24 und 32. Der 43^m tiefer einkommende Rudolph - Stolln löste die Flötze

vom Hangenden her bis zum 24., indem er auf dem letzteren 56^m Saigerteufe einbrachte. Abgebaut wurden in dessen Sohle die Flötze No. 1,
7, 8, 12, 13, 16, 18, 21—24 und die Flötze des Wilhelm-Schachtes.
Die 3. Lösung bewirkte der 28^m saiger unter dem Rudolph- liegende
Philipp-Stolln, welcher die Flötze vom Hangenden bis zum 28. aufschloss.
Der Abbau umfasste alle beim Rudolph-Stolln angegebenen Flötze und
das 28. In einer Saigerteufe von 63^m unter dem letzten Stolln wurde
die I. Tiefbausohle angehauen. Mit dem Hauptquerschlage dieser Sohle
wurden die Flötze No. 1—24 und in neuerer Zeit das hangende Flötz
durchfahren; das 28. und 32. Flötz liegen in diesem Querschlage im
Sprunge und wurden erst später ausgerichtet, auch im Liegenden des
29. Flötzes noch mehrere schwache Flötzbestege durchörtert, von denen
der eine oder andere in der II. Tiefbausohle bauwürdig sein könnte. In
einer querschlägigen Entfernung von 112^m im Liegenden des 24. Flötzes
wurde die Grenze des productiven Steinkohlengebirges bei einem Neigungswinkel von 70—80^0 erreicht. Abgebaut wurden in der I. Tiefbausohle die Flötze No. 1, 7, 8, 12, 13, 16, 18, 21—24, 28 südlich und 32
nördlich.

Die II. Tiefbausohle, in welcher sich gegenwärtig der Abbau bewegt,
liegt 41^m saiger unter der I.; in derselben werden die bei dieser angeführten 13. Flötze in Bau genommen. Die in der I. Tiefbausohle versuchte Lösung der Sophie-Grubenflötze konnte wegen dazwischen liegender Gebirgsstörungen nicht zum Ziele führen; in der II. Sohle dagegen
scheinen dieselben sich ausgekeilt zu haben, denn das im Betriebe
stehende nördliche Richtort hat, nach Ueberfahrung des sehr flach muldenförmig abgelagerten 1. Flötzes die Flötze der Sophie-Grube erreicht,
wenigstens stimmt Streichen und Fallen derselben mit dem in diesem
Felde früher beobachteten überein., wenn auch die Identität der Flötze
unter einander noch nicht ermittelt werden konnte. Ebenso wird eine
Aufklärung der Lagerungsverhältnisse der Flötze des Wilhelm-Schachtes
angestrebt, welche man in der I. Sohle ebenfalls nicht erlangt hatte.
Im Felde der Glückauf-August-Grube haben bis jetzt nur wenige Versuchbaue stattgefunden.

8. Die consolidirte Fortuna- und Glückauf-Carl-Grube bei Ebersdorf.

Die 7 Flötze dieser Grube wurden zuerst durch den Fortuna-Stolln
gelöst, welcher 20,9^m Teufe einbrachte und in dessen Sohle das 6., 5.
und 1. Flötz unbauwürdig waren.

Das in der I. Tiefbausohle unbauwürdige 6. und 5. Flötz waren in der in 39,75^m Teufe aufgehauenen Mittelsohle theilweise bauwürdig, auch nahm das mit dem Hauptquerschlage in Verdrückung angetroffene 1. Flötz erst in einiger Entfernung gegen Nordosten hin die sonst 0,78—1^m betragende Mächtigkeit an. Das Wasserkohl- und Hangende Flötz sind nicht mit dem Hauptquerschlage, sondern erst in 140 resp. 175^m nordwestlicher Entfernung von demselben durch je einen Querschlag aufgeschlossen worden, weil sie nach den in oberen Sohlen gemachten Erfahrungen in der Richtungslinie des Hauptquerschlages voraussichtlich unbauwürdig angetroffen werden würden. Auch in der II. Tiefbausohle wurde das 1., das Wasserkohl- und das Hangende Flötz erst in 368^m nordwestliche Entfernung vom Hauptquerschlage vom 2. Flötz aus durch einen Querschlag aufgeschlossen.

III. Stufe.

1. Die Gotthelf-Grube bei Hartau.

Der Grubenbetrieb wurde 1824 durch Auffahrung des Gotthelf-Stollns eröffnet, welcher in der Nähe der alten Warte Liebenau angesetzt, spiesseckig bis zum Fundgrubenflötz, auf diesem streichend bis zum Lichtloch No. 3 und von hier auf ca. 300^m Länge querschlägig bis zum 2. Hangenden Flötz aufgefahren wurde. Da derselbe nur eine geringe Saigerteufe einbrachte, nämlich am Stollnschacht No. 3 nur 10,5^m, die daraus resultirende geringe Bauhöhe in einem Theil des Feldes durch die Aufrichtung der Flötze noch mehr vermindert wurde und die Flötze zum Theil unbauwürdig waren, so standen in den letzten Betriebsjahren 1847—1850 nur das Fundgruben- und Rudolph-Flötz allein im Bau, und da ihre geringste Entfernung 261^m beträgt, so wurde von der Anlage eines Tiefbaues Abstand genommen.

2. Die consolidirte Gustav-Grube bei Schwarzwaldau.

Die erste Muthung der früheren Einzelzechen Gustav und Freudige Wink fällt in die Jahre 1787 resp. 1791, der Beginn des Alliance-Stollns in das Jahr 1788.

Das Grubenfeld hat eine streichende Länge von ca. 3000^m, eine Breite von ca. 1100^m und wurde zuerst durch den Freudige Wink-Grubenstolln, dessen Mundloch in der Thalsohle des Gablauer Baches liegt, später durch den 21,6^m tiefer liegenden Alliance-Stolln, dessen Mundloch nördlich vom Schwarzwaldauer Schlosse liegt und dessen Gesammtlänge 3100ᵐ beträgt, aufgeschlossen. Letzterer war zwar auf einem angemessen tief liegenden Punkte angesetzt, da es von Anfang an im Plane lag, dass er als Hauptlösungs-Stolln für das westliche Revier dienen und seine Flügelörter die Kohlengruben im Lässiger und Kohlauer-Thal, sowie den alten Erz-Bergbau bei Gottesberg lösen sollten, doch hatte die Gewerkschaft auf den Weiterbetrieb schon verzichtet, als er noch ca. 250ᵐ vom Dorf Rothenbach entfernt war.

Sämmtliche Flötze eignen sich zur Coakfabrikation, so dass dessen Darstellung hier am frühesten in Niederschlesien begann.

3. Die consolidirte Abendröthe-Grube zu Kohlau.

Das gegenwärtige Feld derselben besteht aus den Feldern der früheren Einzelzechen: Abendröthe, Morgenröthe, Friedrich, Gute Hoffnung, Neue Richter, Hilf uns. wieder und Paul Peter, welche zwischen 1770 und 1824 gemuthet worden waren. Von denselben hatte die Neue Richter- und die Paul Peter-Grube einen eigenen Oberstolln. Eine vollständige Lösung sämmtlicher Flötze erfolgte durch den Grenzstolln, welcher 1788 begonnen wurde und dessen Mundloch in der Thalsohle des Rothenbaches liegt. Die Sohle des 1848 begonnenen 1. Tiefbaues liegt 31,4ᵐ saiger unter dem Grenzstolln, für die 2. Sohle, welche die 1. um 77ᵐ unterteufen soll, ist ein neuer Tiefbauschacht im Abteufen begriffen.

Von den Flötzen des nördlichen Muldenfeldes eignen sich das 1., 2., 5. und 6. Flötz, von denen des Clara-Schachtfeldes das 14., 17., sowie sämmtliche hangenden Flötze, also das 3. bis 6. hangende Flötz, das Kaiser-, Anna- und Joseph-Flötz zur Coakfabrikation.

4. Die consolidirte Carl-Georg-Victor-Grube zu Neu-Lässig

ist aus den Feldern der Einzelzechen: Carl-Georg-Victor, Charlotte, Glückauf-Charlotte und Schlussfeld entstanden, eine der jüngsten Gruben des Reviers, da ihre Muthung aus dem Jahr 1821 datirt und zugleich die einzige grössere Grube desselben, welche niemals einen Stolln getrieben hat. Die in den 30er Jahren und Anfang der 50er Jahre betriebenen Versuchsbaue waren ohne Belang. Der jetzige Tiefbau begann 1855; im südöstlichen Felde befinden sich der Mayrau- und Bertha-Schacht 126,5ᵐ tief, im nordwestlichen Felde der später abgeteufte Egmont-Schacht von 121,2ᵐ Teufe.

Bis jetzt sind folgende Flötze in Bau genommen worden: das 6., 13., 14., 16., 20. bis 30. mit Ausnahme des 26. Flötzes. Zur Vercoakung eignen sich besonders das 30., das Zwischenflötz zwischen dem 29. und 28., das 28. und 27., in zweiter Linie das 32., 25.; 24., 22., 20., 16. und 13. Flötz.

5. Die consolidirte Neue Heinrich-Grube zu Ober-Hermsdorf.

Das jetzige Feld derselben ist aus dem südlich des Dorfes liegenden Feld der alten Neue Heinrich-, dem nördlich des Dorfes liegenden Felde der Eintracht-Grube und den im Liegenden beider ausgedehnten später zugemutheten Feldern entstanden. Die älteste Muthung fällt in das Jahr 1782, die Consolidation geschah 1835. Die Flötze wurden zuerst durch den Neue Heinrich-Grubenstolln, später durch den Glückhilf-Stolln gelöst. Zum Abbau gelangten das 1. Flötz, die Niederbank des 2.; das 3., 4. und Grenzflötz. Zwei Flötze sind jenseits der Hermsdorfer-Territorial-Grenze auf Fürstensteiner Territorium von der Syrius-Grube abgebaut worden.

6. Die vereinigte Glückhilf-Grube zu Nieder-Hermsdorf.

Das Feld derselben ist durch Vereinigung der Felder von Glückhilf-, consolidirte Beste-, Freundschaft- und Stuckardt-Grube entstanden, die erste Belehnung der ursprünglichen Glückhilf-Grube erfolgte 1770, die letzte Zumuthung 1851. Der nächst älteste Grubenbesitz ist die consolidirte Beste-Grube, welche aus der 1842 vollzogenen Consolidation der 4 Einzelzechen: Beste, Christoph, Schwester und Friederike hervorgegangen war und deren erste Muthung in das Jahr 1772 fällt. Die erste Lösung der Flötze erfolgte im südlichen Felde durch einen Oberstolln, dessen Mundloch in der Nähe des später abgeteuften Ulrike-Schachtes und dessen Sohle ca. 35^m über dem Glückhilf-Stolln lag; schon in dieser oberen Sohle war ein Grubenbrand auf dem 3. Flötz ausgebrochen, welcher als der Ursprung des noch heut bestehenden Grubenbrandes zu betrachten ist. Ein zweiter oberer Stolln, dessen Sohle ca. 60^m über dem Glückhilf-Stolln lag, befand sich ungefähr 500^m südlich vom Wrangelschacht. Die erste vollständige Lösung erfolgte durch den 1796 angesetzten Glückhilf-Stolln, dessen Sohle 42,6^m über dem Friedrich-Wilhelm-Stolln liegt und einige 40^m Teufe einbrachte. Auf dem 46^m tiefen Bülow-Schacht stand einer der ersten in Schlesien in Betrieb gekommenen Dampfgöpel, eine 1816 in Thätigkeit gesetzte,

1832 nach dem Gerhard - Schacht versetzte Niederdruck - Maschine mit Balancier.

Die consolidirte Beste-Grube hatte 6 Lösungen erfahren: 1) durch den Schwester-Gruben-Stollen, 7) durch den Friederiken-Stolln, 3) durch den Ober-Stolln der Beste-Grube, 4) durch eine besondere Rösche für den ins Hangende verworfenen Theil des Friederiken-Flötzes, 5) durch die Rösche beim Elisa - Schacht, 6) durch den Glückhilf - Stolln.

Später wurde in der Fuchs - Stollnsohle, als dieser Stolln an der Markscheide angelangt war, ein Querschlag ins Liegende durch sämmtliche Flötze der Friedens-Hoffnung-, Glückhilf- und Neue Heinrich-Grube bis zum Grenzflötz der letzteren getrieben und da der Fuchs-Stolln den Glückhilf-Stolln mit 10 Ltr. 25 Zoll (21,57^m) unterteuft und dadurch die Glückhilf-Grube in Gefahr kam, Neuntpflichtig zu werden, so teufte sie 1853 schleunigst den Erbreich-Schacht so tief ab, dass seine Sohle noch 7 Ltr. (13,9^m) unter der Friedrich - Wilhelm - Stollnsohle steht, damit auch dieser, wenn er eingekommen wäre, enterbt würde. Für die Wasserlosungs - Anlage auf diesem Schacht wurde die Erbstolln - Gerechtigkeit nachgesucht, 1858 ertheilt und auf die im folgenden Jahr zu einem unzertrennlichen Ganzen verbundenen Felder, welche dadurch eine Grösse von 893 956 □-Ltr. = 3 913 739,368^{qin} erreichten, übertragen.

7. Die consolidirte Friedens-Hoffnung-Grube zu Nieder-Hermsdorf

besteht aus den früheren Einzelzechen: combinirte Friedens - Hoffnung, Henriette und Maria, welche 1858 consolidirt wurden und deren 1. Muthung in das Jahr 1813 fällt. Die Flötze wurden zuerst durch den sie quer durchschneidenden Glückhilf-Stolln und die beiden streichenden Flügelörter im nördlichen Felde, von denen das letztere bis in die Baue der Beste-Grube verlängert worden war, später durch den Fuchs-Stolln gelöst. Der Tiefbau wurde 1854 mit dem Abteufen der Schwester - Schächte begonnen; die 1. Sohle desselben, mit der 1. Sohle der Glückhilf - Grube in einem Niveau liegend, befindet sich in 71,83^m, die 2. in 129,9^m, die 3. in 161,6^m, die 4. in 209,2^m, die 5. in 284,5^m und die 6. in 328,2^m Teufe derselben.

Von der 4. Sohle ab fallen das 41zöllige, das Strassenflötz, das 1., 2. und 3. Flötz der Glückhilf- in das Feld der Friedens-Hoffnung Grube.

8. Die consolidirte Fuchs-Grube bei Weissstein.

Das grosse Feld derselben ist durch die 1863 vollzogene Consolidation der Felder der ursprünglichen Fuchs-Grube, ihrer 4 Beilehen, der
Maximilian-, Dorf-, Hochwald- und Fuchsberg-Grube entstanden und
stellt eine Fläche von 1168525 ☐ Ltr. = 5115.802,45qm dar.

Die Maximilian-Grube.

Nachdem der Friedrich-Wilhelm-Stolln im Liegenden des 1. Fuchs-
Grubenflötzes in 251,5m Entfernung vom Stollnschacht No. 5 und in
95m · Entfernung vom 1. Flötz 3 schwache Flötze überfahren hatte, von
denen das Liegendste 0,31m, die beiden folgenden 0,84m incl. 0,23m Mittel
und 0,84m incl. 0,16m Mittel stark sind, wurden sie unter dem Namen
Maximilian-Grube verliehen. Die Flötze streichen in h. 9 und fallen mit
23° nach Süden; ein Bau · hat auf denselben noch nicht stattgefunden.

Die Fuchs-Grube.

Die erste Muthung derselben erfolgte 1770, jedoch war schon
früher, wie auch in Hermsdorf, in ihrem Felde Bergbau getrieben
worden, da 1767 schon 4 Schächte in Förderung standen.[1] Die ältesten Baue bewegten sich bis 1795 ausschliesslich auf dem 10. bis 12.
Flötz und es war für dieselben · ein Stolln in ca. 500m südwestlicher
Entfernung von dem jetzigen Verwaltungsgebäude in Neu - Weissstein
angesetzt und über 1000m lang auf dem 11. Flötz aufgefahren worden;
derselbe lag 39,46m über dem Friedrich-Wilhelm-Stolln. Eine tiefere
Lösung bewirkte der 1781 angesetzte und in spiesseckiger Richtung gegen das Streichen der Flötze bis zu dem auf dem 19. Flötz stehenden
Alliance-Schacht getriebene Fuchs-Stolln mit seinem auf dem 8. Flötz
bis westlich des Dorfes Weissstein fortgesetzten Flügelort. Die Schiffbar-
machung desselben war schon 1790 angeordnet worden, so dass 1794
bereits 695m Stollnlänge schiffbar waren. Der erste Grubenbrand brach
1798 auf dem 10. über dem Oberstolln, der darauf folgende 1803 auf
dem 7. und 8· Flötz aus.

---

[1] Nach Urkunden aus dem Jahr 1594 gruben zu damaliger Zeit schon bei
Hermsdorf, Weissstein, Altwasser, Eckersdorf und Schlegel Bauern auf·ihren
Aeckern nach Steinkohlen und entrichteten dafür der Herrschaft einen Zins
(Kohlen-Urbar). ·

9. Die Emilie-Grube.

Ihr Fundflötz ist das 13. Fuchs-Grubenflötz', welches sie durch einen besonderen, etwa 21ᵐ über dem Fuchs-Stolln liegenden, südwestlich von Neu Weissstein angesetzten und bis in die Nähe des Dorfes Weissstein getriebenen Stolln aufgeschlossen hatte. Am Ausgehenden zeigte sich hier das Kohlengebirge ausgewaschen und die dadurch entstandenen, ziemlich tief niedersetzenden muldenförmigen Vertiefungen mit schwimmendem Gebirge ausgefüllt. In Folge dieser Auswaschungen und des Umstandes, dass die Vorfahren vom Ausgehenden herein bis in ziemlich grosse Tiefe einen regellosen Abbau vorgenommen hatten, über welchen natürlich keine Nachrichten und Risse existirten, war die durch den Fuchs-Stolln gewonnene Pfeilerhöhe stellenweise viel geringer, als man erwartet hatte.

10. Die Louise-Charlotte-Grube,

deren Feld von 3 Seiten von der Fuchs- von der 4. von der Frohe Ansicht und Anna-Grube begrenzt wird, besitzt das 1. bis 5. Fuchsgrubenflötz, welche hier ebenfalls in der Fuchs-Stollnsohle aufgeschlossen worden waren.

Am 3. August 1800 hatte die Gewerkschaft der Fuchs-Grube den Friedrich-Wilhelm-Stolln begonnen, welcher als ein besonderes Werk 1803 mit Erbstolln-Gerechtigkeit verliehen und 1857 mit der Fuchs-Grube consolidirt wurde; seine Sohle liegt 9⅝ Ltr. (20,14ᵐ) unter dem Fuchs-Stolln. Er hatte den Zweck, für das östliche Revier als Revier-Stolln zu dienen, löste ausser den Gruben: Fixstern, Harte, Franz-Joseph, Goldene Sonne, Morgenstern, welche dem Liegendzug angehören, von denen des Hangendzuges nur die Fuchs-Grube und endet im Hangenden des 16. Flötzes an der hangenden Markscheide derselben, welche sie von den Fürstensteiner Gruben trennt.

Die Tiefbauschächte Julius und Ida wurden 1867 begonnen, sie stehen in dem grossen Sandsteinmittel zwischen dem 12. und 15. Flötz; der Friedrich-Wilhelm-Stolln liegt in 51,9ᵐ, die erste Tiefbausohle in 103,83ᵐ, die zweite in 156,07ᵐ Teufe unter der Hängebank; in beiden Sohlen ist mit den unter einander liegenden Hauptquerschlägen die liegende und mittlere Flötzgruppe vom 2. bis 12. Flötz aufgeschlossen worden.

Das Besitzverhältniss ist bei Frohe Ansicht und Anna, Emilie und Charlotte-Grube von dem der Fuchs-Grube etwas abweichend, obgleich die Gewerken dieselben sind, weshalb diese Gruben bei der Consolidation der Fuchs-Grube unberücksichtigt bleiben mussten.

11. Die consolidirten Fürstensteiner Gruben bei Waldenburg.

Dieselben bestehen aus folgenden Einzelzechen: Graf Hochberg, consolidirte Johannes und Louise-Auguste, consolidirte Christian-Friedrich und Juliens Glück, Anhalt-Segen, Friedrich-Ferdinand, Ida, Adelhaid und Louis, welche mit Graf-Hochberg-Zubehör, Louis-Zubehör und Zwischenfeld zusammen ein Feld von 5,474,350^{qm} darstellen. Die noch weiter im Süden liegenden, sich unmittelbar anschliessenden Felder von Emanuel, Friedrich-Stolberg, Friedrich-Stolberg-Zubehör und Ezéchiel werden s. Z. ebenfalls zu einem Gesammtfeld consolidirt werden. Der älteste Theil des Grubenfeldes ist das Feld der Graf-Hochberg-Grube, deren erste Muthung 1770 eingelegt wurde; ihr folgten Johannes 1778, Anhalt-Segen 1801, Louise-Auguste 1809, Christian-Friedrich 1815, Juliens-Glück 1817, Friedrich-Ferdinand 1823, Ida 1838, Adelhaid 1843, Louis 1849, Louis- und Graf-Hochberg-Zubehör 1862, Zwischenfeld 1875; worauf 1876 die Consolidation sämmtlicher Gruben ausgesprochen wurde.

Die alte Graf-Hochberg-Grube

führte ihre Baue auf 2 Flötzen, dem Ober- und Niederflötz, welche 1,3—3,6^m mächtig und durch ein 1—2,5^m starkes Schiefermittel getrennt sind, nachdem sie durch den Graf-Hochberg-Grubenstolln gelöst worden waren. Ihr Streichen geht in h. 8—9, ihr Fallen mit 15^0 nach Westen; dieselben sind einerseits dem 1. und 2. Flötz der Louise-Auguste-, andererseits dem Röschenflötz der Theresie-Grube identisch.

Die consolidirte Johannes- und Louise-Auguste-Grube

besitzt 9 Flötze, welche vom Hangenden her gezählt wurden; dieselben wurden 1) durch den Johannes-Stolln, 2) durch die 1. Tiefbausohle des Conrad-Schachtes, 3) durch die Tiefbausohle in 126^m Teufe des Hans-Heinrich- und Marie-Schachtes gelöst; der Johannes-Stolln liegt 9⅝ Ltr. (20,14^m) über dem Friedrich-Wilhelm-Stolln, die Conrad-Schachtsohle 31,38^m unter dem Johannes-Stolln. Der Maschinen-Anlage auf dem Conrad-Schacht wurden 1852 die Rechte eines Erbstollns gegenüber den Gruben Christian-Friedrich und Juliens-Glück, Friedrich-Ferdinand und Adelhaid verliehen; auf die Lösung der Fürstensteiner Gruben in tieferer Sohle durch den Friedrich-Wilhelm-Stolln leistete der Stöllner gegen eine festgestellte Abfindungssumme Verzicht.

Die Anhalt-Segen-Grube

hatte ebenfalls auf ihrem Flötz einen Stolln getrieben, dessen Sohle
45,3ᵐ über dem Friedrich - Wilhelm - Stolln lag; später wurde das Flötz
in der Fuchs-Stollnsohle aufgeschlossen.

Die consolidirte Christian - Friedrich- und Juliens-Glück-Grube.

Ihre Lösung . erfolgte durch ein Stollnflügelort, welches in der
Fuchs-Stollnsohle auf dem 16. Fuchs-Grubenflötz gegen Südost bis zum
Grenzschacht an der Weisstein-Fürstensteiner Grenze aufgefahren, darauf
in ihrem Felde verlängert und bis in das Feld der Friedrich-Ferdinand-
Grube fortgesetzt worden war.

Die Friedrich-Ferdinand-Grube

hatte, ehe dieses Fuchs-Stollnflügelort in ihr Feld gelangte, schon vorher
durch 2 Röschen, welche in der Nähe der Ober-Waldenburger Schloss-
brauerei angesetzt waren, das 15/16. und das 18. Flötz zum Abbau aufgeschlossen.

Das Fundflötz der Adelhaid-Grube ist das 19. Flötz und das
Ida - Flötz nicht, wie man früher annahm, das Anhalt-Segen, sondern
ebenfalls das 19. Flötz.

12. Die Theresie- und Caspar-Grube zu Bärengrund.

Die erste Lösung derselben erfolgte durch den Theresien-Erbstolln
und später eine zweite durch den Seegen-Gottes-Stolln, welcher den
ersteren mit 46,8ᵐ unterteuft, für letztere war der vom Schuckmann- nach
dem Steiner-Schacht getriebene Hauptquerschlag bis ins Theresie-Gruben-
feld verlängert worden.

13. Die consolidirte Melchior-Grube zu Dittersbach.

Das heutige Feld derselben ist aus der Consolidation der beiden
Einzelzechen Melchior und Präsident hervorgegangen.

14 Die consolidirte Sophie-Grube bei Charlottenbrunn.

Das Feld derselben besteht aus den 1833 resp. 1836 consolidirten
Einzelzechen Sophie, August-Glück- und Carl. Die Erstgenannte, deren
älteste Verleihung in das Jahr 1766 fällt und die Carl-Grube, welche
nur von 1791 bis 1821 im Betriebe war, lösten ihr Feld durch Stolln,
welche in der Thalsohle des Lehmwasserbaches angesetzt waren. Die

August - Glück - Grube begann ihren Betrieb 1783 mit Auffahrung eines Stollns, dessen Mundloch ca. 600ᵐ nordwestlich von den Mineralquellen zu Charlottenbrunn lag, stellte aber denselben 1795 wieder ein. Die Sohle des im südlichen Felde eröffneten 1. Tiefbaues lag wegen des geringen Flötzfallens nur 12,5ᵐ unter der Stollnsohle in 24,27ᵐ Teufe des Anna-Schachtes; die 2. Sohle, in welcher sich der gegenwärtige Abbau bewegt, befindet sich 14,65ᵐ saiger unter der 1.

15. Die consolidirte Wenzeslaus - Grube zu Hausdorf.

Die Einzelzechen: Wenzeslaus, Wilhelm und Friedrich - Gegentrum, aus welchen sie besteht, sind zwischen 1771 und 98 gemuthet und mit Erbstolln-Gerechtigkeit verliehen worden. Im Felde der Wilhelm-Grube wurden die Wilhelm-Flötze, in den beiden anderen nur das Wenzeslaus-Flötz in oberen Sohlen abgebaut, indem die ersten durch den im Mölke-Thal angesetzten Wilhelm - Stolln, das letztgenannte durch den eben daselbst angesetzten Friedrich - Gegentrum - und Mittel-Stolln in 35 — 40ᵐ Teufe gelöst wurden. Eine tiefere Lösung bewirkte der im Hausdorfer Thal angesetzte, 1813 begonnene Wenzeslaus - Stolln, welcher von der jetzigen 1. Tiefbausohle mit 109ᵐ unterteuft wird.

16. Die consolidirte Ruben - Grube zu Kohlendorf.

Das Feld dieser Grube erstreckt sich von Colonie Hain bei Ludwigsdorf über Kunzendorf, Kohlendorf und Neurode bis an die Schlegeler und Ebersdorfer Territorial-Grenze und schliesst die Felder der früheren Einzelzechen: Anton, Franz, Toussaint, Heinrich, Cara, combinirte Ruben, Alte und Neue Ruben, Joseph und Lisette ein. Die streichende Länge desselben beträgt daher ca. 7000ᵐ bei einer durchschnittlichen Breite von 1000 — 1800ᵐ. Die ältesten Baue fanden zwischen Kohlendorf und Buchau statt, wo mehrere Röschen theils vom Kohlendorfer und Kunzendorfer, theils vom Buchauer Thal aus im Streichen der Flötze aufgefahren worden waren. Die Flötze sind im Streichen auf über 1500ᵐ Länge aufgeschlossen; sie liefern sämmtlich Backkohlen.

17. Die consolidirte Johann - Baptista - Grube bei Schlegel.

Ihr Feld setzt sich aus den Einzelzechen Johann Baptista, Helene, Hanns, Jetty, Bessere Zukunft und Eduard zusammen; die ursprüngliche Johann Baptista erhielt ihre erste Belehnung 1767. Die Flötze wurden zuerst durch den Hoffnungs-Stolln, dann durch den im Eckersdorfer Thal angesetzten und zunächst durch das Feld der Frischauf-Grube getriebenen

18*

Louise-Stolln, welcher 70m, endlich 3: durch den mit Erbstolln-Gerechtig-keit beliehenen, dem Besitzer der Frischauf - Grube gehörigen tiefen Alexander-Stolln, welcher auf der Johann Baptista-Grube ca. 100m Teufe einbringt, gelöst. Für die 1. Tiefbausohle, in welcher sich gegenwärtig der Abbau bewegt, liegt die Sumpfsohle in 133m Teufe des Oskar-Schachtes. In den Feldern von Eduard, Jetty, Hanns und Bessere Zu-kunft hat noch kein Grubenbetrieb stattgefunden.

18· Die consolidirte Frischauf-Grube zu Eckersdorf.

Dieselbe besteht aus den Einzelzechen: Frischauf, Frohe Zukunft und Bernhard. Die Flötze wurden zuerst durch den vorgenannten Louise-Stolln und später durch den 26,7m. tiefer einkommenden Alexander-Stolln gelöst. Die 1. Tiefbausohle, für welche der Sophie - Schacht abgeteuft worden war, liegt 33m unter der Alexander-Stollnsohle und die 2. gegen-wärtige Bausohle 42m unter der ersten.

Was die Qualität der Kohle anbetrifft, so sind im nördlichen Felde das 5., Neben-, 6. und 7: Flötz die besten, der Procentsatz an Stück- und· Würfelkohlen beträgt 20—30, im südlichen Felde sind die Flötze No. 4—7 noch besser, als im nördlichen, sie liefern 35—40 pCt. Stück- und Würfel-kohlen.

Bei der früheren Einzelzeché Frohe Zukunft gründet sich die Ver-leihung auf die mit dem Bohrloch No. 1 jenseits der Hauptverwerfung, welche im südlichen Felde sämmtliche Flötze abschneidet, erbohrten 4 Flötze. · · —

Verzeichniss

der in der speciellen Beschreibung der Lagerungsverhältnisse der
II. bis V. Stufe namhaft gemachten Steinkohlen-Gruben.

(Die Lage derselben ist auf der Uebersichtskarte aus der beigefügten laufenden
Nummer ersichtlich.)

II. Stufe.

No. 1. Emilie-Anna-Grube bei Gablau.
»   2. Erwünschte Zukunft-Grube bei Gablau.
»   3. David-Grube bei Conradsthal.
»   4. Harte-Grube bei Hartau. – ·
»   5. Fixstern-Grube bei Altwasser..
»   6. Morgen- und Abendstern-Grube bei Altwasser.
»   7. Seegen-Gottes-Grube bei Altwasser.
»   8. Caesar-Grube bei Reussendorf.
»   9. Hubert- und Twesten-Grube bei Reussendorf.
» 10. Christian-Gottfried-Grube bei Tannhausen.
» 11. Rudolph-Grube zu Volpersdorf.
» 12. Fortuna-Grube zu Ebersdorf.

III. Stufe.

» 13. Georg-Grube bei Blasdorf.
» 14. Friedrich-Theodor-Grube bei Reichhennersdorf.
» 15. Tiefbau (Müller-Schächte) bei Reichhennersdorf.
» 16. Louise-Grube bei Landeshut.
» 17. Concordia-Grube bei Hartau.
» 18. Gotthelf-Grube bei Hartau.
» 19. Gustav-Grube bei Schwarzwaldau.
» 20. Abendröthe-Grube bei Kohlau.
» 21. Carl-Georg-Victor-Grube bei Neu-Lässig.
» 22. Neue Heinrich-Grube bei Hermsdorf.

No. 23. Vereinigte Glückhilf-Grube zu Nièder-Hermsdorf.
» 24. Consolidirte Friedens-Hoffnung-Grube zu Nieder-Hermsdorf.
» 25. Frohe Ansicht- und Anna-Grube am Hochwald.
» 26. Consolidirte Fuchs-Grube bei Weissstein.
» 27. Combinirte Graf-Hochberg-Grube bei Waldenburg.
» 28. Consolidirte .Christian-Friedrich- und . Juliens-Glück-Grube
         bei Waldenburg.
» 29. Friedrich-Ferdinand-Grube bei Ober-Waldenburg.
» 30. Theresie- und .Caspar-Grube zu Bärengrund.
» 31. Consolidirte Melchior-Grube bei Dittersbach.
» 32.   »   Sophie-Grube bei Charlottenbrunn.
» 33.   »   . Wenzeslaus-Grube bei Hausdorf.
» 34.   »   Ruben-Grube bei Kohlendorf.
» 35.   »   Johann-Baptista-Grube bei Schlegel.
» 36.   »   Frischauf-Grube bei Eckersdorf.
» 37. Procopi- und Mariahilf-Grube bei Schatzlar.
» 38. Tiefbau bei Sedlowitz.
» 39. Wilhelmina-Grube bei Zdiarek.
» 40. Clemens- und Eleonore-Grube bei Straussenei.

IV. Stufe.

» 41. Ida-Stolln bei Petrowitz.
» 42. Benigne-Stolln bei Wodolow.
» 43. Josephi-Grube bei Bohdaschin.

V. Stufe.

» .44. Neue Gabe-Gottes-Grube bei Albendorf.
» 45. Bergmanns-Hoffnung-Grube bei Albendorf.
» 46. Die Gruben bei Qualisch.
» 47. Die Gruben bei Radowenz.

A. W. Schado's Buchdruckerei (L. Schado) in Berlin, Stallschreiberstr. 45/46.